AF218730

ACCESO GRATIS *a la Lectura en la Nube*

Para visualizar el libro electrónico en la nube de lectura envíe junto a su nombre y apellidos una fotografía del código de barras situado en la contraportada del libro y otra del ticket de compra a la dirección:

ebooktirant@tirant.com

En un máximo de 72 horas laborales le enviaremos el código de acceso con sus instrucciones.

La visualización del libro en **NUBE DE LECTURA** excluye los usos bibliotecarios y públicos que puedan poner el archivo electrónico a disposición de una comunidad de lectores. Se permite tan solo un uso individual y privado

Cataluña en proceso
Las elecciones autonómicas de 2015

COMITÉ CIENTÍFICO DE LA EDITORIAL TIRANT LO BLANCH

MANUEL ASENSI PÉREZ
Catedrático de Teoría de la Literatura y de la Literatura Comparada
Universitat de València

RAMÓN COTARELO
Catedrático de Ciencia política y de la Administración de la Facultad de Ciencias Políticas y
Sociología de la Universidad Nacional de Educación a Distancia

Mª TERESA ECHENIQUE ELIZONDO
Catedrática de Lengua Española
Universitat de València

JUAN MANUEL FERNÁNDEZ SORIA
Catedrático de Teoría e Historia de la Educación
Universitat de València

PABLO OÑATE RUBALCABA
Catedrático de Ciencia Política y de la Administración
Universitat de València

JOAN ROMERO
Catedrático de Geografía Humana
Universitat de València

JUAN JOSÉ TAMAYO
Director de la Cátedra de Teología y Ciencias de las Religiones
Universidad Carlos III de Madrid

Procedimiento de selección de originales, ver página web:

www.tirant.net/index.php/editorial/procedimiento-de-seleccion-de-originales

Cataluña en proceso
Las elecciones autonómicas de 2015

JOSÉ MANUEL RIVERA OTERO
JUAN MONTABES PEREIRA
NIEVES LAGARES DIEZ

(Editores)

tirant lo b|||anch
Valencia, 2017

Directores de la Colección:

ISMAEL CRESPO MARTÍNEZ
Catedrático de Ciencia Política y
de la Administración en la Universidad de Murcia

PABLO OÑATE RUBALCABA
Catedrático de Ciencia Política y
de la Administración en la Universidad de Valencia

© TIRANT LO BLANCH
EDITA: TIRANT LO BLANCH
C/ Artes Gráficas, 14 - 46010 - Valencia
TELFS.: 96/361 00 48 - 50
FAX: 96/369 41 51
Email:tlb@tirant.com
www.tirant.com
Librería virtual: www.tirant.es
DEPÓSITO LEGAL: V-3184-2016
ISBN: 978-84-9143-633-1
IMPRIME: Guada Impresores, S.L.
MAQUETA: Tink Factoría de Color

"Cap viu! Catalans,
S'anuncia el gran esdevenir
Vindrà pels cims, - vindrà pel mar:
A tot arreu hem d'acudir"

Joan Maragalll
Himne Ibèric

Índice

Presentación

La idea de este volumen nació cuando aún faltaban algunos meses para las elecciones autonómicas catalanas de 2015. Nuestra preocupación se centraba entonces en analizar la repercusión que la incipiente fragmentación del sistema de partidos podría tener sobre los comicios catalanes y, muy especialmente, cómo podría influir sobre la estrategia emprendida por el President Mas, que planteaba, en aquel momento, la creación de una única candidatura nacionalista. Nos parecía entonces que éstas iban a ser unas elecciones diferentes que, más allá de celebrarse en Cataluña y de las singularidades que ello implicaba, se presentaban como unas elecciones autonómicas en las que intervenían factores que no se habían dado hasta ahora en ninguna otra comunidad del Estado. Y ello las hacía especialmente atractivas para un equipo como el nuestro especializado en estudios electorales, en nacionalismo y federalismo.

Con esta idea, junto con el profesor Montabes y la profesora Lagares, comenzamos a plantear el proyecto de una investigación específica, en la que los equipos de Santiago y Granada, el Equipo de Investigaciones Políticas y el CADPEA respectivamente, unieran esfuerzos para abordar este trabajo en Cataluña. No era la primera vez que nuestros equipos trabajaban juntos. Ya en su día conjuntamente con el ICPS de Barcelona y la Universidad del País Vasco fundamos el Observatorio de Política Autonómica, y con posterioridad hemos abordado otras muchas investigaciones a nivel estatal.

Hace tiempo que creemos que una de las debilidades de la Ciencia Política en España reside en la falta de estudios de opinión específicos para los problemas que los investigadores quieren analizar. Salvo en algunos casos, en los que el CIS u otros institutos de investigación han abordado temas concretos en sus estudios demoscópicos, lo cierto es que la mayor parte de las investigaciones que se realizan en este País, con gran esfuerzo por parte de los investigadores, surgen de estudios generales en los que tratamos de encontrar las preguntas que más se adapten a los objetivos de nuestro trabajo. Y por eso, este proyecto comenzó por diseñar un estudio propio para analizar la situación catalana, que incluyera las preguntas habituales de los estudios poselectorales, pero que incorporara bloques de preguntas novedosas y más detalladas que nos permitieran comprender e interpretar lo que estaba pasando en Cataluña.

Nació así el *Estudio Postelectoral Elecciones Autonómicas en Cataluña 2015*, que además de incluir los contenidos tradicionales de todo estudio postelectoral, incorporó bloques temáticos sobre la cuestión identitaria, sobre el papel de los líderes catalanes y estatales, sobre el proceso de independencia, así como otros aspectos de relevancia para el sistema político catalán y español. Tanto la estructura como el diseño que caracteriza esta investigación, que se reflejan en los resultados obtenidos, respondieron a los objetivos que nos marcábamos y a los presupuestos teóricos desde los que afrontábamos nuestro análisis. No sólo nos preguntamos qué estaba pasando en Cataluña, sino que tratamos de responder a esa cuestión, como veremos más adelante, desde una mirada politológica propia e innovadora.

La ejecución del estudio corrió esta vez a cargo del Equipo de Investigaciones Políticas de la Universidad de Santiago de Compostela en los días posteriores a la celebración de los comicios catalanes, entre el 16 de noviembre y el 23 de diciembre. Es un estudio estructurado en once bloques temáticos cuyo universo es la población mayor de dieciocho años residente en Cataluña. El estudio posee un tamaño muestral teórico de 1400 entrevistas, bajo el supuesto más desfavorable de $p=q$, con un error asociado de ± 2,62% y con afijación proporcional por cuotas de sexo, edad y provincia. El cuestionario fue administrado telefónicamente mediante el sistema CATI *(Computer-Assisted Telephone Interviewing)*[1].

El cuestionario confeccionado, principal herramienta de trabajo para este libro, fue elaborado teniendo en cuenta no sólo diferentes testeos de variables realizados en anteriores estudios sino y sobre todo, la peculiaridad que el contexto en el que se enmarcaban estas elecciones requería. En los once bloques temáticos[2], se contienen preguntas habituales en los estudios postelectorales y otras que son específicas para este estudio, entre las que destacan las dedicadas al liderazgo, a la corrupción, a la cuestión territorial, al análisis del proceso para la independencia, o más específicamente al sentimiento independentista y a su evolución temporal. La mayoría de los resultados de estas preguntas, y su análisis, se han incorporado en este volumen, otras están siendo incorporadas en artículos de publicación nacional e internacional.

Pero además, como decíamos, el estudio responde a nuestra propia lectura sobre la política, a cómo entendemos que se construye la decisión política de los ciudadanos en las sociedades modernas y mediatizadas. Y en ese sentido, sin abandonar factores de carácter sociodemográfico, incorpora preguntas que permitan investigar el carácter no meramente exógeno y expresivo, sino endógeno,

---

1   Debemos mencionar que para salvar los inconvenientes que pudieran derivarse del uso del idioma, los encuestadores que trabajaron en este estudio fueron seleccionados teniendo en cuenta que pudieran desenvolverse con facilidad en ambos idiomas: español y catalán; contribuyendo de esta forma a la comodidad del encuestado, así como a la comprensión y por tanto respuesta por parte de este último, a las cuestiones planteadas en el cuestionario.

2   Los once bloques temáticos de los que se compone el cuestionario pueden ser resumidos en los epígrafes que siguen: 1) situación general de Cataluña, 2) gestión del gobierno de la Generalitat en los últimos años, 3) proceso independentista, 4) la clase política española y catalana, 5) la campaña electoral autonómica, 6) análisis de los resultados electorales, 7) análisis de los que participaron votando por una formación política, 8) análisis de los abstencionistas y de los que votaron en blanco, 9) análisis de los que queriendo votar no pudieron hacerlo, 10) cuestiones políticas de carácter general (voto y liderazgo) y finalmente, 11) *cleavages* políticos.

evolutivo y dinámico de la producción política de las preferencias y las identidades. Preguntas que nos ayuden a entender los movimientos que se han producido en la sociedad catalana, el alcance de la movilización, de los realineamientos electorales y los motivos de los mismos. Entendemos que los cambios en presencia no pueden ser explicados desde planteamientos sociologistas o etnoculturales estáticos, en una era donde la información y la comunicación generan la contingencia de la elección, la autonomía de la política, mediante la compleja lógica de su construcción, individual o colectiva. Necesitábamos preguntas que nos ayudaran a entender los nuevos movimientos en el nacionalismo catalán, en su construcción y su evolución, no sólo en cuanto a sus alianzas sino en cuanto a la creciente incorporación de ciudadanos a posiciones nacionalistas. Y todo ello entendiendo el nacionalismo como algo propio de la sociedad catalana y de la española, para analizar, sin prejuicios, el modo en que estos elementos forman parte de los sentimientos de los ciudadanos catalanes pero también de las estrategias de las organizaciones y sus líderes.

Para llevar a cabo este trabajo nos hemos reunido un grupo de investigadores de las universidades de Santiago, Granada, Valencia y Barcelona en el intento de cubrir áreas y perspectivas diversas de análisis, y de buscar esa lectura complementaria de la que ha surgido, en una primera reunión, un índice temático y una distribución de los temas, y en una segunda, una puesta en común y ajuste de los argumentos que ha enriquecido notablemente la publicación.

Así, en el capítulo 1, Francisco Caamaño, nos muestra como desde la sentencia constitucional sobre el Estatut (STC 31/2010) la mayoría de gobierno en Cataluña ha sido capaz de unirse para crear un derecho sin "fuerza de ley", con el propósito estratégico de generar un ámbito de alegalidad que oponer al sistema normativo del estado. Este "jaqueo" del derecho, como el autor lo denomina, nació como estrategia metodológica con el proceso técnico de elaboración del Estatut y, tras la citada sentencia, se ha potenciado con la pretensión de desvincular la íntima conexión que existe entre democracia y derecho y, a la par, sostener la premisa de que primero es la democracia y después, en su caso, el derecho. De esta suerte se daba curso a la tesis de que la democracia como sistema político pudiese existir al margen del Estado y, a su vez, el Estado —criatura "artificial", frente a la nación "natural"— sin el andamiaje del derecho. Caamaño advierte sobre las consecuencias y los problemas de esta estrategia, así como de la torpe reacción de los órganos del Estado cada vez que pretende combatir la alegalidad desde la legalidad y no, como corresponde, desde la política.

Gabriel Colomé, en el capítulo 2, relata los motivos por los que el sistema político y de partidos "implosiona" (según su propia terminología). Sitúa el primer indicio en la manifestación multitudinaria tras la sentencia del Estatut del Tribunal Constitucional en julio de 2010 que aglutina el malestar democrático debido a la estrategia del PP y por los efectos de la crisis, y el segundo en la disolución del Parlament en otoño de 2012 y el cambio de orientación de Artur Mas y de CiU al pasar de un nacionalismo moderado a una posición política radical. El derecho a decidir, la consulta, la independencia son los diferentes jalones que marcarán la legislatura. Nada, constata Colomé, será igual en la política catalana desde entonces.

En el capítulo 3, Pablo Oñate estudia las pautas de continuidad y de cambio que experimentó el sistema de partidos catalán con motivo de las elecciones, analizando sus principales dimensiones, tanto en una perspectiva longitudinal como espacial (contrastándolas con las observadas en otros sistemas de partidos autonómicos y en las cuatro circunscripciones catalanas). El análisis confirma la 'excepcionalidad' de la consulta de 2015, así como el carácter 'excéntrico' del sistema de partidos de Cataluña. El sistema de partidos ha reflejado la polarización del contexto político catalán, dando lugar a unas dimensiones del voto acordes con la tendencia centrífuga adoptada por sus elites políticas.

En el capítulo 4, Carmen Ortega y José Manuel Trujillo plantean una mirada inductiva a los resultados agregados de los últimos procesos electorales autonómicos celebrados en Cataluña. Para ello, apoyándose en las herramientas de representación de datos de la geografía electoral, van diseccionando en los diferentes niveles territoriales y para los dos principales indicadores del voto (participación y orientación partidista) las principales pautas observables que arrojaron las urnas. Además, hacen especial hincapié en el tratamiento de los datos en torno al eje independentista, reflejando las divergencias territoriales que existen en torno a esta importante cuestión de la política catalana de los últimos tiempos.

María Pereira analiza en el capítulo 5, bajo el prisma que facilitan los modelos espaciales de voto, cómo el eje identitario ha estructurado el espacio de competición política de las elecciones catalanas. Una estructuración que se entiende como reflejo y prolongación de lo que el *procés* ha significado para la comprensión de unos comicios leídos en clave plebiscitaria. Esta preponderancia del eje identitario no se ha reflejado de igual forma para los votantes de los diferentes partidos o formaciones políticas, dibujándose para algunos como principal anclaje, mientras otros han mantenido la prevalencia del eje ideológico.

Erika Jaraiz, en el capítulo 6, analiza hasta qué punto ciertos elementos presentes en el proceso electoral catalán han servido para aumentar la valoración que los ciudadanos tienen de los líderes, y cómo éstos a su vez han servido para la estrategia política de sus organizaciones. Jaraiz nos presenta a los líderes como facilitadores clave en la comprensión y el posicionamiento de los electores respecto a los *issues* centrales de la contienda electoral y analiza hasta qué punto esa transmisión de posiciones políticas se ha convertido en el principal canal de los partidos políticos para persuadir a los votantes. Todo ello a través de dos elementos fundamentales: las valoraciones que los ciudadanos hacen de los líderes y las posiciones en que los ubican en el espacio ideológico-identitario.

En el capítulo 7, Juan Montabes y Giselle García Hípola, analizan los efectos que las distintas campañas electorales tienen en diferentes contextos. Inicialmente se hace un repaso de las campañas electorales en Cataluña para posteriormente centrarse en los comicios de 2015. El análisis se fundamenta en el Estudio Postelectoral Elecciones Autonómicas en Cataluña 2015, donde se establecen los tipos de orientaciones que los electores mantienen con respecto a la campaña. De este modo, se puede establecer, entre otras pautas de comportamiento, cuál fue el seguimiento y la influencia que ésta tuvo así como cuáles fueron los principales efectos de los debates que se celebraron.

Antón Losada y Paloma Castro se ocupan en el capítulo 8 del análisis de los medios en la campaña electoral. Formando parte integral del conflicto político, se produce un conflicto mediático. Frente al crecimiento y consolidación de los medios catalanes, los medios de Madrid han optado por cuestionarlos. Para los medios de Madrid, el *procés* se debe a una mera cuestión económica, mientras que para los medios de Cataluña, estas informaciones conforman un ataque a la autonomía.

El capítulo 9, de Paloma Castro, Elba Maneiro y Alejandro Peso, muestra como los dos debates electorales que se emitieron en La Sexta y TV3 durante la campaña electoral de las elecciones catalanas estuvieron marcados por la omnipresencia del tema del *procés,* como consecuencia de la convocatoria de estos comicios como si fuesen un plebiscito por parte del hasta entonces Presidente, Artur Mas. Por otra parte, los debates, como eventos de la mencionada campaña, han contribuido, sobre todo, a reforzar la intención de los ciudadanos de votar por el partido que pensaban.

En el capítulo 10, Laura Feijóo y Adrián García, abordan el estudio de los discursos de la campaña. En su análisis, nos plantean como los discursos protagonizados por los líderes de los diferentes partidos políticos catalanes en las pasadas Elecciones Autonómicas del 27 de septiembre del 2015, supusieron la persistencia y enquistamiento de las diferencias políticas entre los partidos favorables a la independencia y los contrarios a esta, que devino casi el monotema del proceso electoral.

A lo largo del capítulo 11, Ángel Cazorla y José Manuel Rivera, tratan de hacer dialogar las recientes aproximaciones teóricas sobre la construcción de las identidades nacionales, mostrando cómo la idea de la nación primordial, como sujeto colectivo dado de antemano en la historia, ocultaba, en su carácter esencialista, las cambiantes bases constructivas, políticas, no sólo de la nación sino, también, de las propias precondiciones étnico culturales y económicas de la nación misma. A partir de aquí, identifican cuatro factores fundamentales en la construcción de la nación —precondiciones, estructura de oportunidad política, movilización y discurso—, integrados por una serie de elementos que sirven como indicadores para el planteamiento de su modelo explicativo.

Xosé Luis Barreiro, en el capítulo 12, nos ofrece una interesante visión sobre los motivos de la insatisfacción de los catalanes con los resultados electorales. Nos muestra como el panorama mediático del *procés* responde claramente a las dinámicas del, a su juicio, único sistema mediático regionalizado de España, al que aportan buena parte de su peso los medios públicos catalanes. Lo cual casa a la perfección con la condición bifronte que atribuye a la Generalitat, y con la idea de que este concreto movimiento independentista no hubiese podido organizarse, ni mantenerse, ni trascender a la opinión pública en la forma en que lo hizo, si no estuviese institucionalizado.

En el capítulo 13, Nieves Lagares y Ramón Máiz, constatan, desde una visión evolutiva y adaptativa del federalismo, que ni todos los catalanes que están a favor del proceso poseen las mismas preferencias en cuanto a la acomodación territorial de Cataluña, ni todos los que están en contra desean seguir como están en el actual Estado de las autonomías recentralizado y resimetrizado. Los autores detectan la existencia de un espacio de comunidad plural, lleno de matices, de ciudadanos y ciudadanas que esperan soluciones políticas más creativas y flexibles, menos estáticas. Y argumentan que existen soluciones viables si se trabaja políticamente de modo adecuado el heterogéneo espacio de confluencia ajeno a la confrontación dominante entre soberanismo español y soberanismo catalán. Ahora bien, ese espacio federal potencial, no viene dado de antemano, hay que construirlo políticamente, comenzando por romper el antagonismo entre autonomía y federalismo, superando la retroalimentación soberanista entre nacionalismo español y nacionalismo catalán, haciendo del reconocimiento de la plurinacionalidad de España y la negociación de las soberanías compartidas el eje de una nueva relación política federal.

Finalmente, en el último capítulo de Nieves Lagares, se aborda el estudio de los componentes del voto a cada uno de los partidos políticos, en estas elecciones catalanas marcadas por el *procés* como *frame* de la campaña. El análisis comienza por conocer cuál es la ubicación de los electores en el eje ideológico y en el eje identitario a partir de su posición a favor o en contra del proceso de independencia. Los modelos de regresión planteados para identificar los componentes del voto ponen de manifiesto el importante peso explicativo de las variables políticas, sobre todo de la simpatía, entendida como identificación partidista, y del proceso independentista, que como se demuestra en el capítulo sobre identidad, tiene un carácter marcadamente identitario.

Este no es un libro de soluciones, pero sí de propuestas explicativas y normativas a partir de una nueva mirada. Es también un texto que acoge planteamientos plurales nacidos a la luz de nuestros propios datos y del análisis desprejuiciado de los mismos. Deseamos que estos estudios puedan contribuir, en alguna medida, a la mejora de la calidad del debate, desde la autonomía irreductible de la política, sobre el problema nacional en España y en Cataluña.

Del *Estatut* a las leyes de desconexión: el dedo que escribe las tablas de la ley

Francisco Caamaño Domínguez
Universidad de Valencia

1. PROPUESTAS PARA UN PUNTO DE PARTIDA

El debate abierto en la sociedad española con ocasión de los recursos de inconstitucionalidad interpuestos por el Defensor del Pueblo (núm. 8675-2006) y el Partido Popular (núm. 8045-2006) contra la práctica totalidad de los contenidos —preámbulo incluido— del Estatuto de Autonomía para Cataluña (L.O. 6/2006, de 19 de julio) y la resolución dada a los mismos por el Tribunal Constitucional (STC 31/2010) han marcado un claro punto de inflexión en la tensión cultural y política que siempre se ha producido a raíz del acomodo de Cataluña en la organización política de España.

Esa situación de aparente no retorno puede analizarse desde múltiples perspectivas y ser objeto de no menos y variadas conclusiones. Creo, pese a todo, que presenta ciertas características y singularidades que la diferencian nítidamente de otros momentos parecidos o pretendidamente asimilables de nuestra historia y que, además, en torno a esos aspectos novedosos, existe una cierta aceptación aunque a veces solo se presuponga o se admita de forma implícita.

En efecto, no parece discutible que esa tensión de alta intensidad Cataluña-España se ha producido, por primera vez, en el seno de una España democrática. Por tanto, no es más de lo mismo, ni una secuela de lo de siempre.

Se olvida con bastante facilidad que la democracia —y los valores que la encarnan— son un bien manifiestamente escaso en nuestra historia política y constitucional. La tensión que ahora vivimos nada tiene que ver con las Coronas de Castilla y Aragón o con el lanzamiento de un nacionalismo fundador de una patria común que durante el siglo XIX y buena parte del XX sirvió de argamasa a monarquías constitucionales y dictaduras en busca de un nuevo presupuesto legitimador del poder. Hablar por la nación siempre ha sido una forma útil de desplazar al pueblo.

No ignoro que la Constitución de 1931 fue una Constitución democrática que abordó decididamente la cuestión territorial. Sin embargo, sus previsiones normativas no se proyectaron más allá de los comienzos. De hecho, podría decirse que murieron en el intento.

Por contraposición, la crisis abierta con los recursos y la sentencia del *Estatut* se produce en el seno de una España democráticamente normalizada, con un modelo territorial —el llamado estado autonómico— ampliamente desarrollado, integrada en una organización supranacional a la que se han transferido parcelas significativas de soberanía (UE) y después de haberse renovado, sociológica y políticamente, la generación constituyente.

Todos queríamos ser europeos. Pero el impacto sobre la organización territorial del Estado producido por la incorporación de España a la entonces CEE fue algo constitucionalmente imprevisto. Si las CCAA ya partían de un estatus básicamente "ejecutor" de las políticas públicas trazadas por los órganos centrales del Estado (y en la expresión incluyo el desarrollo de la legislación básica del 149.1. CE), la aplicación directa del derecho comunitario comportaría un intenso vaciado de competencias autonómicas bien por el contenido expreso de las normas de la Unión, bien por el "Pisuerga" que el estado aprovechó a su paso por el Valladolid de su transposición al ordenamiento jurídico español.

Tan intenso proceso de acomodo y transformación constitucional, sólo intuido por los constituyentes como una deseada posibilidad de futuro, se llevó a cabo mediante deslizamientos jurídicos tácitos y tácticos, en una suerte de —parece que ya olvidada— permanente guerra de trincheras por la competencia entre los gobiernos autonómicos y el gobierno del estado. La lucha por el llamado "cierre" del estado autonómico tenía mucho de lucha por la supervivencia frente a las progresivas "cesiones de soberanía" hacia la Unión Europea, aunque nadie tuviese interés en presentarlo así. Ni la entrada en Europa ni la clamorosa falta de previsión constitucional para encauzar el proceso era discutible. Hágase lo que se tenga que hacer, pero la Constitución no se toca.

La transición política ha pasado pero su Constitución permanece prácticamente inalterada. Los argumentos de la "concordia", a pesar de su pretensión de socializarse como nuevo mito fundacional de la España democrática no han sido capaces de justificar, aunque sólo fuese por la excepcionalidad entonces vivida, algunas imposiciones y adherencias del pasado. Sobre la pedagogía de nuestra Constitución siempre ha sobrevolado cierta conciencia vergonzante (la falta de asamblea constituyente, la opción monárquica, los acuerdos con la Santa Sede, reconocer y negar, al mismo tiempo, la diversidad de "sus pueblos"...) que se refugió en la ambigüedad o en un conveniente silencio. Pero el vacío así generado, en lugar de fomentar un sentimiento de orgullo colectivo por lo hecho —pasar sin violencia de una dictadura a una democracia— alimentó un progresivo y derrotista discurso crítico sobre la baja calidad de nuestro sistema político con un doble e indeseado efecto: el miedo a la reforma constitucional de la generación constituyente y la insatisfacción con el modo en que la Constitución trató ciertos temas —entre ellos el territorial— por parte de quienes integran la generación siguiente.

Ambos problemas se han podido conjugar mientras los "intérpretes de la Constitución[1]" —y recuérdese que el legislador es el primero y más importante de todos ellos— han conseguido fraguar acuerdos políticos o establecer criterios jurídicos (Tribunal Constitucional) que dotaron de elasticidad a los enunciados constitucionales. La adaptación de la Constitución, como norma viva, ya sea a través de leyes que recogen amplios consensos sociales o mediante las sentencias de su intérprete último, amortiguó parcialmente el impacto del silencio e hizo pensar a la generación constituyente que era posible cambiar la Constitución sin reformarla y, a la siguiente que, de igual modo, podría corregirse en un futuro todo aquello que no le satisfacía. Unos y otros confiaron en la fuerza de entendimiento de la política y en el poder pacificador del derecho como último remedio. ¿Se equivocaron? ¿Debió hablarse de lo que no se había hablado y, en su caso, acabar con los silencios mediante reformas expresas de la Constitución?

Con la sentencia del *Estatut*, el Tribunal Constitucional no sólo puso fin a aquella creencia. Además cegó la posibilidad de que los intérpretes políticos de la Constitución (parlamentos autonómicos y Cortes Generales) continuasen —como hasta entonces— "su tarea de reconstrucción permanente" de la articulación territorial del Estado. El Tribunal decidió abandonar su posición de conductor del proceso de adaptación continua del modelo para convertirse en guardián de su propia interpretación. Esto es lo que hay porque esto es lo que he dicho. Mi constitución no da más de sí. Si no les convence tengan la valentía de reformarla y hablar a los ciudadanos con claridad recabando su voto. Se acabó el "hacer constitución" de manera permanente, aunque leyendo el Tít. VIII del texto constitucional a algunos les pudiese parecer (desconstitucionalización de la forma de estado[2]) que ese sea, precisamente, el encargo.

En segundo lugar, los niveles de tensión actual no pueden comprenderse como una versión renovada de la clásica confrontación ideológica centro/periferia, tan del gusto de quienes todo lo fundamentan en motivos de naturaleza financiera y económica. La tradicional reivindicación de un pacto fiscal bilateral Cataluña/España, como alternativa al agravio comparativo con el País Vasco y Navarra, se vio avivada y robustecida por la crisis económica iniciada en el 2008 y el argumento político de que en una Cataluña sin España se viviría mejor. Sería absurdo negarlo. Pero, como veremos, la sensación de ruptura en este punto no se debe tanto a una absoluta y radical discrepancia en los contenidos —demasiados técnicos— del relato económico cuanto a razones de estrategia político-partidaria y de confrontación institucional. El estudio de X. L. Barreiro Fernández publicado en este mismo libro acierta a mi juicio al subrayar que el *procés* tiene mucho de "aporía institucional de la reivindicación".

---

1   En el sentido de Häberle (2008).
2   En la afortunada expresión de P. Cruz Villalón (1981).

Tampoco es cuestión de mayor o menor autogobierno. Tras la Sentencia del *Estatut* eso se considera —al menos por quien ahora gobierna en Cataluña— como una etapa pretérita y ya superada en su camino hacia la secesión.

Tras el episodio del Plan Ibarretxe, la utilización de la nación como arma eficaz de polarización política se intensificó en torno a la "cuestión catalana" pasando rápidamente de los partidos políticos —y sus objetivos electorales— a las instituciones democráticas. Quienes se quedaron en medio se convirtieron en fuerzas políticas muy debilitadas o en peligro de extinción El desencuentro político se tradujo rápidamente en un convulso desencuentro institucional. La confrontación se produce ahora entre gobiernos y parlamentos —agentes instrumentales de las mayorías que los regentan— que trasladan al árbitro —Tribunal Constitucional— asuntos, netamente políticos, que claramente exceden de su capacidad y competencia. Ni el Tribunal Constitucional ni el derecho lo puede todo. Mediante normas se puede regular el instituto del matrimonio. Pero el derecho no asegura que los cónyuges se quieran.

La "desafección", concepto ampliamente utilizado para referirse a la situación catalana, pretende ilustrar una resignada indiferencia ante un orden jurídico cuyo contenido no se comparte, que se acepta "por imperativo legal". La fuerza del derecho resulta en ese contexto poco adecuada y manifiestamente insuficiente. Se requieren políticas de reconocimiento, reparación y reconstrucción de vínculos, complicidades y utilidades mutuas. Sólo una política de encuentro podrá asentar las bases para un mejor derecho. Cuestión distinta es valorar la legitimidad de quién expresa esa desafección. Los miembros de una pareja hablan por sí mismo. Pero, las instituciones ¿hablan por todo el pueblo al que representan o solo reflejan la voluntad de la mayoría que las gobierna?

El debate actual sobre la cuestión catalana pretende abrir una brecha entre representación y democracia. Frente a quienes descalifican el posicionamiento institucional porque no representa (no es) el de "todos" (posición que mayoritariamente ostentan fuerzas políticas de implantación estatal por referencia a los órganos de gobierno de Cataluña) se opone un pretendido "derecho a decir", esto es, la necesidad de consultar al pueblo mediante referéndum, olvidando que ese instrumento de democracia directa no lo consiente la Constitución y que además, cuando se proyecta sobre asuntos que afectan a las bases constitucionales del estado, es, en términos democráticos, un peligroso juego de suma cero. Baste con observar las reacciones habidas en relación con el resultado del referéndum británico sobre la salida del Reino Unido de la UE (*Brexit*). El fracaso de la política conduce al abandono de la idea de una representación política proporcional e integradora, para, en asunto tan relevante, jugárselo todo (y por todos) a la simple lógica cuantitativa de la mayoría.

En todo caso, justo es reconocer que las partes en tensión se mueven dentro del respeto a las reglas formales que gobiernan la convivencia democrática. No hay apelaciones ni uso de la violencia u otras fórmulas intransigentes de coacción directa manifiestamente contrarias a la legalidad. Más bien estamos en presencia de discursos autistas y forcejeos institucionales que no buscan el diálogo con la contraparte política, sino reafirmar su posición ante las propias filas.

Esto explica la aparición de un nuevo lenguaje político deudor de la lógica amigo/enemigo (constitucionalistas vs. soberanistas, consulta popular vs. referéndum, elecciones plebiscitarias vs. elecciones parlamentarias, derecho a decidir vs. secesión, leyes de desconexión vs. inconstitucionalidad competencial...). Nunca antes la llamada cuestión catalana había traspasado con tanta fuerza sus propios límites para convertirse en un debate que persigue cortar el cordón umbilical que por nacimiento existe entre la constitución y la democracia, como si fuese posible la una sin la otra.

Es este particular aspecto el que me propongo examinar en estas páginas. ¿Es socialmente útil un derecho constitucional sin política?

2. EL "FUNDAMENTO MÍSTICO DE LA AUTORIDAD"

Así se subtitula *Fuerza de ley,* la conocida obra de Jaques Derrida. El autor toma prestada la expresión del siguiente texto de Montaigne: "las leyes mantienen su crédito no porque sean justas, sino porque son leyes. Es el fundamento místico de la autoridad, no tienen otro...El que las obedece porque son justas, no las obedece justamente por lo que debe obedecerlas".

Podríamos decirlo de forma más schmittiana pero no más clara: quien cumple la ley porque la estima justa no actúa obligado por la ley sino por su conciencia. No cabe confundir la lucha por la justicia con la lucha por el derecho. La primera es interminable y conduce a la "guerra". Solo quien lucha por el derecho procura la paz.

Por tanto, *hacer la ley,* escribe Derrida, "consiste en un golpe de fuerza, en una violencia realizativa" y en consecuencia interpretativa, que no es justa o injusta en sí misma" (...) es más bien una "violencia sin fundamento", *"enforceability",* *"Gewalt"* para los alemanes, cuyo significado también incluye la idea del poder legítimo, de autoridad. La necesidad de la fuerza —de la autoridad— "está por ello implicada en lo justo de la justicia". A partir de esa premisa, afirma el autor que: a); "el derecho es esencialmente desconstruible" ya sea porque está construido sobre capas textuales (historia del derecho), ya porque su último fundamento por definición no está fundado y b) "la deconstrucción es la justicia".

Hasta aquí Derrida: sin la "fuerza del derecho" no es posible una experiencia de justicia.

Pero, cuando no se tiene la "fuerza" y sí el derecho ¿es posible utilizar el derecho para recrear una apariencia de justicia? ¿Puede el mero proceso de generación de derecho conducir al fundamento místico de sí mismo?

Tras la sentencia del *Estatut* ese parece ser el empeño recurrente de las fuerzas políticas —y la *intelligenzia*— que, tras los comicios, gobiernan en Cataluña: crear un derecho que se sabe "sin fuerza" con el solo propósito de alentar una experiencia política de justicia que finalmente conduzca al fundamento místico de una nueva autoridad.

Estamos ante un fenómeno poco común, que desconcierta toda aproximación a la idea tradicional de "poder jurídico[3]". Frente a la fuerza de ley se opone un derecho sin fuerza del que se espera que actúe como en la física lo hace la energía de deformación: el día en que el cuerpo, libre de presiones exteriores, recupere su verdadera forma, esa energía liberada se convertirá en la "fuerza mítica" que fundamente la autoridad de aquel derecho. Una fuerza de ley que se activa en cuanto que es reactiva.

Esta estrategia de aprovechamiento inverso del derecho sin cuestionar los fundamentos formales de la democracia introduce significativos cambios posicionales para los actores en conflicto. Quien tiene la "fuerza de ley" debe saber administrarla. Todo "sobreesfuerzo", todo intento de hacer pasar por derecho lo que nunca lo fue o por alterar *ad hoc* las reglas comúnmente aceptadas puede debilitar la autoridad de su derecho y reforzar la resiliencia del contrario. Por su parte, quien produce un derecho "sin fuerza" debe saber que ha emprendido una acción contra sí mismo, pues cuanto más alimenta la deformación más se aleja de lo que es para transformarse en un deseo de regresar a lo que sólo imaginariamente era.

---

[3] Lo habitual, en procesos de esa naturaleza, es que la tensión política y su persistencia obligue a buscar soluciones políticas que habiliten plataformas de diálogo que permitan desatacar la situación y abrir líneas de trabajo orientadas hacia alguna solución. Y, sólo después, alcanzado un pacto de mínimos sobre las reglas de juego, se procede a la elaboración del "derecho" que resulte necesario para la realización de los fines acordados y perseguidos. Mientras ese escenario, en sus múltiples y posibles manifestaciones, no se llegue a producir se mantiene o intensifica el debate político hasta los márgenes de la democracia, pero no se finge la existencia cierta de unos presupuestos que solo son unilaterales y ficticios, para, a partir de ellos, proceder al "vaciado" de anhelos políticos en "formas de deber ser" privadas de eficacia jurídica real (normas aparentes). La distancia entre la experiencia de Quebec y Escocia con la catalana es, en este punto, evidente. En efecto, en Escocia primero se pactó el referéndum y después se celebró. Y en Quebec la famosa sentencia de su Tribunal Supremo (*Quebec Secesión Reference*, de 20 de agosto de 1998) tras, negar que exista un derecho unilateral a la secesión, estableció las bases (una pregunta clara, una mayoría clara) para que, en su caso, pudiese celebrarse un referéndum sobre la cuestión. Jurídicamente no hay nada menos claro que las expresiones "pregunta clara" y "mayoría clara". Sin embargo, políticamente, la sentencia fue aceptada positivamente por las partes en conflicto y, partir de ella, el 29 de junio de 2000, se aprobó la *Clarity Act*. Por tanto, primero fue el acto de fuerza o de autoridad (la sentencia) y después, como elemento consustancial, el derecho.

3. LA HERMENÉUTICA DE LA ÚLTIMA PALABRA: BLINDAR EL CÓDIGO FUENTE

El tablero catalán nos ofrece un escenario anfibio, en el que el derecho parece compartir simultáneamente "ambas vidas": la legal y la alegal. Todo empezó —si es que puede hablarse de un comienzo— con la concepción jurídica que gobernó el diseño, ampliamente meditando, planificado y trabajado, del proyecto de *Estatut*. Descartada, ante la negativa firme del principal partido de la oposición, la posibilidad de una reforma de la Constitución[4] que permitiese clarificar y actualizar su Tít. VIII, la mejora del autogobierno de Cataluña solo podía encauzarse a través de una reforma en profundidad de su Estatuto de Autonomía. Una reforma que se diseñó para transitar todas y cada una de las fases y procedimientos constitucionalmente establecidos (primero en el Parlamento de Cataluña; después en las Cortes Generales, y, por último sometiendo el texto final a referéndum), así como para respetar los límites materiales o de contenidos dispuestos en la Constitución. Eso sí, esos límites serían, a su vez, interpretados al límite. No se perseguía hacer una norma intencionadamente inconstitucional, sino un texto legal que fuese el resultado de una hermenéutica maximizada de la Constitución en torno a un más amplio y efectivo nivel de autogobierno para Cataluña. Escribir un derecho para Cataluña que saturase con su texto todo el espacio de la página, apurándolo hasta el margen[5], sin zonas en blanco que el derecho del estado pudiese aprovechar. Esa era la tarea.

Por tanto, a diferencia del proyecto estatutario vasco (el conocido como "Plan Ibarretxe"), no se pensó en un texto contra la Constitución, ni siquiera se quiso situarlo en la raya de la ilegalidad. Antes bien, se trataba de elaborar un Estatuto "dentro" de la Constitución pero, al tiempo "contra" una determinada forma de interpretarla (tanto por el legislador del estado, como por el Tribunal Constitucional).

El nuevo Estatuto debía imponer/condicionar y, sobre todo, asegurar una distinta interpretación de la Constitución, al menos en su proyección sobre Cataluña (bilateralidad)[6], en la que poder encajar aquellas aspiraciones de autogobierno,

---

4   Recordemos que el Presidente Rodríguez Zapatero había comprometido en su discurso de investidura encargar al Consejo de Estado un Informe sobre la Reforma de la Constitución, dos de cuyos puntos hacían referencia directa a la cuestión territorial: la inclusión de las CCAA en la Constitución y la reforma del Senado, Para ello fue necesario reformar previamente la Ley de Consejo de Estado y, una vez aprobada esa reforma, por Acuerdo del Consejo de Ministros de 4 de marzo de 2005 (en menos de un año) se encargó al Consejo de Estado llevar a cabo esa tarea. Sobre este asunto vid. Vírgala Foruria (2006).

5   Acudo nuevamente a J. Derrida (1994).

6   Su fin último sería el de operar como una suerte de cláusula implícita y de alcance general mediante la que procurar un efecto jurídico semejante al de la conocida "cláusula de sociedad

desatendidas o frustradas tras treinta años de estado autonómico[7]. El *Estatut* sería el punto de apoyo de una palanca que permitiría una "legalidad" más cómoda para Cataluña, distinta a la existente, pero dentro de la propia legalidad. Un cambio de entendimiento "en" y desde la misma "fuerza de ley".

Pocos textos en la reciente historia de España se habrán trabajado y debatido tanto antes de su remisión al parlamento. Informes, seminarios, multitud de estudios que descendían al análisis pormenorizado de cada competencia, de su ámbito y alcance material, de cada concepto, de cada palabra. Exámenes exhaustivos de cada sentencia constitucional, de la doctrina fijada, de la solución alcanzada y de las diversas alternativas. Cientos de horas de trabajo académico en las que el *Institut d'Estudis Autonòmics* abrió sus puertas a profesores y especialistas de toda España, de Canadá, de Escocia, de Bélgica... Había que reutilizar y reprogramar todo aquel acervo constructivo, idealizado y teorizado básicamente a partir de sentencias del Tribunal Constitucional ("el código" interpretativo de la constitución territorial del estado), resituarlo en cada caso concreto, y después reiniciar un nuevo entendimiento dentro del mismo marco constitucional y disponiendo los cortafuegos necesarios para que el proceso no fuese reversible. En suma, mediante el instrumento legal del *Estatut* había que decirle a quien tiene "la última palabra" en la interpretación de la constitución territorial del estado (Tribunal Constitucional) que debe ceñirse a lo dispuesto en un determinado marco normativo porque, ante los silencios de la Constitución, el *Estatut* —norma integrante del bloque de la constitucionalidad— ya se había encargado de cubrir los vacíos.

Se idearon técnicas jurídicas específicas para reorientar los parámetros del "código" y, sin salirse de él, reestructurar a conveniencia los objetivos programados. Se aprovechó cada resquicio, cada laguna legal (*loophole*) para apropiarse del vacío; se densificaron los contenidos, compactándolos frente a futuras amenazas exteriores (véase el uso de la cláusula "*en tot cas*") y se articuló un perímetro de contención (el llamado blindaje) con el que garantizar la indisponibilidad hermenéutica de los conceptos y la palabras.

Este laborioso *jaqueo* del derecho desde el derecho, —hacker es quien transgrede un sistema utilizando sus mismos parámetros de programación— tuvo por

---

diferente" en su día propuesta por Quebec. Sobre este asunto, vid. McRoberts (2007). Sobre su eventual reinterpretación en nuestro sistema constitucional, vid Caamaño (2014).

7 Aunque el proyecto de Estatuto recogía múltiples inquietudes políticas y normativas, sus elementos centrales eran, en esencia, una mayor garantía y protección de las señas de identidad de Cataluña (lengua, cultura, derecho propio...); una delimitación de los ámbitos de cogobierno mediante técnicas jurídicas de participación (en la designación de miembros del Tribunal Constitucional y otros órganos constitucionales, así como a través de comisiones bilaterales); y, por último, un reforzamiento del autogobierno (incremento de competencias, clarificación a su favor de espacios controvertidos, aseguramiento ("blindaje") del diseño legal y ejecución de políticas públicas propias sin la interferencia de títulos horizontales de intervención del estado...).

resultado un texto extremadamente rígido, muy dotado para la resistencia pero inadecuado para la apertura dialogada de las normas Su conformación defensiva le otorgaba una dimensión estática, como una tupida coraza protectora que impide transpirar y ofrecer salidas a las dinámicas adaptativas que inexorablemente reclama la política en todo estado descentralizado.

En un estado descentralizado no hay autogobierno sin gobierno compartido[8]. Por tanto, el único blindaje efectivo y duradero para preservar un ámbito reservado de poder, no puede hallarse exclusivamente en el derecho sino en el encuentro político, el respeto mutuo y la lealtad. Habrá crisis y ambigüedades y vacíos y silencios…Herramientas que la política utilizará para renovarse y renovar, para rehacerse y rehacer su derecho, para acercarse y distanciarse, para convivir en un contexto de identidades diferenciadas y compartidas. La constitución territorial de un estado como el nuestro debe hacer posible ese "respirar". El *Estatut,* sin embargo, reprogramaba a Cataluña desde la "fe en el libro" y la desconfianza en la política. Técnicamente, sigo pensando que ese fue su principal defecto: no se diseñó para habilitar una "política de interpretación de las normas" sino más bien para impedirla. Se quiso sustituir el azaroso caminar de la política (con sus avances y retrocesos) por la foto fija de una zancada.

Esta metódica "descodificación" reconstructiva del derecho se encontró con la virtualidad de su realidad cuatro años después. El 28 de junio de 2010, el Tribunal Constitucional dictó su Sentencia. Un pronunciamiento que, si se analiza con cierta serenidad, contiene más bien pocas declaraciones de inconstitucionalidad, dada la ingente cantidad de preceptos impugnados. De hecho, lo que más indignó a los promotores intelectuales del texto fue el contenido "interpretativo" de aquella resolución.

En efecto, el Tribunal Constitucional, en la sentencia interpretativa más extensa y compleja de su historia volvió a redireccionar la programación catalana en sus principales piezas. Lo hizo, también desde dentro y con el mismo código. Pero, esta vez, —y éste me parece el aspecto más cuestionable de la sentencia— cerró toda posibilidad de que otros intérpretes vuelvan a programar con el código fuente, petrificando las capacidades evolutivas del modelo. Si, jurídicamente, el estado autonómico es, en muchas de sus piezas esenciales, una progresiva creación del Tribunal Constitucional, éste no iba a consentir que otros reprogramasen su creación. La sentencia del Tribunal se hizo derecho (fuerza de ley) y el *Estatut,* aprobado en referéndum por el pueblo de Cataluña, dejó de serlo. Se quedó "sin fuerza de ley" pero movilizó otra fuerza.

Desde ese día Cataluña decidió "desconectarse" del sistema. Ya sólo albergaba dos soluciones alternativas: o la reforma del Constitución o la independencia. La reforma se antojaba una quimera. Y, como se demuestra en algunos de los estu-

---

8   En el sentido de Elazar (1987).

dios contenidos en este libro, parece que no son pocos los catalanes que se han inclinado por la segunda opción como vía para conseguir la primera.

La recreación hermenéutica de la Constitución hecha por unos y otros ya no daba más de sí. En España, la apertura de las normas constitucionales no fue cubierta por la política sino por el juez. Y, como se puede apreciar, al final de ese recorrido la principal víctima fue la "fuerza de ley", ese fundamento místico de la autoridad que también fragua la unidad sin la que es imposible comprender el estado.

En un estado políticamente descentralizado la consolidación de la unidad ha de ser un una política pública prioritaria y de atención permanente al objeto de contener y reorientar las derivas centrífugas provocadas por el ejercicio plural del poder. Cuando esa tarea se presupone en el plano de acción política y todo se confía a la "fuerza de ley", la política territorial se judicializa y la resolución del conflicto sólo se produce en clave jurídica, lo que conduce al cuestionamiento permanente de la validez del derecho y de la neutralidad del mediador (Tribunal Constitucional).

4. LA ALEGALIDAD COMO ESTRATEGIA DE ACTIVISMO POLÍTICO

Con la "desconexión" la situación se tornó más abúlica y más compleja. Como se sabe no existe democracia sin estado, ni es posible comprender el estado —sea democrático o no— sin la idea de derecho. Los teóricos de la "desconexión" se empeñan en quebrar esa correlación de cuya conjunción nacieron las democracias liberales en las que vivimos.

Para ello establecen una falsa regla de preferencia entre democracia y ley. Primero debe hablar el pueblo y después hacerse el derecho, omitiendo que para que el pueblo pueda hablar deben existir reglas que ordenen el modo y la forma en que ha de expresarse ese pueblo. Políticamente, la democracia es una creación tan artificial como el estado. Sin embargo, para los defensores de la desconexión la democracia sería, algo así, como una expresión de voluntad natural, como un hecho social espontáneo, comúnmente aceptado por la comunidad y que, por tanto, no necesita ser mesurado ni contrastado. De este modo, es posible una democracia dentro del estado pero al margen del estado, capaz de legitimar por meiosis un derecho alternativo que dé lugar a un nuevo y distinto estado.

Sobre esta falacia iusnaturalista se ha construido el derecho "natural" a decidir. Cataluña no quiere la secesión de España. Tan solo pretende ejercer "su" derecho prepolítico a decir, esto es, a manifestar su voluntad sobre la oportunidad de continuar o no formando parte de España. Constatada esa voluntad ya se procederá, en su caso, a negociar el procedimiento y los arreglos necesarios para darle cumplido acomodo.

No existiría, pues, una conexión directa entre este derecho y el independentismo, sino una vinculación natural entre el "derecho a decidir" y la democracia. La autodeterminación del pueblo catalán, la pretensión secesionista ya no sería un derecho como el reconocido por la Asamblea General de la ONU a los "pueblos coloniales" sino la expresión jurídica de un estadio previo en el que un "pueblo" distinto, aunque plena y democráticamente integrado en el del estado, tendría el derecho inherente a expresar su deseo de caminar o no hacia la independencia, al margen de lo dispuesto en el derecho positivo del estado del que forma parte.

Este desplazamiento del derecho del estado (de la "ley") y de su "fuerza" se legitimaría en el valor preferente de la decisión democrática, estableciéndose, así, una nueva correlación (democracia/ley) capaz de excluir por su estructura de preferencia (primero la democracia después la ley) la mediación necesaria del derecho y del estado. Esta concepción de la democracia en el interior de un estado pero sin estado y contra el derecho democrático de ese estado, descansa, en último término, en una estratégica y deliberada confusión entre democracia y regla de la mayoría, de suerte que esta última se convertiría en el "fundamento místico de la autoridad".

No voy a profundizar acerca de la sustancia jurídica de un pretendido derecho sobre el que ya me he pronunciado con detalle en otro lugar. A nuestros efectos, basta con recordar ahora que en un estado democrático el derecho o está democráticamente decidido o no es derecho. Por tanto, sólo cuando el ordenamiento jurídico de un estado democrático habilite un procedimiento que autorice a uno de los pueblos que lo integran a pronunciarse acerca de la oportunidad política de abrir un proceso de tránsito hacia la secesión podría decirse que ese sujeto cuenta con una facultad jurídica semejante a un "derecho a decidir". En consecuencia, incluso en la hipótesis poco común de un poder constituyente plural y compartido por varios pueblos (*demoi*), si los pueblos de un mismo estado pueden decidir es porque antes se ha decidido democrática y constitucionalmente que pueden hacerlo. Se cierra, así, un bucle que evidencia la manifiesta incompatibilidad que se produce entre lo que es puro deseo ideológico y en plano de la virtualidad jurídica: el derecho a decidir desaparece como tal si el estado habilita cauces jurídicos que permiten testar aquella voluntad. Y, cuando así ocurre, no estamos ante un "pueblo" que ejercita su derecho, sino, más sencillamente, ante ciudadanos que ejercen su derecho de voto. Llegamos, de este modo, a la paradoja final: políticamente el derecho a decidir cobija una pretensión contramayoritaria exige un respeto, un reconocimiento, una dignidad a una comunidad minoritaria integrada en otra más amplia y plural[9]. Ahora bien, alcanzada esa pretensión se decide bajo

---

[9] Habrá quien encuentre cierto parecido entre el clásico de derecho de rebelión o resistencia y este "derecho a decidir". Recuerdo que el primero era un derecho de último recurso frente al

el único criterio de la regla de la mayoría. Sólo después de "haber decidido" la mayoría, como el dedo de dios, escribirá las *tablas* en las que figuren los derechos "de todos[10]".

El "derecho a decir" es un claro exponente de la utilización interesada del arsenal conceptual del derecho al servicio de una reivindicación política que el derecho no consiente[11]. Es el empleo estratégico del carácter autorreferencial del derecho como sistema lo que permite generar un falso "buen derecho" o, si se prefiere, una legalidad aparente o alegalidad que, sin contradecir formalmente la ley, la socava en sus aspectos legitimadores. Si el derecho es un sistema normativamente cerrado pero cognoscitivamente abierto (Niklas Luhmann[12]) es en cierto modo inevitable —como ya apuntó Ladeur[13]— que, en sociedades deliberativas, la autopoiesis pueda traducirse en "alopoiesis", de suerte que convivan una pluralidad de discursos jurídicos que rompan la unidad necesaria del derecho o que, como ha defendido Teubner[14], se introduzcan interferencias en la "cadena de comunicaciones" que sostiene el sistema para inducir una "inestabilidad constructiva" (autopoiesis pluralista) que obstaculice la generalización incluyente del código-diferencia lícito/ilícito, dando lugar a la aparición de ámbitos de interferencia particularizados y no codificados, es decir, de esferas de alegalidad, que pretenden bloquear los procesos normalizados de producción de derecho y condicionar la orientación de las expectativas normativas.

El aprovechamiento político de estos factores de irrupción en los canales de producción normativa, presentándolos como razonamientos jurídicos sostenibles frente a la "fuerza de ley" aporta argumentos adicionales en los procesos de discusión pública, provocando una cierta igualación de "armas" entre contendientes: no sólo se contraponen pretensiones políticas sino también posiciones jurídicamente racionalizadas.

---

poder del tirano y que el segundo, sin embargo, se invoca frente al derecho de un estado democrático.

10 Así lo acredita de forma inequívoca la Declaración de soberanía y del Derecho a Decidir aprobada mediante la Resolución 5/X, de 23 de enero de 2013, en su artículo segundo: "El proceso del ejercicio del derecho a decidir será escrupulosamente democrático y garantizará especialmente la pluralidad y el respeto a todas las opciones, mediante la deliberación y el diálogo en el seno de la sociedad catalana, con el objetivo de que el pronunciamiento que se derive *sea la expresión mayoritaria de la voluntad popular, que será el garante fundamental del derecho a decidir*". La cursiva es mía. El derecho a decidir descansa en una única regla jurídica: la de la mayoría, que anula cualquier pretendido derecho de las minorías. El resto del párrafo es pura retórica política.

11 Véase, en este sentido el artículo séptimo de la citada Resolución 5/X del Parlamento de Cataluña: "Se utilizarán todos los medios legales existentes para hacer efectivos el fortalecimiento democrático y el ejercicio del derecho a decidir". Se ordena de utilizar la legalidad para reforzar un derecho ilegal.

12 Luhmann (1984: 110).

13 Ladeur (1996).

14 Vid. Gómez-Jara Díez (2005).

El día 23 de enero de 2013, el Parlamento de Cataluña aprobó su Resolución 5/x por la que se aprobaba la Declaración de soberanía y del derecho a decidir del pueblo de Cataluña que el Gobierno del estado impugnó ante el Tribunal Constitucional dando lugar a la STC 42/2014, de 25 de marzo. Sin entrar ahora en otras consideraciones de carácter estrictamente jurídico —como el de la naturaleza exclusivamente política o no del acto parlamentario enjuiciado— el Tribunal cometió, a mi juicio, el error de dejarse atrapar en la celada de la alegalidad y tratar como derecho lo que sólo era un producto político con apariencia normativa[15].

En efecto, en el punto segundo del fallo declaró que "las referencias al derecho a decidir de los ciudadanos de Cataluña, contenidas en el título, parte inicial, y en los principios segundo, tercero séptimo y noveno, párrafo segundo, *no son inconstitucionales si se interpretan en el sentido que se exponen en los fundamentos jurídicos 3 y 4 de esta sentencia*".

No dudo de la buena voluntad del Tribunal pero es evidente que con su sentencia ha dado "fuerza de ley" a lo que solo era un enunciado político revestido de apariencia legal. No fue el Parlamento de Cataluña —que negó expresamente en el proceso que su Declaración fuese derecho[16]—, sino el fallo interpretativo del Tribunal el que incorporó interpretativamente a nuestro ordenamiento jurídico el hasta entonces inexistente derecho a decidir. Es cierto que el Tribunal entiende el contenido de ese derecho de forma claramente distinta a la pretensión política manifestada por el parlamento catalán. Pero no es menos cierto que fue el Tribunal, al adentrarse en la trampa de la alegalidad, quien, por vía de interpretación, dotó de "fuerza de ley" a lo que solo era una declaración política[17].

A partir de ese momento ya no es jurídicamente correcto sostener que el derecho a decidir no existe en el ordenamiento jurídico español. En puridad, ese derecho ha sido expresamente reconocido por el Intérprete último de la Constitución y es la citada sentencia la que le otorga carta de naturaleza jurídica. Es verdad que con un contenido distinto. Pero ahora nos encontramos con un nuevo derecho sin

---

15   Véanse los interesantísimos Votos particulares de los Consejeros Permanentes de Estado don Fernando Ledesma y don Miguel Herrero de Miñón, en los que frente a al criterio mayoritario (Dictamen del Consejo de Estado núm. 147/2013, de 28 de febrero), se defiende la naturaleza estrictamente política del Resolución 5/X del Parlamento de Cataluña.

16   Según se recoge en la Sentencia, para los Letrados del Parlamento de Cataluña, los contenidos de la Declaración son los propios de una resolución de impulso de la acción política y "expresan un propósito en clave política, sin que pueda alcanzar efectos o constituir una realidad actual y efectiva en términos jurídicos" [Antecedentes. 6 e)].

17   Algo sobre lo que advirtió expresamente M. Herrero de Miñón en el citado voto particular (p. 23): "el carácter anormativo e incluso no jurídico de la Resolución cuestionada no la priva de importancia y puede llegar a ser utilizada en posteriores foros en sentido incompatible con las normas y valores constitucionales. Por ello, al Gobierno de España corresponde declarar, en términos políticos, su oposición a una interpretación de tal declaración como inicio de un proceso de independencia impidiendo con ello toda interpretación como acto consentido por las instituciones estatales de la Resolución 5/X."

que nadie —ni el parlamento de Cataluña ni el estado— hayan legislado sobre él. Y lo que es peor: con un nuevo argumento para el debate público, basado en un concepto (derecho a decidir) al que, con independencia de su contenido, se le ha dotado innecesariamente de la "reflexividad realizativa" que caracteriza a todo sistema jurídico.

Las rentabilidades políticas de esta estrategia no se hicieron esperar. El éxito persuasivo del "derecho a decidir" pronto sería trasladado a otros frentes de discusión. El recurso a la alegalidad se abría paso. Pronto aparecieron nuevos debates sociales y jurídicos confeccionados con el mismo patrón.

Mediante el Decreto 113/2013, de 12 de febrero, la *Generalitat* creó el *Consell Assessor per a la Transició Nacional,* un órgano adscrito al Departamento de la Presidencia cuyo objetivo era asesorar al Gobierno en relación con "la identificación y el impulso de estructuras de estado y/o aspectos necesarios para llevar a cabo la consulta" (art. 1). Aunque pueda sorprender, el citado Decreto no fue impugnado por el estado, aunque sí lo ha sido el Decreto 16/2015 de 25 de febrero por el que se crea la figura del Comisionado para la Transición Nacional.

En esta ocasión el activismo político de la alegalidad se ha proyectado sobre el plano institucional. Resulta difícilmente aceptable que una institución pública que forma parte de un poder público del estado, en sentido amplio, pueda crear y dedicar recursos públicos para preparar la secesión, cuando no existe ningún soporte jurídico que previamente habilite o autorice esa posibilidad. La mayoría parlamentario-gubernamental utiliza las instituciones púbicas de Cataluña para imponer su proyecto político secesionista y aprovecha su capacidad de autogobierno no para ejercerlo, sino para acceder a las plataformas institucionales que lo sostienen y combatir desde dentro y con sus mismos instrumentos de acción al estado que las suministra.

Este perverso empoderamiento institucional de una determinada mayoría se hace combinando acciones legales y alegales, y sólo en muy contadas ocasiones, mediante actos indubitadamente contrarios a la ley. La "fuerza de ley" no está ni pensada ni preparada para atajar el activismo político de la alegalidad porque ésta la revierte parcialmente contra sí misma, al desorientar los esquemas tradicionales de reacción, básicamente ideados para combatir aquello que contradice la ley y no lo que la recicla o direcciona hacia usos impropios y alternativos. La ilegalidad se corrige con la "fuerza de ley". Frente a la alegalidad solo cabe la fuerza de la política.

Sin embargo, en lo que llevamos de *procés* hemos tenido más de lo primero que de lo segundo, con el inevitable desgaste de la "fuerza de ley". Cada vez que trasladamos al ámbito del derecho un conflicto político que está directamente enraizado en la estructura semántica de la democracia y sus significados, el "fundamento místico de la autoridad" sufre por contradicción.

La breve historia de la Ley 10/2014, de 26 de septiembre, de consultas populares no refrendarías y otras formas de participación ciudadana, aprobada por el parlamento de Cataluña puede servirnos de guía de campo. Tras un nuevo rechazo por el Congreso de los Diputados de una iniciativa parlamentaria en la que se solicitaba que ante la negativa del estado a celebrar un referéndum, se traspasase esa competencia a la comunidad autónoma de Cataluña[18], la *Generalitat* habilitó el marco legal necesario para llevarlo a cabo con arreglo a sus competencias, promulgando la citada Ley 10/2014. Su propósito inicial —crear una legalidad paralela que supla sus incapacidades normativas pero que no contradiga formal y frontalmente la legalidad constitucional— explica el perfilado enunciado de la ley: "consultas populares no refrendarías". Dicho con otras palabras: una consulta que es como si fuese un referéndum pero que, jurídicamente, no puede calificarse como tal.

Como es por todos conocido, la Ley fue impugnada por el Gobierno ante el Tribunal Constitucional[19] con la consecuencia de producir la suspensión inmediata de su vigencia dos semanas antes de la fecha fijada para la celebración de la consulta. Tal circunstancia no impidió que se habilitase un procedimiento participativo informal en que se exigía a mayores de edad (españoles o extranjeros) residentes en Cataluña la previa inscripción en un aplicativo web elaborado al efecto. La votación se celebró el 9 de noviembre en dependencias públicas (en su gran mayoría municipales) y participaron alrededor de dos millones de personas.

El procedimiento legal siguió su curso y el día 25 de febrero de 2015, el Pleno del Tribunal Constitucional dictó sentencia (STC 31/2015). Para el representante del Estado la ley catalana contenía una regulación sistemática y completa de un refrendo" excediéndose la competencia prevista en el art. 122 del *Estatut* que únicamente permite a la *Generalitat* regular y convocar consultar populares en las que no se llame al cuerpo electoral. Por su parte, el Gobierno y el Parlamento de Cataluña sostenían que la consulta que articulaba la ley no convocaba al cuerpo electoral, no era una forma de ejercicio del derecho de participación política sino únicamente un medio para conocer la opinión ciudadana, no tenía consecuencia jurídica alguna y que, además encontraba respaldo en la doctrina de la STC 42/2015 pues, allí se dijo que el derecho a decidir no era inconstitucional en los términos establecidos en la sentencia y ésta admite expresamente la posibilidad de consultar al pueblo siempre que no se plantee de forma unilateral como un "referéndum de autodeterminación".

La gravedad política de la situación se camufla en el debate jurídico como una cuestión técnica de extralimitación competencial que el Tribunal Constitucional

---

[18]   Proposición de ley orgánica de delegación de competencias en la Generalitat de Cataluña de la competencia para autorizar, convocar y celebrar un referéndum sobre el futuro político de Cataluña (BOCG. Congreso de los Diputados, X Legislatura, Serie B, non. 158, de 24 de enero de 2014.

[19]   También lo fue el decreto de convocatoria de la consulta (Decreto 129/2014, de 27 de septiembre) cuya nulidad declaró la STC 32/2015.

debe resolver. Y ciertamente, la confusión entre legalidad y alegalidad es tan intensa y está tan mutuamente imbricada que se ha dicho, con razón, que la poca convincente resolución del Tribunal es de "una precisión cirujana[20]". A pesar de tan dificultoso esfuerzo la lectura de la sentencia no puede evitar la sensación de que la diferencia jurídica entre un referéndum y una consulta popular no refrendaria se reduzca a una cuestión de hermenéutica de la voluntad: si se apela al pueblo (coincida o no con el cuerpo electoral) se entenderá que se está ante un referéndum y si se apela a las personas como parte de un colectivo —"*uti socius*"— económico, social, cultural, entonces, será una consulta popular no refrendaria. La consecuencia de este deslinde es la declaración de inconstitucionalidad de todos aquellos aspectos formativos de la Ley que posibiliten consultas no sectoriales[21].

Por debajo del debate nominal y del enredo a que conduce la concurrencia de legalidad y alegalidad, aflora entre la oscuridad de la sentencia un poderoso argumento subyacente que, por sí solo, hubiese resuelto el conflicto con menor daño para la "fuerza de ley": no se pueden formular consultas de ningún tipo "que incidan sobre cuestiones fundamentales resueltas por el proceso constituyente y que resultan sustraídas a la decisión de los poderes constituidos" (fundamento jurídico 6)[22]. Frente a la pretensión de escindir democracia y derecho mediante la construcción de una paralegalidad de sentido inverso, nada mejor que invocar directamente la trascendencia esencialmente política del derecho constitucional fundador, aquel que hizo posible "la fuerza de ley" y el fundamento místico de nuestra democracia.

No es a quien se apela lo que debiera guiar el enjuiciamiento constitucional de la ley, sino la trascendencia democrática de aquello sobre lo que se pretende apelar[23], porque, precisamente, es la "violencia" creadora de aquel momento en el que se unen derecho y democracia la que mejor explica que su unidad no pueda disolverse mediante el recurso a la simple regla de la mayoría.

La estrategia política de la alegalidad está obteniendo, por lo tanto, algún inmerecido resultado, como consecuencia de la insistencia en hacer que el derecho digiera lo que no puede procesar sin la colaboración imprescindible de la política. Pero lo más preocupante no es este desgaste por goteo de la "fuerza de ley" sino su efecto inductor sobre la adopción de contramedidas que, involuntariamente,

---

20 Villaverde Menéndez (2015: 425).

21 Para ser más preciso el Tribunal declaró la inconstitucionalidad las dos primeras frases del art. 3.3 y los apartados 4 y 9 del artículo 16, además de las disposiciones transitorias primera y segunda y la disposición final.

22 Sin embargo, lejos de pararse ahí, el Tribunal entre en un confuso diálogo con sus precedentes. Así lo advierte Castellá Andreu (2016) en particular, pp. 585 y 586.

23 Vid. el Voto particular formulado por E. Aja y P. Jover al Dictamen del Consejo de Garantías Estatutarias 19/2014, de 19 de agosto, en él se advierte sobre la transcendencia constitutiva de lo preguntado como elemento diferenciador entre lo que es propio de un referéndum y lo que puede articularse a través de otros procedimientos de consulta.

generan el mismo efecto erosionador. Me refiero a respuestas jurídicas de oportunidad, poco maduradas, que a menudo pecan de exceso, y en las que se apura la razonabilidad del derecho para dar encaje a preocupaciones de coyuntura. Pienso no sólo en algún pronunciamiento de nuestros Tribunales, sino también en reformas legales como la llevada a cabo por la Ley Orgánica 15/2015, de 3 de octubre, para la ejecución de las resoluciones del Tribunal Constitucional como garantía del Estado del Derecho. Basta con leer el enunciado para saber qué motivos animan la reforma (¿Acaso el Tribunal Constitucional no era antes de esta ley garante del Estado de Derecho?).

Frente a la estrategia política de la alegalidad se está conformando un soterrado "derecho constitucional del enemigo" cuyo socorro es solo aparente. De él me ocuparé en otra ocasión. Ahora sólo espero que ambos dedos no emborronen las tablas de la ley y me respondo: un derecho constitucional sin política es sencillamente inútil.

5. REFERENCIAS BIBLIOGRÁFICAS

Caamaño, F. (2014). *Democracia Federal. Apuntes sobre España*. Turpial, 149-165.

Castellá Andreu, J. (2016). "Tribunal Constitucional y proceso secesionista catalán: respuestas jurídico-constitucionales a un conflicto político-constitucional", Teoría y Realidad Constitucional, núm. 37, 2016. pp. 561-592.

Cruz Villalón, P. (1981) *La estructura del Estado o la curiosidad del jurista persa*. Revista de la Facultad de Derecho de la Universidad Complutense de Madrid, 4,53-56.

Derrida, J. (1994). *Márgenes de la filosofía*. Cátedra, Madrid.

Elazar, D. (1987). *Exploring Federalism*. University of Alabama Press. Tuscaloosa.

Gómez-Jara Díez, C. (2005).*El derecho como sistema autopoiético de la sociedad global*. Colección de Estudios, Universidad del Externado, Colombia, 33.

Häberle, P. (2008). *La sociedad abierta de los intérpretes constitucionales*. Academia, 11, 29-61.

Karl-Heinz, L. (1996). *Proceduralization and Its Use in Post-modern Legal Theory*. EUI Working paper, European University Institut.

Luhmann, N. (1984). "The Selft-Reproduction of the Law and its limits" en Miranda R. (dir.) *Dereito e Mudança social*. Río de Janeiro, OAB, 107-128.

McRoberts, K. (2007) Els models asimètrics al Canadá i a Espanya en Gagnon, A-G. (coord.) *El federalismo canadenc contemporani*.

Villaverde Menéndez, I. (2015). "La sutil distinción entre consultar y refrendar. A propósito de las Sentencia del Tribunal Constitucional 31 y 32/2015", Foro, Nueva época, vol. 18, núm. 1, 2015, pp. 425-442.

Vírgala Foruria, E. (2006). El Informe de 2006 del Consejo de Estado sobre modificaciones de la Constitución Española. REDC, 82, 1-50.

La recomposición del sistema de partidos: crónica sentimental de un desamor

Gabriel Colomé García
Universitat Autònoma de Barcelona

¿En qué momento el sistema de partidos en Cataluña implosionó? ¿Cuándo el sistema político catalán entró en crisis? ¿Cómo es posible que el sentimiento secesionista pasara de irrelevante a ser mayoritario en 15 años? ¿Cuál es la diferencia entre el final del siglo XX y estos tres lustros del siglo XXI?

¿Preguntas sin respuesta? Vamos a intentar responder desde la distancia académica a las preguntas que nos formulamos, los opinadores, los políticos, la opinión pública y publicada y los científicos sociales.

1. ¿SPAIN IS DIFFERENT?

A diferencia del conjunto de las democracias occidentales, España, y por ende, Cataluña, estructura su sistema político y consolida su sistema de partidos a partir de unas pautas que lo van a convertir en un sistema peculiar. Nos referimos a la implantación del sistema democrático en un momento histórico que cuenta ya con unos medios de comunicación de masas modernos, y sobre todo, la televisión. Este elemento va a ser decisivo en la construcción de los partidos políticos, algunos de los cuales pasarán de ser clandestinos a partidos de masas con tendencias *catch-all*, dando relevancia a los liderazgos, a la personalización de las campañas electorales y la deriva de unas elecciones parlamentarias a una mecánica de elección presidencialista. Estos rasgos distintivos van a marcar el sistema de partidos español y catalán.

Las elecciones se han convertido en la confrontación audiovisual de unos líderes que personalizan el partido, las ideas, los programas... El sistema de partidos es el resultante de esta confrontación mediática donde prima el político-seductor, el político-mediático, ante el político clásico.

Los partidos políticos como instrumento han perdido una parte fundamental de su naturaleza original, de su existencia de su modo de vida tradicional —la vida militante, el debate interno...—, para ser, en gran medida, transmutados por los medios de comunicación como intermediarios naturales entre los dirigentes y los electores-ciudadanos.

En este sentido, la *"massmediatización"* de la sociedad ha convertido la política en un referente negativo por la simplificación de los mensajes para explicar conceptos complejos. Es el paso del partido de masas de principios del siglo XX a un partido de maquinaria electoral.

El partido *catch-all* es una variante del partido de masas que se caracteriza por posponer de manera radical los componentes ideológicos del partido, por fortalecer las cúpulas dirigentes, por desvalorizar el papel del afiliado y del militante y por rechazar un electorado de tipo confesional o clasista que se sustituye por una publicidad electoral que intenta abarcar al máximo posible de la población.

La comunicación moderna refuerza el papel de los dirigentes políticos. Tiende a confiar a la televisión un rol autónomo en la selección de la agenda política, desplazando la arena política desde las instituciones a los medios. La televisión es, en el sentido estricto de la palabra, un medio de comunicación a disposición del candidato-político y del partido. A partir de este medio, el objetivo del político y del partido que aparece en televisión consistirá en conseguir que sus electores les reconozcan.

Se trata de la masiva utilización de la imagen pública de los dirigentes como un recurso político, electoral y publicitario de importancia capital. Un recurso que tiende a aumentar la personalización de la política y a desvalorizar el papel de los afiliados, para llegar a conseguir y consolidar una relación directa político-opinión pública.

Las elecciones se han convertido, en este sentido, en el fruto de la confrontación audiovisual de las imágenes de los líderes que personifican el partido y sus ideales. La opinión pública percibe la política como una pugna, no tanto entre unos partidos y sus programas, sino en cómo conseguir la visibilidad de la imagen pública de los líderes que representan al partido y sus ideales, a través de los medios de comunicación y, básicamente, de la televisión.

La falta de definición de los programas y la escasa crítica interna y externa, junto a los condicionantes de la publicidad política, tienden hacia a una personalización de la política. Las elecciones se han convertido, de hecho, en elecciones de tipo "presidencial" en lugar de parlamentarias, y son las figuras de los líderes las que concentran toda la atención mediática, partidista y electoral.

Este cambio genera una corriente de adhesiones de tipo emocional, de simpatías temporales o pasajeras, que produce éxitos imparables pero también fracasos. La política se convierte así en un híbrido que favorece los mensajes populistas sin contenido.

2. CATALUÑA: VOTO DUAL Y ABSTENCIÓN DIFERENCIAL

El sistema catalán de partidos tiene unas características propias que lo diferencian del sistema español. El sistema catalán, desde 1980 hasta 2012, se define como un multipartidismo moderado y limitado, con una competencia centrípeta y multidimensional y con una segmentación electoral marcada por la existencia de una divisoria ideológica y una divisoria nacional; y con dos partidos destacados, PSC y CiU, que son predominantes. Hasta las elecciones autonómicas de 1999, el sistema se había comportado siempre de la misma manera: los socialistas ganaban las elecciones generales y CiU ganaba las elecciones autonómicas.

La pregunta que entonces se formulaba era: ¿por qué el partido socialista vence en las elecciones generales y pierde en las autonómicas? La respuesta era que el comportamiento electoral socialista era selectivo según el tipo de elección, afirmación que iba unida a las tasas de abstención en cada elección. Las tasas más elevadas de abstención se encontraban en las elecciones autonómicas y las derrotas socialistas se producían en este tipo de elección. También se podría formular desde un punto de vista positivo, es decir, cuanta más participación electoral, más probabilidades existían que el PSC ganase las elecciones. Por otra parte, el electorado socialista era uno de los más fluctuantes, cambiando de opción política, el denominado "voto dual" —voto socialista en las elecciones generales y voto CiU en las elecciones autonómicas— o absteniéndose, es lo que se la denomina como "abstención diferencial" —voto socialista en las generales y abstención en las autonómicas—. De 1980 hasta 1995, la cuestión básica que se le planteaba al PSC era como movilizar esta franja abstencionista que, en gran medida, era la responsable de su derrota en las elecciones al Parlamento de Cataluña.

Las elecciones autonómicas de 1999 cambiaron en cierta medida esta foto fija. Por primera vez, los socialistas ganaron en voto popular las elecciones al Parlamento de Cataluña, rompiendo lo que había sido hasta entonces una constante desde 1980, pero manteniendo como pauta de conducta electoral la baja tasa de participación. Las elecciones de 2012 cambiarán el sistema de partidos hasta ese momento vigente.

3. LA NO-LEY ELECTORAL

Cataluña es la única comunidad autónoma que aún no tiene ley electoral propia, sigue vigente la transitoria del Estatuto de 1979 para las elecciones de 1980. 36 años después, la sociedad catalana espera esta norma que compatibilice los dos elementos esenciales que la deben estructurar: la población y el territorio.

La provincia de Barcelona reúne el 76% de la población catalana, mientras que escoge tan solo el 63% de los diputados al Parlamento de Cataluña. Si el actual sistema electoral fuese realmente proporcional y pusiera a los votantes por encima de los territorios, este peso demográfico de Barcelona le daría derecho a tener 103 diputados, en lugar de los 85 que elige en la actualidad.

Girona y Tarragona, con un peso demográfico cada una del 9%, están eligiendo el 13% de los escaños al Parlamento; mientras que en el caso aún más desproporcionado de Lleida, su peso demográfico del 6% se traduce en una representación al Parlamento del 11%.

Tabla I. Comparación entre el peso demográfico y el porcentaje de representación en el Parlamento de Cataluña

	Peso demográfico	Representación en el Parlamento
Barcelona	76,3%	63,0%
Girona	8,6%	12,6%
Lleida	5,9%	11,1%
Tarragona	9,2%	13,3%

Fuente: Elaboración propia

Estas proporciones indican que el valor efectivo de los votos emitidos en Barcelona es muy inferior a los que se emiten en el resto de provincias. Así, mientras que un escaño "cuesta" en Barcelona 47.500 votos, este precio se reduce a más de la mitad en Lleida, donde un partido puede con-seguir representación parlamentaria con sólo 20.864 votos. Dicho de otra manera, un votante de Lleida equivale a 2,3 votantes de Barcelona. Y un votante de Tarragona y Girona equivale a 1,8 barceloneses.

La desproporción actual de la distribución de los escaños en el Parlamento de Cataluña obedece a que se distribuyen en función del censo de población de 1976. Es evidente la injusticia no tan sólo por el valor de cada escaño en función del distrito electoral, sino también porque favorece una opción política determinada. En el actual sistema, con el mismo número de votos Convergencia i Unió obtenía 4 escaños de diferencia sobre el PSC, debido a los desajustes indicados. En las elecciones del 27 de septiembre de 2015, el desajuste a favor de la coalición de Junts pel Sí fue de 9 diputados.

4. LA ESPIRAL DEL SILENCIO

¿Qué se entiende por espiral del silencio? Este concepto fue descrito por una socióloga alemana, Elisabeth Noelle-Neumann (1995):

"La hipótesis que había que comprobar era si los diferentes grupos de opinión diferían en su disposición a defender públicamente sus puntos de vista y convicciones. La facción más dispuesta a proclamar su posición tendrá un mayor impacto e influirá más, por tanto, en los demás, que podrían acabar incorporándose a su grupo de seguidores aparentemente mayor o creciente".

Las personas captan los climas de opinión que se convertirán en opinión pública. Como afirma Noelle-Neumann, la gente tiene miedo al aislamiento social, no quiere ser marginada del grupo social y, por lo tanto, cuando capta que se encuentra en minoría, calla. Este silencio hace que se imponga una opinión sobre las otras posibles.

Como dice Noelle-Neumann, *"el factor decisivo es cuál de los dos bandos de una controversia tiene la fuerza suficiente como para amenazar al bando contrario con el aislamiento, el rechazo y el ostracismo"*.

Cuando este fenómeno actúa, el partido favorecido gana las elecciones porque no tiene contrincante en el espacio del debate público. Unos imponen su opinión a otros que se esconden de sus siglas. Cuando esto ocurre, el partido favorecido gana las elecciones antes de empezar la campaña.

En síntesis, en palabras de Noelle-Neumann: *"los que confían en la victoria se pronuncian y los perdedores tienden a callarse"*.

Pero donde ha actuado más tiempo la espiral del silencio ha sido en Cataluña en las elecciones autonómicas a favor de Convergencia i Unió. El origen se debe de situar en la primera campaña de marzo de 1980. Los datos, pocos, que se disponían de la época daban como ganador al Partit dels Socialistes de Catalunya, ya que era la opción política que había ganado las tres elecciones celebradas hasta entonces (generales 1977-1979 y municipales 1979). Jordi Pujol no había hallado aún el discurso que lo llevaría a ganar elección tras elección.

1980 fue el año de la creación de un clima de opinión que se convertirá en espiral del silencio. El publicista responsable de la estrategia ganadora de CiU fue Joaquín Lorente (1986) que explicó cuáles fueron los ítems sobre los que se basaron para construir el discurso-relato para crear este clima.

Dice Lorente: *"Puesto que parecía inútil hablar a los muchos convencidos de UCD y del PSC-PSOE de aquel momento, recomendé una fortísima segmentación de mercado: dirigirnos con gran contundencia al público con motivación catalanista y hacerles entender la diferencia que existía entre los otros partidos y el nuestro. Lo que podía parecer una desventaja, convertirlo en un claro posicionamiento de ventaja. No ocultar ni diluir nuestra propuesta, todo lo contrario, potenciarla"*.

Así nació el concepto de "sucursal" y de "sucursalismo" y su variante que se refiere a unos partidos con dependencia de Madrid. El silogismo sería: PSC igual a PSOE. PSC igual a sucursal del PSOE.

Continúa Lorente: *"Así propuse y nació el eje Catalunya no pot ser una sucursal (Cataluña no puede ser una sucursal), un tipo de lenguaje nuevo en política, absolutamente claro para todos y asimilable para bastantes. Convergencia i Unió se presentaba como gran defensora de las aspiraciones de Cataluña: sólo dependía de los votos de sus ciudadanos. Los grandes partidos de ámbito estatal eran en Cataluña, para el público y lógicamente muchas veces en la práctica, subsidiarios de las decisiones que se tomaban en sus sedes centrales"*. Esta idea arraigó en la opinión pública convirtiéndose en espiral del silencio.

Las elecciones al Parlamento de Cataluña de 1984 fueron el inicio de la hegemonía de CiU en el espacio autonómico hasta el año 2003. Jordi Pujol obtuvo la mayoría absoluta que repitió hasta 1995. CiU, de 1984 a 1995, ganó antes de comenzar la campaña porque aplicó de manera implacable los criterios de repetición para mantener el clima de opinión que alimentó la espiral del silencio: dar argumentos para mantener la mayoría social de la opinión pública y hacer que los adversarios no se atrevieran a manifestarse. Cuando uno habla y los adversarios callan, ya has ganado porque el que habla impone su opinión. Este fenómeno ha sido la tónica habitual en el espacio electoral catalán.

En Cataluña, el efecto de la espiral del silencio convirtió las elecciones autonómicas en una cita electoral con un resultado muy predeterminado.

Las elecciones de 1999 representaron el final de la espiral del silencio. Muchos factores intervinieron, pero el más importante, seguramente, fue la creación de un clima de opinión favorable al concepto de cambio. La espiral del silencio se rompe cuando en la controversia los dos tienen argumentos y uno no se impone sobre el otro, ni se esconde por miedo al aislamiento. 1999 es el inicio del debate de dos argumentos. Deja de existir el monólogo en la política catalana. La opción Maragall, la creación de la plataforma electoral *Ciutadans pel Canvi*, la ampliación del espacio electoral socialista, la alianza con Iniciativa per Catalunya son algunos factores positivos para crear un clima de opinión diferente. Otros factores que actuaron de manera negativa en el proyecto hegemónico de CiU fueron los 19 años de gobierno, el cansancio de Jordi Pujol, visto como el otoño del patriarca, la sorpresa electoral en las elecciones municipales con la pérdida de 200 mil votos camino de la abstención. La combinación de todos estos factores tuvo un efecto de fractura del monolitismo en el espacio político catalán.

Pero había arraigado en la opinión pública el relato nacionalista de la diferencia entre partidos catalanes y partidos de obediencia española. El concepto de "sucursalismo" subyace en la cultura política catalana.

5. ¿DEL LARGO ADIÓS...

Hasta aquí la descripción del sistema político y de partidos de Cataluña hasta las elecciones de 2012. La etapa que se abre en Cataluña, a partir del resultado de las elecciones, cambiará el sistema de partidos y político hasta convertirlo en diferente.

El eje de competencia se centrará en primordialmente sobre el nivel identitario, los ejes clásicos de izquierda-derecha y de sentimiento de pertenencia se difuminan. El catalanismo político que había sido el espacio central de la política catalana se quiebra para dar paso al derecho a decidir, a los nuevos conceptos emergentes de soberanismo y de independentismo, de referéndum y de proceso constituyente.

Si el sistema de partidos catalán se había caracterizado por ser centrípeto, a partir del 2012, tiende a convertirse en centrífugo, por bloques radicalizados.

La clave del cambio se debe al giro que se produce en CDC. Desde la restauración democrática, Convergencia y Jordi Pujol habían liderado un catalanismo conservador que participaba de manera activa en la política española. La Constitución de 1978, su apoyo a la gobernabilidad de Felipe González en 1993 o de José Mª Aznar en 1996, Pacto del Hotel Majestic, o la propia aventura del Partido reformista de Miquel Roca en 1986 son eslabones de una cadena que intenta encajar Cataluña con España.

El cambio radical a esta política catalano-española se debe a la lectura de la situación política que realiza el Presidente de la Generalitat, Artur Mas, que había ganado las elecciones del 2010, desalojando al tripartito del gobierno, con un tema central de campaña como era el Pacto Fiscal. Cabe recordar que los Presupuestos de la Generalitat de 2011 son aprobados con los votos del PP.

La manifestación multitudinaria de septiembre de 2012, y el fracaso de la negociación sobre el Pacto Fiscal, con el Gobierno, presidido por Mariano Rajoy, dan pie a Artur Mas a disolver el Parlamento para aprovechar el viento favorable a su aspiración de obtener la mayoría absoluta. El Derecho a Decidir, eufemismo del derecho de autodeterminación, se convertirá en el nuevo Mantra del nuevo espacio soberanista. Artur Mas fracasó en su intento de obtener la mayoría absoluta y, en cambio, perdió 12 diputados (de 62 a 50 diputados).

Artur Mas y Oriol Junqueras, nuevo líder de ERC, llegaron a un acuerdo de legislatura para conseguir que los catalanes votasen una consulta sobre el Estado independiente. Este dato es importante ya que a partir de este acuerdo todos los partidos parlamentarios deberán significarse a favor o en contra bajo la presión de la llamada sociedad civil.

Los medios de comunicación públicos y algunos privados van a tener un papel relevante a favor del Derecho a decidir dando lugar, de nuevo, a la creación de la Espiral del silencio. Durante tres años, el debate mediático y político se producirá entre soberanistas y unionistas, convirtiendo a los minoritarios en mayoritarios mediáticamente hablando.

En estos tres años, entre elección y elección, el sistema de partidos hasta ese momento conocido estalla. En estos, tres años los dos partidos que habían representado la base del sistema político, CiU y PSC entran en crisis. Las dos paredes maestras del sistema político y de partidos se derrumban.

El PSC es el primero que sufre las primeras convulsiones. Si analizamos el ciclo electoral socialista catalán en los comicios español y catalán del período 2006-2016 se comprueba que estamos ante el declive de un partido de poder institucional máximo (Gobierno de España, Gobierno de la Generalitat y Alcaldía de Barcelona) a un partido de mínimos (oposición en los tres ámbitos).

En 2006, el PSC reedita el tripartito gubernamental, aunque el resultado que obtiene es de 789.614 votos (26,8%) perdiendo casi un cuarto de millón. En 2008, en las elecciones legislativas de reelección del Presidente Zapatero, los socialistas obtienen el histórico resultado más alto desde 1977, 1.672.777 de votos (45,3%).

El declive electoral empieza, por diferentes factores internos y externos, a partir de las elecciones de 2010 que inician un ciclo político y electoral en el seno del PSC de fuertes turbulencias.

En las elecciones catalanas de 2010, el PSC obtiene 570.361 votos (18,3%). Los socialistas pierden la alcaldía de Barcelona, mayo 2011, y pierden, por primera vez desde 1977, las elecciones generales de noviembre de 2011 con 920.323 (26,6%) superado por la coalición de *Convergencia i Unió*. Tres derrotas que marcan el declive de uno de los dos partidos mayoritarios del sistema político catalán.

Tras las derrotas en las elecciones de 2010-2011, el partido socialista elige a Pere Navarro como nuevo Primer Secretario de la formación en el 2011, después del ciclo electoral más negativo de la historia del PSC.

El Congreso de elección de Pere Navarro, alcalde de Terrassa marca el final de la generación que asumió el control del PSC en el Congreso del 2000. Generación que inició la rebelión del Congreso de Sitges en 1994 y que culminó en el Congreso antes mencionado. Fue el final de la generación fundadora del partido. El Nuevo PSC ya no era heredero de las tradiciones históricas (Congrés, Reagrupament, Federación PSOE). Era un nuevo partido más pragmático, más social y atenuaba su imagen más catalanista. Pasqual Maragall es el nuevo Presidente del partido y José Montilla, el nuevo Primer secretario.

El Congreso de 2011 es la asunción del control del partido por los cargos institucionales: los alcaldes. Es la gran diferencia con la tradición de las anteriores direcciones del partido.

El *derecho a decidir* entra en la agenda política en 2012 tras la manifestación multitudinaria del 11 de setiembre. Artur Mas disuelve el Parlament y convoca elecciones. Paradojas de la No Ley Electoral el PSC será el segundo partido en votos (523.333 votos-14,4%) pero será el tercer partido en escaños, 20 diputados, tras ERC que obtuvo 21.

La legislatura que empieza en el 2012 tiene como efecto que el PSC sea el primer partido que entra en crisis. Su ala más catalanista se rompe ante la posición oficial del PSC sobre el tema del *derecho a decidir*. Además, el PSC vota dos veces diferente del PSOE en el Congreso de Diputados lo que conlleva otra brecha sobre su ala más "españolista". Las tensiones internas tendrán un final multinivel. Una parte de los dirigentes catalanistas y ex Consejeros de los Gobiernos Maragall y Montilla se dan de baja del PSC para fundar otro partido, una parte de los electorados catalanistas y españolistas transferirán su voto hacia otras opciones políticas (ICV-CiU-ERC-C's).

Estas tensiones internas tienen su explicación en las dos tradiciones de los socialistas catalanes. Estas dos tradiciones y concepciones del socialismo pueden ser descritas de la siguiente manera: la que proviene del PSC-C hunde sus raíces históricas en el catalanismo, el anarcosindicalismo y el movimiento cooperativista; es anticentralista, antiestatista y autogestionaria y tiene fuertes influencias del cristianismo social. En cambio, el PSOE representa el socialismo de tradición republicana, jacobina, obrerista, estatista y laica. En el marco general del socialismo, la tradición socialista del PSOE se enmarca en una concepción "estatal", mientras que la tradición socialista del PSC se situaría en una concepción "societal".

El PSC recoge en su seno dos tradiciones del socialismo que han conformado y conforman dos culturas y dos sensibilidades diferentes y diferenciadas. Estas dos culturas se pueden describir, de manera esquemática, de la siguiente manera: la tradición socialista catalana bebe de unas tradiciones anti-estatistas, anticentralistas, individualistas, autogestionarias, cooperativistas y con influencias anarcosindicalistas. Representa lo que consideramos como la línea "societal" en el socialismo europeo, en una corriente reconocible desde los socialistas fabianos hasta el PSU rocardiano.

La tradición dominante en el socialismo español, en cambio, tiene unos componentes estatistas, obreristas, jacobinos, laicos y republicanos. Representa la línea "estatal" en el socialismo europeo. Estas dos "almas" se entroncan en las raíces históricas que han marcado la vida del socialismo en Cataluña, con la existencia de un continuum histórico que llega hasta nuestros días.

Así mismo, esta conformación de sensibilidades diferentes tiene unos efectos en el interior del partido unificado y en su proyección externa hacia la sociedad, diferenciándose las actitudes de grupos y núcleos tanto en relación al marco catalán como al conjunto español. Estos comportamientos están impregnados por aquellas culturas diferenciadas.

Finalmente, la derrota electoral en las elecciones europeas tuvo como consecuencia la dimisión del Primer Secretario, Pere Navarro y su sustitución por Miquel Iceta, que es elegido Primer Secretario, en un Congreso Extraordinario, en julio de 2014.

Convergencia y Unió, coalición creada en 1979, entre CDC y UDC, se había convertido en el partido hegemónico en Cataluña bajo la presidencia de Jordi Pujol. Presidencia que finaliza en el 2003 con la llegada de Pasqual Maragall a la Presidencia de la Generalitat con un gobierno tripartito que será revalidado en 2006 bajo la Presidencia de José Montilla. En 2010, CiU vuelve a presidir la

Generalitat, pero las nuevas generaciones de Convergencia, alimentadas en el independentismo, son mayoritarias en el seno del partido y en el gobierno. El giro hacia el soberanismo estaba a punto de producirse.

UDC, desde su fundación en 1931, nunca fue ni ha sido un partido soberanista, se inscribe en el catalanismo cristiano social conservador. La tensión entre los dos partidos de la coalición será cada vez más intensa. Los postulados soberanistas de CDC tienen como efecto la ruptura de la coalición antes de las elecciones de 2015 y la propia fractura del partido que sufrirá una escisión del sector independentista que fundará Demócratas de Cataluña.

ICV formará parte del primer bloque soberanista hasta la consulta del 9 de noviembre de 2014. Las tensiones entre las dos "almas" de ICV, la federalista y la soberanista, se harán evidentes, Joan Herrera y Dolors Camats simbolizan esas diferencias como bicefalia dirigente. La mayoría del electorado de ICV es federalista, mientras que los soberanistas son minoría. Para evitar la ruptura ICV dejará de participar en el bloque independentista en desacuerdo con la política que impulsa los otros tres partidos y las dos asociaciones que representan la sociedad civil Asamblea Nacional Catalana y Òmnium Cultural.

En las elecciones de 2015, ICV reeditará su coalición electoral municipal de Barcelona con el grupo liderado por Ada Colau que obtuvo la victoria y la alcaldía. El nombre de la nueva coalición fue "Catalunya Sí Que Es Pot" aunque la alcaldesa Colau se distanció y no participó en la campaña. El resultado que obtuvo la coalición no fue el esperado tras el éxito municipal.

Las elecciones del 27 de septiembre se plantearan como un "plebiscito" por parte de los independentistas. El argumento era: es el referéndum que España no ha permitido realizar. Para ello, CDC y ERC formalizaron una coalición "Junts pel Sí" y el lema de campaña será "El voto de tu vida". La mayoría absoluta en escaños y votos será su objetivo.

Pero el 27 por la noche, la coalición obtiene 62 escaños, 6 menos que la mayoría absoluta, y el bloque independentista, sumando a la CUP, obtuvo el 48% de los votos por debajo también de la anhelada mayoría absoluta. La participación fue del 74,95% la más alta desde las primeras elecciones de 1980.

La Hoja de Ruta del independentismo como base programática de desconexión de Cataluña de España en 18 meses y la creación de las llamadas Estructuras de Estado son los dos pilares sobre los que se ha construido el programa electoral de "Junts pel Sí".

El resultado, además, fue la visión de un Parlamento más fragmentado, más radicalizado, más frentista que los anteriores Parlamentos.

Otro dato relevante fue que la coalición independentista no fue liderada por el Presidente Mas, sino por Raül Romeva, ex eurodiputado de ICV, las presidentas de la ANC, Carme Forcadell y de Òmnium Cultural, Muriel Casals para mostrar que era la sociedad civil quién lideraba el camino hacia la independencia. Artur Mas iba en la cuarta plaza pero habiendo pactado que sería el candidato a la

Presidencia. Era una manera de no tener que dar explicaciones de sus 4 años de mandato y sus terceras elecciones desde 2010.

El electorado se ha movido en sus propios espacios. La división de la oferta electoral en dos bloques entre independentistas/no independentistas o entre soberanistas/unionistas ha fijado una imagen fija de un bloque secesionista con el 47,80% frente 52,20% favorable a la no independencia. La falacia electoral del Plebiscito por parte de JxSí fue un rotundo fracaso al no llegar a la deseada mayoría absoluta.

En las elecciones de 2012, CiU obtuvo 50 diputados, ERC 21 y la CUP 3. El bloque secesionista tenía 74 escaños, 6 más de la mayoría absoluta. En el Parlamento de 2015, CDC y ERC sumaban 62 (9 menos) y la CUP 10, 7 más. La gobernabilidad de la Generalitat y la Hoja de Ruta dependen de la CUP, un partido antisistema, anticapitalista, antieuropeo que consiguió vetar a Artur Mas como Presidente de la Generalitat que fue sustituido por el alcalde de Girona, Carles Puigdemont, en el último instante para evitar la disolución automática del Parlament.

6. ...AL SUEÑO ETERNO?

Si analizamos los datos del Barómetro de Opinión Política del Centre d'Estudis d'Opinió de la Generalitat de Cataluña se comprueba la evolución de la opinión pública catalana como termómetro de la actualidad política.

La respuesta a la pregunta: ¿qué debería ser Cataluña?

    Una región de España
    Una comunidad autónoma de España
    Un estado en una España federal
    Un estado independiente.

Era, en julio de 2006, mayoritariamente una Comunidad autónoma (37,3%), mientras estado independiente representaba el 14,0%. En el BOP de octubre de 2010, después de la sentencia del Tribunal Constitucional sobre el Estatuto de Autonomía (junio) y la posterior manifestación ciudadana de repulsa a la sentencia (julio), la Comunidad seguía siendo mayoritaria (34,7%), pero estado independiente se situaba en un 25,2%. Dos años más tarde, bajo la presidencia de Artur Mas, el BOP de octubre 2012, reflejaba el impacto de la multitudinaria manifestación del 11 de septiembre que tuvo como consecuencia política la disolución del Parlamento y la convocatoria de nuevas elecciones. Comunidad Autónoma había caído al 19,1%, mientras que el 44,3% era partidario de un estado independiente.

En febrero de 2016, el BOP, reflejaba el clima posterior a las elecciones catalanas, generales y a la elección "in extremis" de Carles Puigdemont como nuevo Presidente de la Generalitat. Los partidarios de estado independiente eran el 38,5%.

Si aplicáramos el criterio del porcentaje basado en los dos bloques, favorable o contrario a la independencia, los partidarios de la independencia tiene su momento más álgido en octubre del 2012 con el 44,3% frente al 50,6% de los no independentistas, para situarse en febrero del 2016 en 55,5% los no independentistas frente al 38,5% de los favorables.

La manifestación del 11 de septiembre de 2012 es el inicio de la nueva etapa política en Cataluña. La masiva manifestación tendrá unas consecuencias insospechadas en aquel momento. La sociedad civil organizada toma la calle y le mandata al poder político que se mueva hacia el soberanismo como petición mayoritaria. Òmnium Cultural y la Asamblea Nacional Catalana habían hecho una prueba de su fuerza de convocatoria en julio de 2010 en la manifestación de protesta ante la sentencia del Estatuto. Estas dos organizaciones cívicas se arrogan la representación de toda la sociedad civil catalana y, a partir, de este punto se convierten en el espacio dónde deberán transitar los partidos soberanistas.

La primera consecuencia fue la disolución del Parlamento por el cambio de estrategia de Artur Mas y de CDC que abandona la línea del Pacto fiscal para situarse en el eje del derecho a decidir y del soberanismo. Este movimiento táctico tuvo como segunda consecuencia dinamitar el catalanismo político que había el eje central y transversal sistema político y de partidos de Cataluña.

La construcción del relato (España nos roba) fijará una línea divisoria entre los proclives al derecho a decidir, en un primer momento, para seguir después camino hacia la independencia, y los unionistas y federalistas.

A partir de la manifestación del 2012 y el clima de opinión creado a partir de la asunción de la Generalitat por CiU en 2010, la espiral del silencio vuelve a hacerse presente en la vida política y civil catalanas como en las décadas del período de gobierno de Jordi Pujol. Un apunte que sigue vigente.

Escribe Jordi Amat, "El 21 de enero de 1988, unos pocos meses posteriores a la consecución de los Juegos Olímpicos, Javier Mariscal, padre del Cobi, afirma en el periódico valenciano Las Provincias: *Lo mejor de Barcelona es su mezcla de gente de razas, de culturas. Su vertiente de ciudad abierta es magnífica, pero el sr. Pujol cultiva el sentido pueblerino, lo cerrado, el seny. Jordi Pujol es horrible, no mide más de 1,40 y si fuera por él todos tendríamos que hacer catalanismo, y patria, y todo eso. Pero no podrá, porque allí estamos nosotros.*"

La reacción fue furibunda contra Mariscal y la petición de boicot a la mascota olímpica por parte de la Crida. Mariscal pidió perdón en una entrevista en TV3 y un artículo en el diario AVUI. Miquel Roca, secretario general de CDC, aceptó las disculpas y Jordi Pujol también.

Sigue Amat, "*¿se podía hacer categoría a partir de esa anécdota? El 11 de febrero Jordi Solé Tura escribía un artículo valioso. "Cataluña y el caso Mariscal"*".

Puede que exagerara, pero otorgaba al incidente una más que plausible trascendencia: "Creo sinceramente que lo que acaba de ocurrir en Cataluña es el episodio más grave de los últimos años y/o más preñado de consecuencia"…/..La definición exacta de lo que es ser catalán queda pues, en manos del propio presidente Pujol, que puede decidir si una persona es hostil a Cataluña o no y puede otorgarle o negarle el perdón, con las consiguientes consecuencias personales y profesionales" (Amat, J., 337-338).

Desde 1988, el nacionalismo catalán se ha permitido el lujo de ser el garante de la ISO de catalanidad. Se ha permitido otorgarla o negarla. Hasta hoy.

7. REFERENCIAS BIBLIOGRÁFICAS

Amat, J. (2015). *El llarg procés*. Barcelona: Tusquets.
Barómetro de Opinión Pública del Centre d'Estudis d'Opinió de la Generalitat de Catalunya.
Casals, X. (2010). *El oasis catalán (1975-2010)*. Barcelona: Edhasa.
Castro, C. (2011) *Retrato electoral de Cataluña*. Barcelona: Episteme.
Noelle-Neumann, E. (1995). *La espiral del silencio*. Barcelona: Paidós.
Rodríguez-Aguilera de Prat & C-Reniu, J. M. (2015). "Elecciones catalanas: plebiscitarias, ma non troppo". *Quaderni dell'Osservatorio Elettorale*, 74, 33-58.

8. ANEXO

Tabla I. Resultados 27 septiembre 2015

Partido/coalición	Votos %	Escaños
JxSí	39,52	62
C's	17,90	25
PSC	12,72	16
CSQEP	8,94	11
PP	8,49	11
CUP	8,21	10

Fuente: Elaboración propia

Tabla II. Sentimiento de pertenencia

BOP CEO	Julio 2006	Octubre 2010	Octubre 2012	Febrero 2016
Solo español	5,0	5,5	2,0	5,1
Más español que catalán	4,5	3,9	2,5	5,7
Tan español como catalán	45,0	42,5	35,0	33,8
Más catalán que español	27,1	25,5	28,7	24,2
Solo catalán	17,3	20,3	29,6	26,3

Fuente: Elaboración propia

Tabla III. Relación entre España y Cataluña

BOP CEO	Julio 2006	Octubre 2010	Octubre 2012	Febrero 2016
Región[1]	6,9	5,9	4,0	4,1
C. Autónoma[2]	37,3	34,7	19,1	25,1
Estado federal[3]	34,1	30,9	25,5	26,3
Estado independiente[4]	14,0	25,2	44,3	38,5

Fuente: Elaboración propia
1. Una región de España
2. Una comunidad autónoma de España
3. Un estado dentro de una España federal
4. Un estado independiente

Cambio y continuidad: las dimensiones del sistema de partidos de Cataluña tras las elecciones autonómicas de 2015

Pablo Oñate
Universidad de Valencia

1. INTRODUCCIÓN: EL CONTEXTO

Las elecciones de 27 de septiembre de 2015 al Parlamento de Cataluña tuvieron un manifiesto carácter *excepcional* por una serie de factores contextuales, bastantes de ellos interrelacionados, así como por la alta participación que registraron (del 75 por ciento), mayor aún que la alcanzada en la convocatoria de 2012 que ya marcó un record histórico. Entre esos elementos contextuales habría que considerar, sucintamente y sin ánimo exhaustivo, los siguientes:

a) Los efectos de la profunda crisis económica y fiscal y de las políticas de austeridad y recortes (especialmente en políticas sociales) implementadas por los Gobierno de España y de la Generalitat, que supusieron un severo deterioro de las condiciones de vida de buena parte de la población.

b) El efecto de una progresiva crisis política que aumentó notablemente la desconfianza y la desafección políticas de la ciudadanía, que fue incrementándose a medida que los efectos de la crisis económica y su gestión iban afectando a la población.

c) El impacto que los abundantes casos de corrupción en los partidos tradicionales tuvieron sobre la ciudadanía.

d) La emergencia de nuevas fuerzas políticas a escala nacional (Podemos y Ciudadanos), cuyos buenos resultados en las elecciones autonómicas y municipales de mayo de 2015 (también en Cataluña) auguraban relevantes efectos en los sistemas de partidos (español y catalán).

e) La *deriva* abiertamente secesionista que algunas fuerzas políticas adoptaron y que se extendió en la sociedad a partir de diversos factores: entre ellos, la Sentencia del Tribunal Constitucional de 2010 sobre el Estatuto de Autonomía; la actitud negativa del Gobierno de Mariano Rajoy respecto de la modificación del sistema de financiación de Cataluña; y el progresivo desarrollo de los efectos que esa crisis económica y fiscal iba provocando entre la población catalana (en gran medida, expandida con la perspectiva inducida por las elites políticas secesionistas de que una Cataluña independiente mejoraría esas deterioradas condiciones económico-sociales).

f) La masiva movilización secesionista que eclosionó en la Diada del 11 de septiembre de 2012 y en la posterior decisión del Presidente Mas de convocar elecciones anticipadas en noviembre de 2012, en las que defendió de manera inequívoca, por primera vez, posiciones secesionistas.

g) La posterior Declaración de Independencia aprobada por el Parlamento de Cataluña en diciembre de 2013 y los efectos de la celebración, el 9 de noviembre de 2014, de la *Consulta* sobre la independencia de Cataluña, consulta fomentada por la Generalitat (conjuntamente con CiU, ERC, IC-V y la CUP, así como con diversas organizaciones sociales apoyadas por la *Generalitat —Omnium Cultural* [OC] y *Asamblea Nacional Catalana* [ANC]—).

h) La decisión del *President* Mas de convocar de nuevo elecciones anticipadas con la decidida intención de conferirles un carácter *plebiscitario* frente a la política del Gobierno del PP de no autorizar la celebración de la *Consulta* ni reconocer el supuesto "derecho a decidir".

Pese a los abundantes temas que se trataron en la campaña electoral, ésta basculó —de manera polarizada— en torno a la cuestión del proceso secesionista y las alternativas y consecuencias que ese proceso tendría para Cataluña. Así, en el contexto en el que se celebraron las elecciones primó la polarización en la dimensión territorial: ya en las elecciones anticipadas de 2012, en las que CiU perdió casi un 8 por ciento del voto y 12 escaños, sólo las fuerzas más polarizadas en la dimensión territorial habían ganado votos y escaños —mientras que las que ocupaban posiciones más moderadas los habían perdido—. Las asociaciones civiles independentistas (ANC y OC) así como el Presidente Mas presionaron a los otros partidos secesionistas para concurrir en una lista conjunta y conferir a la convocatoria, así, ese carácter plebiscitario que pudiera servir para legitimar mayoritariamente el proceso independentista. Finalmente, tras arduos procesos negociadores, sólo ERC y algunas otras pequeñas formaciones (las escisiones del PSC y Unió —respectivamente, Més y *Demòcrates de Catalunya*—) aceptaron concurrir en esa candidatura conjunta. ICV y la CUP optaron por concurrir con sus siglas y poder de esta manera exigir responsabilidades a Mas en la campaña electoral por el deterioro de las condiciones sociales derivadas de las políticas de austeridad y recortes que había venido implementando su Gobierno. Curiosamente, como señala Barrio (2015: 23), todos los candidatos a presidir la Generalitat fueron nuevos, a excepción de Mas, que —no obstante— ocupó el cuarto puesto de su lista, dado el profundo desgaste que había sufrido su imagen por las políticas de recortes y los casos de corrupción en la formación que presidía.

Si los resultados de la convocatoria de 2012 implicaron un notable incremento de la *fragmentación* y de la *polarización* políticas (así como la frustración de las expectativas de quien adelantó los comicios), los de la elección de 2015 tampoco propiciaron los efectos que fundamentaron esta nueva convocatoria anticipada (Tabla I): los votos a favor de las fuerzas que defendían la independencia no alcanzaron el 50 por ciento requerido por algunas de ellas (en particular, de forma expresa, la CUP), como confirmación del deseo del pueblo catalán de proceder con el *procés* conducente a la creación de un Estado catalán independiente. No obstante, los efectos del sistema electoral propiciaron que la suma de los escaños logrados por las fuerzas secesionistas superaran en 4 la mayoría absoluta en el *Parlament*. Pese a que el efecto *plebiscitario* de la convocatoria resultara frustrado, la mayoría absoluta de escaños animó a los líderes secesionistas a seguir con el *procés*, poniendo en marcha medidas que permitieran la conformación de ese Estado catalán independiente.

Tabla I. Resultados elecciones autonómicas en Cataluña, 2015 y 2012

	Elecciones 2015		Elecciones 2012	
Participación	74,95		67,76	
	% de Voto	Escaños	% de voto	Escaños
Junts Pel Sí*	39,6	62		
CiU			30,7	50
ERC			13,7	21
Ciudadanos	17,9	25	7,6	9
PSC	12,7	16	14,4	20
CSQEP**/ICV	8,9	11	9,9	13
PP	8,5	11	13,0	19
CUP	8,2	10	3,5	3
UDC***	2,5	0		

Fuente: Parlamento de Cataluña (www.parlament.cat)
* Candidatura conjunta de CDC y ERC.
** Coalición en la que Podemos se integró, junto con ICV y Esquerra Unida i Alternativa.
*** En la convocatoria de 2012 UDC se presentó en coalición con CDC bajo las siglas CiU.

En ese contexto de alta movilización política e intensa polarización, la participación electoral registró máximos históricos, al alcanzar el 74,95 por ciento del censo, más de 6 puntos porcentuales que la participación que se daría tres meses después en las elecciones generales en Cataluña. Esos niveles de participación, más propia de elecciones generales que de autonómicas, rompieron con la dinámica de *abstención diferencial* largamente observada entre esos dos tipos de elecciones en Cataluña (Ferrer, Galais y Pallarés, 2008). Dado el carácter *excepcional* de la convocatoria autonómica de 2015, esa mayor participación benefició a todas las formaciones y no especialmente a los partidos de ámbito estatal, como hubiera cabido esperar en función de lo ocurrido en convocatorias previas (Bermudez y Ferrer, 2014).

La candidatura conjunta *Junts Pel Sí* ganó las elecciones, pero no alcanzó el porcentaje de voto y los escaños que las dos formaciones que la integraban (CDC y ERC) había logrado por separado en la convocatoria de 2012 (ni siquiera sumando los votos logrados por UDC en la de 2015): logró 9 escaños menos que los conseguidos por ambas en 2012, quedando a 6 de la mayoría absoluta, lo que acabaría teniendo funestas consecuencias para las aspiraciones de Mas de convertirse de nuevo en *President* de la Generalitat y liderar desde esa posición el *procés*.

Tampoco la coalición *Catalunya Sí Que es Pot*, en la que se integró Podemos, alcanzó el apoyo que sus líderes esperaban. Las expectativas que habían despertado los buenos resultados de *Podemos/En Comú* en las elecciones municipales se vieron claramente frustradas: la coalición logró un punto porcentual de voto y dos escaños menos que los conseguidos por IC-V —presentándose sin Podemos— en los comicios de 2012. Por su lado, el Partido Popular también perdió considerable apoyo (5 puntos porcentuales) y 8 escaños, consecuencia —sin duda— de las políticas de austeridad y recortes implementadas por el Gobierno de Mariano Rajoy, los casos de corrupción que a lo largo de la legislatura afectaron a esta formación, y la competición directa de Ciudadanos en las posiciones que el PP ocupaba en la dimensión territorial.

Probablemente como consecuencia de la elevada polarización en la preeminente dimensión territorial, las únicas formaciones que mejoraron sus resultados, creciendo tanto en porcentaje de voto como en escaños, fueron las que defendían las posiciones más extremas en esa dimensión: Ciudadanos (que competía con el PP como defensor a ultranza de la unidad de España) y la *Candidatura d'Unitat Popular* (CUP). Ciudadanos se convirtió en la segunda fuerza más votada en Cataluña, mientras que la CUP adquiría una relevancia clave al poder decidir si *Junts Pel Sí* lograba el Gobierno de la *Generalitat*. Los diputados de esta última formación —después de un rocambolesco proceso de *decisión participativa*— acabarían efectivamente condicionando *in extremis* su apoyo al Gobierno de *Junts Pel Sí* a que no estuviera encabezado por el Presidente Mas.

Como se analiza detalladamente en el capítulo de Gabriel Colomé en esta misma obra, la distribución del voto entre las cuatro circunscripciones no fue uniforme: *Junts Pel Sí* logró sus mejores resultados en las circunscripciones de Girona y Lleida, con una diferencia de hasta 20 puntos porcentuales de voto respecto de los que consiguió en Tarragona y Barcelona. Ciudadanos, PSC y el PP alcanzaron mejores resultados en Barcelona y Tarragona, con diferencias de hasta 7,5, 5,3 y 3,0 puntos porcentuales de voto respecto de los que obtuvieron en Girona y Lleida. El voto de la CUP y *Unió* sí estuvo más uniformemente distribuido, siendo las diferencias entre el porcentaje de voto conseguido en cada circunscripción menores a 1 punto porcentual.

Las fuerzas independentistas (*Junts Pel Sí* y CUP) alcanzaron sus mejores resultados en *Girona* y *Lleida* (en torno al 64 por ciento), mientras que en las circunscripciones de Barcelona y Tarragona no llegaron al 50 por ciento. Al revés ocurrió con las fuerzas contrarias a la independencia: rondaron conjuntamente el 50 por ciento en Barcelona y Tarragona, mientras que su porcentaje conjunto de voto no superó el 35 en *Girona* y *Lleida*. En cambio, en la dimensión izquierda-derecha (excluyendo el voto de *Junts Pel Sí*), los apoyos en cada circunscripción resultaron más equilibrados, siendo algo más favorables —en apenas 2 puntos porcentuales— a fuerzas progresistas Barcelona y Girona, y más (5 puntos) a las fuerzas conservadoras Tarragona. No puede decirse, por tanto, que la uniformidad del comportamiento electoral haya sido la pauta en estas elecciones —como también ocurrió en anteriores comicios—, siendo la dimensión centro-periferia la que articuló en mayor medida esas diferencias en la distribución del voto de los ciudadanos en las distintas circunscripciones.

En estos comicios se dieron, por tanto, ciertas pautas de continuidad y de cambio en el sistema de partidos de Cataluña, sistema tradicionalmente caracterizado por sus peculiaridades *excéntricas* respecto del modelo *común* (Oñate y Ocaña, 2008). Pero, ¿qué dimensión tienen y cómo se plasman esos cambios del sistema de partidos catalán? Esos cambios ¿han incrementado o han disminuido el carácter excéntrico que tradicionalmente ha tenido este sistema de partidos? ¿Se observan esas peculiaridades del sistema de partidos catalán en todas las circunscripciones por igual o se trata de una pauta que se aprecia más en unas circunscripciones que en otras? Para responder a estas cuestiones, convendrá diseccionar las características del sistema de partidos catalán resultante de los comicios de 2015, y analizar sus dimensiones más allá de las variaciones experimentadas por cada formación política. Para ello, en las siguientes páginas se va a analizar la evolución de las distintas *dimensiones del sistema de partidos*, que —como hemos expresado en otro lugar (Oñate y Ocaña, 1999: 35)[1] son el "conjunto de características que definen la configuración y las dinámicas de funcionamiento y competición de un sistema o subsistema de partidos dado": la fragmentación, la concentración, la competitividad, la polarización, la volatilidad y el regionalismo. Y atenderemos a la continuidad y al cambio tanto en una perspectiva longitudinal, considerando la configuración de las dimensiones del sistema de partidos en 2015 en comparación con la resultante de anteriores comicios, como en una perspectiva espacial, analizando las diferencias que se pueden observar con las que caracterizan a los sistemas de partidos de otras comunidades autónomas, así como a las que se han dado en las cuatro circunscripciones catalanas en la elección de 2015.

---

[1] Remito a esta obra a quien busque más información sobre cómo se calcula cada índice y cuáles son sus valores habituales en nuestros sistemas de partidos.

2. LA FRAGMENTACIÓN DEL SISTEMA DE PARTIDOS

La fragmentación es la dimensión que analiza la medida en la que la distribución del poder político resultante de unas elecciones está dispersa o concentrada. Para poder analizarla de forma comparable, se han propuesto varios índices, si bien el del *número efectivo de partidos* (NEP) de Laakso y Taagepeera (1979) expresa con mayor precisión esta dimensión: da cuenta del número de partidos así como de su fuerza respectiva. Y tiene, como todos los demás índices, dos versiones, la electoral y la parlamentaria, según se quiera medir la fragmentación del voto o en la institución cuyos miembros se eligen en la votación (el *Parlament*)[2].

El alto nivel de apoyo de las formaciones emergentes, Podemos y Ciudadanos, hubiera permitido augurar un incremento en los niveles de fragmentación del voto en esta convocatoria. No obstante, el que varias de las principales fuerzas concurrieran en candidaturas conjuntas (CDC y ERC en *Junts Pel Sí,* y Podemos e IC-V en *Catalunya Sí Que Es Pot*) propició que la fragmentación resultante de las urnas fuera menor de la esperada. Así, el valor del número efectivo de partidos resultante de las elecciones de 2015 (4,4) fue considerablemente más bajo que el registrado en los comicios de 2010 y 2012: hay que remontarse a las elecciones autonómicas celebradas antes de 2003 para encontrar valores más bajos de fragmentación en el sistema de partidos catalán (Gráfico I).

Gráfico I. Número efectivo de partidos en elecciones autonómicas de Cataluña

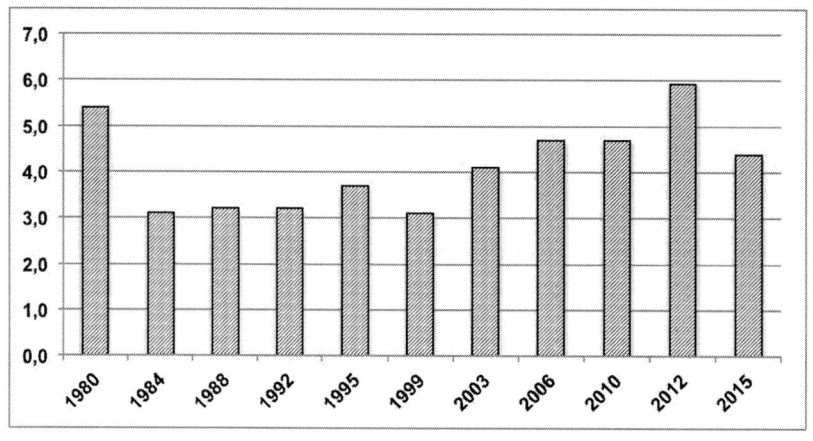

Fuente: Elaboración propia a partir de datos del *Departament de Gobernació, Administracions Publiques i Habitatge de la Generalitat Catalana*

---

[2] Obviamente, la variable que diferencia el valor de las dos versiones es el sistema electoral y la desproporcionalidad que genera, en tanto para calcular una u otra versión se usa el porcentaje de voto o el porcentaje de escaños logrado por cada partido. La desproporcionalidad generada en las elecciones autonómicas de 2015 en Cataluña fue de 4,86 (*índice de cuadrados mínimos* de Lijphart), que la configuró como la sexta comunidad autónoma menos desproporcional. Dado que lo que aquí nos interesa son las dimensiones del sistema de partidos configurado por el voto de los

Si compramos el valor del número efectivo de partidos de 2015 con el registrado en los sistemas de partidos de otras comunidades autónomas en las últimas elecciones que se celebraron en cada una de ellas[3], observamos que en la última convocatoria hubo 6 comunidades con mayor fragmentación que la registrada en Cataluña, cuando habitualmente esta Comunidad solía estar entre las 3 con mayor NEP, posiciones que ahora corresponden a Canarias, Navarra y Baleares. Una vez más, la conformación de coaliciones electorales ha provocado la reducción de la habitualmente alta fragmentación de Cataluña.

Gráfico II. Número efectivo de partidos en elecciones autonómicas 2015

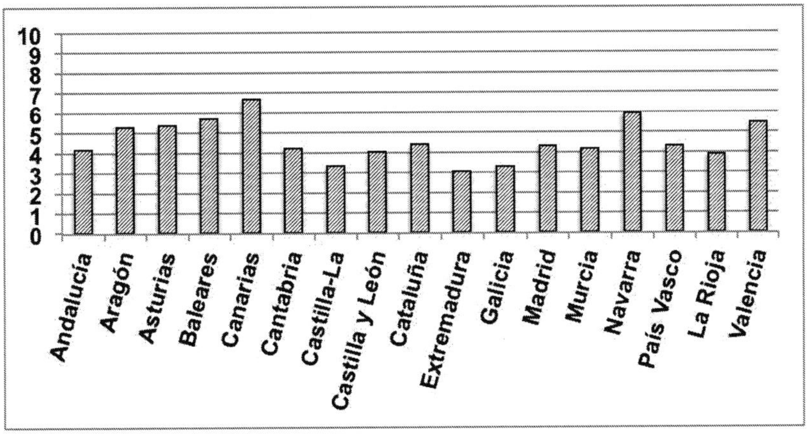

Fuente: Elaboración propia a partir de datos de Argos Archivo Histórico Electoral de la *Generalitat Valenciana*. Los datos de Galicia y País Vasco corresponden a las elecciones autonómicas que celebraron en 2016

En la Introducción se puso de manifiesto cómo la distribución del voto en cada una de las circunscripciones catalanas fue poco uniforme en la convocatoria de 2015. El valor del número efectivo de partidos de cada una de ellas fue, también, distinto: la fragmentación fue considerablemente más reducida en *Girona y Lleida* dado que el voto a *Junts Pel Sí* superó holgadamente en ellas el 50 por ciento, y algo más elevada —aunque no en los niveles tradicionalmente habituales— en Tarragona y Barcelona. Esta pauta se viene reproduciendo en los últimos comicios de manera considerablemente regular (Gráfico III).

---

ciudadanos, atenderemos solamente a la versión electoral. Un análisis de las instituciones aconsejaría utilizar, en cambio, las versiones parlamentarias del índice (ver, por ejemplo, Lijphart, 2010).

3   Se tienen en cuenta las de 2015 y las gallegas y vascas de 2016.

Gráfico III. Número efectivo de partidos en elecciones autonómicas de Cataluña, por circunscripción (2010-2015)

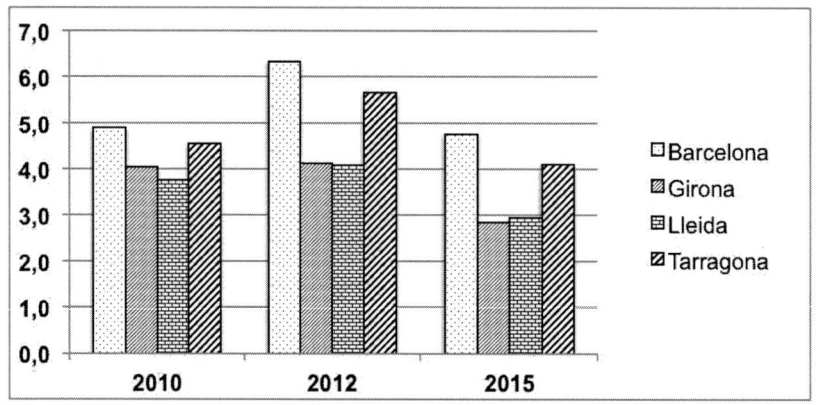

Fuente: Elaboración propia a partir de datos del *Departament de Gobernació, Administracions Públiques i Habitatge de la Generalitat Catalana*

3. CONCENTRACIÓN Y COMPETITIVIDAD EN UN CONTEXTO DE CAMBIO

La peculiaridad de la convocatoria de 2015 en cuanto a la conformación de coaliciones pre-electorales en las que concurrieron algunas de las formaciones que contarían separadamente con más apoyos hizo que también se registraran cambios en cuanto a la dimensión de la concentración, esto es, la cantidad de apoyo que logran en las urnas entre las dos candidaturas más votadas. Esta dimensión afecta a la gobernabilidad del sistema, pudiendo operar como un auspicio de estabilidad gubernamental y del sistema político.

Los cambios en la concentración en la convocatoria de 2015 afectaron tanto a los protagonistas tenidos en cuenta para su cálculo como a su nivel, que se incrementó en 11,7 puntos respecto de la excepcionalmente baja registrada en 2012 —ubicándose ahora en los niveles de anteriores convocatorias, pese a que en 2015 en una de las formaciones protagonistas de la concentración se integraron dos de las que compitieron en anteriores comicios (CiU y ERC)— (Gráfico IV). Tradicionalmente los dos protagonistas de la concentración eran CiU y PSC (si bien en los comicios de 2003 invirtieron el orden). Pero en las elecciones de 2015 los protagonistas fueron distintos: por un lado, la coalición electoral *Junts Pel Sí*, definida principalmente por su independentismo en la dimensión territorial, aunque aportando menos porcentaje que el que sumaban sus formaciones integrantes en 2012; por el otro, Ciudadanos, que en la elección de 2015 pasó a ser el segundo partido más votado, por delante del PSC, en las cuatro circunscripciones: un partido que ocupa posiciones de centro en la dimensión ideológica, pero mucho más extremas, manifiestamente en contra de la independencia y el denominado *derecho a decidir*, en la territorial. Así como entre CiU y PSC podría, eventualmente haber apoyos recíprocos —como los que se dieron en el ámbito estatal—, entre *Junts Pel Sí* y Ciudadanos difícilmente habrá entendimiento o pacto alguno, dadas sus opuestas posiciones en la dimensión que en esta legislatura parece definir la competición política.

Gráfico IV. Concentración electoral en elecciones autonómicas de Cataluña

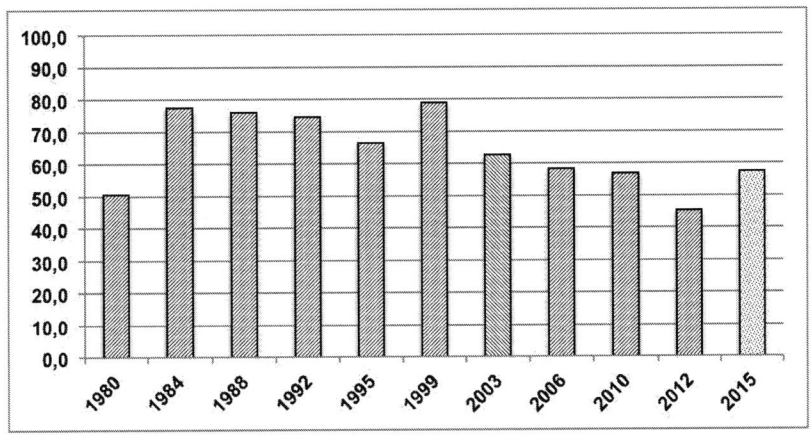

Fuente: Elaboración propia a partir de datos del *Departament de Gobernació, Administracions Públiques i Habitatge de la Generalitat Catalana*

En el panorama del conjunto de sistemas o subsistemas de partidos autonómicos configurados por las elecciones de 2015 (o asimilables —de 2016 en Galicia y País Vasco—), el de Cataluña se ubica ligeramente por debajo del promedio en cuanto a concentración, lejos del máximo alcanzado en Extremadura (79,6) y Castilla-La Mancha (74,9), así como de los niveles mínimos de los sistemas de partidos de las comunidades de Navarra (44,1) y Canarias (39,2). En todo caso, hay que tener en cuenta que en esta ocasión una de las formaciones protagonistas de la concentración de Cataluña incluía a dos partidos que compitieron en la anterior elección.

Por otro lado, si se comparan los niveles de concentración registrados en las cuatro circunscripciones provinciales de Cataluña en las últimas elecciones se observa que en todas ellas las formaciones que protagonizan ambas dimensiones son las mismas, *Junts Pel Sí* y Ciudadanos, y en este mismo orden. Además, los valores de la concentración se incrementan en las cuatro circunscripciones en similar nivel, en comparación con los respectivos de las elecciones de 2012. Y, como viene ocurriendo tradicionalmente, también en 2015 son algo mayores en *Girona* y *Lleida*, circunscripciones en las que la formación más votada (CiU/JXS) logra porcentajes mayores de apoyo (aunque la distancia se atenúa ligeramente en la última convocatoria).

Complementariamente, la competitividad —que mide el margen de la victoria de la formación más votada sobre la segunda— ha disminuido en la convocatoria de 2015, alcanzando el mínimo de toda la serie de elecciones, al ubicarse por encima de los 25 puntos (Gráfico V)[4]. Pero quizá el cambio más relevante en esta variable, contando con que una de esas dos fuerzas integra a dos partidos que compitieron entre sí en las anteriores elecciones, sea que son distintas las formaciones que la protagonizan, tratándose ahora de fuerzas muy alejadas en la dimensión que define la competición política en Cataluña. A buen seguro la competitividad se reducirá en sucesivas convocatorias si CDC (con la denominación que acabe teniendo) y ERC se presentan por separado. En todo caso, la dinámica parlamentaria en esta legislatura será distinta a la de anteriores también por este factor.

Gráfico V. Competitividad en elecciones autonómicas de Cataluña

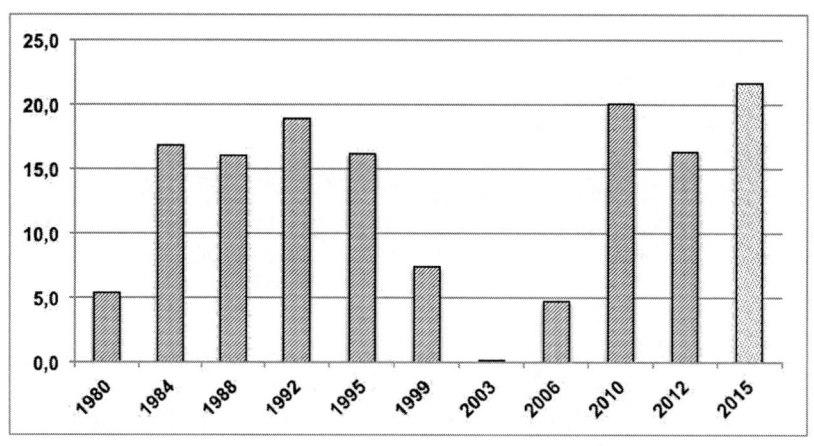

Fuente: Elaboración propia a partir de datos del *Departament de Gobernació, Administracions Públiques i Habitatge de la Generalitat Catalana*

En la perspectiva comparada con otras comunidades autónomas, Cataluña se ubica entre las pocas en cuyo sistema de partidos disminuyó en 2015 la competitividad (aumentando el valor del índice de que mide esta dimensión): también lo hizo en los de Andalucía, Galicia, Extremadura y País Vasco. En el resto de sistemas o subsistemas de partidos la competitividad se incrementó en los comicios de 2015. Por otro lado, la competitividad en Cataluña fue la segunda más baja (detrás —a 7 puntos— de la de Galicia) de las registradas en todas las comunidades que celebraron elecciones en 2015 y a gran distancia (más de 13 puntos porcentuales) de la siguiente (de Murcia).

---

4   Debe recordarse que al aumentar el valor del índice la competitividad disminuye, al ser mayor la distancia entre las dos formaciones más votadas.

Atendiendo a las distintas circunscripciones catalanas, y en paralelo con lo que ocurría con la concentración, la competitividad se ha reducido también en *Girona* y *Lleida*: en la elección de 2015 la diferencia con la registrada en Barcelona y Tarragona ha aumentado notablemente (al haberse incrementado la diferencia entre los respectivos índices), lo que puede ser entendido, una vez más, como un signo de la polarización del comportamiento de los electores y del sistema de partidos catalán.

Gráfico VI. Competitividad en elecciones autonómicas de Cataluña, por circunscripción (2010, 2012 y 2015)

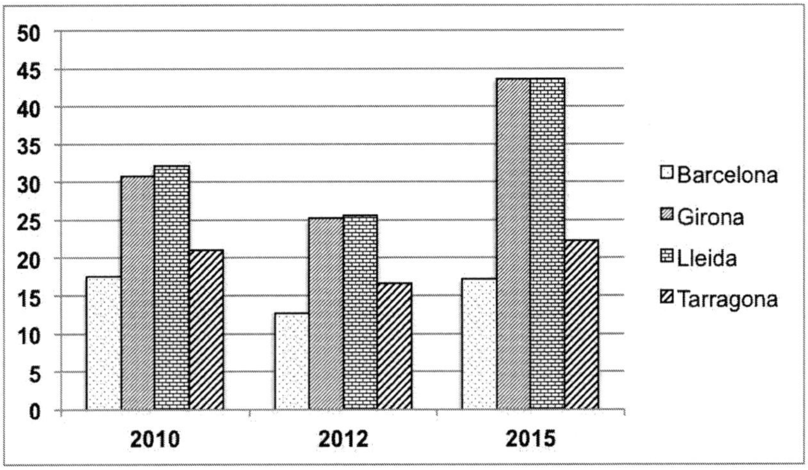

Fuente: Elaboración propia a partir de datos del Centro de Investigaciones Sociológicas y del *Departament de Gobernació, Administracions Públiques i Habitatge de la Generalitat Catalana*

4. LA POLARIZACIÓN EN LAS DIMENSIONES IDEOLÓGICA Y TERRITORIAL, Y LA TENDENCIA CENTRÍFUGA DE LA COMPETICIÓN ELECTORAL

Tradicionalmente, se entiende que una de las dos variables que en mayor medida condiciona la estabilidad de un sistema político es, junto con la fragmentación, la de la polarización (ver, por ejemplo, Sani y Sartori, 1983: 337) Se trata del "ámbito general del espectro ideológico de cualquier comunidad dada" (Sartori, 1987: 161), y su relevancia se relaciona con el enorme impacto que tiene en la dirección de la competencia electoral —de carácter centrífugo o centrípeto—, así como en que la probabilidad de que se constituyan unas u otras coaliciones gubernamentales o parlamentarias, o de que la dinámica política sea fluida o difícil.

Al referirla a un sistema de partidos puede entenderse como la distancia que separa a las formaciones relevantes en la escala de la dimensión que defina la competición electoral. Habitualmente esa dimensión es la ideológica (izquierda-derecha), dimensión que sigue marcando importantes políticas gubernamentales tanto en España como en Cataluña (las relativas a recortes en gasto social, austeridad, fiscalidad, inversiones públicas, etcétera[5]). No obstante, la deriva independentista que asumieron buena parte de los partidos catalanes y el carácter plebiscitario que quisieron dar en función de ella a las elecciones de 2015 obligan a atender también a la dimensión territorial de la polarización. Sartori (1987) propuso medirla, de manera sencilla, calculando la distancia que separa a los *partidos relevantes* que ocupan posiciones más distantes en la escala con la que se mide esa dimensión que articula la competición. Pese a su sencillez, este índice ignora el peso electoral que tiene cada una de las formaciones políticas relevantes, por lo que Molinar (1991) propuso el *índice de polarización ponderada*, que sí tiene en cuenta el apoyo electoral que cada una de las candidaturas recibe.

En las elecciones catalanas de 2015, la polarización en la dimensión izquierda-derecha experimentó un ligero incremento en comparación con la de 2012, incremento que continua la tendencia inaugurada tras los comicios autonómicos de 2010 (Gráfico VII). Desde esta convocatoria, celebrada cinco meses después de hacerse pública la Sentencia del Tribunal Constitucional sobre el Estatuto de Autonomía, que supuso un punto de inflexión en la posición a favor de la independencia de las fuerzas catalanistas, la polarización ha ido creciendo progresivamente, alcanzándose los valores más altos de la serie desde 1984, tanto medida con el índice de Sartori como con el de la polarización ponderada[6].

---

5 Acerca de la idoneidad de la ubicación en la escala ideológica izquierda-derecha como instrumento para medir la posición política de los ciudadanos o los partidos, ver Dalton, Farrell y McAllister (2011: 26 ss.).

6 Para el cálculo de la polarización en la dimensión izquierda-derecha se ha dividido el voto de *Junts Pel Sí*, atribuyendo a CDC un 19,8 por ciento y a ERC un 20 por ciento, aplicando para la versión ponderada la ubicación de cada una de esas dos formaciones en la escala ideológica. La otra alternativa era considerar a JPS como una única formación, otorgándole una ubicación ideológica intermedia. El valor de la polarización en este segundo caso era distorsionante, habida cuenta de la considerable distancia ideológica que separa a las dos formaciones que integran esta coalición. No plantea ese problema la coalición *Catalunya Sí Que Es Pot*, dada la proximidad de las formaciones que la integran en la escala ideológica.

Gráfico VII. Polarización ideológica en elecciones autonómicas de Cataluña (índices de polarización de Sartori y de polarización ponderada)

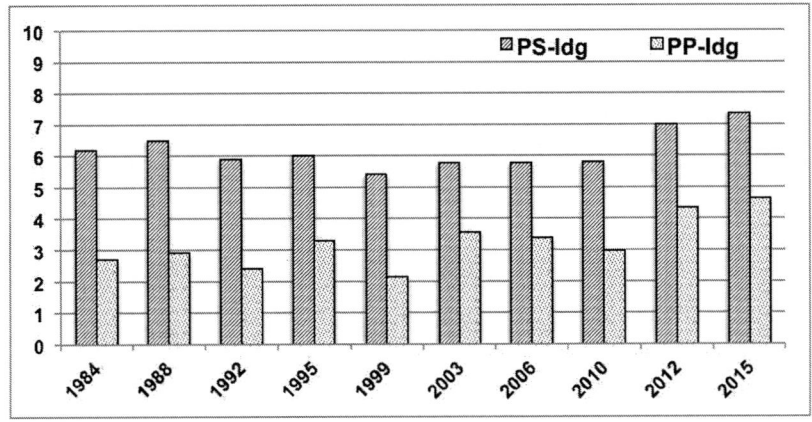

Fuente: Elaboración propia a partir de datos del CIS y del *Departament de Gobernació, Administracions Públiques i Habitatge de la Generalitat Catalana*

El incremento de la polarización en el sistema de partidos catalán es mayor si la calculamos teniendo en cuenta la dimensión centro-periferia, dimensión que claramente articuló la competición en la convocatoria de 2015, y en la que las posiciones de CDC y ERC coincidían prácticamente. En la versión ponderada del índice, la convocatoria de 2015 registró un incremento de más de tres puntos respecto del valor observado en la de 2012, al pasar de 6,16 a 9,39, profundizando en una reiterada tendencia hacia la polarización en esta dimensión (en 2010 el índice de polarización ponderada registro un valor de 3,89). Ese aumento de prácticamente el 50 por ciento en el valor del índice en cada proceso electoral respecto del registrado en el anterior es la constatación del desplazamiento hacia los respectivos polos por parte de las distintas formaciones y del incremento del respaldo electoral de dos de las que ocupan posiciones más extremadas (Ciudadanos y la *Candidatura d'Unitat Popular* —CUP—). Sin duda, el proceso soberanista ha ido incidiendo, como no podía ser de otra manera, en el sistema de partidos catalán, haciéndolo progresivamente más polarizado.

Al comparar la polarización del sistema de partidos catalán con la de otros sistemas autonómicos, se observa (Gráfico VIII) que tras las elecciones de 2015 el catalán se configura como el más polarizado de los 17 autonómicos en la versión de la polarización (ideológica) de Sartori, para la que se han tomado como referencia las posiciones ideológicas de la CUP (1,82) y PP (9,18). No obstante, si se atiende al índice de polarización ideológica ponderada —que tiene en cuenta el respectivo porcentaje de voto de cada formación para ponderar su ubicación ideológica—, hay otros (Gráfico VIII) que se configuran como más polarizados, acaso por el éxito en ellos de Podemos, ubicado en una posición bastante a la izquierda en la escala.

Gráfico VIII. Polarización ideológica en elecciones autonómicas 2015 (índices de polarización de Sartori y de polarización ponderada)

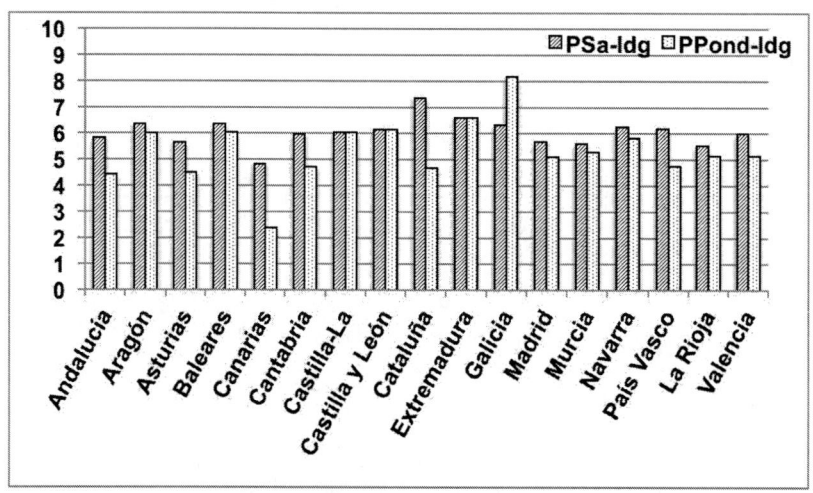

Fuente: Elaboración propia a partir de datos del CIS y de Argos Archivo Histórico Electoral.
Para Cataluña se ha dividido el voto de *Junts Pel Sí* por dos, otorgando cada mitad a CDC y ERC y ponderándolo en atención a su respectiva ubicación en la escala ideológica

Siendo importante la polarización ideológica, como se apuntó más arriba, la competición electoral en la convocatoria de 2015 estuvo claramente orientada por la dimensión centro-periferia. En las elecciones de 2015, tras los sucesivos hitos del proceso independentista y la movilización de buena parte de la población en ese eje, esta dimensión cobró mayor relevancia que nunca antes en el sistema de partidos catalán. Los datos así lo avalan, habiéndose incrementado la polarización considerablemente, en línea con la tendencia de incremento de la orientación centrífuga de la competición ya iniciada en las elecciones de 2010 (Gráfico IX). La polarización del sistema de partidos catalán superó en 2015 la del sistema del País Vasco, tradicionalmente más polarizado.

Gráfico IX. Polarización ponderada en la dimensión centro-periferia (territorial) en las tres últimas elecciones de Cataluña, Galicia y País Vasco

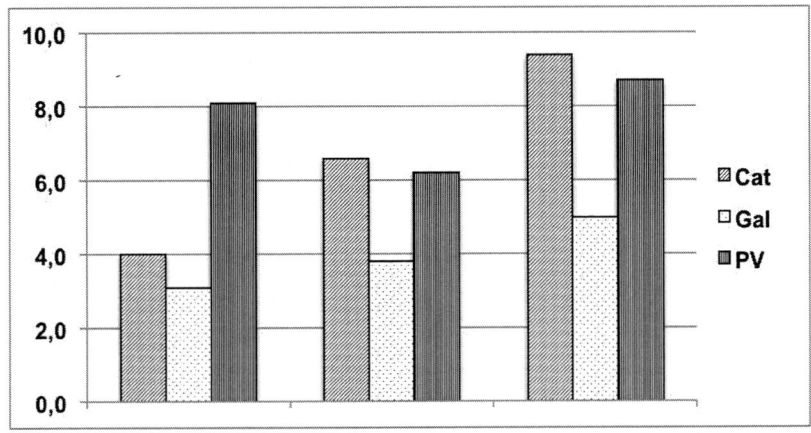

Fuente: Elaboración propia a partir de datos del CIS, de Argos Archivo Histórico Electoral de la *Generalitat Valenciana*, y del *Departament de Gobernació, Administracions Públiques i Habitatge de la Generalitat Catalana*. Los datos de Cataluña se refieren a las elecciones de 2010, 2012 y 2015. Los de Galicia y País Vasco corresponden a los comicios de 2005, 2009 y 2012, los últimos para los que hay datos cuando se entrega este original a imprenta (por no haber hecho públicos aún los estudios postelectorales de los comicios celebrados en Galicia y País Vasco en 2016)

También dentro del sistema de partidos catalán se observan diferencias en cuanto a la polarización basada en esta dimensión territorial. Tanto usando el índice de Sartori (que no tiene en cuenta el distinto porcentaje de voto logrado por cada formación) como el de la polarización ponderada se observan diferencias entre los valores registrados en *Girona* y *Lleida*, por un lado, y Barcelona y Tarragona, por otro: en las dos primeras los partidos que ocupan las posiciones más extremas del eje (CUP y PP) son percibidos como más radicales en su respectivo polo que en las segundas: el valor del índice de polarización de Sartori es mayor (Tabla II). Por otro lado, dado que las fuerzas que propugnan la independencia consiguen en *Girona* y *Lleida* mucho mejores resultados (más de 20 puntos porcentuales más de voto) que en Barcelona y Tarragona (donde son los partidos *constitucionalistas* los que obtienen sus mejores porcentajes de apoyo), la ponderación de esas posiciones más extremadas en la escala se vuelve más relevante, generando un mayor efecto centrífugo en las dos primeras circunscripciones: la polarización ponderada en la dimensión territorial es considerablemente mayor (Tabla II). Estos datos suponen una manifestación más de la heterogeneidad interna del sistema de partidos catalán, tanto en la dimensión ideológica como en la identitaria.

Tabla II. Polarización ideológica (Sartori) y polarización territorial (ponderada) en elecciones autonómicas de Cataluña 2015, por circunscripción

	Polarización Ideológica (Sartori)	Polarización Ponderada (Territorial)
Barcelona	9,1	7,8
Girona	10,9	13,6
Lleida	10,8	13,7
Tarragona	9,7	10,8

Fuente: Elaboración propia a partir de datos del CIS y del *Departament de Gobernació, Administracions Públiques i Habitatge de la Generalitat Catalana*

5. LA VOLATILIDAD EN UN SISTEMA DE PARTIDOS EN CAMBIO

Las dimensiones del sistema de partidos anteriormente analizadas tienen un carácter estático, al medir algunas de sus características tras cada proceso electoral. La volatilidad, en cambio, es una dimensión dinámica, que analiza el cambio electoral neto agregado entre dos elecciones consecutivas (índice de volatilidad total). La volatilidad entre bloques nos informa de ese cambio electoral neto agregado entre dos elecciones consecutivas pero teniendo en cuenta el que se da entre los dos bloques (separados por la dimensión ideológica o territorial); por su parte, la volatilidad intrabloques analiza el cambio que se da dentro de cada uno de esos dos bloques entre las dos elecciones consecutivas.

Una vez más, la confluencia de varias formaciones políticas en las coaliciones *Junts Pel Sí* y *Catalunya Sí Que Es Pot* nos obliga a matizar los valores que los índices de volatilidad alcanzaron en la convocatoria de 2015, ya que no es posible medir la evolución que experimenta entre 2012 y 2015 el voto de cada una de las formaciones que se integran en ellas[7].

Considerando la cautela que imponen esas limitaciones, cabe apuntar que en las elecciones de 2015 la volatilidad total fue menor que en las anteriores convocatorias, situándose en niveles más coherentes a los registrados en las elecciones anteriores a la convocatoria de 2010 (Gráfico X). Además, el porcentaje

---

7   Los datos relativos a *Junts Pel Sí* en 2015 se comparan con la suma del voto que en la convocatoria de 2012 lograron ERC y CiU (restando 2,5, que fue el porcentaje de voto que logró Unió en la elección de 2015). En el caso de *Catalunya Si Que Es Pot,* coalición en la que se integraron IC-V y Podemos (junto con alguna otra nueva formación menor), dada la similitud de sus ubicaciones en los ejes ideológico y territorial, se han tratado como si los resultados correspondieran al mismo partido, comparando los datos de IC-V 2012 con los de CSQEP 2015.

de la volatilidad total debido a la volatilidad entre bloques fue también considerablemente más bajo que en anteriores comicios, no llegando tan siquiera al 13 por ciento de la volatilidad total: la mayor parte de la volatilidad, por tanto, se dio entre partidos del mismo bloque ideológico. De haber presentado CDC y ERC candidaturas independientes, esos datos de volatilidad serían también distintos, elevándose tanto los de la volatilidad total como los de la volatilidad entre bloques.

Los datos tampoco son muy distintos si se calcula la volatilidad entre bloques considerando la dimensión centro-periferia (o partidos independentistas y partidos constitucionalistas): en este caso el valor del índice de volatilidad entre bloques es también muy bajo, no suponiendo siquiera el 7 por ciento de la volatilidad total. Esto implica que el cambio electoral tiene un carácter más *superficial*, al darse en mucha mayor medida entre formaciones pertenecientes al mismo bloque en la respectiva dimensión. En todo caso, una vez más hemos de ser cautos con estas cifras, habida cuenta del "sesgo" que supone a esos efectos en 2015 la agregación de varios partidos en las coaliciones de *Junts Pel Sí* y *Catalunya Sí Que Es Pot*.

Gráfico X. Volatilidad total, entre bloques e intrabloques en elecciones autonómicas de Cataluña

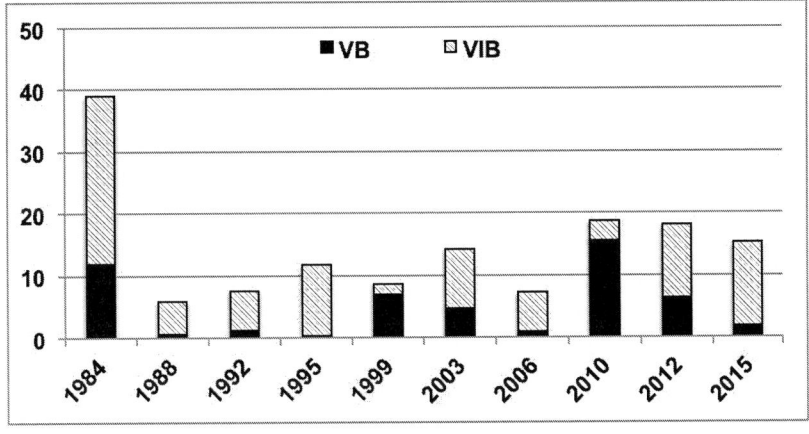

Fuente: Elaboración propia a partir de datos del *Departament de Gobernació, Administracions Públiques i Habitatge de la Generalitat Catalana*

Si se comparan los datos de la volatilidad correspondientes a las elecciones de 2015 en Cataluña con los resultantes de las últimas que se celebraron en las demás comunidades autónomas se observa (Gráfico XI) que las cifras de Cataluña son bajas, similares sólo a las de Galicia, Extremadura, Andalucía y País Vasco, si bien en las tres primeras la volatilidad entre bloques ideológicos fue algo mayor que en Cataluña. Una vez más, convendrá tomar estos datos con la cautela a la que obligan los posibles sesgos debidos a las coaliciones JPS y CSQEP.

Gráfico XI. Volatilidad total, entre bloques e intra bloques en elecciones autonómicas 2015

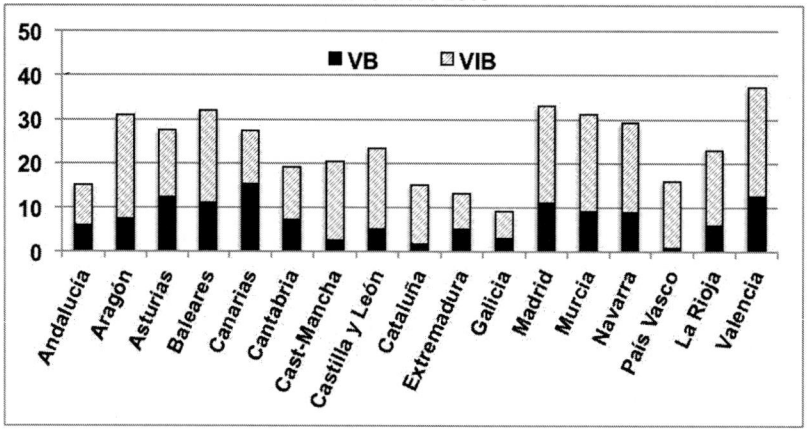

Fuente: Elaboración propia a partir de datos de Argos Archivo Histórico Electoral de la *Generalitat Valenciana*. Los datos de Galicia y País Vasco corresponden a las elecciones autonómicas de 2016

6. EL REGIONALISMO

Una última dimensión del sistema de partidos que convendrá analizar es la del regionalismo, que considera el apoyo electoral que suman en las urnas los partidos de ámbito no estatal (PANE), y que nos informa acerca del grado de nacionalización (estatalización) del respectivo sistema o subsistema de partidos. Hasta la elección de 1999 los PANE sumaban en Cataluña más del 60 por ciento del voto en cada elección. Desde entonces no se ha superado esa cifra (ni siquiera la del 50 por ciento en las convocatorias de 2003 y 2006). En los comicios de 2015 se siguió esa tendencia a la reducción del peso de los PANE, que sumaron poco más del 50 por ciento del voto (50,3).

No obstante, hay que tener en cuenta que en esta convocatoria la formación Ciudadanos había dejado de tener la consideración de PANE, tras su lanzamiento a escala estatal en 2014. En todo caso, pese a esta reducción, una cifra de voto regionalista que supera el 50 por ciento implica un grado de nacionalización (estatalización) muy reducido, por mucho que no pueda calificarse todo ese voto de independentista. Ello sigue otorgando al sistema de partidos catalán —junto con los valores en las otras dimensiones— un carácter *excéntrico*. En cualquier caso, la heterogeneidad de la distribución del voto entre cada una de las 4 circunscripciones obligaría a matizar el nivel conjunto de regionalismo.

7. CONCLUSIONES

Las elecciones de 2015 al *Parlament de Catalunya* tuvieron un marcado carácter *excepcional*. La deriva independentista asumida por los líderes catalanistas así como las consecuencias de la crisis económica y política llevaron al Presidente Mas a adelantar la convocatoria en dos años, otorgándole un carácter *plebiscitario*, que pudiera subsanar la informalidad de la convocatoria y las deficitarias garantías y niveles de participación del "sucedáneo de un no autorizado referéndum" celebrado el 14 de noviembre de 2014 (Botella, 2015: 29). El intento del Presidente Mas de que todas las fuerzas independentistas concurrieran en una única candidatura (para reforzar ese carácter plebiscitario y evitar, al tiempo, las críticas de las formaciones de izquierdas por sus políticas de austeridad y *recortes* que tanto perjudicaron a buena parte de la población catalana) fracasó cuando alguna de ellas, particularmente la CUP, decidió presentarse por separado. También fracasó esta estrategia cuando entre todas ellas no alcanzaron el 50 por ciento del voto (con una movilización electoral record del 75 por ciento), impidiendo que pudiera afirmarse que el pueblo catalán deseaba mayoritariamente la continuidad del proceso de creación de un Estado independiente. No obstante, la mayoría absoluta de escaños que sí lograron las candidaturas independentistas animaron a sus líderes a dar continuidad a ese proceso.

El análisis de los resultados, diseccionado en el estudio de las dimensiones del voto o del sistema de partidos, apunta tanto a pautas de continuidad como de cambio. Continuidad en cuanto a que siguen dándose en el sistema de partidos catalán notas peculiares que lo alejan del *modelo común*, manteniendo el carácter *excéntrico* que tiene prácticamente desde su conformación inicial, y que lo diferencia de los sistemas de partidos de otras comunidades autónomas; y continuidad también en la heterogeneidad entre el comportamiento electoral de los votantes de las distintas circunscripciones catalanas (que diferencia claramente el de los de Barcelona y Tarragona del de los de *Girona* y *Lleida*). Cambios en cuanto a que se atenúan algunas de esas peculiaridades en parte de las dimensiones, que aminoran ese carácter *excéntrico* del sistema de partidos catalán: se reduce la *fragmentación*, la *competitividad* y la *volatilidad* (tanto la total como la interbloques), mientras que se incrementa la *concentración*, la *polarización* (en especial, en la dimensión territorial centro-periferia) y el *regionalismo*. En todo caso, parte de estos cambios bien pueden deberse a la *excepcionalidad* de la convocatoria de 2015 para desaparecer en futuros comicios: así podría ocurrir con la reducción de la fragmentación (debida principalmente a que varias formaciones que antes concurrieron por separado lo hayan hecho en coalición en 2015); o el incremento de la polarización en la dimensión ideológica y —en especial— en la territorial (causada especialmente por el reforzamiento de la tendencia centrífuga de competencia electoral que caracterizó a esta convocatoria).

La irrupción de las nuevas formaciones políticas (Podemos o sus asociados y Ciudadanos) en los sistemas de partidos tradicionales, que compiten con éxito con los partidos surgidos en la Transición a la democracia, obligan a ser cautos en cuanto a la estabilidad de las pautas de la competición y del sistema de partidos resultante en cualquier comunidad autónoma española. A ello se suma en Cataluña la incertidumbre generada por la deriva independentista de buena parte de las formaciones catalanistas y la suerte que cada formación pueda experimentar en ese contexto en el futuro. Todo ello aconseja prudencia al concluir este análisis y tratar de proyectar sus hallazgos hacia el futuro del sistema de partidos catalán. Al tiempo obliga a afirmar que el sistema de partidos de Cataluña se ha convertido en un interesantísimo laboratorio en el que analizar el comportamiento político de los ciudadanos, de las elites partidistas así como la evolución de las distintas formaciones políticas.

8. REFERENCIAS BIBLIOGRÁFICAS

Barrio, A. (2015), "Las excepcionales elecciones catalanas de 2015", *Más poder local*, 25.

Bermúdez, S. y M. Ferrer (2014), "Abstencionismo y movilización electoral en las elecciones autonómicas del período 2009-2012", en F. Pallarés (ed.), *Elecciones autonómicas 2009-2012*, Madrid, Centro de Investigaciones Soiciológicas.

Botella, J. (2015), "¿Hacia unas nuevas elecciones en Cataluña? Crisis política e incertidumbre electoral", *Más poder local*, 23.

Dalton, R. J., D. M. Farrell, e I. McAllister, (2011), "The Dynamics of Political Representation", en Rosema, M., B. Denters y K. Aarts (eds.), *How Democracy Works. Political Representation and Policiy Congruence y Modern Societies*, Amsterdam, Pallas/Amsterdam University Press.

Ferrer, M., C. Galais y F. Pallarés, (2008), "La abstención en las elecciones autonómicas de 2007. Características territoriales y bases individuales en perspectiva autonómica comparada", en F. Pallarés (ed.), *Las elecciones autonómicas y locales de 2007*, Madrid, Centro de Investigaciones Sociológicas.

Laakso, M. y R. Taagepera (1979), "Effective Number of Parties. A Measure with Application to West Europe", *Comparative Political Studies*, 12.

Lijphart, A. (2012), *Modelos de Democracia. Formas de gobierno y resultados en 36 países*, Barcelona, Ariel.

Liñeira, R. y J. Muñoz (2014), "Voto dual y abstención diferencial: ¿Quién se comporta de manera diferente en función del tipo de elección", en F. Pallarés (ed.), *Las elecciones autonómicas de 2011 y 2012*, Madrid, Centro de Investigaciones Sociológicas.

Llera, F. J. (2015), "Elecciones municipales y autonómicas 24-M: La victoria amarga del PP", *Más poder local*, 24.

Martínez, E. y J. Barceló (2014), "Identidades y nacionalismos en las elecciones autonómicas de 2011 y 2012", en F. Pallarés (ed.), *Las elecciones autonómicas de 2011 y 2012*, Madrid, Centro de Investigaciones Sociológicas.

Molinar, J. (1991), "Counting the Number of Parties: An Alternative Index", *American Political Science Review*, vol. 85, 4.

Oñate, P. y F. Ocaña (1999), *Cuaderno Metodológico sobre Análisis de datos electorales*, Madrid, Centro de Investigaciones Sociológicas.

— (2008), "Las elecciones autonómicas de 2007 y los sistemas de partidos autonómicos en la España multinivel", en F. Pallarés (ed.), *Elecciones autonómicas y locales 2007*, Madrid, Centro de Investigaciones Sociológicas.

Pallarés, F. y J. Serra (2014), "Factores del voto y su cambio en 2009-2012: un estudio exploratorio", en F. Pallarés (ed.), *Las elecciones autonómicas de 2011 y 2012*, Madrid, Centro de Investigaciones Sociológicas.

Rico, G. y R. Liñeira (2014), "Bringing Secessionism into the Mainstream: The 2012 Regional Election in Catalonia", *South European Society and Politics*, 19, 2.

Sani, G. y G. Sartori (1983), "Polarization, Fragmentation and Competition in Western Democracies", en H. Daalder y P. Mair (eds.), *Western European Party Systems. Continuity and Change*, Londres, Sage.

Sartori, G. (1987), *Partidos y sistemas de partidos*, Madrid, Alianza.

Taagepera, R. y M. Shugart (1989), *Seats and Votes. The Effects and Determinants of Electoral Systems*. New Haven, Yale University Press.

Vallés, J. M. (1991), "Entre la regularidad y la indeterminación: balance sobre el comportamiento electoral en España (1977-1989)", en J. Vidal-Beneyto (ed.), *España a debate. La política*. Madrid, Tecnos.

Análisis geográfico de los resultados del voto del 27-S

Carmen Ortega Villodres
Universidad de Granada
José Manuel Trujillo Cerezo
Universidad Pablo de Olavide

1. INTRODUCCIÓN

En el análisis de los procesos electorales, una de las perspectivas originarias de estudio fue la geográfica. Este enfoque se ha caracterizado desde su planteamiento a principios del siglo XX por intentar ofrecer una explicación de las causas y consecuencias del comportamiento del electorado a través de la segmentación territorial de los datos y, especialmente, por la representación gráfica de los datos electorales en mapas y su combinación con otras herramientas del análisis estadístico. Esta tradición, particularmente relevante en países como Francia o Italia, fue relegada a un plano más secundario cuando a mediados del mismo siglo los diversos enfoques de carácter individual surgidos en los Estados Unidos de América, pusieron el foco en las actitudes y preferencias de la población a la hora de ejercer su derecho al sufragio. No obstante, la geografía electoral también ha mantenido su propio relato de desarrollo en esa pretensión comprensiva y explicativa de este y otro tipo de procesos políticos[1]. De ahí que en nuestros días, por ejemplo, siga siendo frecuente que numerosos analistas hagan una primera aproximación sobre qué ha ocurrido en unos determinados comicios apoyándose en representaciones cartográficas y/o diversos indicadores de los datos agregados al respecto.

Teniendo en cuenta lo anterior, en este capítulo nuestra intención es ofrecer un tratamiento sistemático de los resultados de las Elecciones al Parlament de Cataluña del 27 de septiembre de 2015 que capture las posibles lógicas territoriales del voto, desde una perspectiva fundamentalmente descriptiva. En ese sentido, nuestra propuesta se sustenta en el análisis agregado de los datos elec-

---

[1] Sobre la importancia y evolución del enfoque geográfico-electoral pueden consultarse numerosos trabajos como los de Taylor y Johnston (1979), Bosque-Sendra (1988) o Taylor y Flint (2002). En Low (2008) puede verse también una de las revisiones más recientes.

torales que conciernen a dicho proceso[2]. De ahí que, en buena medida, aunque no de forma exclusiva, estemos obligados a incorporar la perspectiva geográfica en nuestro análisis como herramienta necesaria para una mayor y mejor comprensión[3]. Tenemos que prevenir al lector, por otra parte, de que la visión panorámica que a continuación se realiza sobre las Elecciones autonómicas del 27-S no parte de ninguna hipótesis específica ni se sustenta en ningún interrogante concreto. Hemos decidido adoptar esta estrategia no por ausencia de literatura general o específica como marco interpretativo —que la hay, y especialmente abundante en referencia al caso catalán desde el punto de vista ecológico[4]—, sino porque pensamos que una propuesta inductiva de análisis puede incardinarse mejor con la mirada que pretende ofrecer este libro; esto es, *una mirada desde el otro lado de la frontera*.

El estudio que proponemos, hemos decidido estructurarlo de la siguiente forma. Además de la breve introducción aquí contenida, el resto del capítulo se compone de tres partes. En las dos partes centrales, la segunda y la tercera, los análisis se refieren respectivamente a las grandes dimensiones del comportamiento electoral: la participación y la orientación partidista del voto. Ambas partes contienen un tratamiento equivalente en el que, en cada caso, atendemos a las pautas y características del voto en los diferentes ámbitos territoriales: en el conjunto de Cataluña, a nivel provincial, a nivel comarcal y a nivel municipal, utilizando como referencia las unidades administrativas oficiales vigentes en la actualidad[5]. En el

---

[2] Utilizamos como fuente de los datos el *Àrea de Processos Electorals i Consultes Populars del Department de Governació i Relacions Institucionals* de la Generalitat de Cataluña.

[3] Los mapas que se representan son los que facilita el *Institut Cartogràfic i Geològic de Catalunya*, con precisión de escala 1:50.000 de base municipal y tratados con diversos programas de software libre de análisis geoestadístico.

[4] La utilización de datos agregados en análisis ecológicos sobre comportamiento electoral había sido una línea de trabajo menos atendida en la investigación politológica española de las últimas décadas (Montero y Pallarés, 1992) aunque con cierto arraigo desde el punto de vista geográfico (Bosque-Sendra, 1982). En fechas algo más recientes, por el contrario, podría destacarse una progresiva revitalización fundamentada en la interdisciplinariedad, la mayor disponibilidad de datos y la incorporación de nuevas herramientas analíticas. En concreto, sobre el caso Catalán existen diversos trabajos al respecto, como los considerados clásicos que realizó el *Equip de Sociología Electoral* (ESE, 1981; 1990) o algunos más actuales como el de Broner (2009), centrado en el municipio de Barcelona; el de Puig y Ginebra (2015), que analiza el fenómeno del *voto dual*; o el de Rodon (2015), sobre las preferencias independentistas en Cataluña. Concretamente, este último recoge una panorámica bastante completa sobre los principales trabajos de referencia al respecto.

[5] Como es sobradamente conocido, la división provincial y municipal viene determinada por los aspectos generales que marca la legislación española y además, en el caso local, por lo que concierne a las competencias al respecto que están encomendadas a las Comunidades Autónomas. La división comarcal actualmente vigente, si bien con antecedentes históricos, data de los años ochenta y sus posteriores modificaciones, en el marco de las competencias propias atribuidas a Cataluña.

ámbito local, se hace referencia también a la segmentación municipal por tramos de hábitat como aproximación sencilla —aunque no por ello necesariamente categórica— a posibles "lógicas rurales-urbanas" de división del comportamiento electoral. Una vez desarrollado el diferente tratamiento de los datos en todas las partes y dimensiones señaladas, en un último punto expondremos algunas consideraciones finales.

Una última precisión que queremos señalar en este momento es que en el apartado referente a la orientación partidista del voto, además del examen de los resultados electorales de las diferentes formaciones políticas[6], se realiza también un estudio de los datos en torno al principal eje temático de dichos comicios: *la independencia de Cataluña del conjunto del Estado español*[7]. Para dicho tratamiento, hemos decidido considerar "votantes pro-independencia" a quienes depositaron su confianza en las formaciones JxSí y la CUP; "votantes anti-independencia" a quienes optaron por C's, PSC o PP; mientras que el resto del voto emitido a candidaturas lo hemos agrupado en torno a una categoría llamada "resto". Entendemos de esta forma que el apoyo a formaciones parlamentarias como CSQEP, así como a otras formaciones que no obtuvieron representación como UDC, no sería automáticamente clasificable en ninguna de las categorías anteriores. De esta manera, pretendemos reflejar lo más fielmente posible las posturas que defienden las diferentes formaciones —al menos, en la campaña de las elecciones que se analizan[8]—, prestándole a esta cuestión el interés especial que consideramos que tiene.

---

[6] Con el objetivo de facilitar al máximo la lectura del capítulo, utilizaremos las siguientes siglas para referirnos a las diferentes formaciones más relevantes: CDC (Convergència Democràtica de Catalunya), CiU (Convergència i Unió), C's (Ciutadans-Partido de la Ciudadanía), CSQEP (Catalunya Sí Que Es Pot), CUP (Candidatura d'Unitat Popular), ERC (Esquerra Republicana de Catalunya), ICV (Iniciativa per Catalunya Verds - Esquerra Unida i Alternativa), JxSí (Junts pel Sí), PP (Partit Popular), PSC (Partit dels Socialistes de Catalunya - Partido Socialista Obrero Español) y UDC (Unió Democràtica de Catalunya).

[7] El mero planteamiento de la realización de este libro se sustenta en buena medida por la importancia que en los últimos años ha adquirido el *issue* sobre la independencia de Cataluña, particularmente en las elecciones del 27-S. Buen indicador de este hecho puede ser la dedicación, más directa o indirecta, que numerosas investigaciones han llevado a cabo a tal efecto, pudiendo señalarse como mínimo los trabajos de Muñoz y Tornos (2013), Serrano (2013), Martí (2013), Liñeira (2013), Rico y Liñeira (2014), Bartomeus (2015), Medina (2015), Elías (2015), Rodon (2015), Rico (2016), Orriols y Rodon (2016) o Martí y Cetrà (2016). A ellos remitimos para una comprensión más holística del planteamiento que ofrecemos en este capítulo.

[8] En Orriols y Rodon (2016: 11) o Martí y Cetrà (2016: 114) se ofrecen de forma simplificada cuadros con las preferencias de los partidos ante la cuestión de la independencia, los cuales usamos como referencia para nuestra propuesta.

2. PARTICIPACIÓN ELECTORAL

2.1. Nivel catalán

En el momento de celebración de las Elecciones al Parlament de Cataluña del 27 de septiembre de 2015, el conjunto de la población sumaba 7.518.903 habitantes. De esta cifra, el censo electoral lo componían 5.510.853 personas de las cuales 5.314.788 eran residentes en alguno de 947 municipios que conforman la Comunidad Autónoma y 196.064 personas que estaban registradas como residentes ausentes. La participación electoral de los residentes censados ascendió a algo más de 4,12 millones de personas —el 77,4%— mientras que respecto del llamado "censo CERA" únicamente participaron en el proceso algo más de 14,7 miles de personas —el 7,5%—. Así, la suma final de votantes superó ligeramente los 4,13 millones de votantes, lo que supuso una movilización electoral del 74,9% del censo total.

Para entender en términos relativos hasta qué punto esta movilización encaja en las dinámicas electorales de la población de Cataluña, el Gráfico I representa la evolución de este indicador a lo largo de las once convocatorias celebradas para la elección de los representantes a la asamblea autonómica catalana. Tal y como se puede observar en la imagen, la participación en las elecciones que se analizan fue la más alta de toda la serie histórica reflejada. En contraste con las inmediatamente anteriores —acontecidas en 2012—, el incremento relativo se cifra en torno a unos 5 puntos; pero sin embargo, si se tiene en cuenta que el promedio de la participación en el resto de convocatorias se sitúa en los 61,4 puntos porcentuales, el incremento relativo de la movilización en la afluencia a las urnas ascendió a 13,6 puntos. Desde cualquier punto de vista que se utilice, la conclusión que parece avalar este hecho es que los comicios de 2015 fueron, efectivamente, unos comicios de excepcionalidad: prácticamente 3 de cada 4 potenciales votantes decidieron acudir a las urnas cuando en las convocatorias autonómicas anteriores nunca se había producido una movilización de tal magnitud[9].

---

[9] Hemos decidido omitir el contraste de la participación con otro tipo de convocatorias electorales de las que acontecen en el conjunto de España como sistema político de carácter multinivel, pues nos llevaría a tener que incidir en otros aspectos que desbordarían los límites de este trabajo. Sin embargo, resultaría erróneo obviar importantes dinámicas estudiadas sobre el caso catalán que deben ser atendidas para comprender en su totalidad el comportamiento electoral de la población catalana, como por ejemplo la llamada *abstención diferencial* (Pallarés, 1995; Riba, 2000; Vallés, 2009; Riera, 2011; Liñeira y Vallés, 2014).

Gráfico I. Evolución de la participación electoral en las Elecciones al Parlament de Cataluña (1980-2015)

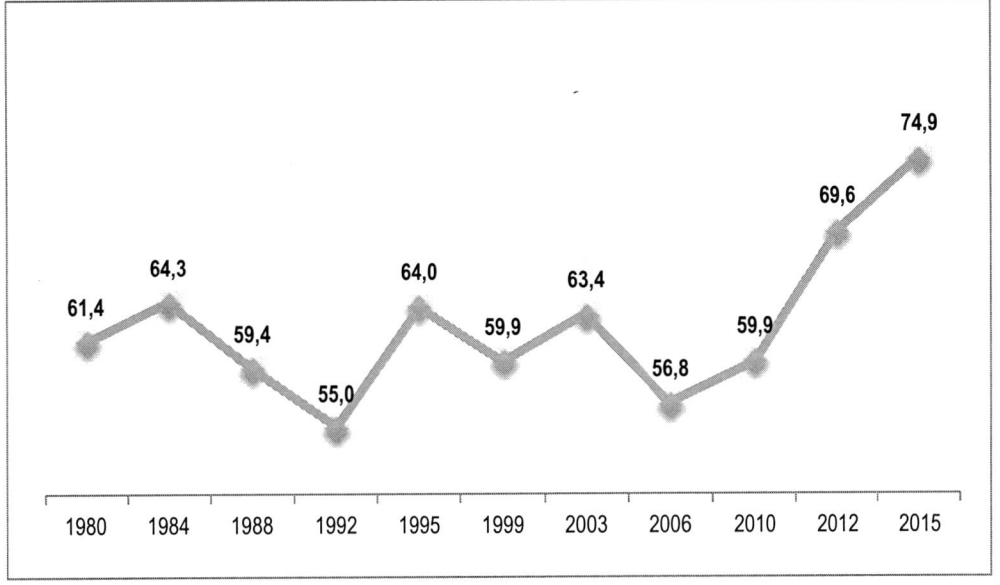

Fuente: Elaboración propia a partir de los datos de la Generalitat de Cataluña. Datos en porcentaje sobre censo

2.2. Nivel provincial

Descendiendo al siguiente nivel donde vamos a situar el foco analítico, en la Tabla I se puede observar cómo tuvo lugar la movilización en cada una de las cuatro circunscripciones electorales en las que se divide el sistema electoral catalán. Estas son las cuatro provincias que conforman Cataluña, que por otra parte, tienen una distribución demográfica heterogénea en términos de volumen de residentes[10]. Como se observa en la Tabla, los porcentajes en todas ellas son bastante similares en 2015, desde el más bajo de Lleida con el 73,6% hasta el más alto de Girona con el 75,9%. Tarragona, con el 74,2% y Barcelona con el 75% se sitúan en un punto intermedio. Estos datos, sin embargo, muestran una ruptura de algunas las tendencias históricas. Como también se puede observar en los datos, las provincias menos participativas solían ser Tarragona y Barcelona, teniendo la primera el porcentaje relativo medio más bajo de la serie histórica, frente a Girona y Lleida, que también se habían alternado en varias elecciones como los distritos de mayor

---

10   La distribución de habitantes del conjunto de la población catalana entre las cuatro provincias no es equilibrada. Destaca, como es sobradamente conocido, la provincia de Barcelona con el 73,6% de los habitantes empadronados. Le siguen Tarragona —10,6%—, Girona —10,0%— y, por último, Lleida —5,8%— (datos del padrón oficial del Instituto Nacional Estadística de enero de 2015).

participación. Esta modificación de las posiciones relativas se explica, en cierta medida, por el importante incremento experimentado en Tarragona. Como muestra el Gráfico II, el aumento de la participación electoral en esta provincia se situó en prácticamente 8 puntos respecto de las Elecciones de 2012 —Elecciones en las que, por otra parte, la participación ya se había incrementado significativamente en contraste con otros procesos anteriores—. En ese mismo Gráfico se observa cómo el incremento de las provincias de Barcelona y Girona se situó en torno a la media del aumento del conjunto de Cataluña, mientras que en el caso de Lleida el incremento fue ligeramente inferior a esa media. Estas primeras representaciones nos comienzan a identificar en qué sentido es posible identificar las tendencias de cambio de estas Elecciones.

Tabla I. Evolución de la participación electoral en las Elecciones al Parlament de Cataluña (1980-2015) por provincias

	1980	1984	1988	1992	1995	1999	2003	2006	2010	2012	2015	Promedio
Barcelona	61,22	63,86	58,63	53,47	63,23	59,52	62,94	56,69	60,05	69,89	75,03	62,23
Girona	67,77	69,62	65,67	61,98	68,10	62,75	65,95	57,67	60,49	70,77	75,94	66,06
Lleida	59,42	64,53	61,26	60,32	67,21	62,12	66,97	60,30	61,78	69,29	73,63	64,26
Tarragona	59,19	63,55	59,23	57,97	64,55	58,91	62,33	54,64	57,68	66,39	74,19	61,69
Total Cataluña	61,44	64,33	59,41	54,98	63,99	89,90	63,38	56,78	59,95	69,57	74,95	62,61

Fuente: Elaboración propia a partir de los datos de la Generalitat de Cataluña. Datos en porcentaje sobre censo

Gráfico II. Diferencias en la participación electoral entre las Elecciones de 2015 y 2012 por provincias

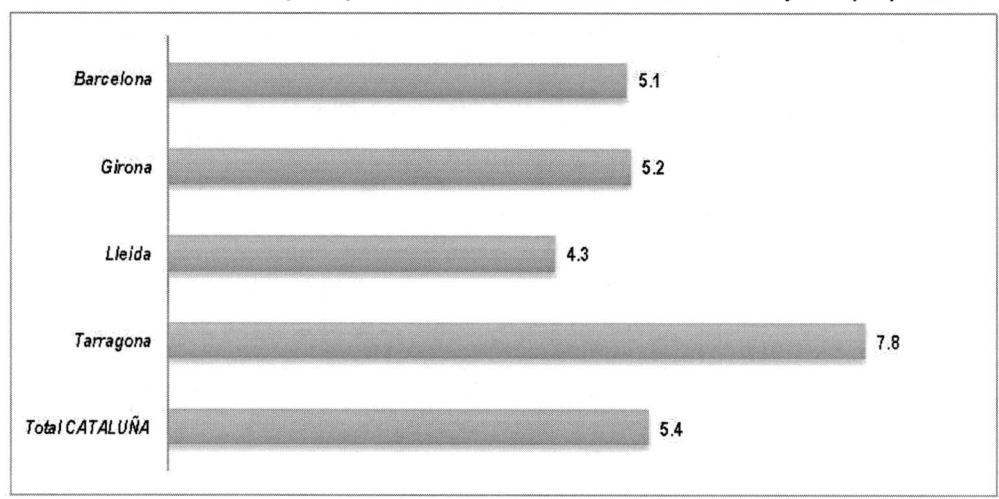

Fuente: Elaboración propia a partir de los datos de la Generalitat de Cataluña. Datos en porcentaje sobre censo

2.3. Nivel comarcal

La división comarcal de Cataluña vigente en la actualidad comprende un total de 42 unidades territoriales. Para analizar en qué medida osciló la participación electoral entre estas unidades territoriales en relación a su nivel de población y su posición geográfica, hemos realizado como elementos de análisis la Tabla II y las Figuras I y II. La Tabla contiene, por un lado, el volumen de población de las comarcas y su peso relativo en la distribución del conjunto de habitantes catalanes; y por el otro, el porcentaje de participación electoral en las Elecciones Autonómicas de 2015 y su variación relativa respecto de las Elecciones anteriores. Por su parte, las Figuras I y II incluyen dos mapas que representan, respectivamente, los dos últimos indicadores contenidos en la Tabla II —participación electoral en 2015 y variación respecto a las autonómicas de 2012—. Respecto de la población, hay que apuntar previamente que al igual que ocurre con el caso de las provincias señalado anteriormente, la distribución entre estas tampoco es homogénea dado que oscilan entre un mínimo de 3,9 miles de habitantes de Alta Ribagorça —un 0,05% de la población total de Cataluña— hasta los prácticamente 2,3 millones de habitantes que tiene la comarca del Barcelonés —un 29,6% del total de población—. Centrándonos en la participación electoral, hay que destacar en primer lugar que la horquilla en la que esta osciló en las Elecciones autonómicas del 27 de septiembre se situó entre el mínimo del Valle de Arán —70,7%— hasta el máximo en el Priorat —85,6%—. Considerando que la participación en el conjunto de Cataluña fue del 74,9% de los votos, se puede observar cómo únicamente habría cinco comarcas que se situarían en un volumen inferior a dicha cifra —Alt Urgell, Baix Ebre, Montsià, Baix Penedès y Aran—. Sin embargo, atendiendo a la oscilación en los niveles de movilización respecto de las anteriores Elecciones, se observa cómo la horquilla de las diferencias se sitúan entre un mínimo de incremento de 5,3 puntos de l'Osona hasta un máximo de 10,3 puntos del Baix Penedès. En la representación corográfica de ambos indicadores, se visualiza con mayor nitidez cómo se produjo esa movilización en los distintos territorios y la oscilación entre ambos comicios. Las zonas coloreadas con mayor intensidad en ambos casos representan las comarcas con mayor participación, en el caso de la Figura I, y con mayor incremento relativo de este indicador, en el caso de la Figura II. De esta manera se observa que mientras que son las comarcas del norte y del interior del territorio catalán las que arrojaron las cifras más altas de afluencia a las urnas, en realidad donde con mayor volumen se incrementó la participación respecto a 2012 fue en las del sur y, en general, en la mayoría de las que se sitúan en la cuenca del mar mediterráneo. Este hecho ratifica las apreciaciones que se deducían del análisis de las provincias y sigue aportando precisiones sobre cómo fue la influencia territorial en la movilización electoral de las Elecciones catalanas de 2015.

Carmen Ortega Villodres y José Manuel Trujillo Cerezo

Tabla II. Comarcas de Cataluña: población, participación en las Elecciones autonómicas de 2015 y diferencia entre las Elecciones autonómicas de 2015 y 2012

Código	Comarca	Población	Pob. Relativa	Participación 2015	Diferencia 2012
1	Alt Camp	44,3	0,59	78,44	9,20
2	Alt Empordà	139,8	1,86	75,03	6,93
3	Alt Penedés	106,2	1,41	80,46	7,41
4	Alt Urgell	20,7	0,28	73,77	5,36
5	Alta Ribagorça	3,9	0,05	77,15	10,11
6	Anoia	117,4	1,56	78,37	9,14
7	Bages	174,6	2,33	78,18	8,30
8	Baix Camp	188,0	2,50	76,92	10,07
9	Baix Ebre	79,7	1,06	73,63	9,96
10	Baix Empordà	132,4	1,76	76,99	7,54
11	Baix Llobregat	806,7	10,74	77,71	8,90
12	Baix Penedès	99,9	1,33	72,87	10,28
13	Barcelonès	2225,1	29,64	76,08	6,81
14	Berguedà	39,5	0,53	80,54	6,70
15	Cerdanya	17,9	0,24	78,12	7,10
16	Conca de Barberà	20,5	0,27	81,25	8,18
17	Garraf	146,0	1,94	75,84	8,82
18	Garrigues	19,3	0,26	80,88	8,30
19	Garrotxa	56,1	0,75	81,22	6,47
20	Gironès	185,0	2,46	79,56	6,48
21	Maresme	439,5	5,85	78,86	7,76
22	Montsià	68,5	0,91	73,59	9,57
23	Noguera	39,1	0,52	79,10	7,36
24	Osona	154,9	2,06	82,60	5,31
25	Pallars Jussà	13,6	0,18	77,19	8,39
26	Pallars Sobirà	7,1	0,09	81,46	7,27
27	Pla d'Urgell	37,1	0,49	80,01	6,76
28	Pla de l'Estany	31,5	0,42	83,53	5,84
29	Priorat	9,5	0,13	85,63	6,55
30	Ribera d'Ebre	22,7	0,30	80,35	8,79
31	Ripollés	25,3	0,34	82,29	6,49
32	Segarra	22,6	0,30	78,72	6,48
33	Segrià	209,3	2,79	74,92	7,97
34	Selva	168,6	2,24	76,32	8,79
35	Solsonès	13,4	0,18	80,16	6,95

Código	Comarca	Población	Pob. Relativa	Participación 2015	Diferencia 2012
36	Tarragonès	249,9	3,33	76,05	9,46
37	Terra Alta	11,9	0,16	80,08	7,33
38	Urgell	36,3	0,48	78,35	7,05
39	Aran	9,9	0,13	70,71	7,18
40	Vallés Occidental	900,7	12,00	78,74	8,44
41	Vallés Oriental	400,4	5,33	78,91	8,66
42	Moianés	13,1	0,17	82,70	5,80

Fuente: Elaboración propia a partir de los datos del Instituto Nacional de Estadística y la Generalitat de Cataluña. Los datos de población están reflejados en miles de habitantes y en porcentaje relativo sobre el total de población catalana —actualizados con el Padrón de 2015—.Los datos de participación están expresados en porcentaje sobre censo. En la primera columna se ha indicado el código de las comarcas para poder identificarlas con mayor facilidad en las Figuras I y II.

Figura I. Participación electoral en las elecciones al Parlament de Cataluña (2015) por comarcas

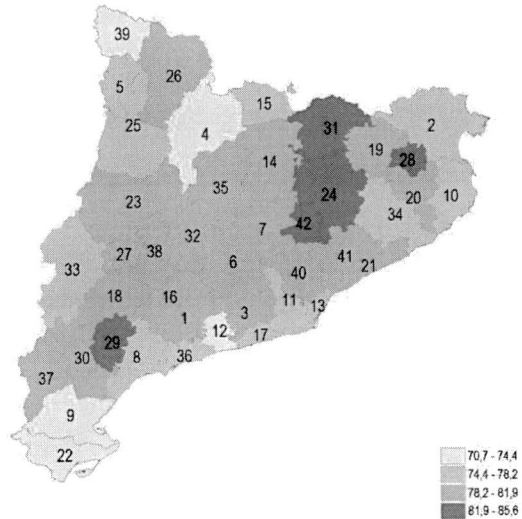

Fuente: Elaboración propia a partir de los datos de la Generalitat de Cataluña. Datos en porcentaje sobre censo representados en intervalos iguales (4 categorías)

Figura II. Diferencias en la participación electoral entre las elecciones de 2015 y 2012 por comarcas

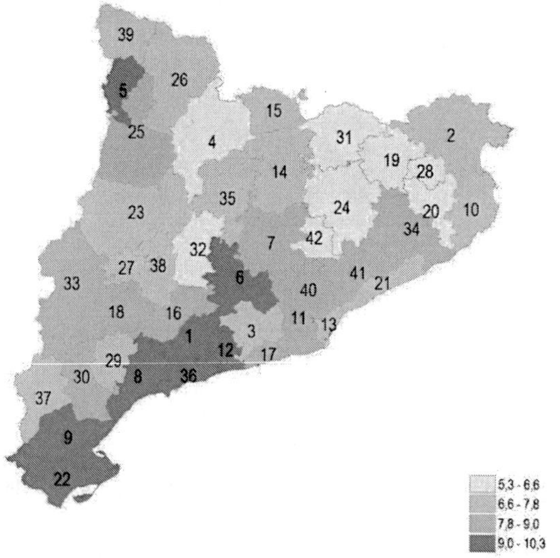

Fuente: Elaboración propia a partir de los datos de la Generalitat de Cataluña. Datos en porcentaje sobre censo representados en intervalos iguales (4 categorías)

2.4. Nivel municipal

Tal y como se señalaba al principio de este apartado, Cataluña está compuesta por un total de 947 municipios. Sin embargo, la diferencia en el número de habitantes que residen en cada uno también es importante, hasta tal punto que el más pequeño, Sant Jaume de Frontanyà tenía empadronados en 2015 un total de 26 habitantes, mientras que en la ciudad de Barcelona, la población con mayor tamaño, residían más de 1,6 millones. Para tener una perspectiva un poco más amplia, hemos realizado una categorización de los municipios en torno a cuatro tipos de tramos de hábitat: menos de 2.000 habitantes, de 2.000 hasta 10.000, de 10.000 hasta 50.000 y más de 50.000, siguiendo los datos del último padrón publicado hasta el momento. A partir de esa clasificación, hemos construido la Tabla III, donde se recogen varios aspectos importantes para entender la influencia municipal en la movilización electoral de las elecciones del 27-S. Como se puede observar, la mayoría de los municipios catalanes se sitúan en el tramo de menos de 2.000 habitantes, un total de 594 —62,7% de todos los municipios—; le sigue el tramo de 2.000 a 10.000, con un total de 232 localidades —24,5%—; el tramo de 10.000 a 50.000 habitantes incluye a 98 núcleos —10,4%—, mientras que el último contiene 23 ciudades —2,43%—. Aunque esta sería la galaxia de distribución local, como se viene observando a lo largo de este punto, la distribución de la población sigue un patrón diferente. Así, en el primer tramo de hábitat residía únicamente el 4,9% del censo catalán; en el segundo, el 14,4%; en el de 10.000 a 50.000, habría estado censada en 2015 el 26,8% de la población, mientras que en las 23 ciudades más importantes vivía en 2015 más de la mitad de la población total de Cataluña, el 53,7%. En ese sentido, pese a la importante presencia de municipios que podríamos denominar rurales por todo el territorio, la mayoría de la población se encuentra muy concentrada en torno a grandes urbes.

Fijándonos ahora en cómo se distribuyó la participación entre los distintos tramos de hábitat, se observa que, en términos generales, los municipios más participativos fueron precisamente los de menor número de habitantes. El promedio de la participación en este estrato fue del 83,4%. El siguiente estrato con mayor porcentaje de movilización fue el de 2.000 a 10.000 habitantes, con el 80,2% de promedio. Por último, los dos estratos de mayor volumen de habitantes empatan en su promedio de movilización con una cifra del 76,8%. Sin embargo, teniendo en cuenta los datos de distribución de la población que se han señalado con anterioridad, se observa que el conjunto de votantes del primer tramo supuso algo más del 5% de los votantes totales; el del segundo tramo, el 14,8%; el del tercero, el 26,8%; y el conjunto de votantes de las ciudades con más de 50.000 residentes, el 53,2%. De esta forma, en las elecciones que se analizan, aunque la participación en los municipios que podríamos denominar rurales fue algo superior a la de los entornos de mayor concentración de personas, en este caso, su peso relativo en el conjunto de electores que participaron estuvo bastante en sintonía a su peso real demográfico. Dicho en otros términos, en estas elecciones el peso relativo del voto rural y el voto urbano estuvo altamente equilibrado respecto a su volumen en el censo real en cada caso. Hemos querido aportar algunos datos más segmentando también por las distintas provincias utilizando esta estratificación de los municipios. Los datos se encuentran en el Gráfico III. En este se puede ver como la tendencia en los promedios de participación por cada una de las provincias sigue la misma lógica que en el conjunto de Cataluña, con la salvedad de que en Girona y Tarragona, las ciudades enmarcadas en el tramo de más de 50.000 habitantes fueron ligeramente más participativas que las del tramo inmediatamente inferior.

Tabla III. Distribución de municipios, población y participación por tramos de hábitat

		-2.000	2.001-10.000	10.001-50.000	+50.001	Total Cataluña
Municipios	*N*	594	232	98	23	947
	% municipios del total	62,72	24,50	10,35	2,43	100,00
	% censo por tramo	4,89	14,38	27,01	53,72	100,00
Participación 2015	Promedio en cada estrato	83,40	80,20	76,80	76,80	74,95
	% votantes estrato sobre el total	5,21	14,81	26,78	53,20	100,00

Fuente: Elaboración propia a partir de los datos del Instituto Nacional de Estadística —Padrón de 2015— y de la Generalitat de Cataluña

Gráfico III. Participación electoral en las Elecciones al Parlament de Cataluña (2015) por provincia y tramos de hábitat

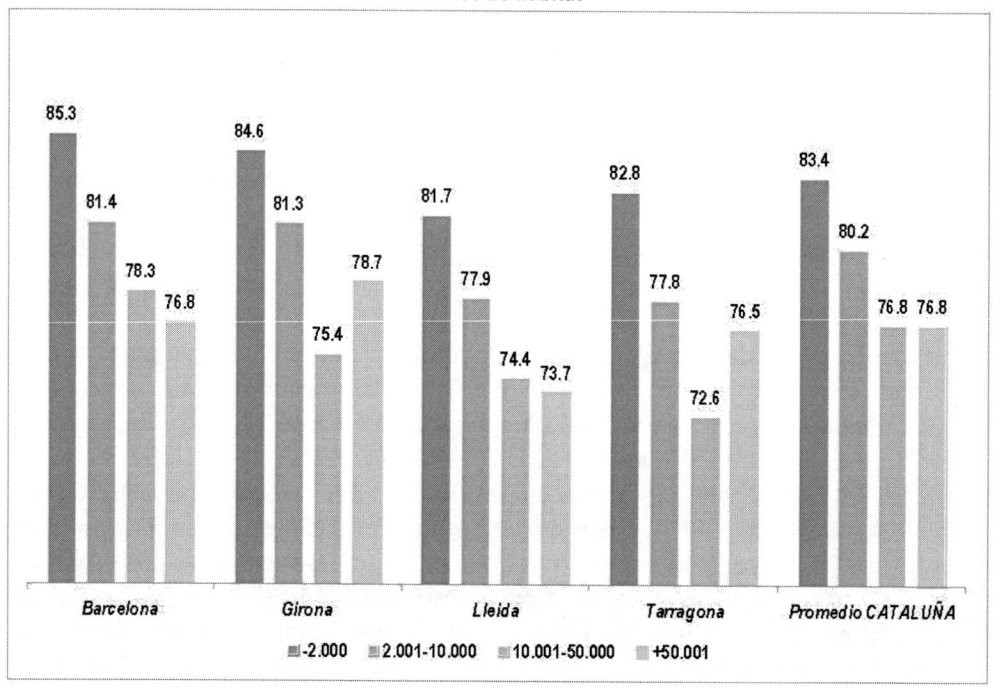

Fuente: Elaboración propia a partir de los datos del Instituto Nacional de Estadística y la Generalitat de Cataluña

Antes de finalizar este epígrafe, hemos querido representar corográficamente la distribución municipal de la afluencia a las urnas en los diferentes municipios catalanes. De nuevo, utilizamos dos indicadores: la participación municipal en las autonómicas de 2015 —Figura III— y su oscilación respecto a 2012 —Figura IV—. Los dos mapas ratifican una vez más las tendencias que hemos ido señalando en las páginas anteriores. Así, en términos absolutos, la participación electoral en las elecciones autonómicas de septiembre fue superior en las localidades del norte y del interior del territorio, en contraste con el sur y la mayoría de la franja del litoral. Por el contrario, el incremento en términos relativos fue ligeramente más importante a lo largo de las zonas litorales y en los municipios del sureste. No obstante, observamos cómo hay municipios con un incremento superior a los 10 puntos en muy diversas zonas del mapa.

Figura III. Participación electoral en las Elecciones al Parlament de Cataluña (2015) por municipios

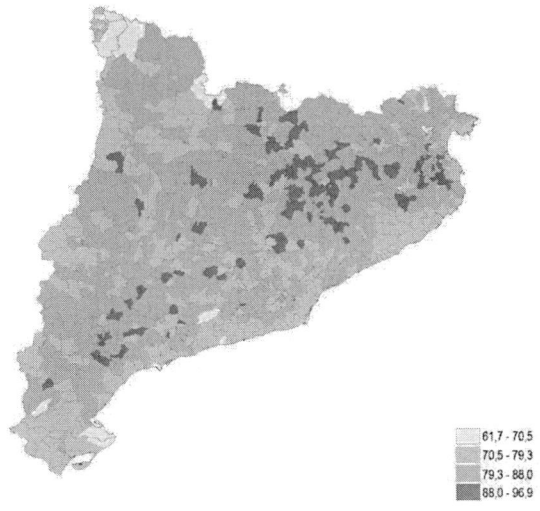

Fuente: Elaboración propia a partir de los datos de la Generalitat de Cataluña. Datos en porcentaje sobre censo representados en intervalos iguales (4 categorías)

Figura IV. Diferencias en la participación electoral entre las Elecciones de 2015 y 2012 por municipios

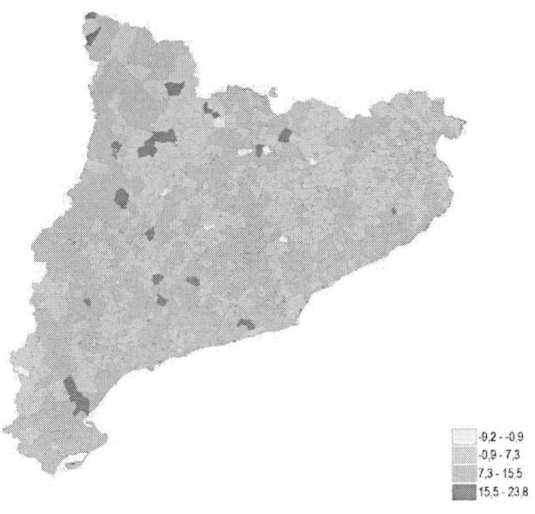

Fuente: Elaboración propia a partir de los datos de la Generalitat de Cataluña. Datos en porcentaje sobre censo representados en intervalos iguales (4 categorías)

3. ORIENTACIÓN PARTIDISTA DEL VOTO

3.1. Nivel catalán

Centrándonos ahora en el voto a partidos, la Tabla IV recoge la evolución de los apoyos de las principales candidaturas a lo largo de los diferentes comicios autonómicos celebrados en Cataluña. Dado que en otro capítulo de esta obra se analiza con mayor profundidad el estado de la competencia del sistema de partidos, en nuestro caso sólo reseñaremos algunas cuestiones a tener en cuenta para poder trazar la evolución de las candidaturas y su contextualización en 2015. En los últimos procesos celebrados, la fuerza mayoritaria fue JxSí, que agrupaba a CDC —que hasta entonces había formado parte de la coalición CiU[11]—, a la formación ERC y a varias organizaciones sociales y personalidades relevantes de preferencias pro-independencia. Hasta estas Elecciones, CiU había sido la formación con más apoyos desde 1980, a excepción de las convocatorias de 1999 y 2003, en las que el PSC consiguió obtener un mayor número de votos. Esta formación, por su parte, se había mantenido en segunda posición a lo largo de toda la serie histórica, con la salvedad de las dos convocatorias ya señaladas. Como se puede observar en la Tabla, el resto de partidos también han experimentado diferentes oscilaciones tanto en su posición en el sistema como en su número de apoyos. Por el contrario, el escenario de las elecciones de 2015 resulta significativamente diferente al de las convocatorias anteriores. Como se ha señalado ya, JxSí obtuvo la primera posición relativa, y lo hizo con el 39,6% de los votos válidos. En este nuevo marco, la segunda posición la ostentó C's, una formación que irrumpe en 2006 como fuerza minoritaria pero que logra en 2015 el 17,9% de los votos. De esta forma, el PSC se desplaza a la tercera posición sumando el 12,7% de los sufragios. En cuarta posición se situó la agrupación CSQEP recogiendo el 8,9% y, a corta distancia, tanto el PP con el 8,5% como la CUP con el 8,2%. Por su parte, el partido UDC en solitario tras la ruptura de la coalición CiU únicamente obtuvo el 2,5% —sin llegar a obtener ningún escaño en el Parlament—. La distorsión que produce la participación conjunta en JxSí de ERC y CDC, impide poder trazar una panorámica certera de las evoluciones de las diferentes formaciones respecto 2012. No obstante, algunas tendencias sí que se pueden observar. Sumando los votos que CiU y ERC obtuvieron en 2012 respecto los que aglutinó JxSí,

---

[11]   CDC y UDC habían concurrido juntos bajo la coalición CiU desde las primeras Elecciones autonómicas catalanas hasta la quiebra de su acuerdo en 2015, habiendo ostentando el gobierno autonómico de forma continuada a excepción del *impasse* 2003-2010. En 2015, las diferencias de posiciones entre ambas formaciones sobre la cuestión independentista derivó en la ruptura del acuerdo (Orriols y Rodon, 2016: 6).

se observa un descenso global de casi 5 puntos en el conjunto catalán[12]. La siguiente formación en volumen de pérdidas es el PP, que se deja 4,5 puntos entre 2015 y 2012. En bastante menor magnitud se sitúan las pérdidas del PSC —1,7 puntos— y CSQEP con respecto a ICV —1 punto—. Por el contrario, las únicas dos formaciones que incrementaron su peso relativo fueron la CUP —4,7 puntos— y, particularmente, C's, que sumó respecto a 2012 más de 10 puntos de voto válido.

Tabla IV. Evolución del voto a candidaturas en las Elecciones al Parlament de Cataluña (1980-2015)

		1980	1984	1988	1992	1995	1999	2003	2006	2010	2012	2015	Media[4]
CiU	JxSí[1]	27,82	46,78	45,74	46,22	40,96	37,70	30,93	31,53	38,49	30,69	39,59	37,69
ERC		8,91	4,41	4,14	7,96	9,50	8,69	16,47	14,05	7,01	13,69		9,48
PSC		22,44	30,09	29,78	27,53	24,84	37,86	31,18	26,81	18,32	14,44	12,72	25,09
ICV/CSQEP[2]		18,77	5,58	7,76	6,50	9,73	2,51	7,30	9,55	7,38	9,90	8,94	8,54
AP/PP		2,36	7,71	5,32	5,97	13,10	9,51	11,87	10,64	12,35	12,98	8,49	9,12
C's									3,04	3,40	7,58	17,90	7,98
CUP											3,48	8,21	5,85
Otros[3]		19,03	4,94	6,64	4,64	0,89	2,80	1,34	2,33	10,10	5,78	3,63	5,65

Fuente: Elaboración propia a partir de los datos de la Generalitat de Cataluña. Datos en porcentaje sobre votos válidos
(1) Se excluyen los votos de UDC (2,5%) en 2015. En la Tabla están integrados en la categoría *Otros*.
(2) En las autonómicas de 1980 y 1984, se reflejan los votos del PSUC —Partit Socialista Unificat de Catalunya—.
(3) En esta categoría se incluyen las siguientes candidaturas que obtuvieron escaño en el Parlament de Cataluña: 1980, CC-UCD —Centristes de Catalunya-Unión de Centro Democrático— (10,6%) y PSA —Partido Socialista de Andalucía-Partido Andaluz— (2,7%); 1988, CDS —Centre Democràtic i Social— (3,8%); 2010, SI —Solidaritat Catalana per la Independència— (3,3%).
(4) El promedio para CiU y ERC no tiene en cuenta los votos de JxSí para 2015.

Considerando a continuación lo que se apuntaba en el primer apartado en torno a la cómo fue la distribución de apoyos respecto al principal eje temático del proceso electoral, se representa en el Gráfico IV el voto emitido a cada uno de los tres bloques: *pro-independencia, anti-independencia y resto de formaciones*. Además, hemos procedido a calcular su peso relativo tanto en votos sobre el total de habitantes censados así como en votos válidos emitidos. De esta forma, de los datos se deduce que los ciudadanos de Cataluña identificados con formaciones claramente independentistas supusieron el 35,7% del censo, esto es, en torno a una de cada tres

---

12   Una vez más, hay que reseñar que en 2012 la coalición CiU englobaba a CDC y UDC, mientras que en 2015, JxSí aglutinaba solo a CDC en tanto que UDC concurrió en solitario. Preferimos representarlo de esta forma por la importancia simbólica que JxSí tiene sobre la cuestión independentista. En cualquier caso, los resultados de lo que obtuvo UDC de forma individual se encuentran en la Tabla V, por lo que se puede comprobar cómo, en cualquier caso, si sumáramos los votos de JxSí y UDC también habría una pérdida de votos relativa en el conjunto de Cataluña en contraste con CiU + ERC y, además, en cada una de las provincias catalanas.

personas mayores de 18 años en 2015. Por el contrario, los votantes identificados con formaciones que rechazarían la independencia de Cataluña ascendieron prácticamente al 29,2% del censo; ligeramente por debajo del anterior dato pero con un peso demográfico bastante similar. Por último, un 9,4% del censo habría votado a formaciones con otras posiciones[13]. En términos de votantes que participaron en los comicios, los apoyos a formaciones pro-independencia suponen el 47,8%; los anti-independencia, el 39,1%; mientras que el del resto de formaciones, concentraron el 12,6%. Más allá de la definición intermedia de las candidaturas englobadas en la categoría "resto", los datos en voto emitido apuntan a que la división social en torno a la principal cuestión del proceso electoral está altamente polarizada; y aunque en términos relativos los votos a formaciones pro-independencia sean ligeramente superiores a las demás opciones, el hecho de que exista un 12,6% que opte por otros caminos impide una conclusión clara sobre qué opción sería claramente mayoritaria entre el electorado Catalán considerando las dos alternativas extremas sobre el *issue* en cuestión.

Gráfico IV. Apoyos emitidos en torno al eje independentista en las elecciones al Parlament de Cataluña (2015)

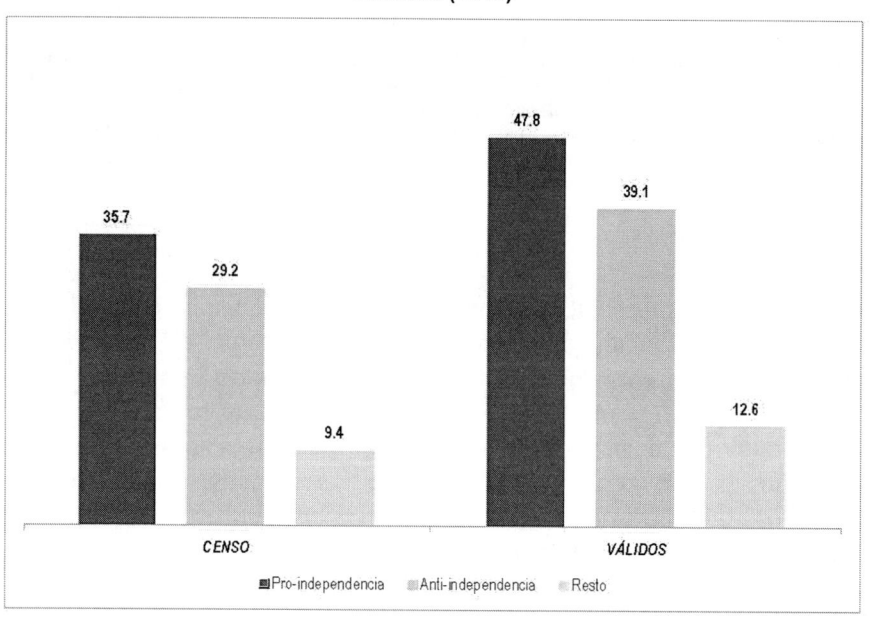

Fuente: Elaboración propia a partir de los datos de la Generalitat de Cataluña. Datos en porcentaje

---

[13] Hay que recordar que en este grupo se incluyen los votantes de CSQEP, favorables a la celebración de una consulta legal, así como los de UDC, cuyo partido se posicionó a favor de un plan soberanista para Cataluña pero rechazando una vía de ruptura unilateral, motivo por el que dejó la coalición CiU (Martí y Cetrà, 2016; Orriols y Rodon, 2016).

3.2. Nivel provincial

La Tabla V recoge los resultados de voto emitido a las diferentes candidaturas en cada una de las provincias. Al igual que ocurría con las variaciones relativas en la participación electoral, en este caso también se observa alguna diversidad en los apoyos obtenidos por las diferentes formaciones en cada uno de los distritos catalanes. En primer lugar, se puede destacar cómo la formación JxSí obtuvo mejores resultados en las provincias de Girona y Lleida, unos 15-16 puntos en cada una por encima del resultado global obtenido en Cataluña. En Tarragona, su número de apoyos se situó en torno a los 2 puntos por encima de ese porcentaje conjunto mientras que en Barcelona, su peso relativo fue algo menor, cuantificándose en 3 puntos menos de voto válido. La segunda formación en estas Elecciones, C's, obtuvo un porcentaje por encima de su resultado global en las provincias de Tarragona y Barcelona y menor en Girona y Lleida; una tendencia que también se observa en los votos obtenidos por el PP. Por su parte, tanto PSC como CSQEP únicamente obtuvieron un resultado superior al porcentaje del conjunto catalán en la provincia de Barcelona, quedándose en las otras ligeramente por debajo de ese resultado global —aunque algo superior en Tarragona en contraste con Girona y Lleida—. Respecto de la CUP, el porcentaje obtenido en las diferentes provincias es bastante más homogéneo que el del resto de formaciones y muy cercano, en términos generales, a la media global; el mayor desfase se produjo en Tarragona, con un volumen menor de votos que en el resto. Por último, en este caso hemos incluido también los resultados de UDC, que tal y como se puede observar en la Tabla, obtuvo un porcentaje de votos similar al resultado global en todas las provincias, con la excepción de Lleida en donde su peso relativo fue ligeramente superior al resto.

Tabla V. Voto a candidaturas en las Elecciones al Parlament de Cataluña (2015) por provincias

	JxSí	C's	PSC	CSQEP	PP	CUP	UDC	Resto
Barcelona	36,09	18,84	13,67	10,13	8,85	8,28	2,45	1,19
Girona	56,06	12,53	8,66	4,77	5,87	8,58	2,15	0,84
Lleida	55,22	11,58	8,43	4,30	7,29	8,15	3,56	0,72
Tarragona	41,63	19,39	11,83	6,47	8,92	7,39	2,68	1,07
Total Cataluña	39,59	17,90	12,72	8,94	8,49	8,21	2,51	1,12

Fuente: Elaboración propia a partir de los datos de la Generalitat de Cataluña. Datos en porcentaje sobre votos válidos

Para visualizar mejor las tendencias de incremento y descenso de apoyos desde las Elecciones autonómicas anteriores en cada una de las provincias, hemos realizado el Gráfico V. Como se puede observar en este, comparando los resultados de JxSí en 2015 con los que obtuvieron respectivamente CiU más ERC en 2012, en las cuatro provincias catalanas la formación varió un porcentaje bastante similar y en torno a la media global del conjunto de Cataluña. Por el contrario, la segunda formación en apoyos, C's incrementó con mayor peso relativo su número de votos en las provincias de Tarragona y Barcelona, mientras que las ganancias en Girona y Lleida estuvieron ligeramente por debajo del incremento general en el conjunto del territorio catalán. Tanto el PSC como la coalición CSQEP —respecto a ICV— redujeron sus apoyos relativos de forma bastante equivalente en las cuatro circunscripciones, mientras que en el caso del PP destaca la provincia de Tarragona como el territorio provincial de mayor descenso, superando en 1,5 puntos la pérdida general experimentada en el conjunto autonómico. Por último, se puede observar como la CUP incrementó su apoyo en los cuatro distritos, destacando ligeramente por encima de su subida global en los caso de Barcelona y Lleida.

Gráfico V. Diferencias en el voto a candidaturas entre las Elecciones de 2015 y 2012 por provincias

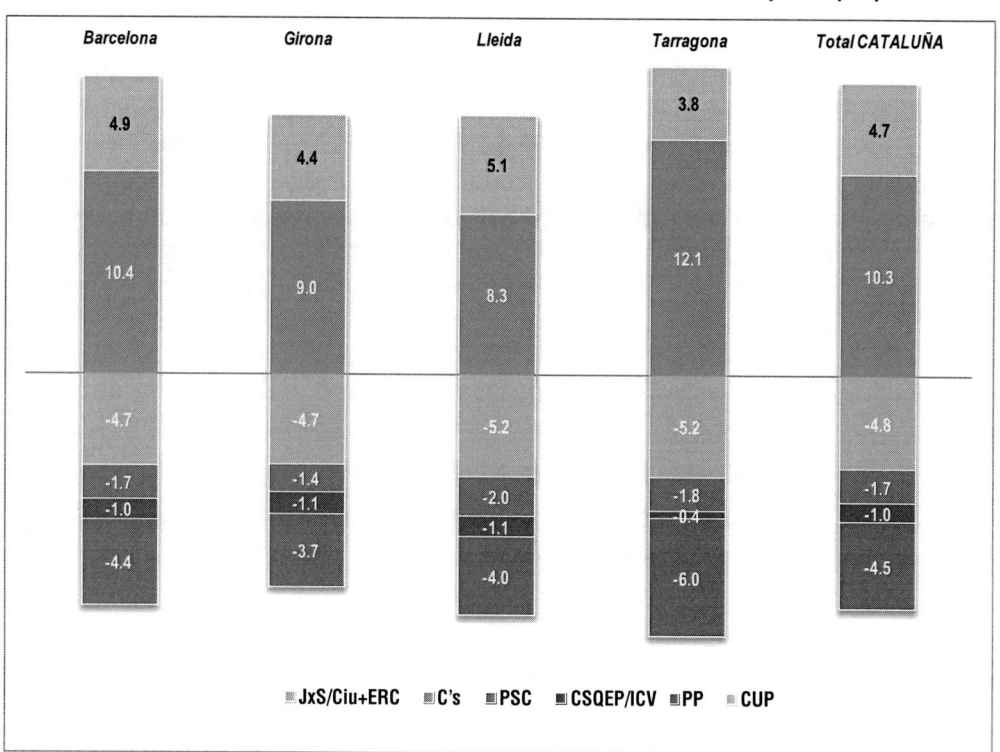

Fuente: Elaboración propia a partir de los datos de la Generalitat de Cataluña. Datos en porcentaje sobre votos válidos

Por último, en la Figura V hemos reflejado un mapa que indica para cada una de las provincias el porcentaje relativo de apoyo a formaciones clasificándolas en torno al eje independentista en los términos usados anteriormente. Tal y como se puede observar en la imagen, la provincia con mayor apoyo relativo a formaciones pro-independencia fue Girona, donde estas fuerzas políticas sumaron el 65% de los votos a candidaturas. A continuación, se sitúa la provincia de Lleida, en la que los partidos políticos favorables al proceso obtuvieron casi el 64% de los votos. En estos dos contextos, se podría inferir que 2 de 3 votantes respaldaron la formulación independentista en los términos propuestos por las candidaturas JxSí y la CUP —aun con el resto de diferencias programáticas entre ambas candidaturas—. En el caso de la provincia de Tarragona, prácticamente la mitad del voto que obtuvieron las distintas formaciones se concentró en estas opciones, mientras que un 40% apoyó a partidos posicionados contra la independencia y otro 10% a formaciones con otras posturas ante dicha cuestión. Por último, se concentra en la provincia de Barcelona el porcentaje más bajo de partidarios por formaciones claramente pro-independencia, el 44,6%; y, en sentido contrario, el más alto de votantes a partidos posicionados en contra de esta cuestión, el 41,6%. De la misma forma, el peso relativo de apoyo a formaciones que hemos catalogado bajo la categoría "resto" ascendió aquí a su posición relativa más alta, prácticamente el 14%. Estos datos nos ofrecen una primera imagen concreta de la distribución territorial en torno a este importante eje temático, con dos provincias claramente posicionadas a favor —Girona y Lleida— y otras dos —Tarragona y Barcelona— con posiciones relativas de victoria de los partidos que defendían la posición independentista y mayor fragmentación o incluso polarización de las opiniones.

Figura V. Apoyos emitidos en torno al eje independentista en las Elecciones al Parlament de Cataluña (2015) por provincias

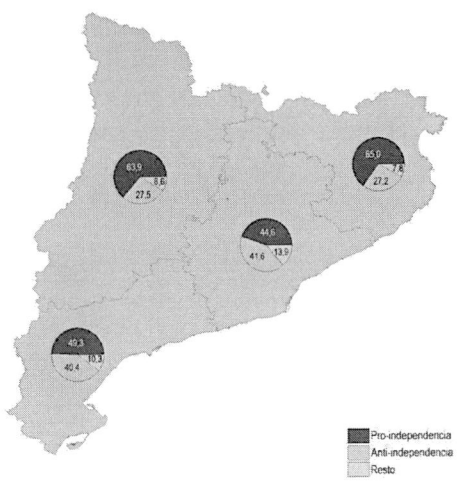

Fuente: Elaboración propia a partir de los datos de la Generalitat de Cataluña. Datos en porcentaje sobre votos emitidos a candidaturas

3.3. Nivel comarcal

Situándonos ahora en el nivel comarcal, los datos del voto emitido a candidaturas en las últimas Elecciones autonómicas han sido representados en el Gráfico VI. En él se puede visualizar de forma rápida y de un vistazo la fortaleza relativa de cada una de las agrupaciones políticas relevantes en el proceso electoral que se analiza. Empezando por la coalición JxSí, se observa cómo la comarca con mayor porcentaje relativo fue Pla de l'Estany, donde consiguió el 73,3% de los apoyos. En el extremo opuesto, que fue el caso de Aran, su peso relativo fue del 25%. Con todo, esta formación fue la más votada en todas las comarcas catalanas y únicamente en un total de 8 su porcentaje de apoyo se situó por debajo del conseguido para el conjunto del territorio autonómico. La segunda fuerza a nivel catalán, C's obtuvo su porcentaje relativo más importante en la comarca del Tarragonès con el 26,6% de los apoyos mientras que en el extremo opuesto, en el Priorat, sólo el 3% de los votos a candidaturas. El PSC, por su parte, osciló en una horquilla de apoyos entre los 19,8 puntos en la comarca de Aran y los 3,6 puntos de Pla de l'Estany y, la agrupación CSQEP, entre los 13 puntos conseguidos en el Baix Llobregat y los 2,6 también en Pla de l'Estany. En esta comarca, también el PP consiguió su porcentaje más bajo con el 3,4% mientras que su mejor porcentaje también lo obtuvo en Aran con el 12,9%. Tanto C's como el PSC y el PP, obtuvieron un porcentaje mayor que en el conjunto de Cataluña en un total de 9 comarcas, mientras que CSQEP lo hizo en un total de 6. Por último, la CUP obtuvo un apoyo entre las distintas comarcas con una menor dispersión entre ellas, oscilando entre los 6,3 puntos del Tarragonès y los 17 puntos en el Pallars Sobirà. En este caso, 16 fueron las comarcas donde los apoyos de la formación se situaron por debajo del porcentaje obtenido en el conjunto del territorio catalán.

Gráfico VI. Voto a candidaturas en las Elecciones al Parlament de Cataluña (2015) por comarcas

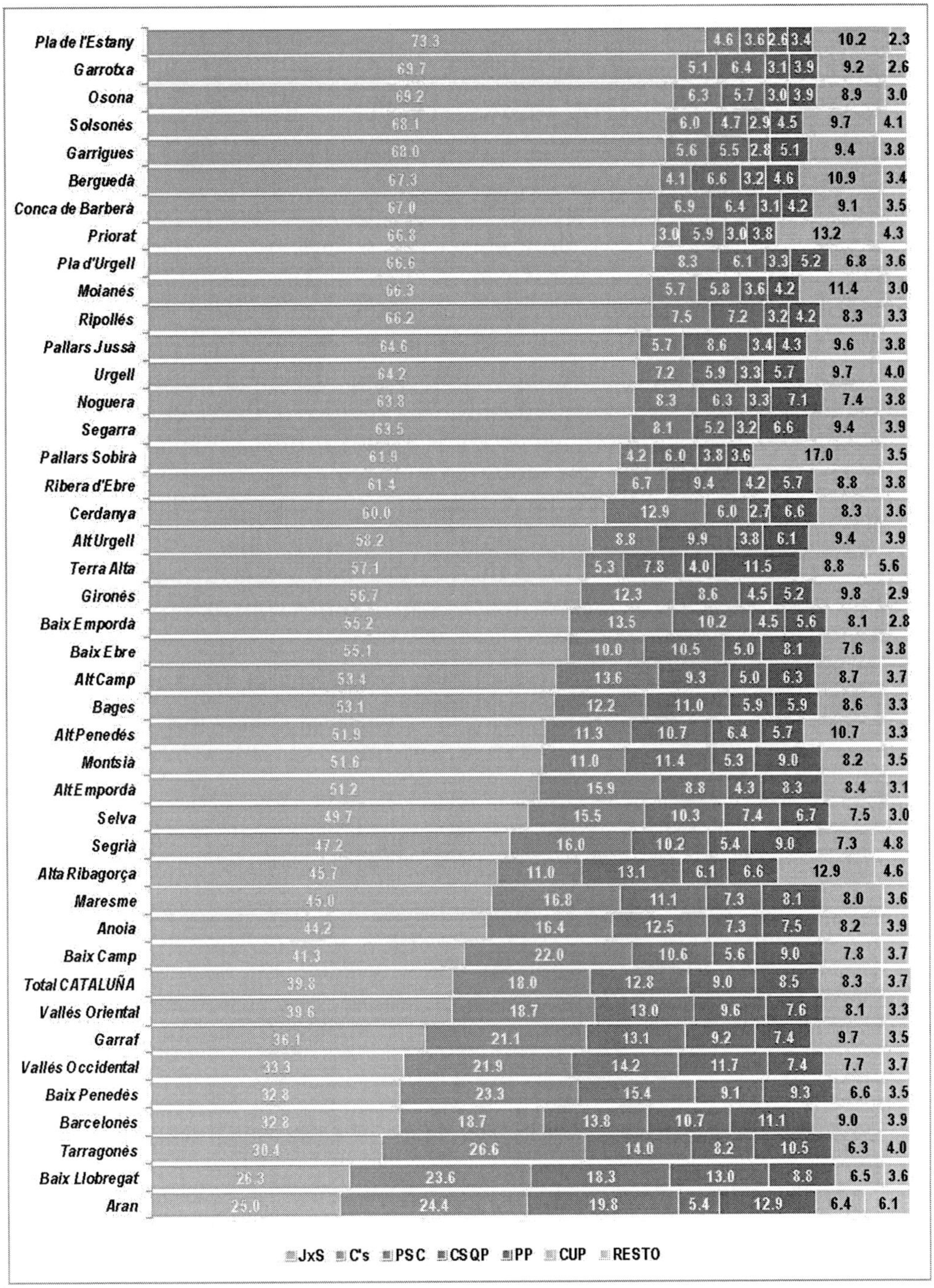

Comarca	JxS	C's	PSC	CSQP	PP	CUP	RESTO
Pla de l'Estany	73.3	4.6	3.6	2.6	3.4	10.2	2.3
Garrotxa	69.7	5.1	6.4	3.1	3.9	9.2	2.6
Osona	69.2	6.3	5.7	3.0	3.9	8.9	3.0
Solsonès	68.1	6.0	4.7	2.9	4.5	9.7	4.1
Garrigues	68.0	5.6	5.5	2.8	5.1	9.4	3.8
Berguedà	67.3	4.1	6.6	3.2	4.6	10.9	3.4
Conca de Barberà	67.0	6.9	6.4	3.1	4.2	9.1	3.5
Priorat	66.8	3.0	5.9	3.0	3.8	13.2	4.3
Pla d'Urgell	66.6	8.3	6.1	3.3	5.2	6.8	3.6
Moianès	66.3	5.7	5.8	3.6	4.2	11.4	3.0
Ripollès	66.2	7.5	7.2	3.2	4.2	8.3	3.3
Pallars Jussà	64.6	5.7	8.6	3.4	4.3	9.6	3.8
Urgell	64.2	7.2	5.9	3.3	5.7	9.7	4.0
Noguera	63.8	8.3	6.3	3.3	7.1	7.4	3.8
Segarra	63.5	8.1	5.2	3.2	6.6	9.4	3.9
Pallars Sobirà	61.9	4.2	6.0	3.8	3.6	17.0	3.5
Ribera d'Ebre	61.4	6.7	9.4	4.2	5.7	8.8	3.8
Cerdanya	60.0	12.9	6.0	2.7	6.6	8.3	3.6
Alt Urgell	58.2	8.8	9.9	3.8	6.1	9.4	3.9
Terra Alta	57.1	5.3	7.8	4.0	11.5	8.8	5.6
Gironès	56.7	12.3	8.6	4.5	5.2	9.8	2.9
Baix Empordà	55.2	13.5	10.2	4.5	5.6	8.1	2.8
Baix Ebre	55.1	10.0	10.5	5.0	8.1	7.6	3.8
Alt Camp	53.4	13.6	9.3	5.0	6.3	8.7	3.7
Bages	53.1	12.2	11.0	5.9	5.9	8.6	3.3
Alt Penedès	51.9	11.3	10.7	6.4	5.7	10.7	3.3
Montsià	51.6	11.0	11.4	5.3	9.0	8.2	3.5
Alt Empordà	51.2	15.9	8.8	4.3	8.3	8.4	3.1
Selva	49.7	15.5	10.3	7.4	6.7	7.5	3.0
Segrià	47.2	16.0	10.2	5.4	9.0	7.3	4.8
Alta Ribagorça	45.7	11.0	13.1	6.1	6.6	12.9	4.6
Maresme	45.0	16.8	11.1	7.3	8.1	8.0	3.6
Anoia	44.2	16.4	12.5	7.3	7.5	8.2	3.9
Baix Camp	41.3	22.0	10.6	5.6	9.0	7.8	3.7
Total CATALUÑA	39.8	18.0	12.8	9.0	8.5	8.3	3.7
Vallès Oriental	39.6	18.7	13.0	9.6	7.6	8.1	3.3
Garraf	36.1	21.1	13.1	9.2	7.4	9.7	3.5
Vallès Occidental	33.3	21.9	14.2	11.7	7.4	7.7	3.7
Baix Penedès	32.8	23.3	15.4	9.1	9.3	6.6	3.5
Barcelonès	32.8	18.7	13.8	10.7	11.1	9.0	3.9
Tarragonès	30.4	26.6	14.0	8.2	10.5	6.3	4.0
Baix Llobregat	26.3	23.6	18.3	13.0	8.8	6.5	3.6
Aran	25.0	24.4	19.8	5.4	12.9	6.4	6.1

JxS C's PSC CSQP PP CUP RESTO

Fuente: Elaboración propia a partir de los datos de la Generalitat de Cataluña. Datos en porcentaje sobre votos emitidos a candidaturas ordenados según el apoyo relativo a JxSí

Por último, en este nivel, haremos una breve mención a la distribución del voto en torno al eje independentista en las distintas comarcas. La Figura VI contiene un mapa que ilustra en qué magnitud oscilaron los apoyos relativos entre las diferentes opciones de dicho eje. Únicamente hay un total de 9 comarcas —Aran, Baix Llobregat, Tarragonès, Baix Penedès, Vallés Occidental, Barcelonès, Garraf, Vallés Oriental y Baix Camp— en las cuales el apoyo fue inferior al 50% de los votos válidos para las agrupaciones denominadas pro-independencia. Estas comarcas son todas ellas costeras del sureste salvo Aran, como se aprecia por los colores más claros del mapa. Y, trayendo a colación los datos de población señalados en el apartado centrado en la participación electoral, hay que apuntar que estas concentran en su conjunto al 67% de la ciudadanía de Cataluña. En ese sentido, se debe tener en cuenta que, por un lado, la imagen ofrece la impresión de que la mayoría del territorio muestra un claro apoyo a partidos que postulan tesis abiertamente independentistas —especialmente, las comarcas del interior de Cataluña, que superan el 70% en porcentaje de votos a estas formaciones—; pero, por el otro lado, no es menos cierto que todos estos espacios engloban en su conjunto a 1 de cada 3 habitantes catalanes. En cualquier caso, hay que recordar que incluso en las comarcas donde no se superó el 50% en los apoyos pro-independencia, el mínimo de votos a estas formaciones osciló entre el 30% y el 45%. Por lo tanto, de ahí que también estas posiciones fueran mayoritarias en términos relativos en el conjunto del electorado y en todas las provincias.

Figura VI. Apoyos emitidos en torno al eje independentista en las Elecciones al Parlament de Cataluña (2015) por comarcas

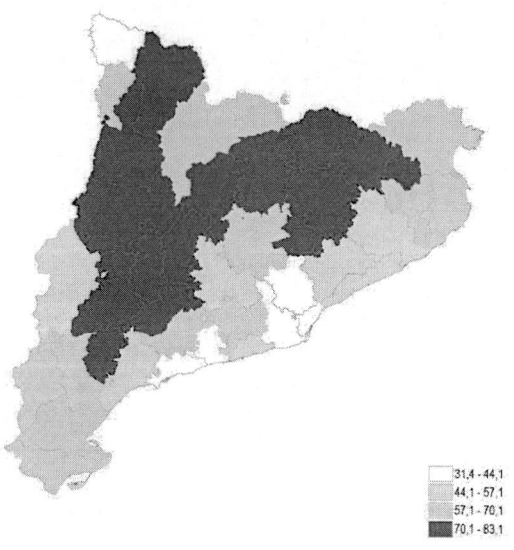

31,4 - 44,1
44,1 - 57,1
57,1 - 70,1
70,1 - 83,1

Fuente: Elaboración propia a partir de los datos de la Generalitat de Cataluña. Datos en porcentaje sobre votos válidos emitidos a formaciones pro-independencia representados en intervalos iguales (4 categorías)

3.4. Nivel municipal

Respecto al último de los niveles que se analizan, en primer lugar resaltaremos cómo fue el apoyo que obtuvieron las diferentes candidaturas en cada tramo de población. Tal y como se puede observar en el Gráfico VII, las diferentes formaciones políticas tienen tendencias distintas de apoyo tomando como variable explicativa el volumen de habitantes. La tendencia de la coalición JxSí sigue una relación inversa al número de ciudadanos residentes en cada localidad. Aunque su primacía se produce en todos los tramos, ciertamente es en el de los municipios de menor tamaño donde consiguen, en términos medios, mayores apoyos relativos; y, partiendo de este tramo, sigue una tendencia negativa a mayor volumen de población. Las formaciones C's, PSC, CSQEP y PP muestran, por el contrario, una relación con el hábitat de carácter positiva. En los cuatro casos, sus apoyos adquieren mayor relevancia conforme ascendemos en el tramo de hábitat. C's y PSC mantienen, respectivamente, la segunda y tercera posición porcentual en todos los tramos de hábitat salvo en el de los municipios menos poblados. En este tipo de localidades, la CUP tiene un porcentaje medio más alto que las anteriores, siendo la segunda fuerza en importancia. Fijándonos en su variación entre categorías, la tendencia que sigue esta otra formación proindependencia es similar a la de JxSí, si bien las diferencias en el volumen de apoyos entre los tramos son menos intensas que las del resto de formaciones. Por su parte, mientras que el PP supera a CSQEP en los tramos de menor número de habitantes, en los dos estratos de más población ocurre justamente lo contrario. Con estos datos, y asumiendo todas las cautelas que hay que considerar usando como única variable diferenciadora el volumen de habitantes de los municipios, es posible afirmar la existencia de tendencias de segmentación del voto entre contextos de mayor y menor urbanización.

Gráfico VII. Voto a candidaturas en las elecciones al Parlament de Cataluña (2015) por tramos de hábitat

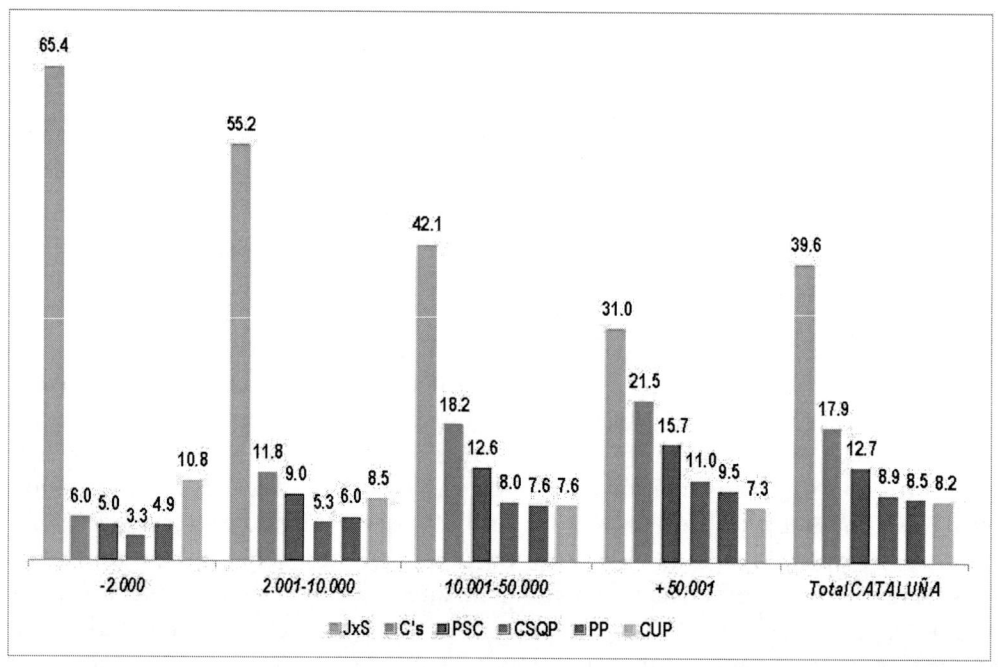

Fuente: Elaboración propia a partir de los datos de la Generalitat de Cataluña. Datos expresados en promedio de voto válido de las candidaturas en los municipios de cada tramo

Los datos de la Tabla VI recogen las diferencias en el voto válido a candidaturas entre las Elecciones de 2015 y 2012 en cada una de las provincias dividiendo a los municipios de cada una por el tramo de hábitat. En todos los casos se puede observar que la variación de los partidos en las cuatro provincias sigue un patrón bastante similar. La agrupación JxSí perdió más apoyos en términos relativos en los municipios de menor tamaño en todas las circunscripciones; justo la tendencia inversa de la CUP, que en este tipo de espacios incrementó su peso relativo en mayor medida que en los contextos de mayor número de residentes. El partido C's, sin embargo, siguió una tendencia general y en las cuatro provincias justamente inversa a la CUP, ya que fue en las poblaciones con mayor número de habitantes donde su incremento relativo fue mayor en contraste con las ganancias que obtuvo en los núcleos con menos residentes. En el caso del PSC, aunque las variaciones no experimenten un sentido tan nítido como las de los partidos hasta ahora descritos, se observa que son opuestas a C's y que, además, la tendencia es compartida por el PP. En ambos casos, conforme se incrementa el volumen de población sus pérdidas respecto a 2012 en términos porcentuales fueron más acusadas. Por último, respecto la agrupación CSQEP en contraste con los apoyos de ICV de 2012, la tendencia es mucho más difusa en las diferentes provincias, aunque se percibe que su mantenimiento fue ligeramente mejor en los contextos de mayor grado de urbanidad.

Tabla VI. Diferencias en el voto a candidaturas entre las Elecciones de 2015 y 2012 por provincias y tramo de hábitat

Provincia	Formación	-2.000	2.001-10.000	10.001-50.000	+50.001	Total
Barcelona	JxSí/CiU+ERC	-5,49	-4,61	-4,55	-4,02	-4,72
	C's	2,91	7,07	10,99	11,81	10,41
	PSC	-0,53	-0,72	-1,26	-2,77	-1,74
	CSQEP/ICV	-0,88	-1,18	-0,98	-0,25	-1,01
	PP	-1,23	-2,60	-4,62	-4,59	-4,43
	CUP	6,15	5,19	4,46	4,19	4,87
Girona	JxSí/CiU+ERC	-5,35	-3,66	-4,61	-3,80	-4,67
	C's	4,55	7,28	10,60	8,55	8,95
	PSC	-0,45	-1,41	-1,55	-1,04	-1,39
	CSQEP/ICV	-1,51	-1,17	-1,12	-1,86	-1,14
	PP	-1,79	-3,01	-4,63	-4,07	-3,72
	CUP	6,16	4,39	4,03	4,42	4,38
Lleida	JxSí/CiU+ERC	-6,19	-5,00	-4,87	-4,40	-5,24
	C's	4,44	6,83	8,34	12,33	8,25
	PSC	-1,32	-1,73	-0,86	-3,59	-2,02
	CSQEP/ICV	-1,02	-1,04	-1,63	-1,16	-1,09
	PP	-1,98	-3,10	-3,98	-6,49	-3,99
	CUP	6,04	5,14	4,83	4,72	5,10
Tarragona	JxSí/CiU+ERC	-4,79	-5,19	-4,67	-5,29	-5,22
	C's	4,58	9,98	13,27	14,67	12,12
	PSC	-1,48	-1,37	-2,11	-2,19	-1,76
	CSQEP/ICV	-1,17	-0,43	-0,26	0,09	-0,38
	PP	-2,23	-4,76	-6,69	-8,00	-6,05
	CUP	5,80	4,08	3,42	3,21	3,80
Total Cataluña	JxSí/CiU+ERC	-5,53	-4,61	-4,59	-4,14	-4,82
	C's	4,19	7,65	11,11	11,94	10,33
	PSC	-0,96	-1,12	-1,41	-2,68	-1,72
	CSQEP/ICV	-1,16	-1,01	-0,94	-0,33	-0,96
	PP	-1,83	-3,17	-4,87	-4,95	-4,49
	CUP	6,04	4,82	4,26	4,14	4,73

Fuente: Elaboración propia a partir de los datos de la Generalitat de Cataluña. Datos en porcentajes de voto válido

Teniendo en cuenta los datos anteriores, hemos procedido a realizar varios cálculos sobre la distribución poblacional en cada tramo de hábitat y cuáles fueron los resultados de los votos emitidos a los partidos integrados en los bloques divisorios sobre la cuestión de la independencia. En ese sentido, hemos trabajado en este caso considerando los datos del censo. Tal y como se observa en la Tabla VII, el 60,5% de los habitantes censados en municipios de menos de 2.000

habitantes emitieron un voto a formaciones declaradas pro-independencia. Este porcentaje desciende hasta el 49% de los censados en algún municipio del tramo entre 2.000 y 10.000, hasta el 36,5% en el tramo de 10.000 a 50.000 y hasta el 31,6% en tramo de mayor volumen de habitantes. Sin embargo, teniendo en cuenta que el total de votantes catalanes de estas opciones representó en 2015 el 36,8% del censo, se observa claramente como los municipios de menos de 2.000 habitantes nutrieron en torno al 8% de ese porcentaje; a continuación, el voto pro-independencia en el tramo de municipios entre 2.000 y 10.000 habitantes, representó el 19,1%; los municipios de tamaño medio de entre 10.000 y 50.000 habitantes aportaron el 26,8% de los votantes pro-independencia; y por último, respecto de los de mayor tamaño, el aporte fue del 46,1%. Respecto al voto a formaciones posicionadas en contra, la tendencia según el hábitat es contraria: a mayor tamaño, mayor habría sido el voto a estas. De hecho, en el tramo de más de 50.000 habitantes, la mayoría relativa del censo habría emitido un voto anti-independencia. Considerando el peso de estos electores en el conjunto total de votos sobre censo en ese sentido —el 30,2%—, hablamos de casi un 60% de los apoyos. En términos bastante equivalentes a las posiciones anti-independencia oscila la nutrición de apoyos en los diferentes tramos de hábitat en la categoría que agrupa al resto de formaciones a la que hemos ido haciendo alusión. Por lo tanto, con estos datos se evidencia más claramente el posicionamiento del electorado en los diferentes núcleos de población: conforme descendemos en el tamaño del hábitat, el apoyo a los postulados pro-independencia resulta mucho más claro que en las ciudades medias y grandes, donde, como mínimo, la fragmentación aparece de una forma más nítida con ligero sesgo hacia posturas más matizadas o directamente a formaciones que están en contra de la independencia. Y dado su mayor peso relativo en el conjunto del electorado catalán, consiguen amortiguar el elevado apoyo que se manifiesta en los municipios con menor volumen de población.

Tabla VII. Apoyos emitidos en torno al eje independentista en las Elecciones al Parlament de Cataluña (2015) por tramo de hábitat

	-2.000	2.001-10.000	10.001-50.000	+50.001	Total Cataluña
Pro-independencia	60,48 (8,03)	48,99 (19,13)	36,48 (26,76)	31,58 (46,06)	36,82 (100)
Anti-independencia	15,05 (2,43)	22,58 (10,75)	30,36 (27,15)	33,55 (59,67)	30,21 (100)
Resto	5,98 (3,02)	7,36 (10,91)	9,19 (25,61)	10,91 (60,46)	9,69 (100)

Fuente: Elaboración propia a partir de los datos de la Generalitat de Cataluña. En cada fila, se incluye en porcentaje de votantes —sobre el censo— que en cada estrato apoyaron a formaciones englobadas en dicha opción sobre la cuestión independentista; y, entre paréntesis, el peso de los votantes de cada estrato en el conjunto de apoyos que se emitieron en el total de Cataluña sobre el total del censo sin CERA

Por último, antes de finalizar el presente apartado, hemos realizado varios mapas con los municipios catalanes para reflejar cómo fue el apoyo relativo a cada una de las formaciones que se han estado analizando, así como la distribución agregada de los apoyos en torno al eje temático de la independencia que se viene utilizando. Las diferentes representaciones se recogen en las Figuras VII y VIII respectivamente. Como se puede observar, el apoyo a los partidos a lo largo del territorio guarda una importante relación con los diferentes análisis que se han realizado hasta el momento. Por su parte, la formación JxSí concentra mayores niveles de apoyo en los municipios centrales y del norte de Cataluña mientras que su número de votos es bastante inferior a lo largo de la franja costera, particularmente de las provincias de Tarragona y Barcelona. Justamente al contrario se identifican las tendencias de las formaciones C's, PSC, CSQEP y PP, en cuyos mapas se visualiza claramente su mayor importancia en torno a los municipios de la zona más al sureste y sur del territorio, con un peso relativo también más importante en los municipios araneses. Por último, respecto de la CUP se observa cómo su distribución mantiene una pauta altamente homogénea, destacando como puntos más "calientes" algunos municipios del centro y norte de la Comunidad.

Respecto del eje de diferenciación del voto a formaciones pro y anti independencia, el último mapa (Figura VIII) viene a corroborar las tendencias que han sido expuestas a lo largo de todo este trabajo. En ese sentido, todo el norte y el centro de Cataluña contiene a los municipios donde el apoyo a formaciones que postulan la independencia fue extremadamente mayoritario, superando el 75% de los votos válidos. Por su parte, conforme nos acercamos a las zonas costeras y al sur del territorio, el aval a las candidaturas pro-independencia se vuelve más matizado y, en consecuencia, el voto a partidos que rechazan la cuestión independentista o que al menos no están en ninguna de las posiciones opuestas es más significativo. De esta forma, se visualiza una vez más que en esta parte del territorio catalán la cuestión o no es tan relevante o las preferencias no son tan unánimes al respecto.

Carmen Ortega Villodres y José Manuel Trujillo Cerezo

Figura VII. Voto a partidos en las elecciones al Parlament de Cataluña (2015) por municipios

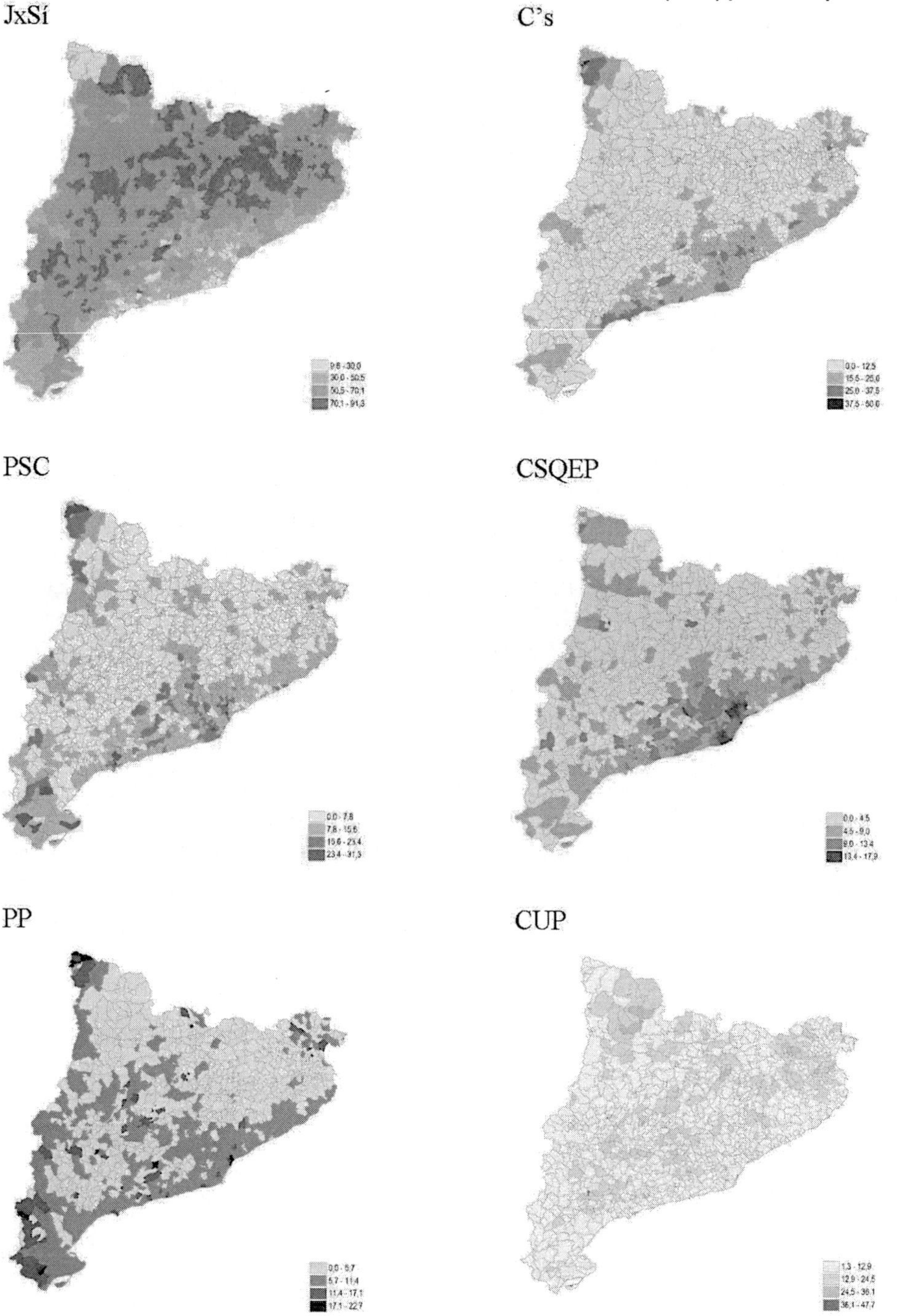

JxSí

C's

PSC

CSQEP

PP

CUP

Fuente: Elaboración propia a partir de los datos de la Generalitat de Cataluña. Datos en porcentaje sobre censo representados en intervalos iguales (4 categorías)

Figura VIII. Apoyos emitidos en torno al eje independentista en las elecciones al Parlament de Cataluña (2015) por municipios

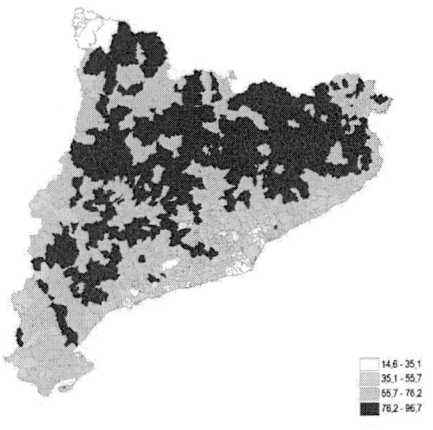

Fuente: Elaboración propia a partir de los datos de la Generalitat de Cataluña. Datos en porcentaje sobre votos válidos emitidos a formaciones pro-independencia representados en intervalos iguales (4 categorías)

4. CONCLUSIONES

A lo largo de todas estas páginas pretendíamos ofrecer una visión *desde el otro lado de la frontera* de lo que un observador poco habituado con la realidad política catalana podía interpretar de los resultados de las elecciones del 27-S en Cataluña a través del estudio descriptivo de los indicadores más típicos de los resultados electorales y utilizando algunas herramientas de trabajo geopolíticas. Como hemos apuntado en la introducción, esta visión inductiva no se sustentaba en una ausencia de relato interpretativo al efecto, pues afortunadamente, hay una extensa literatura académica y especializada que ha indagado desde muy diversas perspectivas el comportamiento político y electoral de la ciudadanía catalana. Sin embargo, no plantear ningún interrogante inicial o hipótesis concretas pensábamos que nos permitiría una comprensión del 27-S en su sentido autónomo, sin sentir la necesidad de explicar este proceso electoral o sus resultados como consecuencia de otros fenómenos políticos o sociológicos presentes en la política catalana o española. Y también, en cierta medida, para ilustrar cómo podría ser una mirada de quién desde la distancia quiere conocer y comprender mejor un proceso electoral cuya relevancia parece innegable.

En los datos que se han ido desgranando en este capítulo, comprobamos que efectivamente las Elecciones del 27-S suponen un hito importante en ese relato electoral autonómico de Cataluña. Las excepcionales cifras de movilización, superiores a cualquier otro proceso de las mismas características en la historia reciente, dan buena cuenta de la importancia simbólica que adquirieron los comicios. La alta afluencia a las urnas fue una tónica general en todo el territorio catalán, aunque también resulta importante apuntar algunos matices que ayudan a comprender mejor esa importancia atribuida. Si bien es cierto que sistemáticamente las provincias de Girona o Lleida habían sido las más participativas en este tipo de elecciones, el incremento experimentado en Barcelona y, especialmente, en Tarragona, alteró las tendencias tradicionales en este indicador provincializado. Acercando más la lupa territorial, este mismo análisis se podría extrapolar a las diferentes comarcas catalanas así como a los municipios en su distribución territorial. En términos generales, las zonas de mayor participación en estos comicios se situaron en el centro y norte del territorio catalán, como podría ser habitual en este tipo de procesos electorales. Pero la novedad que trajeron estas elecciones de excepción fue el incremento notable de la movilización en aquellas comarcas o territorios tradicionalmente más abstencionistas, destacándose claramente la parte sur y sureste de la cuenca litoral mediterránea. Considerando la distribución de la población en Cataluña que hemos ido poniendo de relieve, es de recibo apuntar que si bien fueron las zonas de menor concentración de habitantes o las poblaciones de menor número de residentes las que en mayor medida se movilizaron, la importante participación —y en algunos casos, el notable incremento relativo a las anteriores elecciones— en las zonas de mayor grado de urbanización conllevó una representación bastante equilibrada de los votantes de todos los contextos geopolíticos. Por ello, resulta verosímil pensar que la importancia atribuida a estas elecciones por casi todos los electores fue bastante similar, lo que probablemente animó a votar a una parte significativa de la ciudadanía que en este tipo de procesos no ejercía este derecho, situándose algunos de estos en las zonas de mayor concentración de población de Cataluña.

El estudio de las dinámicas de orientación partidista del voto está en sintonía con lo que cabría esperar de unas Elecciones definidas como excepcionales. Más allá de que el escenario de oferta había cambiado previamente a los comicios por las propias dinámicas de desaparición de opciones electorales habituales y la emergencia de nuevas agrupaciones y coaliciones, la ciudadanía catalana repartió su representación política de una forma totalmente desconocida hasta el momento. La coalición JxSí emergía como fuerza más relevante aglutinando los votos de cuatro de cada diez electores con una oposición cuya agrupación política principal, C's, se quedaba con algo menos de dos en la misma proporción. Sin embargo, en términos relativos, la primera fuerza quizá se alejaba de sus mejores expectativas en contraste con los apoyos que habían conseguido anteriormente el conjunto de los partidos que la conformaban, mientras que la segunda pasaba de un papel secundario a un papel claramente protagonista en la política catalana. Aun con todos los riesgos que tiene la interpretación de los resultados electorales agregados —en particular, de falacia ecológica—, las grandes tendencias señaladas coinciden en apuntar territorialmente a los espacios de mayor incremento de la movilización con el incremento de esta formación o con los contextos de mayor resistencia o menor caída de formaciones como PSC, PP y la coalición CSQEP —en contraste con ICV—. De la misma forma, el protagonismo adquirido por la CUP en estas elecciones tiene algunos rasgos de coincidencia con las pérdidas de JxSí —en contraste con CiU y ERC—. Insistimos en que con esto no queremos inferir las posibles transferencias que se hayan podido producir entre electorados o como consecuencia del incremento de la movilización, pues para ello tendríamos que haber adoptado, como mínimo, alguna estrategia de análisis bivariado de estos mismos datos. En cualquier caso, consideramos interesante resaltar estos puntos, aunque sólo sirva para poder plantear hipótesis de trabajo en el futuro sobre estas cuestiones.

Hemos dedicado en estas páginas también varios espacios a comprender hasta qué punto el *issue* de la independencia, como tema central de la política catalana en los últimos años y particularmente en los comicios del 27-S, se había reflejado en las urnas. Para ello, hemos propuesto una clasificación del voto a candidaturas en tres opciones sobre la cuestión independentista —*pro, anti y resto*— y hemos ido ofreciendo distintas imágenes de cómo se articuló electoramente esta realidad en las diferentes divisiones geopolíticas. Con todas las limitaciones que tiene abordar este tema en torno al voto a partidos, quizá la conclusión más notoria que hemos ido destacando es la importante polarización ciudadana al respecto. En términos relativos, los partidos favorables a un proceso independentista en los términos planteados en estas elecciones por JxSí y la CUP obtuvieron una mayoría relativa en prácticamente todos los niveles y divisiones del territorio catalán; pero una mayoría relativa que si bien es notablemente alta en el norte y centro de Cataluña, resulta mucho más matizada en las zonas de mayor población, donde en muchos casos considerando el voto emitido a aquellas formaciones con posiciones intermedias más quiénes claramente se posicionaron en contra, el apoyo pro-independentista no resulta tan mayoritario. En ese sentido, la amplitud territorial que abarcan los contextos con posiciones favorables a la independencia es innegablemente alta; pero sin embargo, dado el mayor peso relativo que tienen las zonas del sur, sureste y la cuenca litoral, en términos de electores y de votantes del conjunto de Cataluña, se puede hablar de una diferenciación bastante bipolar ante dicho *issue*. Hasta el punto de que las diferencias entre unos y otros apoyos fueron inferiores a seis puntos porcentuales del censo o a diez puntos porcentuales de votantes, descontado en ambos casos los votos obtenidos por las formaciones que defendían posiciones matizadas. Por la misma razón por la que hemos descartado realizar un planteamiento que pretendiera identificar las causas de los resultados electorales que han sido desgranados, parecería osado ofrecer en este apartado una interpretación más prospectiva de las consecuencias que estos resultados pueden tener para la política catalana y española en el medio o en el largo plazo. Sin embargo, parece muy probable esperar que por la fragmentación alcanzada en torno a este tema, *ceteris paribus,* su protagonismo siga siendo determinante en el relato político catalán de los próximos años y, en consecuencia, en el del conjunto español.

5. REFERENCIAS BIBLIOGRÁFICAS

Bartomeus, O. (2015). *La transformació de l'espai polític català 2004-2014.* Barcelona: Institut de Ciències Polítiques i Socials.

Bosque-Sendra, J. (1982). "Geografía electoral, geografía política y elecciones en España". *Anales de geografía de la Universidad Complutense,* 2, 263-274.

Bosque-Sendra, J. (1988). *Geografía electoral.* Madrid: Síntesis.

Broner, S. (2009). *Análisis espacial de datos electorales. Aplicación al Municipio de Barcelona.* (Tesis doctoral) (Dir.). Delicado, P. Universidad Politécnica de Cataluña: Barcelona

Elias, A. (2015). "Catalan Independence and the Challenge of Credibility: The Causes and Consequences of Catalan Nationalist Parties' Strategic Behavior". *Nationalism and Ethnic Politics,* 21 (1), 83-103. DOI: 10.1080/13537113.2015.1003490.

ESE (Equip de Sociología Electoral) (1981). *Atlas electoral de Catalunya 1976-1980, Estudis Electorals 3,* Barcelona: Fundació Jaume Bofill.

ESE (Equip de Sociología Electoral) (1990). *Atlas electoral de Catalunya 1982-1988, Estudis Electorals 9,* Barcelona: Fundació Jaume Bofill/Edicions de la Magrana.

Liñeira, R. (2013). *Catalunya davant de la consulta sobre la independència. Participació, vot i motivacions.* Barcelona: Institut de Ciències Polítiques i Socials.

Liñeira, R. & Vallés, J. M. (2014). "Abstención diferencial en Cataluña y en la Comunidad de Madrid: explicación sociopolítica de un fenómeno urbano". *Revista Española de Investigaciones Sociológicas,* 146, 69-92.

Low, M. (2008). "Introduction. From La Géographie Electoral to the Politics of Democracy" en K. R. Cox, M. Low & J. Robinson (Eds.). *The Sage Handbook of Political Geography,* Londres: Sage, 353-356.

Martí, D. (2013). "The 2012 Catalan Election: The FirstStep Towards Independence?" *Regional & Federal Studies,* 23 (4), 507-516. DOI: 10.1080/13597566.2013.806302.

Martí, D. & Cetrà D. (2016). "The 2015 Catalan Election: a de facto Referendum on Independence?" *Regional & Federal Studies,* 26 (1), 107-119. DOI: 10.1080/13597566.2016.1145116.

Medina, L. (2015). *Les eleccions al Parlament de Catalunya del 27S. Polarització en clau identitària i divisió de l'electorat.* Barcelona: Institut de Ciències Polítiques i Socials.

Montero y Pallarés (1992). "Los estudios electorales en España. Los balance bibliográfico" *Working Paper,* 49.

Muñoz, J. & Tornos, R. (2013). *El apoyo a la independencia en Cataluña: ¿identidad o cálculos económicos?* Madrid: Fundación Alternativas.

Orriols, L. & Rodon, T. (2016). "The 2015 Catalan Election: The Independence at the Polls". *South European Society and Politic.* DOI: 10.1080/13608746.2016.1191182.

Pallarés, F. (1995). "Las elecciones autonómicas en España: 1980-1992". En P. del Castillo (Ed.). *Comportamiento político y electoral.* Madrid: Centro de Investigaciones Sociológicas, 151-220.

Puig, X. & Ginebra, J. (2015). "Ecological Inference and Spatial Variation of Individual Behavior: National Divide and Elections in Catalonia". *Geographical Analysis*, 47, 262-283. DOI: 10.1111/gean.120561.

Riba, C. (2000). "Voto dual y abstención diferencial. Un estudio sobre el comportamiento electoral en Cataluña". *Revista Española de Investigaciones Sociológicas*, 91, 59-88.

Rico, G. (2016). *¿O catalanistas o fachas? La influencia del eje nacional sobre la percepción de los partidos catalanes en el eje izquierda-derecha*. Barcelona: Institut de Ciències Polítiques i Socials.

Rico, G. & Liñeira R. (2014). "Bringing Secessionism into the Mainstream: The 2012 Regional Election in Catalonia". *South European Society and Politics*, 19 (2), 257-280. DOI: 10.1080/13608746.2014.910324.

Riera, P. (2011). "Abstención diferencial en el País Vasco y Cataluña". *Revista de Estudios Políticos*, 154, 139-173.

Rodon, T. (2015). *Una visió geogràfica de la independència de Catalunya*. Barcelona: Institut d'Estudis Autonòmics.

Serrano, I. (2013). "Just a Matter of Identity? Support for Independence in Catalonia". *Regional & Federal Studies*, 23 (5), 523-545. DOI: 10.1080/13597566.2013.775945.

Taylor, P. J. & Flint C. (2002). *Geografía Política. Economía-mundo, Estado-nación y localidad,* Madrid: Trama.

Taylor, P. J. & Johnston, R.J. (1979): *Geography of Elections*. Middlesex: Penguin Books.

Vallés, J. M (2009). "La abstención 'diferencial': una nota sobre los casos de Cataluña y de la Comunidad Autónoma de Madrid". *Revista Española de Ciencia Política*, 21, 93-105.

Lectura espacial de la competición política

María Pereira López
Universidad de Santiago de Compostela

1. INTRODUCCIÓN

El pasado 27 de septiembre de 2015 se celebraron elecciones autonómicas en Cataluña, correspondientes a la XI legislatura y con catorce meses de adelanto a la fecha límite de la que disponía el gobierno de la Generalitat. Estos comicios estuvieron claramente marcados por una cuestión, el proceso de independencia de Cataluña. Con la realización de estas elecciones, interpretadas en clave plebiscitaria por muchos de los actores implicados, bien de forma implícita o explícita, se daba un paso fundamental en el llamado "proceso de desconexión" con España que años antes había iniciado el President Artur Mas[1].

Por estas cuestiones y por otras muchas tratadas en este libro, estas elecciones son claramente unas *elecciones críticas* (Evans y Norris, 1999) que han abierto muchos interrogantes de cara a la interpretación no sólo de los resultados, sino y sobre todo, de cara a las consecuencias para el futuro político inmediato de Cataluña y también de España. Uno de esos cambios viene dado no sólo por la división existente dentro de la sociedad catalana, que se ha visualizado en los resultados electorales, sino también, entre otras cuestiones, por el nuevo orden de fuerzas políticas al que dichos resultados han dado lugar; así como a los pesos y contrapesos que dicho orden instaura de cara a la modificación y nueva estructura del sistema de partidos políticos catalán. Un sistema de partidos propio y diferenciado, que se ha visto reconfigurado y en el que cada una de las formaciones se ha reposicionado, teniendo en cuenta la fragmentación electoral que los resultados han arrojado y trasladado al sistema[2].

Las elecciones catalanas se han desarrollado en un espacio electoral tradicionalmente bidimensional, donde el voto se ha fundamentado sobre dos grandes

---

[1] Para una visión general de cómo se ha desarrollado este proceso se remite al lector al capítulo 1 de este libro "Del Estatut a las leyes para la desconexión: el dedo que escribe las tablas de la ley".

[2] Sería conveniente analizar si estos cambios pueden afectar a dos características del comportamiento político catalán, el voto dual y la abstención diferencial (Riba, 2000).

líneas de división o *cleavages* políticos tradicionales: el eje ideológico izquierda-derecha[3] y el eje identitario nacionalismo[4]-no nacionalismo, lo cual nos ha permitido evaluar la interacción entre ambos ejes, cuál ha sido la ubicación de los votantes de las diferentes formaciones entorno a los mismos, los realineamientos, y lo que es más importante, como se ha articulado en base a ellos, la competición política entre los diferentes partidos y coaliciones.

La Teoría Espacial del voto nos ofrece un marco teórico perfecto para el análisis de los espacios electorales más si cabe en un contexto como el de estas elecciones autonómicas, claramente marcadas por un *issue*, el proceso, que por su referencia identitaria ha hecho de la ubicación en los anclajes tradicionales, ideológico, pero sobre todo identitario, como veremos más adelante, un factor clave de la competición político-electoral tanto para los partidos como para sus candidatos, como también veremos en el siguiente capítulo de este libro. Desde la importancia para el análisis del comportamiento político y por tanto, para el cálculo de utilidad de los votantes de los primeros trabajos de Downs (1957), pasando por aquellos trabajos que pusieron de relevancia su papel como elemento reductor, para los votantes, del nivel de incertidumbre en el juego político (Enelow y Hinich, 1982), o incluso su papel simplificador para el proceso de toma de decisiones (Davis y Hinich, 1966) (Davis et al., 1970) (Enelow y Hinich, 1984 y 1990) (McKelvey y Ordeshook, 1985) (Hinich y Munger, 1994 y 1997); la ideología se ha convertido en el *cleavage* fundamental que ha permitido dar lectura a los espacios político-electorales.

Por ello, teniendo en mente no sólo estos trabajos sino los trabajos que en torno al caso catalán y vasco han profundizado en estas cuestiones (Gunther et al., 1986; Padró-Solanet y Colomer, 1992; Riba, 1995 y 2000; Fernández-Albertos, 2002; Torcal y Medina, 2002; Sánchez-Cuenca 2003; De la Calle, 2005; Pallarés et al., 2006; Pérez-Nievas y Bonet, 2006; Balcells i Ventura, 2007a y 2007b; Balcells y Roig, 2008; Dinas, 2012; Fernández-Albertos y Lago, 2015; Leonisio y Strijbis, 2016); partimos en este trabajo de la premisa de que los *cleavages* tradicionales son fundamentales para la estructuración de la competición política, así como para el cómputo decisional de los votantes. Que los votantes catalanes han construido en este caso dicho espacio en dos dimensiones —ideológica e identitaria— y que dichas dimensiones no han tenido el mismo peso en su toma de decisiones. Y todo ello, desde una posición que asume que, en nuestros días, los cleavages, aunque responden a precondiciones estructurales y contextuales, son construidos políticamente por los votantes para definir sus propias posiciones políticas.

---

3   La importancia de este eje como línea de competición política ha sido puesta de relieve por diversos autores (Laver y Hunt, 1992) (Budge et al. 2001) (Caramani, 2006) (Stoll, 2010).

4   O también denominado eje centro-periferia como así lo interpretaron Lipset y Rokkan (1967).

2. ANÁLISIS DE DISPERSIÓN DE LOS ESPACIOS ELECTORALES EN LAS ELECCIONES AUTONÓMICAS EN CATALUÑA DE 2015

En las próximas páginas abordaremos el análisis de los espacios electorales que se configuraron en las recientes elecciones autonómicas catalanas bajo la perspectiva de los modelos espaciales de voto; para lo cual emplearemos los datos recogidos en el *Estudio Postelectoral Elecciones Autonómicas en Cataluña 2015*. Como hemos avanzado, nuestro planteamiento parte de que la competición electoral se estructura en torno a los dos ejes políticos o dimensiones fundamentales: el eje ideológico izquierda-derecha y el eje de identidad nacional. Se construirá así la idea de un espacio bidimensional sobre el que han jugado los diferentes actores políticos implicados en estos comicios, intentado dirimir bajo el contexto que brindan los *modelos espaciales de voto*, el peso diferencial que cada uno de estos ejes ha tenido en la delimitación del espacio electoral de cada una de las formaciones políticas y el peso que ha tenido en el comportamiento político de los electores. La inclusión de ambos ejes como elementos estructurales de la competición en las elecciones autonómicas de Cataluña se encuentra respaldada por los trabajos mencionados en líneas anteriores.

Es decir, no sólo pretendemos analizar cómo se posicionaron los electores en estos ejes, sino dar respuesta a cuál ha sido el eje que mayor peso ha tenido en la competición electoral y cuál ha sido el comportamiento de voto de los electores en torno a ambos ejes, si se han perfilado como votantes puramente *dowsianos;* o si por el contrario, han planteado su decisión en términos claramente estratégicos y diferenciales en función de cada eje, siguiendo por tanto un esquema de voto más complejo e instrumental en la línea de lo señalado por Enelow y Hinich (1982, 1984 y 1990), Cahoon, Hinich y Ordeskook (1978) o Kedar (2003, 2005), entre otros.

Para comenzar a desgranar algunas de estas cuestiones se ha realizado un análisis descriptivo de las autoubicaciones de los votantes en ambos ejes —ideológico e identitario—, así como un análisis de las ubicaciones subjetivas[5] que los mismos realizan de los diferentes partidos o formaciones políticas. De esta forma, se han podido diseñar, como mostraremos a continuación, los diferentes espacios en torno a ambas dimensiones, dibujados por los votantes de cada uno de los partidos y las ubicaciones que de estos últimos otorgan aquellos; en la línea de los mapas espaciales construidos a través de puntajes de termómetros para estimar las posiciones de los candidatos (o partidos) y los votantes en espacios en dos dimensiones (Cahoon, 1975; Cahoon, Hinich y Ordeshook, 1978).

---

[5] Tanto las autoubicaciones como las ubicaciones subjetivas se encuentran medidas en la tradicional escala unidimensional de 0-10 que Downs (1973) propuso para medir el espectro ideológico. En el presente estudio esta escala también ha servido para medir el espectro identitario. De tal forma que en el caso del eje ideológico el 0 representa la izquierda y el 10 la derecha y en el caso del eje identitario el 0 representa el menor nivel de nacionalismo y el 10 el máximo nivel de nacionalismo.

En este sentido y tras el análisis diferenciado de los votantes que han apoyado a las distintas formaciones, se recoge en el Gráfico I el espacio de competición electoral que se dibujó en las pasadas elecciones autonómicas catalanas de 2015. En el mismo, están ubicados los espacios de competición que definieron los votantes de los diferentes partidos y/o formaciones y que nos permiten establecer algunas consideraciones de gran importancia: a) por un lado, el solapamiento espacial existente entre los votantes de formaciones como PSC, C's y CatSíQueEsPot o la CUP y Junts pel Sí; b) por otro lado, el desplazamiento en ambos ejes que sufre CiU como integrante de Junts pel Sí hacia el cuadrante superior izquierdo, dejando libre un espacio —nacionalismo de centro-derecha— que tradicionalmente había ocupado; y por último, c) el repliegue o retroceso que sufre otra formación tradicional del contexto político catalán, el PSC, hacia el cuadrante inferior izquierdo y hacia el centro del espacio matricial considerado.

Si respecto a la primera cuestión entendemos que esa situación es en gran medida de carácter coyuntural, consecuencia del tensionamiento y del alto nivel de competición política que se habría generado entorno a unas elecciones que han sido interpretadas, como ya se ha argumentado, en clave plebiscitaria, a lo que se añadiría la emergencia de nuevos partidos o formaciones políticas; la interpretación de las otras dos consideraciones avanzadas es, si cabe, más compleja y de claro carácter estructural, y por ende, más preocupante para los actores implicados y para sus futuras estrategias de movilización. Una movilización que parece haberse estructurado en clave identitaria, pero también ideológica, dentro de un único contexto plural y altamente polarizado teniendo en cuentas los posicionamientos; donde el *procés* ha servido de marco de referencia para la articulación de las estrategias partidistas de las diferentes formaciones, siendo expresión y potencial explicación del éxito electoral de cada una de ellas.

Así pues, el desplazamiento que habría o estaría experimentando CDC como formación política, podría ser interpretado en base a dos cuestiones de gran calado. Por un lado, su renuncia a presentarse en solitario y confluir en la formación de la coalición Junts pel Sí, dentro de la cual se estaría viendo lastrada en términos de competición, por el peso ideológico e identitario de su compañero de viaje, ERC. Por otro lado pero no menos importante, el planteamiento de la cuestión catalana como un duro y largo enfrentamiento que se habría estructurado en torno a dos construcciones: a) la posición frente al Gobierno central de los actores a favor del proceso independentista y b) el enfrentamiento con Mariano Rajoy, como cabeza de dicho ejecutivo, y con el Partido Popular, un partido claramente de derechas, en la percepción de los catalanes; lo que habría tensionado y polarizado el debate no sólo en términos identitarios sino también ideológicos. Esta situación podría dificultar notablemente la estrategia e incluso los resultados electorales, en el caso de una eventual concurrencia a las urnas en solitario por parte de la formación convergente en un futuro.

Gráfico I. Dispersión votantes partidos 2015 y espacios de competición electoral

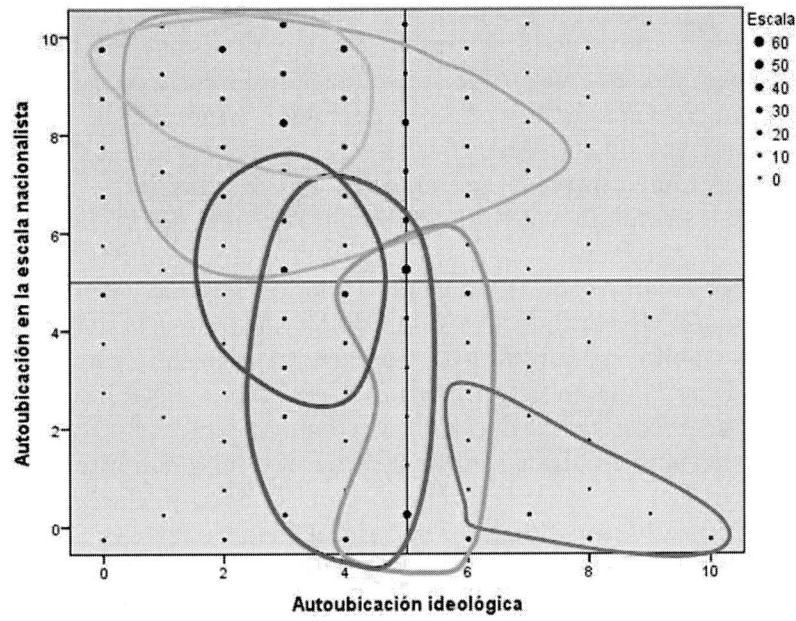

Identificación partidos	
Turquesa - JxSí	Naranja - C's
Azul oscuro - CDC	Rojo - PSC-PSOE
Azul - PP	Oro - ERC
Amarillo - CUP	Morado - Podemos/CatSíQueEsPot

Fuente: Elaboración propia a partir de datos *Estudio Postelectoral Elecciones Autonómicas en Cataluña 2015*

Por último y en relación a la tercera de las consideraciones que se desprenden del mencionado Gráfico, se confirmaría el proceso de repliegue que desde hace años está sufriendo el PSC en términos de resultados electorales[6] y que se reflejaría claramente no sólo en el achicamiento en términos de competición

---

6   En el año 2010 el PSC bajo la dirección de José Montilla obtuvo el 18,32% de los votos (570.361) y un total de 28 escaños; dos años después de la mano de Pere Navarro este resultado se redujo en casi cuatro puntos porcentuales, pasando a obtener el 14,43% de los votos (524.707) y un total de 20 escaños. Finalmente en estas elecciones, la formación socialista ha obtenido con la candidatura encabezada por Miquel Iceta, el 12,72% de los votos (523.283) y un total de 16 escaños. El retroceso en poco más de 5 años ha sido de algo más de 47.078 votos y 8 escaños. Un descenso importante si tenemos en cuenta la posición tradicional que este partido ha desempeñado en el seno del sistema de partidos políticos catalán y especialmente su posición en el gobierno después de las elecciones de 2006 en las que consiguiera el 27,38% de los votos (796.173) y un total de 37 escaños, lo que permitió a José Montilla encabezar el tripartito junto a ERC e ICV-EUiA.

espacial que se puede observar en el Gráfico I (resaltado rojo), sino también en la superposición y por tanto compartición del espacio electoral, que se estaría produciendo entre este partido y otras formaciones, en especial, la emergente CatSíQueEsPot y C's, en proceso de consolidación. El efecto de ambas formaciones estaría mermando la capacidad de captación y movilización del PSC en términos de competición electoral, tanto en el espacio de la izquierda moderada como en el espacio de centro; lo que sin duda podría complicar y mucho el futuro político y los resultados de este partido, tradicional dentro del sistema de partidos políticos catalanes.

En conclusión, se puede decir que el *procés* ha conseguido desplazar el espacio de competición electoral, lo que sin duda ha afectado a la mayor parte de las formaciones políticas, obligando a reconfigurar sus estrategias y pautas de movilización. Especialmente significativo es el efecto que dicho desplazamiento ha provocado en el caso del PSC, como ya se ha comentado, haciendo que éste se retrotraiga hacia el cuadrante inferior izquierdo, tal y como se podía comprobar en el Gráfico I y como se confirma en el Gráfico II. Por tanto y como señala Fernández-Albertos (2002: 177) para el caso de las elecciones vascas, "la importancia relativa de cada dimensión depende del proceso político" y en ese juego habría entrado claramente el papel de CDC y ERC como principales motivadores del mismo, en gran medida debido a la posición de privilegio que les habría brindado en estos últimos años el ser los partidos de gobierno. Pero no sólo el PSC habría acusado un corrimiento de su posición en términos espaciales, puesto que como se comentará más adelante, también CDC habría sido objeto de un replanteamiento similar como consecuencia de la influencia de su unión electoral con ERC[7], lo que habría provocado que el espacio de derecha-nacionalista quede desocupado.

---

[7] El partido que preside Oriol Junqueras sin lugar a dudas parece haber sido, frente a CDC, el gran beneficiado, no sólo de la fusión en la coalición electoral Junts pel Sí, sino y sobre todo, de los comicios posteriores. En este sentido, conviene destacar el incremento que la formación de izquierdas ha experimentado en términos de resultados electorales en los últimos cinco años, tanto a nivel autonómico como nacional. Recordemos en este sentido, que si a nivel autonómico los resultados en 2010 y 2012 de esta formación hicieron que pasasen de obtener 10 escaños (218.046 votos, 7%) en 2010 a 21 (496.292 votos, 13,68%) en 2012; a nivel nacional, la formación ha conseguido triplicar su número de escaños en estos cinco años, pasando de 3 escaños (256.393 votos, 1,05%) en las elecciones de 2011, a 9 escaños en 2015 (599.289 votos, 2,39%) y 2016 (629.294 votos, 2,63%), respectivamente, incrementando en este último caso el número de votos a pesar del breve lapso de tiempo entre ambas convocatorias. Caso contrario el de CDC, que ha visto notablemente mermada su capacidad de captación electoral en estos cinco años, tanto a nivel autonómico pasando de 62 escaños (1.198.010 votos, 38,47%) en 2010 a 50 en 2012 (1.112.341 votos, 30,68%); como a nivel nacional, perdiendo la mitad de sus escaños y algo más de la mitad de votos en este período, 16 escaños (1.014.263 votos, 4,17%) en 2011 y 8 escaños en 2015 (565.501 votos, 2,25%) y 2016 (481.839 votos, 2,01%), respectivamente.

Gráfico II. Ubicaciones medias en los ejes, ideológico e identitario, según los diferentes tipos de votantes a cada partido/formación

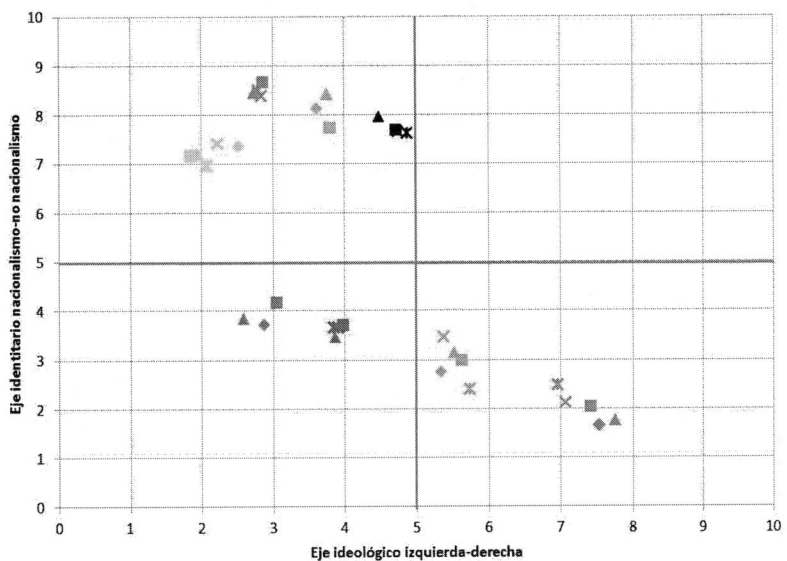

Identificación partidos		Identificación tipos de votantes
Turquesa - JxSí Azul oscuro - CDC Azul - PP Amarillo - CUP	Naranja - C's Rojo - PSC-PSOE Oro - ERC Morado - Podemos/ CatSíQueEsPot	Rombo - Voto 2015 Cuadrado - Simpatía Triángulo - Votante habitual Cruz - Recuerdo voto autonómicas 2012 Asterisco - Recuerdo voto autonómicas 2010

Fuente: Elaboración propia a partir de datos *Estudio Postelectoral Elecciones Autonómicas en Cataluña 2015*

En este segundo Gráfico se presentan las ubicaciones subjetivas medias en ambos ejes —ideológico e identitario— para cada una de las formaciones según los diferentes tipos de votantes[8].Como se puede observar, en líneas generales podemos hablar de "espacios de ubicación coincidentes", independientemente de la formación a la que hagamos referencia, en función de los diferentes tipos de votantes establecidos; si bien esta coincidencia es extremadamente llamativa en el caso de las formaciones

---

[8] Se recogen las ubicaciones que realizan los siguientes tipos de votantes: quienes han votado en estas últimas elecciones a alguna de las formaciones analizadas, simpatizantes de las distintas formaciones, votantes que se declaran habituales de cada uno de los partidos, personas que manifiestan haber votado en 2012 a alguna de dichas formaciones y por último, personas que manifiestan haber votado en 2010 a alguno de los partidos considerados. Mencionar que salvo en el primer caso, voto directo expresado en 2015, para el resto de supuestos se han considerado por separado los casos de CDC y ERC, lo que hace que en el espacio bidimensional estén presentes las ubicaciones medias tanto para la coalición Junts pel Sí como para los partidos CDC y ERC.

nacionalistas de ERC y CDC y de la formación socialista, PSC. En los tres casos se asume que la coincidencia se debe a la larga trayectoria de dichas formaciones en el sistema político catalán, así como al elevado nivel de fidelidad de voto de los electores que apoyan a estas formaciones. Contrariamente, especialmente dispersas se muestran, en términos comparativos, las ubicaciones de los diferentes tipos de votantes en el caso de las formaciones de C's y PP. En el caso de esta última, la dispersión vendría motivada por la menor compresión de partidos o formaciones en el espacio ideológico de derechas, lo que provocaría entre los potenciales votantes del Partido Popular un efecto de "esponjamiento" en el espacio longitudinal que marca el eje ideológico; efecto que no se produciría en el lado opuesto del eje, dado el amplio número de formaciones concurriendo por nichos espaciales coincidentes.

Pero si un elemento cobra relevancia en el análisis de este Gráfico es el área completamente vacía que coincide con el cuadrante superior derecho del mismo, y que confirma una cuestión ya avanzada en líneas precedentes, el desplazamiento que los efectos del *procés* y la unión con ERC habrían producido en el espacio tradicional de ubicación, fundamentalmente ideológico, de una formación como CDC. Un espacio que en este momento no estaría siendo cubierto por ningún otro partido, lo que supondría un cambio en la ubicación de esta formación que estarían percibiendo los votantes y que sin lugar a dudas podría venir a complicar y mucho, como ya hemos avanzado, el futuro político de CDC en el caso de unos nuevos comicios en los que decidiese concurrir de nuevo en solitario. Respecto a esto último, deberemos esperar tanto a lo que desvelen unos nuevos comicios, como a lo que se desprenda del proceso de reconfiguración en el que está inmerso el partido.

3. DISTANCIAS IDEOLÓGICAS MÍNIMAS, ¿ELEMENTO DEFINITORIO DEL VOTO? UN ANÁLISIS MULTIVARIANTE DE LOS ESPACIOS ELECTORALES

Ante esta situación, y en un intento por seguir indagando en el peso o influencia que ambas líneas de división o *cleavages*, ideológico e identitario, han tenido sobre la composición del voto a cada uno de los partidos o formaciones se decidió trabajar, bajo el marco que como ya se ha comentado, ofrecen los modelos espaciales de voto, con el fin de aportar algo más de luz al respecto. Para ello, se calcularon bajo los presupuestos de los *modelos de proximidad,* las distancias ideológicas e identitarias para cada uno de los partidos o formaciones y votantes[9].

---

[9] El cálculo de las distancias se ha llevado a cabo a partir de las variables relativas a la autoubicación del votante en cada una de las dimensiones, ideológica e identitaria, y a partir de las

Así y tras haber calculado dichas distancias, se presentan en la Tabla I las distancias ideológicas mínimas[10] a las diferentes formaciones, en función de cuál ha sido el voto expresado por los diferentes grupos de votantes en estas últimas elecciones. Remarcados en negrita se pueden observar los porcentajes de coincidencia, aquellos casos donde la distancia ideológica mínima coincide con el partido por el que finalmente se ha decantado el elector en estos comicios, y por tanto, expresarían el porcentaje de electores en los que la distancia ideológica habría sido un elemento de importancia en la decisión de voto por dicho partido.

Como puede observarse, en todos los supuestos dicho porcentaje se sitúa por encima del 30% salvo en el caso de la coalición Junts pel Sí, donde el mismo desciende hasta el 20,5%; cuestión que no es de extrañar teniendo en cuenta la complejidad ideológica de esta formación, construida sobre dos partidos políticos totalmente opuestos en términos de ideología. Como puede además observarse, en todos los casos se da la existencia de electores que presentan distancias ideológicas mínimas a partidos distintos de aquellos a los que han votado, si bien es en el caso tanto de Junts pel Sí como del PP donde estos porcentajes son más elevados e incluso dispersos en el caso de la coalición. En el caso del PP, un importante porcentaje de sus votantes expresa una distancia ideológica mínima a C's (23,3%) y en el caso de Junts pel Sí, dos porcentajes son de interés, la distancia mínima a CatSíQueEsPot[11] (14%) y la distancia a la CUP (14,3%); en cualquier caso, ambos porcentajes representan juntos, un valor mayor que en el caso de la formación popular. En la parte inferior de la tabla se pueden observar lo que hemos denominado "concurrencias ideológicas", es decir, aquellos casos en los cuales los votantes expresan idéntica distancia mínima a dos o más formaciones. En muchos casos estas concurrencias replican en cierta medida el esquema observado en la parte superior de la tabla; así, una de dichas combinaciones, sería la expresada por aquellos votantes que expresan una misma distancia ideológica mínima tanto a C's como al PP, la de aquellos que comparten su posición con JxSí y la CUP, o esta última con CSQEP.

---

ubicaciones subjetivas que el mismo facilita de cada uno de los partidos o formaciones en dichas escalas. Todas las ubicaciones están medidas en la tradicional escala 0-10. La ecuación que ha permitido el cálculo de las distancias, en cada supuesto, es la siguiente:
$Dij = (V_i - p_j)^2$
donde V_i representa la posición del votante en la escala (ideológica y/o identitaria) y p_j la ubicación subjetiva que éste realiza de la posición del partido j en dicha escala (ideológica y/o identitaria).

10   Esta variable ha sido construida con posterioridad al cálculo de las distancias a través de funciones lógicas, que han permitido determinar en cada supuesto no sólo cuál es la distancia mínima de cada entrevistado, sino también aquellos casos en los cuales el mismo muestra más de una distancia ideológica mínima.

11   En el gráfico, por cuestiones de espacio, este partido aparece referenciado con la abreviatura CSQEP.

Tabla I. Distancia ideológica mínima, según voto a partido en 2015[12]

	JxSí	C's	PSC	CSQEP	PP	CUP
JxSí	**20,5%**	6,3%	5,8%	7,1%	3,3%	7,1%
C's	2,5%	**32,1%**	4,7%	1,8%	23,3%	
PSC	8,3%	9,8%	**45,3%**	3,6%	3,3%	3,6%
CSQEP	14,0%	9,8%	4,7%	**46,4%**	3,3%	15,5%
PP	1,2%	4,5%	2,3%	1,8%	**33,3%**	
CUP	14,3%	3,6%	2,3%	8,9%		34,5%
JxSí y CSQEP	7,6%		2,3%	3,6%		6,0%
JxSí y PSC	7,2%	1,8%	5,8%	1,8%		1,2%
JxSí y CUP	3,5%		4,7%	1,8%		3,6%
JxSí, CUP y CSQEP	2,9%		1,2%			1,2%
JxSí, PSC y CSQEP	3,7%		3,5%	1,8%		
JxSí, C's y PSC			1,2%			
C's y PSC		10,7%	1,2%		3,3%	
C's y PP		6,3%			23,3%	
C's, PSC y CSQEP		2,7%	1,2%			
PSC y CSQEP	5,2%	4,5%	9,3%	8,9%		6,0%
PSC y PP					3,3%	
PSC y CUP						1,2%
PSC, CUP y CSQEP			2,3%	1,8%		3,6%
CUP y CSQEP	2,3%			10,7%		13,1%
Otras concurrencias	6,8%	7,9%	2,2%		3,3%	3,6%
TOTAL	100,0%	100,0%	100,0%	100,0%	100,0%	100,0%

Fuente: Elaboración propia a partir de datos *Estudio Postelectoral Elecciones Autonómicas en Cataluña 2015*

Como puede observarse, en todos los supuestos dicho porcentaje se sitúa por encima del 30% salvo en el caso de la coalición Junts pel Sí, donde el mismo desciende hasta el 20,5%; cuestión que no es de extrañar teniendo en cuenta la complejidad ideológica de esta formación, construida sobre dos partidos políticos totalmente opuestos en términos de ideología. Como puede además observarse, en todos los casos se da la existencia de electores que presentan distancias ideológicas mínimas a partidos distintos de aquellos a los que han votado, si bien es en el caso tanto

---

[12] En el análisis de este capítulo, las coaliciones electorales han sido tratadas como partidos únicos puesto que el voto directo expresado así lo recogía y era el objetivo final de este análisis poder relacionar el cálculo de distancias con el mismo.

de Junts pel Sí como del PP donde estos porcentajes son más elevados e incluso dispersos en el caso de la coalición. En el caso del PP, un importante porcentaje de sus votantes expresa una distancia ideológica mínima a C's (23,3%) y en el caso de Junts pel Sí, dos porcentajes son de interés, la distancia mínima a CatSíQueEsPot[13] (14%) y la distancia a la CUP (14,3%); en cualquier caso, ambos porcentajes representan juntos, un valor mayor que en el caso de la formación popular. En la parte inferior de la Tabla se pueden observar lo que hemos denominado "concurrencias ideológicas", es decir, aquellos casos en los cuales los votantes expresan idéntica distancia mínima a dos o más formaciones. En muchos casos estas concurrencias replican en cierta medida el esquema observado en la parte superior de la Tabla; así, una de dichas combinaciones, sería la expresada por aquellos votantes que expresan una misma distancia ideológica mínima tanto a C's como al PP, la de aquellos que comparten su posición con JxSí y la CUP, o esta última con CSQEP.

Tabla II. Distancia identitaria mínima, según voto a partido en 2015

	JxSí	C's	PSC	CSQEP	PP	CUP
JxSí	**30,5%**	2,9%	1,3%	3,8%	3,2%	15,2%
C's	1,1%	**9,6%**	5,1%	1,9%	9,7%	
PSC	2,6%	3,8%	**24,4%**	13,2%	3,2%	2,5%
CSQEP	6,7%	4,8%	2,6%	**22,6%**	6,5%	8,9%
PP	1,1%	21,2%	10,3%	15,1%	**35,5%**	3,8%
CUP	11,6%		1,3%	1,9%		30,4%
JxSí y CSQEP	2,4%		1,3%	1,9%		5,1%
JxSí y CUP	35,1%	1,9%	3,8%	3,8%	6,5%	24,1%
JxSí, CUP y CSQEP	3,4%	1,9%		1,9%		1,3%
PSC y CSQEP	1,3%	2,9%	9,0%	13,2%		2,5%
C's y PP		17,3%	9,0%	5,7%	12,9%	
C's y PSC		3,8%	7,7%	1,9%	3,2%	1,3%
C's, PSC y CSQEP		3,8%	10,3%	1,9%	3,2%	1,3%
C's, PSC y PP		7,7%	6,4%	1,9%	3,2%	
C's, PSC, PP, CSQEP		8,7%	2,6%	5,7%	6,5%	1,3%
Otras concurrencias	4,2%	9,7%	4,9%	3,8%	6,5%	2,5%
TOTAL	100,0%	100,0%	100,0%	100,0%	100,0%	100,0%

Fuente: Elaboración propia a partir de datos *Estudio Postelectoral Elecciones Autonómicas en Cataluña 2015*

---

[13] En el Gráfico, por cuestiones de espacio, este partido aparece referenciado con la abreviatura CSQEP.

Pero, qué sucede en el caso de las distancias identitarias mínimas de los votantes. Pues como se puede derivar de los resultados presentados en la Tabla II, los porcentajes en aquellos casos donde la distancia mínima es coincidente con el partido por el que finalmente han votado los electores, son similares a los observados en el caso de la distancia ideológica; si bien, en términos comparados, presentan algunas diferencias que comentaremos más adelante. Así, es en el caso del PP, Junts pel Sí y la CUP donde los porcentajes de electores a estos partidos, que además reflejan su distancia identitaria mínima a los mismos, es mayor; sin lugar a dudas, esto refleja en gran medida la polarización que el proceso independentista ha supuesto y que como ya hemos venido mencionando, se ha estructurado principalmente en torno a las posturas de los dos grandes actores y por ende, de sus partidos o formaciones, Artur Mas y el Gobierno de la Generalitat y Mariano Rajoy y el Gobierno de España.

En líneas generales, podemos afirmar que la dispersión en términos de concurrencias es notablemente superior en el caso del eje ideológico que en el caso del eje identitario, siendo además especialmente llamativa en torno a los partidos o formaciones que se sitúan en el espectro de izquierda o centro-izquierda, que entre los partidos que se sitúan en la derecha o centro-derecha; lo que sin duda tiene mucho que ver con el elevado número de formaciones, que como ya hemos apuntado en el anterior apartado, se ubican en el primer segmento espacial del espectro. Además, es destacable una segunda cuestión, la importancia diferenciada que en términos descriptivos habrían tenido ambos ejes entre los votantes de las distintas formaciones; así pues y mientras que en el caso de los partidos con marcadas posiciones nacionalistas, caso de JxSí o la CUP el peso del eje identitario habría sido mayor que el peso del eje ideológico, en el caso de las formaciones no nacionalistas, como el PSC, C's, PP o incluso CSQEP, la situación sería exactamente la contraria, teniendo en cuenta los porcentajes de distancias mínimas presentados en las Tablas anteriores.

Gráfico III. Porcentajes distancias mínimas ideológica e identitaria según voto a partido en 2015

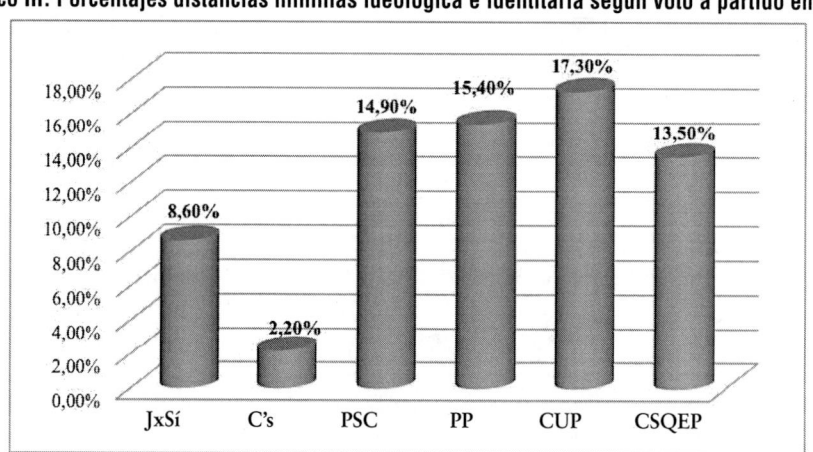

Fuente: Elaboración propia a partir de datos *Estudio Postelectoral Elecciones Autonómicas en Cataluña 2015*

Por último y antes de realizar un análisis estadístico en mayor profundidad, se presentan en el Gráfico III los porcentajes correspondientes a aquellos votantes que han expresado una distancia ideológica e identitaria mínima, al partido por el que finalmente han dado su voto en las pasadas elecciones autonómicas. Como se puede observar, es en el caso de la CUP, PP y PSC donde dichos porcentajes son más elevados, frente, por ejemplo, al escaso porcentaje de coincidencia que se puede observar en el caso de la formación encabezada por Inés Arrimadas(2,2%) o incluso por la coalición electoral JxSí (8,6%).

En un intento de ir más allá, con la finalidad de contrastar si estas tendencias podrían ser confirmadas y si, como hemos venido avanzando en líneas anteriores, la competición electoral entre los diferentes partidos en los últimos comicios autonómicos en Cataluña se ha articulado en base al espacio bidimensional formado por los ejes ideológico e identitario, y si ello se ha reflejado en el comportamiento electoral de los ciudadanos catalanes el pasado 27 de septiembre; se ha planteado un análisis multivariante. Concretamente, se han especificado seis modelos lineales generalizados con función de enlace *logit*[14] para cada uno de los partidos o coaliciones políticas. En los seis modelos, las variables dependientes seleccionadas han sido el voto a cada una de las seis formaciones[15]; como variables independientes que han sido consideradas se encuentran las distancias mínimas calculadas tanto para el eje ideológico como para el eje identitario por votante y partido. Finalmente, como variables de control se han introducido las siguientes variables sociodemográficas: sexo, edad, nivel de estudios, situación laboral, nivel de ingresos y lengua en la que se expresa habitualmente[16]. Posteriormente y en base a los presupuestos estadísticos se han ido especificando los modelos iniciales hasta obtener los modelos definitivos que analizaremos a continuación.

---

[14] Si bien somos conscientes de que algunos trabajos han puesto de manifiesto la utilidad del modelo de regresión *logit* condicional para el uso de variables como las distancias, en nuestro caso concreto entendemos que la reducción explicativa que aporta el hecho de la construcción y estimación de un único vector de parámetros, no es lo más adecuado en el caso de unas elecciones como las que nos ocupan, dada la complejidad y peculiaridad de las mismas, ya mencionada; así como la variedad de formaciones que se presentaban y que finalmente han obtenido representación en el Parlamento catalán. Por ello, en este caso se decidió emplear modelos de regresión logística binaria para el análisis de cada uno de los partidos.

[15] Estas variables han sido construidas a partir de la variable de expresión directa de voto en 2015 existente en la base de datos, creándose para ello seis variables dicotómicas o *dummy*. La construcción de esta variable permite aislar a los votantes de cada partido, donde se asume la existencia del evento o acontecimiento, en el caso que nos ocupa, voto al partido X en las recientes elecciones autonómicas, con el valor 1; y viceversa, la no existencia del acontecimiento, en este caso, votar a cualquier otra candidatura distinta del partido X, con el valor 0.

[16] Las variables sociodemográficas consideradas son algunas de las que se pueden encontrar habitualmente en trabajos sobre *cleavages* políticos que tienen en cuenta el eje identitario (para mayor información ver los trabajos citados en el apartado 2).

En la Tabla III se presenta un resumen de los modelos de regresión ajustados para las seis formaciones. Como se puede observar, y si bien los niveles de explicación son en todos los supuestos superiores al 34%, éstos no son en algunos casos demasiado elevados; lo cual sabemos con certeza, es sin duda producto del hecho de que conscientemente estamos dejando fuera de la ecuación de regresión de voto, elementos de gran calado como la identificación partidista, el liderazgo político o los *issues*. No es el propósito de este capítulo realizar un análisis de la composición de voto a los distintos partidos en estas elecciones[17], sino aislar y analizar el efecto que los posicionamientos espaciales en torno a los ejes o *cleavages* políticos tradicionales han ejercido sobre el comportamiento político de los votantes en las elecciones autonómicas en Cataluña de 2015, al margen de otras cuestiones que puedan resultar de interés y que han sido tratadas a lo largo de este libro.

Comenzando con el análisis de los resultados de dichos modelos, en el caso de la coalición JxSí, nos encontramos ante un voto claramente definido en términos de *cleavages* políticos, y en especial, por la articulación de la cuestión identitaria; cuestión a la que ya hicimos alusión en líneas precedentes en base al análisis descriptivo de las ubicaciones y de las distancias. Una identidad, que en el caso de esta formación y de sus votantes, se construye tanto por cercanía a la misma, como por clara oposición a la distancia identitaria del PP, que es, en definitiva, el actor con el cual o para ser más exactos, contra el cual se ha construido, como hemos venido comentando, el antagonismo entorno al proceso independentista y sus potenciales soluciones. El nivel de estudios y la cuestión lingüística completan la explicación de este modelo (pseudo $R^2 = 0,525$), así como, aunque con un escaso nivel de significación, la distancia ideológica en positivo al PP, cuya explicación vendría dada en parte, por el espectro ideológico de derecha que CDC ocupó tradicionalmente y que en este momento habría cedido.

En el caso de C's, el nivel de explicación del voto (pseudo $R^2 = 0,490$) se construye esencialmente por la indefinición en términos de identidad del PSC; así como por las posiciones tradicionalmente enfrentadas que han tenido ambas formaciones y que como se pudo desprender del análisis presentado en el apartado 2, se ha complicado en gran medida para la segunda, como consecuencia de la compartimentación de espacios electorales. Contrariamente, la distancia en el eje identitario al PP se perfila como elemento de suma para los votantes a esta formación junto con el hecho de utilizar como lengua habitual de expresión el español. Por último, mencionar el efecto positivo en la probabilidad de voto a C's de las distancias de sus votantes en términos ideológicos e identitarios, algo que como ya hemos mencionado no se da en el caso de JxSí.

---

17 Para un análisis en profundidad de estas cuestiones el lector puede consultar el capítulo "Los componentes del voto".

Continuando con el análisis, el comportamiento de voto de aquellos que habrían decidido apoyar finalmente al PSC (pseudo R^2 = 0,395) vendría explicado en términos de *cleavages*, por una clara proximidad ideológica y en menor medida identitaria, hacia esta formación; aunque también por una cierta cercanía a C's en términos de identidad, y hacia la CUP en términos ideológicos. En contraposición, una clara oposición o enfrentamiento en términos ideológicos al PP e identitarios a la CUP, completarían la explicación espacial a esta formación. Estaríamos hablando de un electorado claramente de izquierdas pero con un carácter españolista, que se refuerza en parte por el hecho de que el expresarse en catalán de forma habitual se perfile como un elemento de reducción de la probabilidad de voto a esta formación.

Junto a los modelos especificados para C's y PSC, el ajustado para la formación CatSíQueEsPot es otro de los menos parcos en términos estadísticos. Su nivel de explicación, 52,8% (pseudo R^2 = 0,528), uno de los más elevados, vendría definido no sólo y al igual que en el caso de las dos formaciones mencionadas, por las distancias ideológica e identitaria a la formación que encabeza Ll. Rabell; sino también por la distancia identitaria con la CUP. Por el contrario, el enfrentamiento en términos ideológicos con el PP especialmente, aunque también con C's, definiría el comportamiento de voto a esta formación. Los elementos lingüísticos son también significativos en el caso de este partido, en línea similar a lo observado en el caso de los votantes de la formación socialista[18].

---

[18] Pensemos en la lógica de esta cuestión en base al hecho de que, en gran medida, esta formación se ha nutrido de antiguos votantes de la formación socialista, concretamente, un 10,9% de sus actuales votantes habían otorgado su voto al PSC en las elecciones autonómicas de 2012, según los datos de transferencia de voto que se recogen en el estudio que hemos utilizado para nuestro análisis.

Tabla III. Análisis de regresión logística del voto a partido en base a las dimensiones ideológicas e identitarias. Elecciones autonómicas 2015

	JxSí	C's	PSC	CSQP	PP	CUP
Distancia ideológica JxSí	-0,047*** (0,014)					
Distancia ideológica C's		-0,086*** (0,016)				0,022** (0,008)
Distancia ideológica PSC			-0,124** (0,043)			
Distancia ideológica CSQEP				-0,304*** (0,081)		
Distancia ideológica PP	-0,014* (0,006)		0,023* (0,010)	0,076*** (0,014)		
Distancia ideológica CUP			-0,038* (0,016)		0,085*** (0,017)	-0,082* (0,036)
Distancia identitaria JxSí	-0,048*** (0,013)				0,023* (0,009)	
Distancia identitaria C's		-0,032* (0,017)	-0,033* (0,015)	-0,029* (0,013)		
Distancia identitaria PSC		0,036* (0,015)	-0,066** (0,024)			
Distancia identitaria CSQEP				-0,073** (0,027)		
Distancia identitaria PP	0,021*** (0,005)	-0,037*** (0,012)				
Distancia identitaria CUP			0,016** (0,005)	0,046*** (0,012)		
Edad		-0,017* (0,009)				-0,050*** (0,015)
Nivel de estudios	-0,206* (0,095)					0,532** (0,170)
Activos remunerados						0,853* (0,420)
Pasivos remunerados					2,294** (0,813)	
En español		0,919** (0,350)				
En catalán	1,041*** (0,317)		-0,825* (0,441)	-2,109** (0,748)		
Más en español	1,184*** (0,353)			-2,678** (0,935)		
Constante	1,167* (0,584)	0,769* (0,483)	-1,065** (0,415)	-3,642*** (0,678)	-7,480*** (1,143)	-3,987** (1,415)
Pseudo $R^{2(1)}$	0,525	0,490	0,395	0,528	0,604	0,346
-2log de la verosimilitud	361,662	344,866	291,326	136,124	52,826	209,284

Fuente: Elaboración propia a partir de datos del *Estudio Postelectoral Elecciones Autonómicas en Cataluña 2015*
* Los datos reflejan los coeficientes de regresión logística. Entre paréntesis figuran los errores estándar. Solo se reflejan las variables significativas en alguno de los modelos. *p<0,05, ** p<0,01, ***p<0,001.
(1) El pseudo R^2 utilizado e interpretado en todos los modelos es el R^2 de Nagelkerke.

En contraposición a los modelos de estas tres formaciones (C's, PSC y CSQEP), se presenta en la sexta columna de la Tabla III el modelo ajustado para el PP. Es sin duda el modelo más parco de los obtenidos, explicando un 60,4% del voto a este partido con únicamente tres variables, siendo sólo dos de ellas de carácter político. Este modelo, retomando lo expuesto para el caso de JxSí, da clara muestra de dos cuestiones de importante calado: por un lado, la homogeneidad de los votantes de esta formación tanto en términos ideológicos como identitarios, y por otro, la clara oposición que esta formación mantiene con el principal actor en el proceso, A. Mas —JxSí y el Gobierno de la Generalitat—. Por ello, su voto se construye por oposición principalmente a las distancias identitarias con los dos partidos o formaciones claramente independentistas, la CUP y JxSí.

Por último, se presenta el modelo especificado para la formación de la CUP. Una explicación (pseudo $R^2 = 0,346$), la del voto a este partido, que en términos de competición espacial se construiría en dos sentidos: en positivo, en base a su distancia identitaria y en términos negativos, en base a la distancia ideológica a C's. La edad, el nivel de estudios y la situación laboral de actividad completan el modelo, en términos positivos en los dos últimos casos y en términos negativos en el primero (a medida que aumenta la edad del votante, se reduciría la probabilidad de votar por este partido).

Del análisis multivariante presentado se extraen en términos generales y comparados, algunas cuestiones de gran interés. En primer lugar, si bien y como ya se podía desprender del análisis descriptivo la cuestión identitaria ha tenido un efecto más compacto en la estructuración de la competición electoral de los distintos partidos en estas elecciones, el impacto de las dimensiones analizadas —ideológica e identitaria— es diferenciado según los partidos o formaciones. Pudiendo añadir respecto de esta última cuestión, la existencia de dos bloques o grupos de partidos: por un lado, un primer bloque formado por los partidos con una clara posición en términos identitarios, y dentro del mismo dos grupos claramente enfrentados, JxSí y la CUP frente al PP; y por otro lado, un bloque representado por los partidos con una posición identitaria más tenue, pero claramente no independentista, formado por C's, PSC y CSQEP. En segundo lugar, se desprende del análisis la importante dispersión en términos ideológicos que se articula en torno al espacio de la izquierda y centro-izquierda, cuestión que ya se puso de manifiesto en líneas anteriores y que se confirma claramente al hilo de los modelos de regresión presentados. Y en tercer y último lugar, los resultados permiten moldear el claro enfrentamiento existente, en términos ideológicos, pero fundamentalmente identitarios, entre los dos principales actores del proceso independentista: JxSí con A. Mas a la cabeza y el PP como reflejo de la posición del Gobierno de España y especialmente de Mariano Rajoy como su cabeza visible.

4. CONCLUSIONES

Los modelos espaciales de voto, en este caso los modelos de proximidad, han mostrado en nuestro trabajo una notable capacidad para la explicación de las elecciones catalanas, en cuanto se refiere a la construcción de los espacios electorales bidimensionales; permitiendo diferenciar los pesos relativos de cada dimensión en la competición electoral en base a los posicionamientos de los electores y de los partidos, dados por aquellos. Su valor cobra especial relevancia en unas elecciones críticas como las aquí analizadas, donde las posiciones en los ejes o dimensiones se encuentran notablemente polarizadas y enconadas; condicionando la articulación de la competición política de los partidos en ambos ejes.

Tras el análisis realizado, podemos afirmar sin temor a equivocarnos, que en las elecciones autonómicas en Cataluña el peso de las dimensiones identitaria e ideológica ha sido diferente, y más allá de esa referencia general de que el eje identitario ha pesado más que el ideológico en el comportamiento político de los catalanes, cabe señalar también, que dicha diferencia ha afectado a cada uno de los partidos de manera diversa, tal y como hemos mostrado. El peso, en cada caso, vendría dado por la articulación que los principales actores han hecho del *procés* y que ha provocado la construcción de bloques claramente enfrentados en términos espaciales, en los que partidos como JxSí y el PP a nivel nacional, han jugado claramente con ventaja, articulando el espacio de competición.

Estas elecciones dejan dos importantes consecuencias en términos de competición política, bajo el prisma que brindan los modelos espaciales de voto. En primer lugar, una contundente construcción en términos identitarios del espacio nacionalista, consecuencia de la articulación del nacionalismo en torno al proceso independentista que ha estructurado, como vimos en otros capítulos de este libro, estas elecciones, y en consecuencia, el posicionamiento de los partidos o coaliciones y por ende, de los electores, en torno a este eje o *cleavage* político. La dureza con la que se ha configurado este eje ha hecho que los partidos que tradicionalmente se ubicaban en posiciones que ocupaban espacios a uno y otro lado del eje se vieran desplazados fuera del espacio nacionalista o tuvieran rendimientos electorales menores a lo esperado. Lo cierto, es que si el que no está favor del proceso independentista queda excluido del espacio nacionalista, Cataluña está condenada a que toda producción de identidad nacional conduzca a la búsqueda de independencia, y no parece que los catalanes estén de acuerdo en la existencia de una "única vía" en la producción de la nación, como veremos en el capítulo sobre la identidad nacional. Finalmente, la dureza del eje identitario incide, también, en la construcción de un sistema de bloques antagónicos, en el que no hay lugar para partidos que puedan conectar los dos espacios, lo cual conduce inexorablemente a una sociedad más fracturada políticamente, más excluyente y menos plural. La riqueza del sistema de partidos catalán se generaba, precisamente en la conexión entre los espacios, que venía dada en gran parte por las dos almas del PSC, por el voto dual de los catalanes, por ese conjunto de elementos no rígidos, no estáticos que hacían de Cataluña una sociedad más moderna y más rica, políticamente hablando.

En segundo lugar, una compleja articulación en términos ideológicos del espectro izquierda y centro-izquierda que complica notablemente el posicionamiento de los electores y dificulta, por tanto, la ubicación futura de formaciones como el PSC en ese espectro, pero también de CDC como partido de centro-derecha, hasta no hace mucho su espacio ideológico habitual. Efectivamente, mientras JxSí ha arrastrado a tradicionales votantes de CiU hacia la izquierda, Ciudadanos ha llevado a algunos votantes también tradicionales de CiU a posiciones menos nacionalistas en el espacio de centro-derecha, y todo ello con la consiguiente dificultad de recuperación de una opción nacionalista de centro-derecha para el futuro. Lo cierto es que cuando observamos el espacio de derecha nacionalista nos damos cuenta de que está vacío y que el centro-derecha nacionalista no es tan denso como para haber mantenido un gobierno en Cataluña durante tantos años, lo cual nos transmite dudas sobre su futura recuperación organizativa. Lo mismo ocurre al PSC, que ha visto como CatSíqueEsPot se ubicaba en posiciones tradicionalmente ocupadas por el PSC pero sin los mismos resultados, porque aunque sus votantes ubican al partido en ese espacio no tienen tradición identitaria y están mayoritariamente en contra del "proceso", lo cual genera una posición difícil en una competición tan dura y excluyente como estas elecciones. Un PSC fuera de su espacio tradicional seguramente sacará mejores resultados cuando la competición se hace más centrífuga y excluyente, pero aportará mucho menos a la visión plural y a la cohesión de Cataluña y, por supuesto, al diálogo con España.

5. REFERENCIAS BIBLIOGRÁFICAS

Balcells i Ventura, L. (2007). "¿Es el voto nacionalista un voto de proximidad o un voto de compensación? Una nueva aproximación espacial al voto en dos dimensiones". *Revista Española de Ciencia Política*, 16: 61-88.

Balcells i Ventura, L. y E. Roig. (2007). "Cataluña después del primer "Tripartit". Continuidad y cambio en patrones de comportamiento electoral". Fundación Alternativas, 39.

Cahoon, L. (1975). *Locating a set of points using range information only.* Tesis doctoral, Carnagie-Mellon University.

Cahoon, L., Hinich M. J. y Odershook, P. (1978): "A statistical multidimensional scaling method based on the spatial theory of voting". En P.C. Wang (Ed.), *Graphical Analysis Representation of Multivariate Data.* New York: Academic Press.

Davis, O. et al. (1970). "An expository Development of a mathematical model of the electoral process". *American Political Science Review*, 54: 426-448.

Davis, O. y Hinich, M.J. (1966). "A mathematical model of policy formation in democratic societies". En J. Benvd (Ed.), *Mathematical applications in Political Science, II.* Dallas: Southern Methodist University Press.

De la Calle, L. (2005). "Cuando la proximidad deja de ser importante: modelos espaciales y voto en la política vasca. 1994-2001". *Revista Española de Ciencia Política*, 12: 21-52.

Dinas, E. (2012). "Left and right in the Basque Country and Catalonia: the meaning of ideology in a nationalist context". *South European Society and Politics*, 17 (3): 467-485.

Downs, A. (1957). *An Economic Theory of Democracy.* New York: Harper and Row.

Downs, A. (1973). *Teoría económica de la democracia.* Madrid: Ediciones Aguilar.

Enelow, J. y Hinich, M.J. (1982). "Ideology, issues, and the Spatial Theory of elections". *American Political Science Review*, 76: 493-501.

Enelow, J. y Hinich, M.J. (1984). *The Spatial Theory of Voting: an introduction.* New York: Cambridge University Press.

Enelow, J. y Hinich, M.J. (1990): "The theory of predictive mappings". En J. Enelow y M.J. Hinich (Eds.). *Advances of the Spatial Theory of Voting.* New York: Cambridge University Press.

Evans, G. y P., Norris. (1999). Critical elections. British parties and voters in long-term perspective. London: Sage Publications.

Fernández-Albertos, J. (2002). "Votar en dos dimensiones: el peso del nacionalismo y la ideología en el comportamiento electoral vasco, 1993-2001". *Revista Española de Ciencia Política*, 6: 153-181.

Fernández-Albertos, J. y Lago, I. (2015). "Gobiernos autonómicos e identidades regionales en España, 1980-2012". *Política y gobierno*, 22 (2): 283-315.

Gunther, R.; Sani, G. y Shabad, G. (1986). *El sistema de partidos en España: génesis y evolución.* Madrid: CIS.

Hinich, M.J. y Munger, M.C. (1994). *Ideology and the Theory of Political Choice.* Ann Arbor. University of Michigan Press.

Hinich, M.J. y Munger, M.C. (1997). *Analytical Politics.* Cambridge: Cambridge University Press.

Kedar, O. (2003). "Who prefers extreme parties: Voter sophistication and policy balancing". *Annual Meeting of the American Political Science Association*, Philadelphia.

Kedar, Orit. (2005). "When moderate voters prefer extreme parties: policy balancing in parliamentary elections". *American Political Science Review*, 99 (2): 185-199.

Leonisio, R. y Strijbis, O. (2016). "La polarización bidimensional". En F.J. Llera Ramo (Ed.). *Las elecciones autonómicas en el País Vasco 1980-2012.* Madrid: Centro de Investigaciones Sociológicas.

Macdonald, S. E., Listhaug, O. y G. Rabinowitz. (1991). "Issues and party support in multiparty systems". *American Political Science Review*, 85: 1107-31.

Macdonald, S. E., Rabinowitz, G. y O. Listhaug. (2001). "Sophistry versus Science: On Further Efforts to Rehabilitate the Proximity Model". *Journal of Politics*, 63: 482- 500.

McKelvey, R. y Ordeshook, P. (1985). "Sequential elections with limited information". *American Journal of Political Science*, 29: 480-512.

Padró-Solanet, A. y Colomer, J.M. (1992). "Espacio político-ideológico y temas de campaña". *Revista de Estudios Políticos (Nueva Época)*, 78: 131-159.

Pallarés, F.; Muñoz, J. y Retortillo, A. (2006). "Depolarization in the 2005 Autonomous Elections in the Basque Country: towards a new scenario for peace?". *Regional and Federal Studies*, 16: 465-479.

Pérez-Nievas, S. y Bonet, E. (2006). "Identidades regionales y reivindicación de autogobierno: el *etnorregionalismo* en el voto a partidos nacionalistas de Bélgica, España y Reino Unido". Revista Española de Ciencia Política, 15: 123-161.

Rabinowitz, G. (1978). "On the nature of political issues: Insights from a spatial analysis". *American Journal of Political Science*, 22: 793-817.

Rabinowitz, G. y MacDonald, S. (1989). "A Directional Theory of issue voting", *American Political Science Review*, 83: 93-121.

Riba, C. (2000). "Voto dual y abstención diferencial. Un estudio sobre el comportamiento electoral en Cataluña". *Revista Española de Investigaciones Sociológicas*, 91: 59-88.

Riba, C. (1995). "Vot dual y abstenció diferencial. Tres aproximacions a l'estudi del comportament electoral a Catalunya (1982-1993). Tesis doctoral, UAM.

Sánchez-Cuenca, I. (2003). "How governments be accountable if voters vote ideologically?". Madrid: *Instituto Juan March de Estudios e Investigaciones*, *Working Paper*, 191.

Torcal, M. y Medina, L. (2002). "Ideología y voto en España 1979-2000: los procesos de reconstrucción racional de la identificación ideológica". *Revista Española de Ciencia Política*, 6: 57-96.

Los líderes como facilitadores del posicionamiento de los electores

Erika Jaráiz Gulías
Universidad de Santiago de Compostela

Los europeos hemos sido poco dados a creer en los líderes. Quizás por nuestra tradición parlamentarista, quizás por el peso de la organización en los partidos políticos o por el papel que le hemos dado a la ideología en la definición de los alineamientos políticos, lo cierto es que el rol del liderazgo en la política ha sido escasamente analizado desde esta orilla del atlántico. En este capítulo vamos a tratar de analizar la relación entre los líderes y los votantes a través de las posiciones que ocupan en los espacios políticos, y si esta relación de poder que llamamos liderazgo, tuvo influencia en el tránsito que hicieron los ciudadanos en los últimos años hasta las posiciones actuales que ya vimos en el capítulo anterior.

La noción de liderazgo político es una noción complicada (Foley, 2013: 19). Ya en su día se preguntaba Burns sobre la posibilidad de distinguir entre "líderes" y meros "power-holders" (Burns, 1978) y esta distinción, que servía también a Blondel para comenzar el análisis de su *Political leadership* (Blondel, 1987) sigue siendo uno de los principales problemas para explicar el liderazgo político que se genera desde los partidos. Mucho más en nuestro tiempo, en el que los ciudadanos se rebelan contra el hecho de que el *establishment* de los partidos ahogue liderazgos e imponga a los burócratas de los partidos como candidatos y supuestos líderes.

En el intento de incidir en esta distinción entre "líderes" y "power-holders" no ha faltado quien ha intentado desvincular las nociones de "liderazgo" y "poder", asumiendo el liderazgo como un proceso de persuasión (Gadner, 1990: 56) o como una cuestión de influencia (Cohen, 1990: 9), sin entender que persuasión o influencia son formas concretas de poder (Janda, 58; Wildavsky y R. Ellis, 1989: 98). Desde nuestra perspectiva entendemos que el liderazgo político es "un fenómeno de poder" (Blondel, 1987: 2) que se produce en condiciones específicas ligadas a la naturaleza de la política, o dicho de otro modo, que es una construcción de carácter político que responde a las condiciones del entorno político donde se construye y se ejerce.

La distinción entre líderes y *power-holders*, sin embargo, sigue siendo fundamental para comprender la crisis de la clase política dentro de los partidos, en los que existen demasiados *power-holders* y pocos líderes. Efectivamente, uno de los grandes problemas de nuestro tiempo es que mientras cada vez el liderazgo tiene más impacto en la política (y concretamente en los procesos electorales), los partidos están cada vez más controlados por *power-holders,* con pretensión pero sin capacidad alguna de liderazgo. Porque aunque liderazgo sea una forma de poder, no todo poder político, ni en los partidos ni en las instituciones, es liderazgo; hay muchas formas de poder político, influencia, control, autoridad, burocracia, a través de las cuales se ejerce poder que no es liderazgo político. El liderazgo es una relación de poder especial, en tanto que tiene algunas características que Crozier y Friedberg han señalado y que sólo son atribuibles a algunas relaciones concretas de poder, a saber, es "una relación de intercambio o negociación, no transitiva y recíprocamente desequilibrada" (Crozier y Friedberg, 1977: 69). Siguiendo a esta lectura, Rivera (1992: 486) señala cuatro aspectos fundamentales a tener en cuenta a la hora de abordar nuestra concepción del liderazgo político: 1) que el liderazgo político es una relación de poder que tiene carácter voluntario; 2) que las dos partes de la relación, líderes y seguidores, tienen y ejercen poder, y por lo tanto hay una reciprocidad de poder aunque desequilibrada; 3) que aun cuando no exista otra capacidad de poder por parte del seguidor, es éste el que decide cuándo comienza y cuando termina la relación y, por lo tanto el liderazgo; y 4) el liderazgo no es una relación ni transitiva ni transferible, es una relación personal y directa de primer orden.

Estos cuatro aspectos del liderazgo político inciden de forma especial en este proceso, por cuanto algunos líderes han reubicado sus posiciones en los últimos años con la expectativa de que los ciudadanos los siguieran hacia otras nuevas, han construido coaliciones que alteraban las posiciones ideológicas originarias de las organizaciones coaligadas y, finalmente, han definido liderazgos alternativos a los previamente identificados, algunos incluso, de los que hemos dado en llamar "liderazgos compartidos".

Nuestro análisis trata de averiguar la forma en que estos factores han incidido no tanto en el resultado de las elecciones, que de eso tratamos en el capítulo dedicado a los componentes del voto, sino hasta qué punto, algunos de los elementos han definido y conformado el propio valor del liderazgo, es decir, hasta qué punto ciertos elementos han servido para aumentar la valoración que los ciudadanos tienen de los liderazgos, y como éstos han servido para la estrategia política (Foley, 2013: 2), hasta el punto de analizar si los líderes han sido capaces de servir en este proceso electoral de facilitadores en la comprensión y el posicionamiento de los electores respecto a los *issues* centrales de la contienda electoral (Wattenberg, 1991, 1998; Gilens et al., 2007) y si esa transmisión de posiciones políticas se ha convertido en el principal canal de los partidos políticos para convencer a los votantes. Y todo ello a través de dos elementos fundamentales: las valoraciones que los ciudadanos hacen de los líderes y las posiciones en que los ubican en el espacio ideológico-identitario.

En un momento de crisis o recomposición del sistema de partidos en España y en Cataluña, nuestro planteamiento es que los líderes jugaron un papel fundamental para dar a conocer, primero, los posicionamientos ante los principales *issues* y facilitaron, segundo, al elector la toma de decisiones, aunque los espacios ideológicos e identitarios en los que se ubicaban las nuevas candidaturas (fundamentalmente en el caso de la coalición JxSí) fueran difusos e integraran posturas y organizaciones tradicionalmente enfrentadas. Es decir, el liderazgo hizo que los ciudadanos percibieran a los candidatos como representantes de las opciones políticas y como tales, que identificasen sus posicionamientos y sus opiniones como las de las formaciones a las que representaban. De este modo, en un ambiente de reconfiguración del sistema de partidos y de coaliciones ideológicamente débiles, los liderazgos han sido la base sobre la que se construyó la percepción de la relación entre *issues* y organizaciones. Quizás, porque tal y como ha señalado Rico, "los electores construyen conexiones mentales entre candidatos e *issues*" (Rico, 2009) y esas conexiones han servido para redefinir en Cataluña las posiciones políticas de los electores. Como ya se apuntaba en otros trabajos previos, el procesamiento de la información que hacen los electores, información que tienen y que reciben de los líderes y de su posicionamiento ante algunos temas, influye en su decisión de voto (Rivera y Jaráiz, 2016; Lau y Redlawsk, 2006).

Pero si como veremos a lo largo de este capítulo el papel de los líderes ha servido para reconducir la relación *issues*-partidos-votantes, ¿por qué los catalanes no están satisfechos con el resultado? Efectivamente, Cataluña no está satisfecha con el resultado de las elecciones, ni los que querían una cosa ni los que querían otra, quizás, porque como veremos a lo largo de este libro, la sociedad catalana es mucho más compleja de lo que son capaces de interpretar los políticos y, por ello, hay una cierta condena a la división que nace del hecho de que hay muchos ciudadanos que echan en falta propuestas más integradoras. En este sentido, todos los líderes catalanes han planteado este proceso en clave de "ganar", sin comprender que en una sociedad dividida no es posible ganar antes de integrar.

Tabla I. Grado de satisfacción con el resultado de las elecciones en Cataluña

	Frecuencia	Porcentaje
Muy satisfecho	82	5,9
Bastante satisfecho	467	33,4
Poco satisfecho	482	34,5
Nada satisfecho	353	25,2
Ns/Nc	14	1,0
Total	1399	100,0

Fuente: Elaboración propia a partir de datos del *Estudio Postelectoral Elecciones Autonómicas en Cataluña 2015*

El discurso de los líderes catalanes ha obviado el valor deliberativo de la democracia anteponiendo su carácter contable. El problema reside en que para cada pregunta que se hace a los catalanes, los ciudadanos que opinan una cosa y la contraria son prácticamente los mismos, lo cual hace que Cataluña necesite deliberar si no quiere pasar de una sociedad dividida a una sociedad fracturada. Buena prueba de ello es que el porcentaje de ciudadanos catalanes satisfechos con el resultado electoral es el mismo que el de insatisfechos, como muestra la Tabla I.

Lo cierto es que tras el proceso electoral ninguno de los líderes ha podido proclamarse vencedor, ninguna de las posturas supuestamente plebiscitadas se ha reconocido derrotada, y la división en la política y en la sociedad catalana se ha agudizado hasta el punto que la Presidencia de la Generalitat no ha sido asumida por ninguno de los líderes que protagonizaron la competición electoral. Sus valoraciones, sin embargo, son diferentes, lo que hace pensar que Romeva (5,33) y Oriol Junqueras (5,10) han sido capaces de transmitir a los catalanes mejor sus posiciones que otros líderes, tanto a sus votantes como a los votantes de los otros partidos, tal y como se puede observar en la Tabla II.

Tabla II. Valoración líderes catalanes según el voto en las elecciones autonómicas de 2015

	Raül Romeva	Artur Mas	Oriol Junqueras	Inés Arrimadas	Miquel Iceta	Xavier García Albiol	Antonio Baños	Lluís Rabell
Junts pel Sí	7,62	7,25	7,72	3,02	3,84	1,67	5,12	4,31
Ciudadanos	2,30	1,22	2,05	6,72	4,61	4,61	2,19	2,71
Partido Socialista de Cataluña	2,84	1,54	2,91	4,39	6,17	2,24	2,53	3,43
Partido Popular	1,39	,92	1,60	5,81	3,82	7,14	1,27	1,33
Candidatura d'Unitat Popular	6,68	3,96	6,32	2,34	3,57	1,18	7,28	5,18
Catalunya Sí Que Es Pot	4,00	1,82	3,51	3,18	4,04	1,37	3,81	5,61
Unió Democrática de Catalunya	4,22	3,71	3,89	5,32	4,66	3,02	2,92	3,46
Otro	7,00	2,87	6,03	4,81	5,00	3,00	6,00	4,00
Se abstuvo	3,44	2,33	3,19	4,55	3,63	2,21	2,53	2,29
Votó en blanco	3,60	3,30	3,96	3,26	4,51	2,85	2,19	2,49
Quiso votar pero no pudo	6,11	3,76	4,84	4,24	4,47	3,81	3,95	4,02
Ns/Nc	4,54	4,02	4,55	3,79	4,18	2,44	3,51	4,07
Media	5,33	4,13	5,10	4,00	4,22	2,52	4,15	4,01

Fuente: Elaboración propia a partir de datos *Estudio Postelectoral Elecciones Autonómicas en Cataluña 2015*

El hecho de que tanto la valoración de Romeva como la de Junqueras sean superiores a la de Mas, a pesar del enorme protagonismo que Mas ha tenido en el proceso, tiene que ver no sólo con la lectura de los propios votantes de JxSí, sino también con la que hacen los votantes de otros partidos con el cambio de rumbo de Mas y con la deserción de algunos seguidores de CiU ante este cambio. Efectivamente, lo primero puede comprobarse a nivel descriptivo en la Tabla II, viendo como Mas se convierte en el líder menos valorado por sus propios votantes, aunque no se trate de una distancia significativa; lo segundo, por las bajas valoraciones que alcanza Mas entre los votantes de otros partidos (especialmente PSOE, C's, PP); y lo tercero, por la poca distancia que le separa de Junqueras y Romeva en las valoraciones de los votantes de CiU de 2012 y el hecho de que su valoración no varía entre sus votantes de 2012 y 2015.

Tabla III. Valoración líderes catalanes según recuerdo de voto en las elecciones autonómicas de 2012

	Raül Romeva	Artur Mas	Oriol Junqueras	Inés Arrimadas	Miquel Iceta	Xavier García Albiol	Antonio Baños	Lluís Rabell
CIU	7,03	7,23	6,72	3,54	4,11	1,83	3,92	3,80
PSC - PSOE	3,51	1,67	3,20	4,47	5,14	2,41	2,94	3,95
ERC	7,70	6,36	8,15	2,64	3,51	1,28	6,29	4,67
PP	2,00	1,25	1,55	6,70	4,05	6,66	1,51	2,28
ICV-EUiA	5,73	3,92	5,41	2,38	4,05	1,24	4,83	5,32
C's	2,93	2,1	2,76	6,55	4,69	4,13	2,45	2,50
CUP	6,87	4,47	6,12	2,97	3,45	1,51	7,33	4,81
IU	5,89	4,46	5,42	3,88	4,32	2,06	4,48	5,00
Otro	6,74	3,82	5,39	3,96	4,38	1,84	6,33	3,30
Nulo	3,00	0,00	3,00	3,00	3,00	3,00	3,00	3,00
No tenía derecho a voto	5,70	4,71	5,86	3,89	4,22	3,04	5,59	4,98
En blanco	2,48	1,88	2,96	3,45	3,69	2,91	3,96	2,55
Se abstuvo	3,17	1,92	3,05	3,93	3,44	2,81	3,03	3,37
No recuerda	5,02	3,98	4,64	4,55	4,90	2,74	3,88	3,86
Nc	4,08	3,66	4,13	3,90	4,23	2,87	3,47	4,02
Total	5,33	4,13	5,10	4,00	4,22	2,52	4,15	4,01

Fuente: Elaboración propia a partir de datos *Estudio Postelectoral Elecciones Autonómicas en Cataluña 2015*

Efectivamente, mientras para los votantes de ERC en 2012 la distancia en la valoración entre Junqueras (8,15) y Mas (6,36) es de 1,79 puntos, para los que votaron CiU en esas elecciones la distancia entre ambos (6,72 y 7,23 respectivamente) es de sólo 0,5 puntos, que son resultado de dos factores: una menor valoración de Mas que de Junqueras por parte de sus respectivos votantes tradicionales y, en segundo lugar, una mejor acogida de Junqueras por los votantes tradicionales de CiU que de Mas por los de ERC.

Pero también hay factores de carácter general que afectan a la valoración de los líderes, de hecho, los líderes que son valorados en 2015 por más votantes propios que en 2012 tienden a ver como su valoración decrece (Junqueras, Mas, Arrimadas), mientras los que son valorados por más votantes propios en 2012, o sea, los que pierden votantes en 2015, tienden a ver como su valoración crece (Iceta, Albiol). Contrariamente a lo que pueda parecer a primera vista, el crecimiento de la valoración responde también al hecho de que han perdido votantes y les quedan siempre los más cercanos y los más identificados, es decir, los que mejor los valoran.

1. ESPACIOS, UBICACIÓN Y LIDERAZGO EN LAS ELECCIONES CATALANAS

Esa cercanía, proximidad, de la que hablamos se representa espacialmente en dos ejes tradicionales que hacen referencia a la ideología y a la identidad nacionalista de los ciudadanos y de los líderes. Si en el capítulo anterior estudiamos las distancias entre los ciudadanos y los partidos, y cómo éstas incidían sobre el comportamiento electoral, en este vamos a analizar las distancias entre los ciudadanos y los líderes, y como éstas inciden sobre la valoración que los ciudadanos tienen de los líderes y, posteriormente, que incidencia tiene en el comportamiento político.

Los gráficos de dispersión nos muestran cómo ubican los ciudadanos a los líderes de los diferentes partidos, o dicho de otro modo, cómo los perciben en referencia a estos dos ejes, ideológico y nacionalista. No hemos querido utilizar para este análisis la posición en la que ubican los votantes a sus líderes, sino las posiciones en las que los ubica la globalidad de los ciudadanos catalanes por dos razones: la primera, queríamos mostrar la percepción de la sociedad catalana sobre cada uno de estos líderes y, la segunda, el análisis de las distancias es más útil si en ese análisis entran los que están más cerca y los que están más lejos, es decir, los que votan por ese líder y los que no lo hacen.

Gráfico I. Ubicaciones en los ejes ideológico y nacionalista de los líderes de JxSí

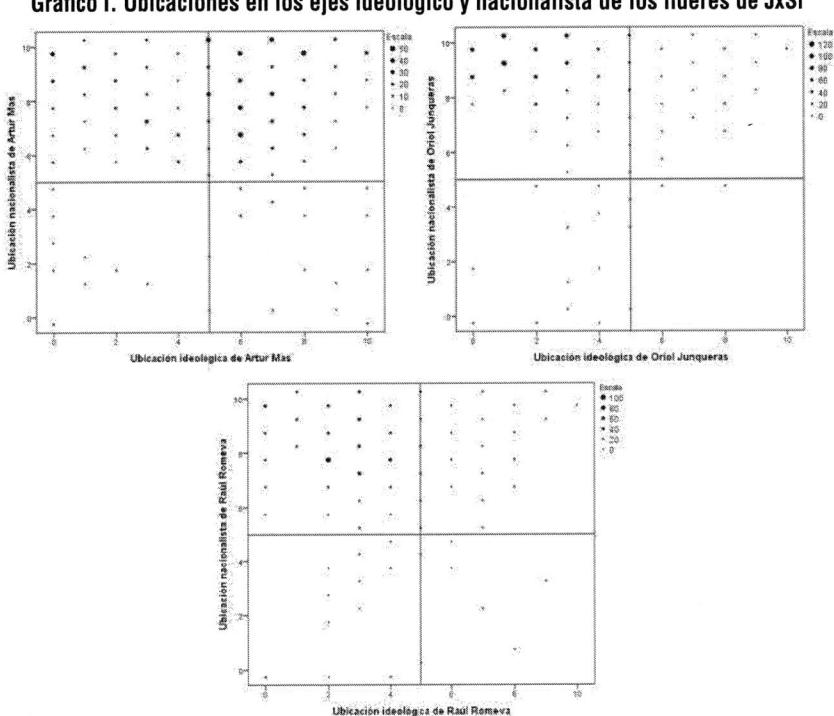

Fuente: Elaboración propia a partir de datos *Estudio Postelectoral Elecciones Autonómicas en Cataluña 2015*

Los Gráficos nos muestran además claramente los espacios de concentración de las ubicaciones de los líderes, aunque también reflejan la dispersión de las mismas que tantas veces tiene que ver con la percepción del que ubica al otro como antagonista (Gráfico I). Más adelante analizaremos esta relación por referencia a las distancias, por el momento, nos basta con señalar algunos elementos que se hacen evidentes a la vista de los referidos Gráficos.

Lo primero que se hace evidente es que los líderes de JxSí son ubicados por los ciudadanos en posiciones diferentes del espacio nacionalista, cabría incluso decir, a la vista de la distribución espacial, que lo hacen de forma complementaria para ocupar todo el espacio nacionalista catalán. Lo segundo es la fuerte definición nacionalista de estos liderazgos, o dicho de otro modo, ocupan todo el espacio nacionalista y dejan absolutamente libre todo el espacio no-nacionalista. Esta ocupación del espacio nacionalista se construye desde un liderazgo compartido, que no entra en confrontación, y que sirve de referente a las diferentes posiciones de los ciudadanos. Dicho de otro modo, si desde uno solo de los liderazgos hubiese que afrontar el anclaje de las posiciones de todos los ciudadanos, se producirían pérdidas por distanciamiento. El hecho de que sean tres liderazgos los que construyen este liderazgo compartido, pero que cada uno de ellos sostenga la relación de proximidad con sus votantes, hace que las pérdidas sean menores.

La coalición JxSí con esos posicionamientos de liderazgo, necesitaba un marco que privilegiara el eje nacionalista de la competición frente a otros aspectos, de tal modo que su ubicación se hiciera favorable a la propia competición electoral. Paralelamente a ello, esta idea de complementariedad espacial que señalamos, rompe cualquier interpretación de los tres liderazgos como antagónicos e incompatibles, y explica cómo la unión de estos tres líderes permitió a la coalición ocupar el espacio nacionalista, desde el nacionalismo más moderado donde competían perfectamente Mas y Romeva, hasta el nacionalismo de más intensidad donde Junqueras por la izquierda y Mas por la derecha servían de referente a los ciudadanos y ocupaban amplios espacios de la competición.

Pero para que este modelo de complementariedad funcionase era necesario primero, la ubicación diferenciada de los líderes, y después, que esas diferentes ubicaciones en el eje izquierda-derecha no se convirtieran en antagonistas. Ni que decir tiene que la forma de que esto ocurra requiere del debilitamiento del eje izquierda-derecha, es decir, necesita de un marco en el cual el *cleavage* ideológico tenga menos peso que el nacionalista. Los Gráficos muestran la evidente ubicación diferenciada de los líderes que como señalamos contiene en sí mismo una estrategia de competición, y a lo largo del capítulo trataremos de mostrar cómo los ciudadanos percibieron el debilitamiento en la competición del eje ideológico en comparación con el nacionalista.

El otro líder que los ciudadanos ubican en el espacio nacionalista, Antonio Baños, referente de la CUP (Gráfico II), ocupa un espacio muy concreto y de poca amplitud, en el extremo superior izquierdo, es decir, la izquierda nacionalista, lo que hace que realmente no tenga un espacio exclusivo, sino que todo el espacio del líder está también ocupado por el líder de ERC. Esta concurrencia espacial, no complementaria, como ocurría en los casos anteriores, hace que frente a la lógica nacional, de los tres líderes de JxSí, el liderazgo de Baños deba buscar el eje izquierda-derecha como referente de diferenciación respecto de JxSí.

Gráfico II. Ubicaciones en los ejes ideológico y nacionalista del líder de la CUP

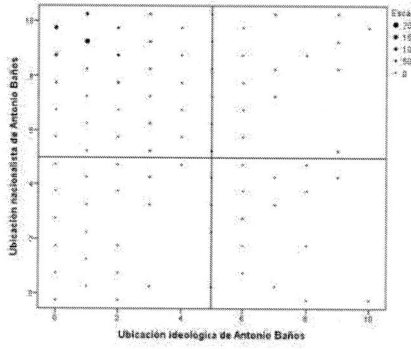

Fuente: Elaboración propia a partir de datos *Estudio Postelectoral Elecciones Autonómicas en Cataluña 2015*

La ubicación de Baños explica perfectamente la estrategia política de la CUP, tanto durante el proceso electoral como durante el tiempo que ha pasado desde las elecciones. Si la posición de los líderes de JxSí permite a esta coalición ocupar de forma colectiva todo el espacio nacionalista y por tal motivo, conduce su estrategia a difuminar el *cleavage* izquierda-derecha y a poner en valor el eje de competición nacionalista, a la CUP no le queda otra que buscar en ese eje izquierda-derecha su espacio de competición. Dicho de otro modo, Baños y la CUP construyen su acción política para los nacionalistas que no están dispuestos a prescindir de la diferencia izquierda-derecha.

Mientras la coalición JxSí, a través de sus tres liderazgos, se convierte en un "catch-all nationalism", la CUP adopta la posición esencialista de la izquierda nacionalista, y por ello se opone a la Presidencia de Mas, a la cual estaban dispuestos en ERC, y por eso también mantiene una posición distante respecto de las políticas públicas de la Generalitat. Esa es, de hecho, la única salida estratégica que le queda a la CUP, porque de no hacerlo así, tendría que entrar en la coalición de JxSí, en la que realmente ni aporta nada ni tiene espacio.

La ubicación de los otros dos líderes de izquierda, Iceta y Rabell, aunque con un importante nivel de concurrencia responde a posiciones estratégicas bien diferenciadas durante la campaña (Gráfico III). La tradicional posición dual del PSC, sus famosas dos almas, han sido incapaces de mantenerse en este proceso donde la dureza del *cleavage* nacionalista expulsaba del espacio identitario a todos los que se posicionasen en contra del proceso. Por ello, Iceta ha desaparecido totalmente del espacio nacionalista, dejando tocadas las dos almas del PSC, y con serias dificultades para recuperar las posiciones que antaño tuviera el PSC en dicho espacio. No es de extrañar, en este sentido, los denodados esfuerzos postelectorales que el líder del PSC hace para recuperar espacios perdidos, que representan la única oportunidad actual de conexión entre el mundo nacionalista y el no nacionalista en Cataluña (pero quizás esto es muy difícil de entender para el PSOE actual) y que en la actualidad sólo se puede construir de dos formas: o desde la tradición identitaria del PSC vinculada al nacionalismo catalán, o desde la "alternativa ciudadana" de CatSíQueEsPot, vinculada al movimentismo de otra parte del nacionalismo. En este sentido, Rabell, con una posición menos definida y ligeramente más orientado a la izquierda, genera posiciones dispersas en el eje nacionalista fruto de la propia ambigüedad del mensaje político durante la campaña, del intento de no definición, o de una definición alternativa, pero choca con dos problemas, el primero, que la dureza de la competición no admite ambigüedades, y el segundo, que ya hemos visto en el capítulo anterior, la propia ubicación de sus votantes.

Gráfico III. Ubicaciones en los ejes ideológico y nacionalista de los líderes del PSC y CatSíQueEsPot

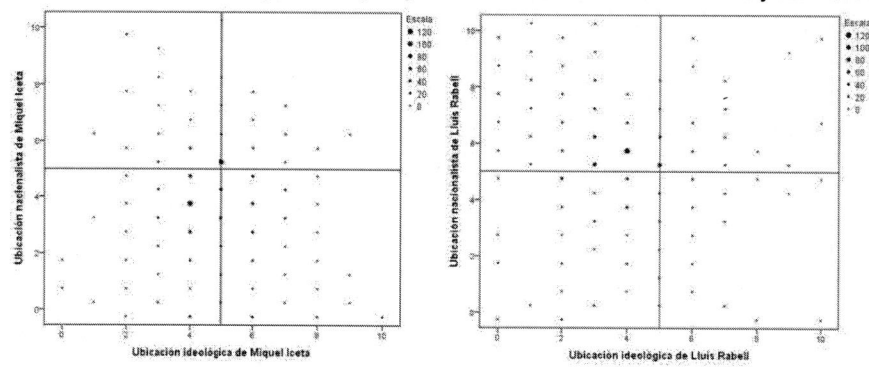

Fuente: Elaboración propia a partir de datos *Estudio Postelectoral Elecciones Autonómicas en Cataluña 2015*

Efectivamente, los ciudadanos colocan a Iceta en el espacio no-nacionalista eliminando la posiciones identitarias que los líderes del PSC han ocupado en otras ocasiones, lo que hace que el partido haya dejado de competir en el territorio de la identidad nacional y quede relegado al centro-izquierda no identitario, un espacio que además, como se ve claramente en los Gráficos, es concurrente con el que ocupa Rabell. Lo cierto es que la definición de los *issues* de esta campaña ha sido tan determinante, como veremos en otros capítulos, para la autoubicación de los ciudadanos que éstos, a su vez, han ubicado a los líderes de forma más excluyente que en otras ocasiones.

Por su parte, la ubicación de Rabell responde a la confusión que su ambigüedad estratégica ha generado en el electorado y a la exclusión del espacio nacionalista de las posiciones blandas. En una competición tan dura como la que ha tenido lugar en Cataluña, las opciones que intentan no definirse en los términos que el "master frame" impone, limitan sus posibilidades.

Gráfico IV. Ubicaciones en los ejes ideológico y nacionalista de los líderes de PP y C's

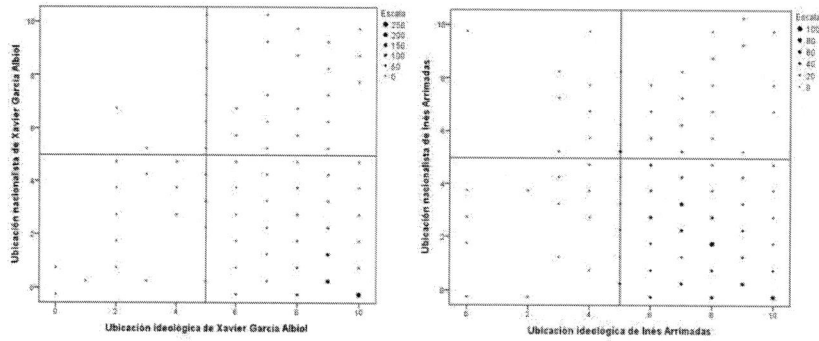

Fuente: Elaboración propia a partir de datos *Estudio Postelectoral Elecciones Autonómicas en Cataluña 2015*

Finalmente, las ubicaciones de Arrimadas y Albiol (Gráfico IV) dan cuenta del modo en que la candidata de C's ha ocupado el espacio de la derecha no identitario y de cómo ha relegado a Albiol a los extremos de ese espacio político. En los Gráficos puede observarse claramente la amplitud del espacio en el que los ciudadanos ubican a Arrimadas que ocupa plenamente el cuadrante inferior derecho de los ejes, mientras el líder del PP en Cataluña pierde las posiciones de mayor centralidad fruto, sin duda, del modo en que el PP ha afrontado la competición política y su relación gubernativa con Cataluña.

Lo cierto es que en la lectura de la sociedad catalana, el líder del PP se encuentra ubicado en posiciones extremas, reflejo simétrico de las de la CUP en la izquierda nacionalista. Y esta percepción extrema de la ubicación del líder catalán del partido de gobierno en España no es una buena posición para pensar en encuentros, negociaciones o construcciones de futuro. En este sentido, el PP tiene que repensar su renuncia a las posiciones de centralidad en la sociedad catalana con independencia de las ulteriores definiciones políticas, porque la situación actual coloca el liderazgo del PP en Cataluña en posiciones excéntricas que imposibilitan cualquier interlocución.

De nuestra lectura de estos Gráficos se desprenden al menos cinco factores ligados a la posición de los líderes en la competición, fundamentales para entender lo que ocurre en Cataluña:

1. La existencia de un espacio nacionalista reforzado y excluyente en el que no compite ya ningún líder ligado a formaciones de ámbito estatal.
2. La coexistencia de tres liderazgos complementarios en la coalición JxSí que han posibilitado la ocupación no concurrente de todo el espacio nacionalista.
3. La posición concurrente del liderazgo de la CUP que le fuerza a focalizar la competición sobre el eje izquierda-derecha.
4. La expulsión, fruto de la posición frente al proceso en el caso de Iceta y del PSC, y forzada por la indefinición en el caso de Rabell, de los líderes de los partidos de ámbito estatal de izquierda de las posiciones de carácter identitario, recluyendo a Iceta en un limitado espacio de centro-izquierda no identitario en un momento de competición centrífuga, y llevando a Rabell a posiciones de dispersa ambigüedad en las que resulta difícil sacar rendimientos.
5. La posición extrema del líder que representa la marca partidaria del actual Gobierno de España.

Estos cinco elementos construyen y delimitan los espacios de competición y coordinación política y electoral que posibilitan y hacen rentables determinados cursos de acción política e inviables otros. En el capítulo dedicado a la identidad se define el carácter que tienen estas posiciones, más esencialistas, más estratégicas, mostrando cómo las posiciones están relacionadas con el marco a través del cual se interpreta la identidad catalana, y cómo la ubicación de los actores hace que ese marco favorezca más a unos partidos que a otros.

Cuando confrontamos estas ubicaciones con la autoubicación de los ciudadanos nos encontramos con que la población no está distribuida homogéneamente sino que hay espacios prácticamente vacíos y espacios en los que la densidad ciudadana es muy alta. Las posiciones centrales, el centro-izquierda de identidad nacionalista y el centro no-nacionalista tienen alta densidad ciudadana, mientras toda la extrema derecha y la extrema izquierda no nacionalista están prácticamente vacías, tal y como muestra el Gráfico V.

Gráfico V. Autoubicación en los ejes ideológico y nacionalista respecto a la ubicación de los líderes políticos

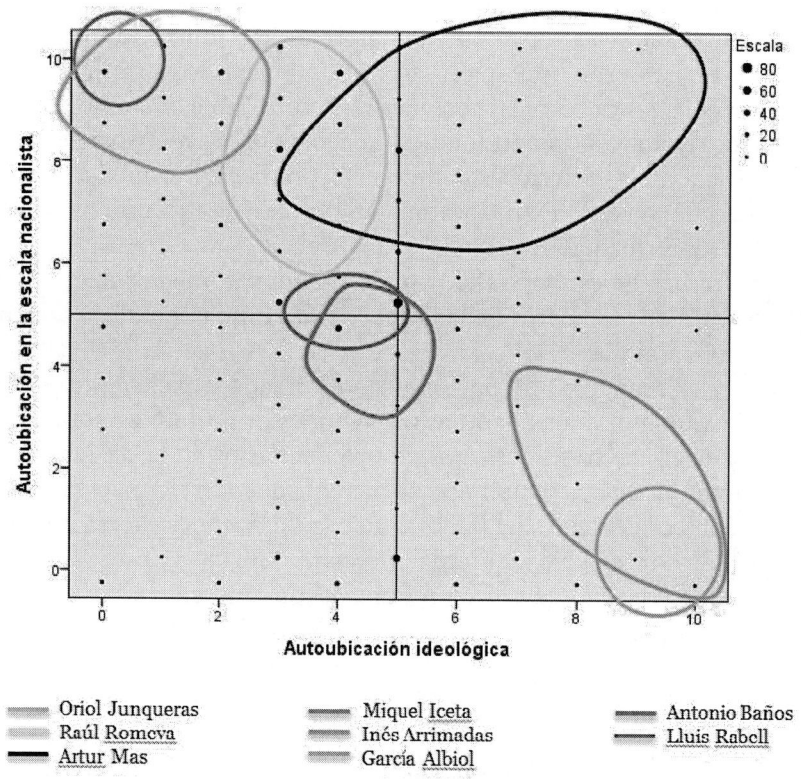

Fuente: Elaboración propia a partir de datos *Estudio Postelectoral Elecciones Autonómicas en Cataluña 2015*

De la lectura que ofrece el Gráfico V se desprende que mientras los líderes nacionalistas ocupan espacios amplios, donde se ubica una alta densidad de ciudadanos, los líderes no nacionalistas o bien ocupan espacios muy reducidos o son ubicados en espacios de baja densidad de ciudadanos. Y ello porque los líderes de izquierda no nacionalista han sido relegados del espacio nacionalista y ocupan un espacio concurrente en el eje ideológico, mientras los líderes de la derecha no nacionalista ocupan espacios de densidad limitada.

Evidentemente, las lecturas que ofrece el Gráfico V responden a las ubicaciones globales de los ciudadanos de Cataluña, si esta misma lectura la hacemos sólo con los votantes de cada partido el resultado ofrece algunas variaciones que vale la pena considerar (tal y como se ve en el Gráfico VI).

Gráfico VI. Autoubicación en los ejes ideológico y nacionalista respecto a la ubicación de los líderes políticos en función del voto a cada partido

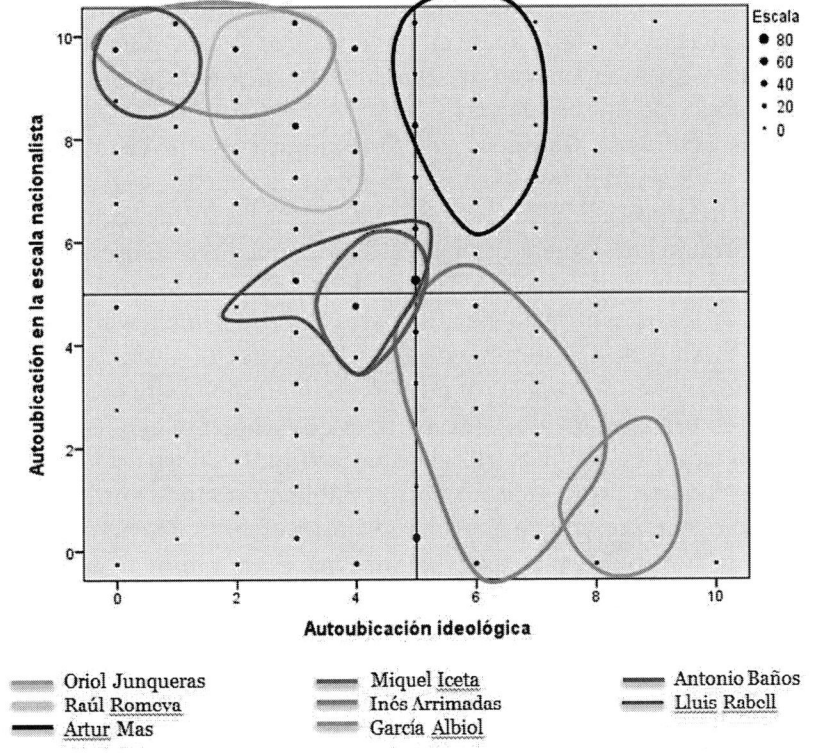

Fuente: Elaboración propia a partir de datos *Estudio Postelectoral Elecciones Autonómicas en Cataluña 2015*

En primer lugar, cuando son los propios votantes los que ubican a los líderes vemos como los espacios del nacionalismo se reducen, por cuanto hay una mayor concreción de la ubicación. Resulta especialmente interesante que en la medida que son los mismos votantes de JxSí los que ubican a los tres líderes de la coalición (Mas, Junqueras y Romeva), la precisión con la que señalan las diferencias entre los tres líderes y, por lo tanto, lo conscientes que son los electores de las contradicciones y las diferencias, especialmente en el eje ideológico, y como, a la luz de los resultados, son capaces de incorporar esas diferencias para que no constituyan un problema en la competición electoral.

En segundo lugar, contrariamente a lo que ocurría con las ubicaciones de los líderes nacionalistas, el espacio referenciado por los votantes no nacionalistas se amplía, porque la lectura que tienen los votantes no nacionalistas de sus líderes es más dispersa, más plural, más indefinida y por lo tanto referida a un espacio menos concentrado y más amplio. Y esto apunta en dos direcciones, la primera, los votantes del PSC y de CatSíQueEsPot ubican a sus líderes en posiciones que penetran en el espacio identitario ampliando, especialmente en el caso de CatSíQueEsPot, el espacio en el que ejercen su liderazgo; mientras la segunda dirección apunta a la ampliación del espacio de ciudadanos hacia posiciones más centradas ideológicamente y que ocupan todo el segmento no nacionalista, desde posiciones moderadas hasta posiciones extremas.

De estas dos lecturas se desprende una tercera que surge de la comparación de los Gráficos V y VI, a saber, las ubicaciones otorgadas por los votantes no nacionalistas dispersan la ubicación de los líderes, mientras las de los votantes nacionalistas la concentra, lo cual quiere decir, en el fondo, que los votantes nacionalistas tienen más homogeneizada la visión de los líderes, tanto de los propios como los ajenos, mientras los votantes no nacionalistas la tienen menos homogenizada, más dispersa. Y fruto de esa homogenización, es el nacionalismo el que refiere, ubica, otorga posiciones de cada actor en el espacio político. Este otorgamiento de posiciones no tendría mayor valor si constituyese únicamente una lectura espacial politológica, lo cierto es que más allá de esta lectura, la construcción pública de la imagen de los líderes a través de la opinión pública responde también a esta capacidad de homogeneización que el nacionalismo ha tenido. Dicho de otro modo, los Gráficos V y VI responden a elaboraciones que están también en la base de la construcción de la opinión pública catalana.

Esta hegemonía de la construcción nacionalista en la delimitación de los espacios de la competición, que se extiende también, como veremos en otros capítulos a los *issues* de la campaña, tiene un reflejo fundamental en la diferente incidencia que sobre la valoración de los líderes han tenido la percepción de la posición de los mismos en los ejes nacionalista e ideológico.

2. PROXIMIDAD ESPACIAL Y VALORACIÓN DE LOS LÍDERES

Hemos visto cómo se posicionaban los ciudadanos en los ejes ideológico y nacionalista, cómo ubicaban a los diferentes líderes catalanes, y cómo a la par de estas ubicaciones surgían lecturas estratégicas derivadas del propio posicionamiento. Nuestro planteamiento ahora consiste en analizar si estas ubicaciones inciden en la valoración que los ciudadanos hacen de los líderes, y de ser así cuál de los ejes —ideológico y nacionalista— incide más en dicha valoración. Y todo ello partiendo de dos premisas que han funcionado como hipótesis de este trabajo: la primera que la proximidad incide en la valoración y la segunda, que la proximidad incide en el impacto del liderazgo (Blondel, 1987) y, por lo tanto, en la predisposición de los ciudadanos a seguir a los líderes.

Para el análisis de la influencia que en la valoración de los líderes tienen las distancias entre el posicionamiento que los ciudadanos hacen de éstos en los ejes nacionalista e ideológico y su propio autoposicionamiento, se realiza un análisis mediante regresiones lineales en las que la variable dependiente es la valoración del líder y las variables independientes son las distancias, ideológica y nacionalista, de los ciudadanos al líder. Estas distancias, al igual que en el capítulo dedicado a espacios electorales, han sido construidas teniendo como referencia los presupuestos que al respecto delimita el *modelo clásico de proximidad* (Downs, 1957); modelo que si bien inicialmente concibe dichas distancias como la diferencia entre la ubicación de los votantes y de la ubicación subjetiva que los mismos realizan de los partidos; con el tiempo ha sido ampliado a la estimación de las posiciones de los líderes o candidatos de los partidos (Cahoon, 1975; Cahoon, Hinich y Ordeshook, 1978)[1].

El primer modelo de regresión que se presenta (Tabla IV) permite analizar, por tanto, la influencia que dichas distancias ejercen sobre la valoración de los diferentes líderes. De los datos obtenidos se desprende que la influencia de la distancia ideológica y nacionalista en la valoración de los líderes varía en función del líder de que se trate, afirmación que de forma paralela se hacía en el capítulo anterior cuando el análisis se realizaba sobre los partidos políticos. En términos generales, la influencia de la distancia nacionalista es mayor que de la distancia ideológica, sobre todo en el caso de los líderes de los partidos que están a favor del proceso, para los que la distancia al eje nacionalista condiciona mucho más su valoración que la distancia al eje ideológico. El ejemplo más claro, como se observa en la Tabla, lo representan los líderes de JxSí con coeficientes beta con valores muy similares, -0,476 para A. Mas, -0,499 para R. Romeva y -0,504 para O. Junqueras. Sin embargo, para los líderes de las coaliciones o formaciones que se manifiestan en contra del proceso se dan dos situaciones: a) o bien la distancia al eje ideológico ejerce una influencia mayor que la distancia nacionalista, como es el caso de Inés Arrimadas (-0,370); b) o bien

---

[1] Teniendo en cuenta lo apuntado, las distancias empleadas en este artículo han sido calculadas a partir de las variables relativas a la autoubicación del votante en cada una de las dimensiones, ideológica y nacionalista, y a partir de las ubicaciones subjetivas que el mismo facilita de cada uno de los líderes políticos en dichas escalas. Todas las ubicaciones están medidas en la tradicional escala 0-10. La ecuación que ha permitido el cálculo de las distancias, en cada supuesto, es la siguiente:
$Dij = (V_i - l_j)^2$
donde V_i representa la posición del votante en la escala (ideológica y/o identitaria) y l_j la ubicación subjetiva que éste realiza de la posición del líder j en dicha escala (ideológica y/o nacionalista).

las dos distancias ejercen una influencia similar en la valoración del líder, como es el caso de X. García Albiol (-0,317 en el caso de la distancia nacionalista y -0,301 en el caso de la distancia ideológica) o incluso de L. Rabell (-0,229 en el caso de la distancia nacionalista y -0,258 en el caso de la distancia ideológica). La única excepción a la tendencia observada entre los líderes de los partidos que se manifiestan en contra del proceso se encuentra en la valoración de Miquel Iceta, para el que la distancia al eje nacionalista es más importante que la ideológica (-0,310 frente a -0,211), dando cuenta, una vez más, de la posición híbrida del PSC, desatendida en esta campaña.

Tabla IV. Influencia de las distancias nacionalista e ideológica en la valoración de los líderes

	A. MAS	R.ROMEVA	O.JUNQUERAS	I.ARRIMADAS	M.ICETA	X.G.ALBIOL	A.BAÑOS	L.RABELL
Distancia eje nacionalista	-0,476*** (0,003)	-0,499*** (0,003)	-0,504*** (0,003)	-0,282*** (0,003)	-0,310*** (0,002)	-0,317*** (0,002)	-0,366*** (0,003)	-0,229*** (0,004)
Distancia eje ideológico	-0,242*** (0,005)	-0,272*** (0,006)	-0,258*** (0,005)	-0,370*** (0,004)	-0,211*** (0,005)	-0,301*** (0,003)	-0,297*** (0,005)	-0,258*** (0,005)
Constante	6,223*** (0,118)	7,075*** (0,098)	7,118*** (0,101)	5,412*** (0,110)	5,026*** (0,080)	3,961*** (0,114)	5,693*** (0,111)	4,846*** (0,091)
R^2 Corregida	0,343	0,431	0,409	0,312	0,179	0,269	0,289	0,152

Fuente: Elaboración propia a partir de datos *Estudio Postelectoral Elecciones Autonómicas en Cataluña 2015*

En definitiva, los modelos de regresión anteriores confirman, como venimos diciendo, la importancia del *cleavage* nacionalista en la valoración de los líderes, sobre todo de los partidos que se han definido a favor de la independencia, mientras que para el resto de líderes de otros partidos, el *cleavage* ideológico sigue siendo tan o más importante que el anterior. Los nacionalistas han sido capaces de generar un discurso en el que se les valora principalmente por su posicionamiento en el *cleavage* nacionalista, sobre todo los líderes de JxSí, que son capaces de aglutinar votantes de procedencia ideológica muy diferente, pero que tienen en común su espacio en el eje nacionalista, como veíamos anteriormente. Teniendo en cuenta que la valoración de los líderes es generalmente uno de los factores de explicación del voto más importantes tras la identificación partidista, queda claro que el *cleavage* nacionalista es, como se explica en un trabajo de reciente publicación (Rivera y Jaráiz, 2016) y a lo largo de los diferentes capítulos de este libro, un elemento fundamental para la explicación del comportamiento de los electores en las últimas elecciones catalanas, en este caso de forma indirecta, condicionando la opinión de los ciudadanos sobre los líderes.

Para completar el análisis anterior realizado para el conjunto de los electores, se presentan a continuación dos nuevos análisis (Tablas V y VI) en los que se busca diferenciar en base a la identificación partidista, de tal forma que se han generado sendos modelos para los votantes que están identificados con el partido del líder de los que no lo están. Para ello se parte de dos hipótesis que parecen confirmarse: a) la distancia ideológica no juega un papel importante en estos comicios, como hemos visto en el análisis previo para el conjunto muestral, y b) por el contrario, la distancia nacionalista juega un papel relevante en la valoración de los líderes, sobre todo para los votantes no identificados, es decir, aquellos que no manifiestan simpatía por ninguna formación o coalición política.

Tabla V. Influencia de las distancias nacionalista e ideológica en la valoración de los líderes. Votantes identificados

	A. MAS	R.ROMEVA	O.JUNQUERAS	I.ARRIMADAS	M.ICETA	X.G.ALBIOL	A.BAÑOS	L.RABELL
Distancia eje nacionalista	-0,372*** (0,010)	-0,527*** (0,011)	-0,452*** (0,008)	-0,202* (0,014)				
Distancia eje ideológico	-0,160** (0,008)		-0,142* (0,013)		-0,428*** (0,033)		-0,347* (0,029)	-0,446*** (0,023)
Constante	7,450*** (0,146)	8,311*** (0,109)	8,713*** (0,099)	7,207*** (0,232)	6,335*** (0,154)	7,381*** (0,363)	8,259*** (0,338)	5,630*** (0,214)
R^2 Corregida	0,157	0,295	0,222	0,021	0,218	0,005	0,116	0,210

Fuente: Elaboración propia a partir de datos *Estudio Postelectoral Elecciones Autonómicas en Cataluña 2015*

En base a los resultados que se muestran en la Tabla V, donde se recogen los modelos ajustados para los votantes identificados, la primera de las hipótesis planteadas se confirma en el caso de los votantes identificados de los partidos nacionalistas catalanes (-0,372 en el caso de Mas, -0,527 en el modelo de R. Romeva y -0,452 en el caso de O. Junqueras) y en el caso de los votantes identificados con Ciudadanos (-0,202)[2]; mientras que en la valoración de los líderes de las formaciones de carácter estatal el *cleavage* ideológico se muestra más influyente (-0,428 en el caso de M. Iceta y -0,446 en el caso de L. Rabell).

---

[2] En este último caso resulta interesante que ni siquiera la distancia al eje ideológico resulta significativa para el modelo al nivel alfa $\leq 0,05$.

La excepción a este planteamiento la constituye el modelo planteado para el análisis de la valoración del líder de la CUP, que a pesar de ser una formación de carácter nacionalista, en su discurso siguen primando los componentes ideológicos (-0,347 en el caso de A. Baños), cuestión a la que ya se aludió en líneas anteriores y que después ha quedado clara en la evolución del apoyo que este partido prestó a JxSí para la formación de gobierno. Es decir, sólo en este caso la valoración del líder depende de la distancia ideológica antes que de la nacionalista, mientras que para todos los líderes de JxSí lo más importante es la distancia en el *cleavage* nacionalista.

Tabla VI. Influencia de las distancias nacionalista e ideológica en la valoración de los líderes. Votantes no identificados

	A. MAS	R.ROMEVA	O.JUNQUERAS	I.ARRIMADAS	M.ICETA	X.G.ALBIOL	A. BAÑOS	L. RABELL
Distancia eje nacionalista	-0,578*** (0,008)	-0,675*** (0,009)	-0,659*** (0,007)	-0,426*** (0,009)		-0,404*** (0,006)	-0,536*** (0,016)	
Distancia eje ideológico	-0,229** (0,013)					-0,217* (0,008)		
Constante	5,839*** (0,294)	6,891*** (0,264)	6,732*** (0,277)	4,221*** (0,352)	3,820*** (0,244)	3,457*** (0,321)	5,767*** (0,385)	4,466*** (0,338)
R^2 Corregida	0,380	0,467	0,437	0,214	-0,012	0,271	0,293	0,006

Fuente: Elaboración propia a partir de datos *Estudio Postelectoral Elecciones Autonómicas en Cataluña 2015*

Por último, la segunda hipótesis planteada se demuestra en los resultados que se pueden observar en la Tabla VI, donde se presentan los modelos ajustados para los definidos como votantes no identificados. En base a ellos se puede concluir claramente como para los votantes que afirman no sentirse identificados con ningún partido, y que por ende basan buena parte de su comportamiento electoral en su opinión sobre los líderes, la distancia al eje nacionalista es un factor mucho más influyente que la distancia ideológica en la conformación de sus juicios sobre los líderes. Esta afirmación se desprende del hecho de que los coeficientes de regresión estandarizados para las distancias nacionalistas son notablemente superiores a los coeficientes para las distancias ideológicas, en los casos en que ambas resultan significativas para el modelo (es el caso de los modelos planteados para A. Mas, -0,578 y X. G. Albiol, -0,404); o bien en los modelos restantes son dichas distancias, las nacionalistas, las únicas que resultan significativas (es el caso de los modelos para R. Romeva, -0,675; O. Junqueras, -0,659; I. Arrimadas, -0,426 y A. Baños, -0,536)[3].

3. PROXIMIDAD E INFLUENCIA

Todo nuestro análisis tiene sentido si, como señalábamos al principio, el posicionamiento de los líderes ha servido para reconducir la relación líderes-partidos-votantes, en medio de los realineamientos generados por la aparición de nuevos partidos, por la división de CiU, por el surgimiento de la coalición JxSí y por el reposicionamiento, como hemos visto, de algún partido tradicional. Entre todos estos movimientos, el más importante a nivel de liderazgo, como hemos visto en los modelos de dispersión, es el que hace referencia a la coalición JxSí por cuanto el posicionamiento de sus líderes se enmarca en la estrategia que envuelve la competición electoral.

Tabla VII. Tiempo desde el que se siente independentista en función de la proximidad mínima a un líder en el eje nacionalista

	Cercanía nacionalista a Mas	Cercanía nacionalista a Junqueras
Desde siempre	48,5	56,8
Más de cinco años	8,1	9,1
Desde hace cinco años	32,5	25,8
Desde hace tres años	7,9	4,7
Desde hace un año	1,8	1,6
Ns/Nc	1,3	2,1
Total	100,0	100,0

Fuente: Elaboración propia a partir de datos *Estudio Postelectoral Elecciones Autonómicas en Cataluña 2015*

La Tabla VII nos muestra cómo ha evolucionado el sentimiento independentista de los catalanes en función de su proximidad a dos líderes en el eje nacionalista, uno que ha tenido una posición tradicionalmente independentista, Junqueras, y otro que se ha incorporado al independentismo en los últimos años, Mas. Hemos asumido que la proximidad a un líder se expresa por la distancia menor entre la autoubicación del entrevistado respecto a las ubicaciones que hace cada uno de los líderes (cabiendo la posibilidad de que esa distancia mínima

---

3   En el caso de M. Iceta, ninguno de los dos *cleavages* ejerce un efecto significativo en su valoración.

se produzca respecto de más de un líder). No vamos a medir aquí la atracción del liderazgo sobre el sentimiento independentista, sino tan sólo a observar el modo en que ha evolucionado el sentimiento independentista en los últimos años paralelamente a la construcción del proceso y a la definición de los líderes. En este sentido, la Tabla VII nos permite sacar tres conclusiones fundamentales: (a) la primera, que existe un sentimiento independentista tradicional y otro reciente, que no tiene más de cinco años; (b) la segunda, que mientras los catalanes que expresan una proximidad mínima a Junqueras son en casi un 66% independentistas desde hace más de cinco años, los que expresan esta proximidad a Mas lo son sólo en un 56,6%; y (c) la tercera, que mientras el 32,1% de los que expresan proximidad mínima a Junqueras se hicieron independentistas en los últimos cinco años, en el caso de los que expresan proximidad mínima a Mas, éstos constituyen el 42,2%.

Cuando vemos la evolución del sentimiento independentista catalán no podemos dejar de atender a la evolución que han tenido los líderes nacionalistas catalanes, especialmente los de CiU, y el modo en que más de un 40% de catalanes que expresan una proximidad mínima a Mas se han hecho independentistas en los últimos años.

4. CONCLUSIONES

El tratamiento del liderazgo es siempre difícil y mucho más en un trabajo coordinado como este en el que el peso del liderazgo sobre la decisión de voto, se analiza en el capítulo de componentes de voto. Pero el liderazgo tiene muchas otras dimensiones que su impacto sobre el voto, y en este capítulo hemos querido analizarlo recurriendo a las dimensiones espaciales del propio liderazgo, tantas veces olvidadas.

La primera conclusión que se desprende de nuestro trabajo es que los liderazgos han servido para reubicar a los votantes en un momento de importantes realineamientos electorales producto de la existencia de nuevas alternativas pero también de la descomposición y recomposición de alternativas electorales diferentes a procesos anteriores. En este sentido, especialmente para los votantes de JxSí, los liderazgos generan, a través de un liderazgo compartido, tres ámbitos de referencia, espacios, en los que se encuentran ciudadanos de perfiles ideológicos e identitarios diferentes.

La segunda conclusión hace referencia a cómo la ubicación espacial de los liderazgos en el eje nacionalista expulsa a los otros liderazgos de este espacio de la competición (mucho más que en el caso de los partidos que vimos en el capítulo anterior) generando, a través de un "master frame" dominante, como veremos en capítulos posteriores, una estrategia de la competición insalvable para el resto de los partidos políticos, que la afrontan en desventaja competitiva.

La tercera conclusión de este capítulo es que mientras para los líderes nacionalistas la valoración de su liderazgo depende fundamentalmente de la proximidad de sus seguidores en el eje nacionalista, para los líderes no nacionalistas, tiene prácticamente la misma influencia la proximidad en el eje ideológico que en el nacionalista. Esto quiere decir que mientras a los líderes nacionalistas les basta con generar incentivos identitarios, los líderes no nacionalistas compiten y se expresan en las dos dimensiones espaciales referenciadas. Todo ello con un matiz que se muestra en el capítulo sobre la identidad catalana, y es que hoy, los componentes de la identidad están variando sustancialmente.

La cuarta conclusión nos permite ratificarnos a través de los modelos de regresión de los votantes identificados cómo los votantes de la CUP son los únicos nacionalistas para los cuales el peso ideológico y el identitario siguen teniendo el mismo valor. Lo cual nos habla, una y otra vez, de la necesidad estratégica de la CUP de preservar la diferencia ideológica para mantener a su propio cuerpo electoral.

La quinta conclusión, contrariamente a lo que pudiera parecer, es que el "master frame" de estas elecciones ha sido tan hegemónico que los electores no identificados partidariamente también valoran a sus líderes en función de su proximidad en el eje identitario, lo cual nos invita a pensar en la fuerte implantación de este *cleavage* y en la necesidad de generar nuevos espacios para no encontrarnos en poco tiempo con una sociedad totalmente fracturada.

Y en este sentido, sexta conclusión, la posición que ocupa el liderazgo del Partido Popular en Cataluña constituye una ubicación extrema, tanto cuando lo ubican la totalidad de los ciudadanos catalanes como cuando lo hacen los propios votantes del Partido Popular, lo cual hace que el PP sea incapaz de competir en Cataluña, pero sobre todo cierra cualquier posibilidad de abordar políticamente el problema catalán con el protagonismo del PP.

La séptima conclusión de nuestro trabajo hace referencia a la dureza del *cleavage* nacionalista y a cómo liderazgos que tradicionalmente compartían posiciones identitarias y no identitarias se han visto desplazados por la propia competición. Especialmente grave en el caso del PSC que ha sido tradicionalmente el vínculo entre el nacionalismo y el no nacionalismo, entre los partidos catalanes y los de ámbito estatal, y es en esa aquilatada presencia donde el PSC tiene un sentido especial en Cataluña.

Finalmente, nuestra octava conclusión tiene que ver con el papel que los líderes han jugado en Cataluña, en cómo la evolución independentista catalana está ligada a la proximidad de los ciudadanos a los líderes y a sus estrategias, y por lo tanto, cómo los líderes, todos los líderes, tienen una enorme responsabilidad en el futuro de Cataluña.

5. REFERENCIAS BIBLIOGRÁFICAS

Blondel, J. (1987). *Political leadership: towards a general analysis*. London: SAGE Publications Ltd.

Blondel, J. (et. al). (2010). *Political leadership, Parties and Citizens. The personalization of leadership*. Oxon: Routledge.

Burns, J.M. (1978) *Leadership*. New York. Harper & Row.

Cahoon, L. (1975). *Locating a set of points using range information only*. Tesis doctoral, Carnagie-Mellon University.

Cahoon, L., Hinich M. J. y Odershook, P. (1978) "A statistical multidimensional scaling method based on the spatial theory of voting". En P.C. Wang (Ed.), *Graphical Analysis Representation of Multivariate Data*. New York: Academic Press.

Cohen, W. A. (1990). *The art of a leader*. Englewood Cliffs, New Jersey: Jossey-Bass.

Crozier, M. y H. Friedberg. (1977). *L'acteur et le système*. Editions du Seuil, Paris.

Downs, A. (1957). *An Economic Theory of Democracy*. New York: Harper and Row.

Foley, M. (2013). *Political Leadership. Themes, contexts and critiques*, New York: Oxford University Press.

Gardner, J. W. (1990). On leadership. New York, NY: The Free Press.

Gilens, M., Lynn Vavreck, and Martin Cohen. (2007). "Mass Media and Public Perceptions of Presidential Candidates, 1952-2000." The Journal of Politics 69 (4):1160-1175.

Janda, K. (1980) Political parties, a cross national survey. New York: Free Press.

King, A. (2002) *Leaders' Personalities and the Outcomes of Democratic Elections*, New York: Oxford University Press.

Lau, Richard R. y Redlawsk, David P. (2006). *How voters decide: Information processing during election campaigns*. New York: Cambridge University Press.

Rico, Guillem (2010) *Líderes políticos, opinión pública y comportamiento electoral en España*, CSIC, Madrid.

Rivera Otero, J.M. (1992). *Elites y organización en los partidos políticos: un esquema para el análisis del liderazgo político en las organizaciones partidistas*. Tesis doctoral, Universidad de Santiago de Compostela.

Rivera, J.M. y E. Jaráiz (2016) "Modelos de explicación y componentes del voto en las elecciones autonómicas catalanas de 2015", Revista española de Ciencia Política, n° 42. En prensa.

Wattenberg, M.P. (1991) *The rise of Candidate-centered politics*. Cambridge, MA: Harvard University Press.

Wildavsky, A., and R. Ellis. (1989). *Dilemmas of Presidential Lead- ership from Washington through Lincoln*. New Brunswick, NJ: Transaction Publishers.

Campañas electorales y sus efectos: los comicios autonómicos de 2015 en Cataluña

Juan Montabes Pereira
Giselle García Hípola
Universidad de Granada

1. INTRODUCCIÓN

Los resultados de las elecciones en Cataluña han tenido una doble incidencia desde las *fundacionales* de 1977 hasta la pasadas generales de 26 de junio de 2016: sus consecuencias para la política catalana y su relevancia *especial* para la comprensión de la política y del proceso político en España. Tanto en la arena local como en la autonómica o la estatal, los resultados electorales en Cataluña han incidido sobre la política española no sólo por su aportación porcentual de miembros del Congreso de los Diputados o del Senado, sino para la lectura e interpretación del *cleavage* centro/periferia de la política española. La existencia de un sistema de partidos singularmente diferenciado del español, con actores específicos y otros adaptados o sucursalizados al ámbito catalán pero con presencia en el conjunto del Estado, ha hecho que cada convocatoria electoral en Cataluña fuese interpretada en esa doble dimensión. Las elecciones autonómicas del pasado 27 de septiembre no se escapaban de esta doble perspectiva, pero añadían un plus de singularidad en la evolución electoral en Cataluña, consistente en la traslación de la cuestión nacional a los resultados electorales.

La utilización plebiscitaria de los resultados electorales fue un recurso utilizado inicialmente por aquellas opciones partidarias de la opción soberanista/independentista mientras que tras conocer los resultados electorales fueron algunos de los ubicados en posiciones "constitucionalistas" los que pretendieron otorgarle un significado plebiscitario a estas elecciones. Es más que conocido en la política comparada la tensión entre las consultas electorales y los efectos de las mismas a diferencia de las consultas plebiscitarias. Se dice que conferir consecuencias plebiscitarias a los resultados electorales es una inercia propia de los regímenes autoritarios, sin embargo en esta ocasión se produjo una inversión de la utilización de esta aporía en atención a los resultados que se esperaban y los que finalmente se obtuvieron. En buena medida la campaña electoral y sus actores, partidos, medios de comunicación, organizaciones sociales e instituciones, estuvieron condicionados por esta tensión produciendo, efectivamente, una "plebiscitación" de las elecciones.

En este contexto, el anuncio de la convocatoria de elecciones autonómicas en Cataluña para el 27 de septiembre de 2015, se constituyó en una de las referencias de mayor relevancia desde los últimos meses. Dicha convocatoria se hacía pública el 14 de enero pero que no se convocaron formalmente hasta el 3 de agosto[1], fijaba el período para la campaña electoral desde el 11 al 25 de septiembre.

De manera general, podríamos entender las campañas electorales como un proceso planificador y ejecutor de actividades con la intención de ganar votos (Lazarfesfeld, Berelson y Gaudet, 1944). No obstante, en sentido estricto, las entendemos como el "conjunto de actividades lícitas llevadas a cabo por los candidatos, partidos, federaciones, coaliciones o agrupaciones en orden a la captación de sufragios"[2]. En el artículo 51, se define que el período legal establecido para el desarrollo de la misma está fijado en los quince días antes de la jornada en la que se celebrarán los comicios, dejando un día antes de reflexión donde no se podrá pedir el voto por parte de ninguno de los partidos políticos[3].

A la hora de estructurar el capítulo hemos tenido en cuenta la perspectiva temporal de las diferentes campañas en Cataluña, haciendo especial mención a las elecciones de 2015. Por tanto, comenzamos el capítulo haciendo mención a las implicaciones y consecuencias que se derivan del sistema electoral en el funcionamiento de las campañas electorales. A continuación, nos detendremos de manera específica en los efectos que provocan las campañas electorales y fundamentalmente en el análisis de la campaña electoral de los comicios autonómicos de 2015.

Para la realización de este análisis hemos utilizado, fundamentalmente, los datos democoscópicos del estudio postelectoral realizado por la Universidad de Santiago

---

[1] Decreto 174/2015, de 3 de agosto, de convocatoria de elecciones al Parlamento de Cataluña y de su disolución (DOGC núm. 6927, de 4 de agosto)

[2] Art. 50.2, Ley Orgánica de 1985 del Régimen Electoral General, de 19 de junio.

[3] Decreto 174/2015, de 3 de agosto, de convocatoria de elecciones al Parlamento de Cataluña y de su disolución.
Normativa electoral de este proceso electoral en Cataluña:
• Ley Orgánica 6/2006, de 19 de julio, de reforma de Estatuto de Autonomía de Cataluña (BOE núm. 172, de 20 de julio de 2006).
• Ley Orgánica 5/1985, de 19 de Junio, del régimen electoral general.
• Ley 13/2005, de 27 de diciembre, del régimen de incompatibilidades de los Altos Cargos al servicio de la Generalidad (DOGC núm. 4542, de 2 de enero de 2006).
• Ley 18/2000, de 29 de diciembre, de publicidad institucional de Cataluña (DOGC núm. 3300, de 8 de enero de 2001).
• Decreto 176/2015, de 4 de agosto, de normas complementarias para la realización de las elecciones al Parlamento de Cataluña de 2015. (DOGC núm. 6928, de 5 de agosto de 2015).
• Decreto 177/2015, de 4 de agosto, por el que se regulan las subvenciones y el control de la contabilidad electoral de las elecciones al Parlamento de Cataluña de 2015. (DOGC núm. 6928, de 5 de agosto de 2015).

de Compostela. De él hemos seleccionado aquéllas variables que consideramos que son las que "determinan" la percepción que los ciudadanos tienen de las campañas electorales y hasta qué punto pueden influir en el comportamiento electoral. Siendo éstas una combinación de variables sociodemográficas, como son la edad, el sexo y el nivel de estudios y otras de índole política, como la simpatía que sienten hacia los diferentes partidos políticos, la autoubicación en la escala ideológica y el recuerdo de voto en los comicios autonómicos de 2012 así como en las Elecciones Generales del mismo año. Por otro lado, hemos analizado distintos aspectos de las campañas electorales en Cataluña, como es el fenómeno independentista en los procesos electorales autonómicos en Cataluña y lo que esto supone en la campaña electoral.

2. LAS CAMPAÑAS ELECTORALES EN CATALUÑA

Una campaña electoral está estrechamente ligada a un proceso electoral ya que son dos procesos que dependen uno del otro. No podría desarrollarse una campaña sin un proceso electoral a la vista y no existirían procesos electorales sin producirse previamente una campaña electoral. Además durante éstos, las campañas electorales tratan influir en la definición y movilización del voto. Los ciudadanos participan tanto en las campañas electorales como en los procesos electorales de manera más o menos directa. Esta participación o implicación en ambos procesos va a ser más o menos intensa en función del tipo de comicios que se celebren y de la importancia que los ciudadanos le otorguen a los mismos, donde el territorio se convierte en un principio de organización de la oferta electoral (Dupoirier, 2004).

El desarrollo de las campañas electorales guarda una estrecha relación con el sistema electoral en el que se desarrolla la misma. En este sentido, los elementos básicos del sistema electoral en Cataluña está acotado en la Constitución Española, el Estatuto de Autonomía de Cataluña y a ley orgánica 5/1985, así como las sucesivas modificaciones de las mismas. En la mayoría de los casos el sistema electoral catalán reproduce el español en su sistema de elección en las elecciones al Congreso de los Diputados. La distribución es en cuatro circunscripciones Barcelona, donde se disputaban 85 diputados; Girona y Lleida, con 17 y 15 respectivamente y finalmente Tarragona con 18 diputados asignados.

Pero si atendemos a la relación que existe entre el comportamiento electoral y campañas electorales nos encontramos con que las campañas intentan influir en la definición y movilización del voto. Por tanto, conocer los efectos que los propios ciudadanos perciben sobre éstas, ayudan a entender mejor el comportamiento electoral y el funcionamiento de una comunidad democrática en su conjunto. Tal y como podemos apreciar en la Tabla I, desde 1979, los catalanes han asistido a 41 campañas electorales, de las que 11 han sido procesos autonómicos, que se han caracterizados por haberse anticipado en numerosas ocasiones. Por lo que podemos observar cómo los electores en Cataluña han estado sometidos a numerosas campañas electorales lo que podría haber provocado cierto cansancio en los mismos.

Tabla I. Procesos electorales en Cataluña

	Locales	Autonómicas	Estatales	Europeas	Referéndum
1979					Estatuto de Autonomía
1980		20 de marzo			
1982			28 de Octubre		
1983	8 de Mayo				
1984		29 de abril			
1986			22 de Junio		OTAN (12 de marzo)
1987	10 de Junio			10 de Junio	
1988		29 de mayo			
1989			29 de Octubre	15 de Junio	
1991	26 de Mayo				
1992		15 de marzo			
1993			6 de Junio		
1994				12 de Junio	
1995	28 de Mayo	19 de noviembre			
1996			3 de Marzo		
1999	13 de Junio	17 de octubre		13 de Junio	
2000			12 de Marzo		
2003	25 de Mayo	16 de noviembre			
2005	6 de Junio				Constitución Europea (20 febrero)
2004			14 de Marzo	13 de Junio	
2006		1 de noviembre			Estatuto de Autonomía
2007	27 de Mayo				
2008			9 de Marzo		
2009				7 de Junio	
2010		28 de noviembre			
2011	22 de Mayo		20 de Noviembre		
2012		25 de noviembre			
2013					
2014				25 de mayo	Proceso participativo (9 de noviembre)
2015	24 de mayo	27 de Septiembre	20 de Diciembre		

Fuente: Elaboración propia a partir de datos del Ministerio del Interior

3. LOS COMICIOS AUTONÓMICOS DE SEPTIEMBRE DE 2015

Las elecciones autonómicas de 2015 y de manera concreta la campaña electoral en Cataluña llegaban en un momento en el que la política estaba claramente influenciada por la independencia. El *President de la Generalitat de Catalunya* convocaba elecciones antes de terminar la legislatura tratando de trasladarle a los ciudadanos que se trataban de unas "elecciones definitivas", para que decidiesen el futuro de Cataluña, puesto que entendía que la consulta ciudadana celebrada el 9 de noviembre de 2014[4] no había podido culminar con las aspiraciones independentistas. En este sentido, a dichos comicios concurrieron las coaliciones *Junts pel Sí* y *Candidatura d'Unitat Popular* partidarios de la independencia y con una oferta política y electoral que giró casi en exclusiva en torno a esta cuestión; por otra parte el resto de formaciones políticas entendieron estas elecciones como unos procesos autonómicos más y de manera concreta con posturas a favor o en contra de la independencia. Además de las aspiraciones independentistas que impregnaron la política, en el contexto estatal la campaña estaba también fuertemente influida por la crisis económica, que quedaba instalada definitivamente tras sus pequeñas incursiones en los comicios y las campañas de 2010 y 2012.

En definitiva, el *cleavage* territorial marcó íntegramente el proceso, desde antes de su convocatoria, en su misma formalización y por supuesto durante la campaña y con posterioridad a esta. Incluso hoy, a un año de este proceso, las consecuencias de estas elecciones están marcando el proceso político en Cataluña y por supuesto también en España. Las posiciones iniciales de los principales partidos concurrentes en este proceso quedarían definidas en el Cuadro I.

---

4   Declarada posteriormente inconstitucional.

Cuadro I. Posiciones iniciales de los partidos políticos concurrentes

Fuente: http: //elordenmundial.com/wpcontent/uploads/2015/09/eleccionscatalunya.pdf

En este contexto, se sucedieron numerosas encuestas preelectorales que trataban de esclarecer o aproximarse a los inminentes comicios autonómicos. En este sentido, tal y como muestra la Tabla II donde registramos algunas de las encuestas preelectorales realizadas desde el mes de julio, podemos ver como se aproximaron bastante a los resultados finales y donde parecían quedar claros los buenos resultados de las coaliciones que querían establecer las Elecciones Autonómicas de septiembre de 2015 en una manifestación a favor o en contra de la independencia en Cataluña. Así, en cuanto a intención de voto por partido político nos encontramos cómo *Junts pel Sí, Catalunya Sí Que Es Pot* obtienen mejores resultados de los que le pronosticaban las encuestas fundamentalmente del CIS Metroscopia y NC Report; mientras que Ciutadans tienen mejores resultados de los que les otorgaban Metroscopia, Sigma Dos y GAD 3. Por el contrario el *PP* obtuvo mejores resultados en las encuestas (a excepción de Metroscopia y NC Report) que en la jornada electoral. Por su parte, tanto el *PSC* como *Unió Democrática de Catalunya* obtuvieron unos resultados en las encuestas muy similares a los que posteriormente obtuvo en las elecciones.

Tabla II. Sondeos preelectorales, Elecciones Autonómicas en Cataluña 2015

		NC Report	CIS	Metroscopia	SIGMA DOS	GAD3	Resultados finales
JxSí	%	35,8	39,2	41,2	40,5	40,7	39,59
	Escaños	56	8	66-67	65-66	65-67	62
PSC	%	12	9,3	11,7	10,8	11,9	12,72
	Escaños	18	2	14	13-14	14-16	16
PP	%	8,2	11,5	7,3	9,6	10,2	8,49
	Escaños	10	2	10	12-13	12-13	11
C's	%	19,1	17,8	14,9	14,8	14,1	17,9
	Escaños	27	3	19	19-20	18-20	25
UDC	%	4,2	1,7	2,7	2,8	1,9	2,51
	Escaños	5	-	0-2	0-2	0-2	-
CSQEP	%	12,8	10,2	11,4	11,2	10,3	8,94
	Escaños	16	2	14	14	12-13	11
CUP	%	4,2	4,6	8,4	7,3	6,4	8,21
	Escaños	3	1	10-11	9	7-9	10
Otros	%	3,3	3	-	3	4,5	1,12
	Escaños	-	-	-	-	-	-
N*		1.255	3.000	2.000	1.400	800	-
Fecha de realización		13-23 Julio	Agosto-Septiembre	14-16 Septiembre	16-17 Septiembre	14-18 Septiembre	27 Septiembre

Fuente: Elaboración propia
*N: Indica el número de casos que contuvo la muestra de cada investigación.

En este entorno, marcado por el proceso independentista, el proceso consultivo y una fuerte crisis económica y política, los comicios autonómicos de 2015 cumplían con dos de las funciones clásicas de las campañas electorales, que son la de publicidad y la de control (Martínez, 2008). Como instrumento de control de doble dirección, donde los ciudadanos controlaban a los políticos y los políticos a los ciudadanos; y como instrumento de publicidad ya que los políticos daban a conocer sus propuestas para que los ciudadanos posteriormente eligiesen.

3.1. El desarrollo de la campaña

La literatura que hace referencia a las campañas electorales, aluden a la limitación de las mismas sobre el comportamiento electoral de los ciudadanos. Si los efectos de las campañas electorales son limitados, a la hora de determinar cuáles son estos efectos la dificultad es aún mayor. Desde los iniciales estudios de la Escuela de Chicago en los años '20 y '30, el análisis de los efectos de las campañas electorales ha sido amplio y enriquecedor para la disciplina. En la actualidad podemos resumir todas las evoluciones teóricas en tres de los efectos que pueden producir las campañas electorales, que son el refuerzo, la activación/desactivación y la conversión.

Atendiendo a estas bases teóricas, los datos del Estudio Postelectoral de las Elecciones Autonómicas en Cataluña de 2015, no vienen más que a confirmar que sólo pocos son los catalanes a los que la campaña electoral les sirve para decidir su voto. Así, los datos nos muestran cuando se les pregunta que en una escala del 0 al 10, donde 0 es que no les ha servido para decidir su voto y 10 que si, solo un 14,6% manifiesta que si les ha servido para decidir su voto (del 7% al 10%). De manera más concreta los entrevistados manifiestan que su voto lo tenían decidido antes de la campaña en un 78,2%, un 13% durante la campaña y un 8,1% manifiestan haberlo decidido en los últimos días de la campaña.

Pero los datos son diferentes cuando se le preguntamos a los catalanes por el interés que manifiestan por la campaña. Así, para los pasados comicios autonómicos de 2015, los catalanes manifiestan tener mucho o bastante interés en un 66,6% frente al 24,1% que manifiesta tener poco o ningún interés por la campaña electoral. Pero si nos centramos en las variables propias de nuestro análisis, nos encontramos con que el seguimiento de la campaña se produce por parte de los catalanes de entre 18 y 29 años con mucho y bastante interés en un 75,90% mientras que son los mayores de 65 los que manifiestan en un 30,90% que tienen poco o ningún interés. Por género apenas encontramos diferencias ya que en mayor medida la campaña es seguida con mucho o bastante interés, parece ligeramente superior entre los hombres, con un 67,60%.

Nos llama la atención que los que manifiestan tener mucho o bastante interés en el seguimiento de la campaña electoral son los que se autoposicionan en la escala ideológica en la extrema derecha (86,4%) y en la extrema izquierda (58,5%), lo que pondría de manifiesto que dicha campaña había sido articulada en torno a la independencia cuestión que polariza y radicaliza las posturas políticas. El perfil de los catalanes que manifiestan haber seguido la campaña electoral con mucho o bastante interés es el que tiene estudios universitarios (74,3%) y secundarios (66,1%) mientras que los catalanes sin estudios o tienen estudios primarios sin completar han seguido con poco interés en un 42,4% y con ningún interés en un 71,7%.

Finalmente, de los partidos que obtuvieron representación nos encontramos con que los votantes que manifiestan seguir la campaña con mucho o bastante interés son los de *Junts pel Sí* (76,6%), *Candidatura d'Unitat Popular* (77,7%) y *Cataluña Sí Que Es Pot* (73,4%) mientras que los que siguen con ningún interés la campaña son los votantes del *Partit del Socialistes de Catalunya* (33,8%) y del *Partit Popular* (35,8%).

Tabla III. Seguimiento de la campaña electoral

		Con mucho interés	Con bastante interés	Ni con mucho ni con poco interés	Con poco interés	Sin ningún interés	Ns/Nc
Edad	18 a 29	37%	38,9%	6,5%	11,1%	6,5%	-
	30 a 49	42%	22,6%	9,5%	10,9%	14,6%	0,4%%
	50 a 64	47,9%	24,6%	8,6%	9,3%	9,6%	-
	65 ó más	30,6%	27,3%	10,5%	14,8%	16,1%	0,7%
Sexo	Hombre	40,5%	27,1%	10,3%	10%	12,2%	-
	Mujer	39,7%	26,1%	7,8%	12,7%	13,1%	0,6%
Nivel de estudios	Sin estudios/ Primarios sin completar	46,7%	26,1%	13%	42,4%	71,7%	-
	Estudios primarios completos	24,3%	34,4%	16,6%	12%	12%	0,8%
	Estudios secundarios	39,3%	26,8%	7,3%	12%	14,6%	39,3%
	Estudios universitarios	51,6%	22,7%	6,8%	9,6%	8,9%	0,4%
	Ns/Nc	25%	25%	50%	-	-	-
Recuerdo de voto en Elecciones Autonómicas	JxSí	53,2%	23,4%	9,9%	6,7%	6%	0,8%
	C's	33,3%	33,3%	7,7%	12,9%	12,7%	-
	PSC	27,3%	32,2%	6,7%	20,4%	13,4%	-
	PP	32%	18,6%	13,6%	14,8%	21%	-
	CUP	52,4%	25,3%	5,3%	9,3%	7,6%	-
	CSQEP	33,1%	40,3%	2,8%	10,3%	13,5%	-
	UDC	40,6%	40,1%	5,8%	12%	1,5%	-
	Otro	40,6%	40,9%	-	-	18,5%	-
	Ns/Nc	32,6%	26,5%	13,8%	10,4%	16,7%	-
Grado de simpatía	PP	21,7%	22,9%	10,8%	22,9%	21,7%	-
	PSC	28,3%	34,4%	9,4%	14,4%	13,3%	-
	CiU	49,7%	31,1%	6,8%	6,2%	5%	1,2%
	IU	38%	44%	2%	4%	12%	-
	ERC	58,7%	18,3%	9,1%	5,6%	8,3%	-
	CUP	59,3%	25,4%	3,4%	10,2%	1,7%	-
	PODEMOS	37,4%	32,7%	4,1%	12,9%	12,9%	-
	C's	32,8%	31%	9,2%	12,6%	14,4%	-
	CDC	83,3%	11,1%		-	5,6%	-
	UDC	38,5%	30,8%	-	7,7%	23,1%	-
	DyL	9,1%	18,2%	18,2%	45,5%	9,1%	-
	JxSí	50%	50%	-	-	-	-
	ICV-EUiA	42,9%	57,1%	-	-	-	-
	Los Verdes	33,3%	33,3%	33,3%	-	-	-
	Otros	-	50%	-	50%	-	-
	Ninguno	27,3%	18,6%	14,9%	11,8%	26,1%	1,2%
	Ns/Nc	37,5%	7,8%	17,2%	23,4%	14,1%	-
Autoubicación en la escala ideológica	Extrema Izquierda	0,8%	58,5%	20%	3,1%	7,7%	10,8%
	Izquierda/ Centro Izquierda	1,6%	42,3%	29,1%	8,2%	8,6%	11,5%
	Centro	1,7%	35,8%	27,8%	10%	10,7%	15,1%
	Derecha/ Centro Derecha	10,7%	40,3%	28,1%	9,2%	10,7%	11,7%
	Extrema Derecha	86,4%	18,2%	36,4%	-	13,6%	31,8%

Fuente: Elaboración propia a partir de datos del *Estudio Postelectoral Elecciones Autonómicas en Cataluña 2015*

Pero con independencia del interés que los catalanes manifiestan haber tenido sobre la campaña electoral, en este apartado tratamos de establecer cuál es la influencia de dicha campaña en la conducta de los catalanes. Tal y como apuntamos al inicio de este capítulo es necesario poder medir la influencia de la campaña en la conducta electoral, aun teniendo en cuenta que dicha influencia es limitada y compleja. Así, en la Tabla IV podemos apreciar cómo les influyó la campaña electoral a los catalanes en función de variables sociodemográficas como la edad, el sexo, el nivel de estudios y otras variables políticas como son el recuerdo de voto en las elecciones autonómicas, el grado de simpatía y la autoubicación en la escala ideológica.

Tabla IV. Influencia de la campaña electoral

		Animó a votar	Animó a abstenerse	Le ayudó a decidir el partido por el que iba a votar	Reforzó su decisión de votar por el partido que pensaba	No me influyó en absoluto a la hora de votar	Ns/Nc
Edad	18 a 29	3,8%	2,8%	13%	27,7%	50,6%	2,1%
	30 a 49	9,1%	3,1%	9,7%	26,1%	52%	-
	50 a 64	9,3%	1,9%	11,3%	13,4%	62%	2,1%
	65 ó más	14,2%	1,8%	7,8%	7,4%	68,2%	0,7%
Sexo	Hombre	9,4%	3,5%	9,2%	21,3%	55,5%	1%
	Mujer	9,4%	1,5%	11%	17,6%	59,5%	0,9%
Nivel de estudios	Sin estudios/ Primarios sin completar	17,5%	2,1%	4,7%	9,4%	66,3%	-
	Estudios primarios completos	9,4%	3,7%	7,6%	16,6%	62,4%	0,2%
	Estudios secundarios	4,8%	2,7%	11,1%	20,3%	61,1%	-
	Estudios universitarios	12,3%	1,9%	10,8%	20,6%	52,4%	2%
Recuerdo de voto en Elecciones Autonómicas	JxSí	7,2%	0,4%	7,1%	23%	61,6%	0,8%
	C's	14,3%	1,4%	18,6%	21,1%	44,7%	-
	PSC	5,4%	-	8%	17,5%	69,1%	-
	PP	15,9%	0,8%	3,9%	7,5%	71,9%	-
	CUP	4%	2,1%	9,9%	28,3%	52,0%	3,6%
	CSQEP	15%	-	9,8%	26,6%	48,6%	-
	UDC	14,6%	-	23,9%	5,6%	55,9%	-
	Otros	-	-	-	40,9%	59,1%	-
	Ns/Nc	11,5%	1,9%	16,9%	8,9%	58,8%	1,9%
Grado de simpatía	PP	10,6%	3,1%	11,2%	3,4%	71,7%	-
	PSOE	12,1%	0,5%	9,4%	15,6%	61,2%	1,1%
	CiU	8,6%	0,2%	6,1%	21,4%	63,7%	-
	IU	18,7%	-	5,9%	17%	54,4%	4%
	ERC	8,6%	0,2%	5,0%	22,1%	64,1%	-
	CUP	4,1%	8,2%	9,2%	22,2%	56,2%	-
	PODEMOS	3,5%	5,4%	12,8%	29,3%	47,6%	1,4%
	C's	12,5%	3,3%	16,8%	19,5%	47,8%	-
	CDC	-	-	2,5%	29,6%	57,5%	10,4%
	UDC	41,5%	-	19,6%	7,3%	31,6%	-
	DyL	4,6%	-	-	82%	13,4%	-
	JxSí	24,4%	-	45,8%	5,2%	24,6%	-

		Animó a votar	Animó a abstenerse	Le ayudó a decidir el partido por el que iba a votar	Reforzó su decisión de votar por el partido que pensaba	No me influyó en absoluto a la hora de votar	Ns/Nc
	ICV-EUiA	-	-	-	28,7%	71,3%	-
	Los Verdes	28,4%	-	30,2%	-	41,4%	-
Grado de simpatía	Otros	-	-	-	50,2%	49,8%	-
	Ninguno	6,2%	6,4%	9,8%	11,1%	64,7%	1,9%
	Ns/Nc	10,7%	3,2%	19,3%	22,8%	40,8%	3,2%
	Extrema Izquierda	7,8%	2,1%	8,5%	18,9%	62,8%	-
	Izquierda/ Centro Izquierda	8,4%	1,5%	12,5%	21,9%	54,7%	0,9%
Autoubicación en la escala ideológica	Centro	7,7%	3,1%	8,5%	19,3%	59,7%	1,7%
	Derecha/ Centro Derecha	8,4%	0,3%	9,2%	17,6%	61,8%	2,7%
	Extrema Derecha	20,5%	-	7,3%	9,5%	62,8%	-
	Ns/Nc	-	-	-	100%	-	-

Fuente: Elaboración propia a partir de datos del *Estudio Postelectoral Elecciones Autonómicas en Cataluña 2015*

De manera general, la influencia de la campaña electoral tanto por edad, por género y por nivel de estudios en más de un 50% de los casos no les influyó en absoluto a la hora de votar; dicha cuestión resaltaría una de las hipótesis de este trabajo que versa sobre la limitación de los efectos que producen las campañas electorales. De manera concreta, se aprecia que los mayores de 65 años manifiestan en un 14,2% que la campaña les animó a votar; a los catalanes entre 18 y 49 años fundamentalmente la campaña les reforzó la decisión de votar al partido que tenía pensado (27,7% y 26,10%, respectivamente) y en la franja de los 50 a los 64 encontramos que la campaña les ayudó a un 11,3% de los ciudadanos a decidir el partido por el que iba a votar. En cuanto a las diferencias en los efectos que la campaña que puede producir por género nos encontramos que a un 11% de las mujeres la campaña les sirvió para decidir a qué partido votar. Si nos centramos en el nivel de estudios, se aprecia que los catalanes a los que la campaña electoral les animó a votar son aquéllos que no tienen estudios o con estudios primarios sin completar (17,5%) y aquéllos catalanes que utilizaron la campaña para decidir a quién votar en un 11,1% tienen estudios secundarios.

Centrándonos en el recuerdo de voto y en la autoubicación en la escala ideológica, al igual que en las variables anteriores, los catalanes manifiestan que la campaña no les influyó a la hora de decidir su voto en más del 60%. Pero si afinamos el análisis a los votantes del *Partit Popular* les animó a votar en un 15,9%. Al 23,9% de los votantes de *Unió Democràtica de Catalunya* y el 18,6% de los votantes de *Ciutadans* les ayudó a decidir el partido por el que iba a votar, mientras que a los votantes de *Junts pel Sí* (23%), *Partit dels Socialistes de Catalunya* (17,5%), *Candidatura d'Unitat Popular* (28,3%) y *Cataluña Sí Que Es Pot* (26,6%) la campaña les reforzó la idea de votar al partido que pensaba votar.

Si la influencia de las campañas es fundamental para conocer cuál es su utilidad, es imprescindible conocer cuál es el seguimiento que los ciudadanos hacen de la campaña electoral. En este sentido en la actualidad, el seguimiento de las campañas electorales se hace fundamentalmente a través de los medios de comunicación, de ahí el interés que los partidos tienen por estar presentes en ellos. En este sentido, la legislación prevé para aquéllos que no se han presentado nunca o que no han alcanzado el 5% de los votos, un mínimo de cuota de pantalla para darse a conocer y para el resto de partidos que obtuviesen entre el 5% y el 15% de los sufragios, tendrán 15 minutos de pantalla y para los que superan el 15% de los votos 25 minutos.

En el caso de los comicios de 2015 el seguimiento que los catalanes hicieron de los medios de comunicación es amplio, solo que dicho seguimiento o consumo de información política a través de diferentes medios no influye significativamente en su conducta electoral posterior. De manera general podemos destacar cómo es la TV el medio que más consumen los catalanes y que posteriormente tienen en cuenta para emitir su voto. Pero tanto si consumen prensa, radio o televisión con la frecuencia de consumo que sea los catalanes manifiestan mayoritariamente que no les influyó a la hora de votar.

Tabla V. Medios informativos que tuvo en cuenta a la hora de votar

		Animó a votar	Animó a abstenerse	Le ayudó a decidir el partido por el que iba a votar	Reforzó su decisión de votar por el partido que pensaba	No me influyó en absoluto a la hora de votar	Ns/Nc
Prensa escrita o digital	Todos o casi todos los días	9,9%	1,3%	11,9%	19,3%	56,1%	1,4%
	4 o 5 días por semana	7,2%	2%	10%	34%	46,8%	-
	2 o 3 días por semana	13,8%	2,3%	8,9%	22,8%	52,1%	-
	Sólo los fines de semana	9%	0,8%	0,8%	28,9%	60,4%	-
	De vez en cuando	6,9%	5,9%	7,6%	13,7%	63,7%	2,1%
	Nunca o casi nunca	9,5%	2,9%	10,9%	12,6%	63,9%	0,2%
	Ns/Nc	11,4%	4,5%	9,1%	36,3%	38,7%	-
TV	Todos o casi todos los días	8,2%	1,8%	9,4%	19,2%	60,4%	0,9%
	4 o 5 días por semana	16,7%	4,5%	8,3%	31,0%	37,6%	1,8%
	2 o 3 días por semana	6,7%	4,5%	6,3%	19,9%	62,6%	-
	Sólo los fines de semana	-	-	45,1%	19,5%	35,4%	-
	De vez en cuando	11,4%	2,6%	12,9%	20%	53,1%	-
	Nunca o casi nunca	13,6%	6,5%	14,1%	2,4%	63,4%	-
	Ns/Nc	11,6%	5,3%	2,8%	34,7%	33,8%	11,7%

		Animó a votar	Animó a abstenerse	Le ayudó a decidir el partido por el que iba a votar	Reforzó su decisión de votar por el partido que pensaba	No me influyó en absoluto a la hora de votar	Ns/Nc
Radio	Todos o casi todos los días	8,5%	1%	10,3%	21,8%	58,4%	-
	4 o 5 días por semana	7,5%	-	2,5%	35,9%	54,1%	-
	2 o 3 días por semana	8%	-	20,5%	31,4%	33,6%	6,5%
	Sólo los fines de semana	53,7%	-	-	5,6%	40,7%	-
	De vez en cuando	13,3%	0,7%	10,6%	13,6%	60,4%	1,3%
	Nunca o casi nunca	8,9%	4,9%	11,6%	14,4%	59%	1,3%
	Ns/Nc	9,3%	3,4%	2,9%	30,3%	51%	3,2%

Fuente: Elaboración propia a partir de datos del *Estudio Postelectoral Elecciones Autonómicas en Cataluña 2015*

Si nos centramos en los diferentes medios y la frecuencia con la que lo consumen podemos obtener algunos datos relevantes como que el consumo de la prensa (escrita o digital) y la radio entre 4 y 5 días por semana ayudaron a más de un 34% de los catalanes a decidir el partido por el que iban a votar. Mientras que para un 13,8% de los votantes que consumen 2 o 3 veces a la semana 13,8% manifiestan que la campaña les animó a votar; así mismo el consumo de radio solo los fines de semana influye en la conducta de un 53,7% de los catalanes y dicha influencia es en animarles a votar. En el caso de la televisión se aprecia como al 45,1% que solo consume tv los fines de semana manifiesta que la campaña electoral le ayudó a decidir el partido por el que iba a votar y para un 16,7% que ven la televisión entre 4 y 5 veces a la semana le animó a votar.

El consumo de televisión de 4 a 5 días o todos los días refuerza la idea de votar al partido que inicialmente se tenía pensado en más del 70% de los casos seguido de los que manifiestan en un 31% que les animó a votar. En el primero de los casos esta cifra es ligeramente superior en el caso de la prensa y en el caso de la televisión es al contrario, es ligeramente superior a los que la campaña les animó a votar.

Cuando nos centramos en cuáles fueron las actitudes y consumo de información política que los catalanes tuvieron durante la campaña electoral y cuáles fueron los efectos que éstos tuvieron a la hora de votar tal y como se aprecia en la Tabla VI fue fundamentalmente el seguimiento de la propaganda política por televisión seguida de la lectura de folletos, cartas o programas electorales; mientras que son menos los que manifiestan haber contribuido económicamente o haber participado como voluntarios en la campaña.

Al cruzar las actitudes y el consumo de información política con la conducta electoral nos encontramos con que a más de un 80% de los entrevistados el consumir propaganda política bien por televisión o por cartas, carteles, folletos o programas les reforzó su decisión de votar por el partido que pensaba y a los que ayudó a decidir el partido por el que iba a votar siguieron la propaganda política en un 61,9% y leyeron cartas, folletos o programas en un 73,3% de los casos. El uso de internet y redes sociales tiene esta misma tendencia aunque en este caso el uso es menor pero los que lo hacen en un 53,9% es para reforzar su decisión de votar por el partido que pensaba antes de la campaña.

Con respecto a los que manifiestan haber contribuido económicamente o haber trabajado como voluntarios durante la campaña electoral, nos encontramos con que para un 6,9% en ambos casos les animó a abstenerse seguido de los que manifestaron que reforzaron su decisión de votar por el partido que pensaba en un 4,4% y 6,3% respectivamente.

Tabla VI. Actitudes, consumo y conducta que provocó la campaña electoral

		Animó a votar	Animó a abstenerse	Le ayudó a decidir el partido por el que iba a votar	Reforzó su decisión de votar por el partido que pensaba	No me influyó en absoluto a la hora de votar	Ns/Nc
Seguimiento por TV de propaganda política	Sí	61,9%	55,6%	61,9%	81,7%	61,3%	65,6%
	No	31,4%	44,4%	38,1%	18,1%	38,6%	34,4%
	Ns/Nc	6,7%	-	-	0,2%	0,1%	-
Leyó o echó un vistazo a cartas, folletos o programas	Sí	54,5%	49,5%	73,3%	80%	51,3%	61,7%
	No	45,5%	50,5%	26,7%	20%	48,7%	38,3%
	Ns/Nc	-	-	-	-	-	-
Contribuyó económicamente	Sí	-	6,9%	3,8%	4,4%	2,6%	-
	No	100%	93,1%	96,2%	95,6%	97,4%	100%
	Ns/Nc	-	-	-	-	-	-
Trabajó como voluntario en la campaña	Sí	1,6%	6,9%	3,4%	6,3%	4,3%	-
	No	98,4%	93,1%	96,6%	93,7%	95,7%	100%
	Ns/Nc	-	-	-	-	-	-
Utilizó internet, o las redes sociales	Sí	20,6%	23,1%	38,9%	53,9%	19,7%	31%
	No	71,3%	76,9%	61,1%	45,2%	80%	69%
	Ns/Nc	8,1%	-	-	0,9%	0,3%	-

Fuente: Elaboración propia a partir de datos del *Estudio Postelectoral Elecciones Autonómicas en Cataluña 2015*

3.2. Los debates electorales

De entre todos los actos que se producen durante la campaña electoral los debates electorales constituyen uno de los eventos más importantes de la comunicación del mensaje electoral, fundamentalmente por ser de entre todos los eventos el que más cambios puede provocar en el resultado general (Canel, 2006). En este sentido, los efectos que pueden provocar los debates electorales se acentuaron en el contexto catalán puesto que las elecciones se planteaban como muy competitivas, tal y como Díez-Nicolás y Semetko (1995:224) señalan sobre los efectos de los debates, debido a que varias formaciones políticas querían trasladar a la ciudadanía que "se estaban jugando la independencia". En este mismo sentido, Schott (1990) alude a que cuando las elecciones están muy reñidas los efectos que pueden tener los debates son decisivos. El presente estudio pone de manifiesto que los efectos que tuvieron los debates a la hora de decidir su voto en un 51,7% de los entrevistados manifiestan que no les influyó a la hora de votar, en un 17,6% reforzó su idea de votar al partido por el que tenía pensado votar y finalmente, al 5,5% les animó a votar.

Es importante destacar además de los efectos que produce el propio debate el interés que dicho acontecimiento suscita en los medios de comunicación y el seguimiento del mismo. En cuanto al seguimiento, cuando le preguntamos a los catalanes si siguieron el debate[5], nos encontramos con que tal acontecimiento solo fue seguido por un total del 41,9%, aunque en la mayoría de los casos los que manifiestan haberlos visto lo hizo en parte o tuvieron referencias del mismo, solo el 8,3% manifiesta haberlos visto enteros los dos.

Tabla VII. Influencia del debate

	Me animaron a votar	Me animaron a abstenerme	Me ayudaron a decidir el partido por el que iba a votar	Reforzaron mi decisión de votar por el partido que pensaba	Me animaron a votar a otro partido distinto del que pensaba	No me influyeron en absoluto a la hora de votar	Ns/Nc
Si, los vio enteros (ambos)	32,3%	5%	20,2%	13,2%	4,5%	17,8%	-
Si, vio entero el de TV3	21,4%	39,2%	7,1%	20,2%	2,9%	20,7%	2,9%
Si, vio entero el de La Sexta	9,7%	-	5,8%	4,8%	15,3%	8,2%	1,5%
Si, los vio en parte	19,7%	9,5%	12,8%	25,3%	13%	16,7%	1,6%
Si, vio en parte el de TV3	11%	-	4,3%	19,6%	3,1%	13,4%	3,3%
Si, vio en parte el de La Sexta	1,1%	46,2%	26,4%	9,1%	41,2%	8,2%	0,3%
No los vio pero tuvo referencia de ellos	5%	-	23,4%	7,8%	20%	14,9%	90,2%
No los vio ni tuvo referencia de ellos	-	-	-	-	-	-	-
Ns/Nc	-	-	-	-	-	-	-

Fuente: Elaboración propia a partir de datos del *Estudio Postelectoral Elecciones Autonómicas en Cataluña 2015*

Tal y como se aprecia en la Tabla VII, para un 20,2% de los vieron ambos debates le ayudaron a decidir el partido por el que votarían lo que confirmaría las investigaciones de Maurer y Reinemann (2006) que señalan que los ciudadanos aprenden de forma efectiva sobre los asuntos políticos en los debates lo que les ayudaría a poder tomar la decisión de a quién votar. Si nos centramos en aquéllos entrevistados que manifiestan que el debate les animó a votar a

---

[5]   Estudio Postelectoral en la Comunidad Autónoma de Cataluña, 2015.

otro partido distinto del que pensaba solo el 4,5% vio ambos debates y el 41,2% vio en parte el debate de La Sexta. Dicha actitud, la de cambiar de opinión tras el visionado de uno o de los dos debates es la más compleja de provocar y solo entre un 1% y un 4% cambia su voto tras ver un debate (Jamieson y Adasiewicz, 2000).

La estrecha relación entre la celebración de los debates electorales y los medios de comunicación se traduce en la cobertura que los medios de comunicación dan del debate y muy especialmente de quienes son percibidos como los ganadores del debate entendiendo que aquél candidato que es considerado como ganador puede provocar un mayor apoyo electoral (Lemert, Wanta y Lee, 1999 y Shaw, 1999). Así, en los pasados debates celebrados con motivo de las Elecciones Autonómicas de Cataluña en 2015, los entrevistados manifestaron en un 23,5% que el debate lo había ganado Raül Romeva, seguido de Antonio Baños con un 12,3% e Inés Arrimadas con un 11,4%.

Si estos datos los cruzamos por la conducta electoral que finalmente tuvieron los entrevistados, nos encontramos con que en la mayoría de las ocasiones con independencia de quien consideraron que fue el ganador no les influyó a la hora de votar. Los que consideran que los debates les reforzó la decisión de votar por el partido que tenían pensado votar manifiestan que ganó en un 43,5% Lluís Rabell, en un 35,2% Inés Arrimadas, en un 22,7% Antonio Baños, en un 27,1% que ganó Raül Romeva y en un 22,8% Miquel Iceta. Mientras que los que consideran que ganó Xavier García Albiol les animó a votar (11,1%). Finalmente, el 21,4% de los entrevistados que consideran que ganaron todos por igual pero que el debate les ayudó a decidir el partido por el que iba a votar.

Tabla VIII. Percepción de ganador del debate

	Animó a votar	Animó a abstenerse	Le ayudó a decidir el partido por el que iba a votar	Reforzó su decisión de votar por el partido que pensaba	No me influyó en absoluto a la hora de votar	Ns/Nc
Raül Romeva	11,2%	-	10,1%	27,1%	50,5%	1,1%
Inés Arrimada	3,3%	1,1%	16,5%	35,2%	44%	-
Miquel Iceta	7%	-	15,8%	22,8%	54,4%	-
Xavier García Albiol	11,1%	-	-	-	88,9%	-
Antonio Baños	10,2%	2%	8,2%	32,7%	44,9%	2%
Lluís Rabell	8,7%	8,7%	4,3%	43,5%	34,8%	-
Ramón Espadaler	-	-	-	-	100%	-
Todos por igual	14,3%	-	21,4%	14,3%	50%	-
Ninguno de ellos	6,2%	3,5%	4,4%	16,8%	69%	-
Ns/Nc	5,1%	2,5%	13,7%	18,8%	58,9%	1%

Fuente: Elaboración propia a partir de datos del *Estudio Postelectoral Elecciones Autonómicas en Cataluña 2015*

4. CONCLUSIONES

Los datos del estudio en el que basamos este trabajo ponen de manifiesto lo que hemos venido desarrollando de manera teórica en el mismo y es sobre los efectos que las campañas tienen sobre los electores. Así más del 50% (un 57,5%) de los entrevistados exponen que la campaña electoral no les influye a la hora de votar. De los que manifiestan que si les influye en un 19,4% de los casos les reforzó su decisión de votar por el partido que pensaba y en 11,9% de los casos movilizó actitudes preexistentes en los entrevistados. Finalmente, solo al 10,2% de los entrevistados les ayudó a decidir el partido por el que iba a votar.

De manera más concreta, la campaña electoral en la que se enmarcan los comicios autonómicos de Cataluña en 2015 habría servido como un instrumento de propaganda política donde la *exposición, atención y retención selectiva* habrían provocado en los votantes la sensación de que lo importante era la cuestión independentista. Los marcos discursivos creados por los partidos a favor de dicho proceso habrían calado firmemente en los electores y en los grandes cómplices, los medios de comunicación. Si bien algunos partidos tomaron como eje central dicha cuestión, los medios le dieron prioridad[6] a este tema en su cobertura generando en los ciudadanos que considerasen la independencia como el tema principal sobre el que giró toda la campaña. Dicha dinámica provocó a su vez que las elecciones fuesen percibidas como muy competitivas por lo que la participación fue muy alta. Además dicha participación se acentúa entre los electores que se manifiestan a favor de la independencia que también siguen la campaña con mayor interés que los no independentistas.

A modo de conclusión, la campaña electoral de los comicios autonómicos de Cataluña de septiembre de 2015 expone de manera clara y evidente conductas y efectos que se producen durante las campañas electorales. Así, en el presente trabajo se han relatado los efectos que se producen que podemos observarlos tanto en la conducta electoral de los votantes como en la conducta que los medios de comunicación llevaron a cabo. Quizá el más evidente y relevante sea el de *horse race campaign* donde la evidente dinámica ganador-perdedor que se establece giró en torno a los partidos pro independencia y los que no.

---

6 Sustentado en las *Teorías de la Agenda Setting* y los trabajos de Cohen (1963), McCombs y Evatt (1972) y Gormley (1975).

5. REFERENCIAS BIBLIOGRÁFICAS

Canel, M. J. (2006): *Comunicación Política: una Guía para su estudio y práctica*. Madrid: Tecnos.

Díez-Nicolás, J. & Semetko, H. A. (1995): La televisión y las elecciones de 1993. En: Muñoz-Alonso A. & Rospir, J.I. (dirs.). *Comunicación Política*. Madrid: Universitas, 243-304.

Dupoirier, E. (2004): *La régionalisation des élections régionales? Un modèle d'interprétation des élections régionales en France*. Revue française de science politique, 54, 571-594.

Jamieson, K. & Adasiewicz, C. (2000): What can voters learn from election debates? En: Coleman, S. (ed.). *"Televised election debates. International perspectives"*. Nueva York: Mac-Millan, 25-42.

Lazarsfeld, P.; Berelson, B. & Gaudet, H. (1944): *The people's Choice*. New York. Columbia University Press.

Lemert, J. B. Wanta, W. & Lee, T. (1999): *Winning by staying ahead: 1996 debate performance verdicts* en Kaid, L. y Bystrom, D. (eds.) *The electronic election: Perspectives on the 1996 campaign communication*. Mahwah, New Jersey: Erlbaum, 179-189.

Martínez i Coma, F. (2008): *¿Por qué importan las campañas electorales?*, Madrid: Centro de Investigaciones Sociológicas, 260.

Maurer, M. & Reinemann, C. (2006): *Learning vs. Knowing. Effects of misinformation in televised debates*, Communication Research, 33, 489-506.

Montabes Pereira, J. (1998): *El sistema electoral a debate. Veinte años de rendimientos del sistema electoral español*. Madrid: Centro de Investigaciones Sociológicas/ Parlamento de Andalucía.

— (2003): *El sistema electoral i l'estructura de la competència electoral a Andalusia*. En el libro colectivo *Reflexions al voltant de LA LLEI ELECTORAL CATALANA*. Fundación Carles Pi i Sunyer/ICPS. Barcelona, 2003.

Ortega Villodres, C. & García Hípola, G. (2013): *The spanish electoral System, 1977-2011*, en Reniu Vilamala J.M. and Mizerska-Wrotkowska, M. (Eds.): *Spain and Poland: Elections, Political Parties and Political culture*. Huygens Editorial. Barcelona, Schrott, P. (1990): *Electoral consequences of "winning" televised campaign debates*, Public Opinion Quarterly, 54, 567-585.

Agenda mediática y agenda política

Antón Losada Trabada
Paloma Castro Martínez
Universidad de Santiago de Compostela

Los medios de comunicación se han convertido en sospechosos habituales para la política y por políticos, pero también para la ciencia política y los politólogos. Se les atribuyen todo tipo de habilidades y capacidades, a veces ciertamente mágicas. Acaso con demasiada frecuencia se recurre a su enorme influencia para explicar aquellos resultados que no se sabe muy bien cómo desentrañar de otra manera. Pocas veces parece haber estado tan vigente la visión de la opinión pública como una "fuerza mística" ya retratada por Lippman en los años cincuenta. Seguramente pocas veces la prensa se ha visto con tanta certeza como su constructora y ha llegado a creerse con tanta fe esa imagen.

Paradójicamente todos seguimos tendiendo a infravalorar la influencia real que los medios de comunicación pueden tener sobre nosotros mismos. Casi siempre nos referimos a este asunto en tercera persona: uno mismo rara vez se reconoce influido por la prensa mientras que reconoce con extrema facilidad esa influencia en los demás. Se infravalora el efecto propio y se sobreestima aquél causado sobre los demás.

El debate sobre el papel de los medios de comunicación en la formación de la agenda pública se ha convertido en un clásico. Autores como Shaw (1972), Funkhouser (1973), Ivengar y Kinder (1987), Brosious y Kepplinger (1990), Kingdom o McCombs (1994, 2006) han acreditado con trabajada evidencia empírica la larga influencia que los medios de comunicación ejercen de manera constatable sobre el funcionamiento de la agenda de los poderes públicos. La literatura ha destacado de manera especial su papel decisivo a la hora de convertir una situación problemática en un "asunto noticia" o "issue". Aunque buena parte del debate ha terminado girando precisamente en torno a la dificultad de determinar si es la atención de los medios aquello que convierte un problema en un *issue* público o es primero el interés social por un problema aquello que fija u obliga a fijar la atención de los medios (Subirats, 1992).

Las evidencias aportadas por la literatura sobre medios y agenda acreditan como los medios de comunicación juegan un papel crucial a la hora de establecer los criterios, prioridades y valores predominantes en el debate público y en el proceso de formación de la agenda pública. Más que por su capacidad para marcar la agenda pública de manera directa, los medios importan por su evidente capacidad para "indexarla" y marcar los límites del debate e incluir o excluir opciones

(Graber, 1997). También contribuyen de marea decisiva a dar o quitar estatus y legitimidad a los diferentes actores. Los medios influyen cada vez más sobre quién resulta percibido como víctima o verdugo, quién es responsable, culpable, afectado o beneficiado, quién puede o no participar en el debate o en el proceso de toma de decisiones, a título de qué y bajo qué condiciones.

El efecto de los medios sobre la conformación de la agenda pública se vuelve aún más notorio respecto al tratamiento simbólico de los diferentes *issues* que respecto a la acción institucional. La actitud de los medios de comunicación resulta determinante a la hora de activar o desactivar fenómenos que han probado sobradamente su capacidad para determinar la opinión pública. Las líneas editoriales de los medios resultan imprescindibles para que se pueda producir o no la llamada "espiral de silencio" (Tripton, 1992; Noelle-Newmann, 2010), que nos lleva a guardarnos la opinión propia para ajustarla a la mayoritaria o a lo "políticamente conveniente". Los medios y sus estrategias informativas actúan como agentes necesarios para la expansión de la llamada "ignorancia pluralista", que puede llevar a una parte de la opinión pública a inclinarse por conservar el statu quo y dejar las cosas como están simplemente porque debe ser lo que quiere la mayoría porque es la posición mayoritaria en los medios.

La percepción de que los medios de comunicación cuentan y "marcan la agenda" se ha extendido de manera inapelable. Se ha institucionalizado en la estrategia de los restantes actores como una prioridad la urgencia de competir por captar su atención y asegurar su cooperación, reformulando incluso sus propias agendas y propuestas para mejorar su acceso y visibilidad en los medios de comunicación. Ha sido precisamente la constatación de esta capacidad de los medios para conformar la agenda pública lo que ha multiplicado el interés por preguntarse sobre quién establece la propia agenda de los medios.

Resulta bastante notorio que la deliberación pública fundamental en una democracia se haya cada vez más mediatizada y delimitada por las opiniones, valores e interés de un número limitado de profesionales de la comunicación, hablando entre sí y al público a través de medios masivos. Un grupo habitualmente reducido y estable de profesionales cuyos criterios de selección y acceso responden primordialmente a lógicas corporativas, cuando no a sucesos puramente aleatorios.

La llamada "opinión publicada" marca cada vez más los límites del debate, las posiciones, análisis, política y soluciones que resultan aceptables o inaceptables. Para buena parte del público, los medios de comunicación parecen haberse convertido incluso en intermediarios más rápidos y efectivos ante líderes y representantes que las "viejas" organizaciones políticas. La opinión pública marca los límites del debate, lo correcto y lo incorrecto. En buena medida, los medios de comunicación han reemplazado a los partidos como intermediarios entre el público y los líderes. (Kennamer, 1992).

Otras de las evidencias aportadas por el estudio del papel de los medios en la formación de la agenda pública establecen que, ni la diversidad de medios, ni la competencia, aseguran la pluralidad informativa. Los medios de comunicación se orientan primordialmente hacia el consumidor que puede pagar. No se informa a quién o sobre quién no puede pagar. La competencia en los medios se ha convertido en una auténtica carrera de velocidad. La creciente importancia de la "velocidad" como producto informativo ha reforzado el papel central de los portavoces oficiales como "agenda setters" (Hess, 1983) por cuanto nadie puede suministrar de manera tan rápida y efectiva información tan barata y fiable. Sólo una proporción muy pequeña de la información diaria proviene realmente de los propios medios y sus recursos informativos (Sigal, 1973; McCombs, 1994, 2006).

Resulta fácilmente constatable el peso desproporcionado de las fuentes oficiales simplemente por causa de su capacidad para ahorrar costes (Kennamer, 1992), lo que hace que los medios se hallen muy incentivados para acabar aceptando la versión oficial y publicándola acríticamente (Cutlip, 1988). La facilidad gana el acceso a los medios. Los políticos se ven impulsados a gestionar las noticias para posicionarse mejor en el mercado político y los medios aceptan esa gestión porque les ahorra costes y les permite maximizar sus beneficios (Entman, 1989).

Los propios medios de comunicación parecen haber ido ganando conciencia respecto a su capacidad de influencia. Se registra una tendencia creciente desde las posturas editoriales a introducirse y mezclarse con la información. Lejos de verse como un problema semejante evolución debería aprovecharse como una oportunidad para abandonar, de una vez por todas, el mito de la "objetividad" de la prensa. La postura editorial siempre ha podido informar y ha informado las noticias de muchas maneras: controlando su presencia, espacio y relevancia, manejando los titulares y elementos gráficos, estableciendo el enfoque y selección de los hechos a cubrir, gestionando las jerarquías en la solicitud, selección y citado de fuentes y opiniones, haciendo "framing" y encarrilando desde el titular el punto de vista del lector o desenfocando o sobre o infravalorando a través del lenguaje. En el caso que nos ocupa, comprobaremos hasta qué punto los medios han procesado y difundido la información guiados por una postura editorial conformada de acuerdo con sus valores e intereses.

Sin perder su rol de árbitros o moderadores que les aporta su función informativa, los medios de comunicación se han habituado a actuar como actores políticos. Trabajan activamente para modelar el discurso político de acuerdo con sus propósitos, no son meros reflejos, sobre todo los medios escritos (Page, 1996). Los medios actúan como actores políticos, en el caso catalán también. Los medios de comunicación trabajan activamente para modelar el discurso político de acuerdo con sus propósitos. A diferencia de cómo suele gustarles presentarse a sí mismos, los medios de comunicación no son meros reflejos o notarios de la actualidad, sobre todo los medios escritos. En el caso que nos ocupa, comprobaremos hasta qué punto han actuado como actores políticos y han sido sus prioridades como tales actores las que han marcado y definido su estrategia informativa.

Esta bipolaridad de los medios de comunicación entre su función informadora y su agenda como actores políticos puede, en buena medida, explicar algunas de las tendencias emergentes identificables en la literatura científica. Así, podría ayudar a comprender la creciente desconexión entre los valores dominantes en los medios informativos y los valores de los ciudadanos ordinarios, la tendencia cada vez más acusada de los periodistas a convertirse en protagonistas de la información (Kerbel, 1999) o su evidente preferencia por retratar la política como una contienda militar, donde los propios medios cada vez pueden así desarrollar un mayor protagonismo y mostrarse sin complejos como parte activa en el conflicto. El *backstage* de la política ha saltado definitivamente a las primeras páginas (Kerbel, 2000).

1. CATALUNYA, ESPAÑA Y LOS MEDIOS

El presente estudio trata de aportar evidencias que permitan ratificar la validez de dos de las conclusiones más relevantes que podemos extraer tras analizar la literatura disponible sobre medios y política. La primera sostiene que los medios de comunicación poseen más capacidad para dificultar el acceso e indexar la agenda que para definir y decidir su contenido efectivo. La segunda sostiene que el principal papel que juegan los medios de comunicación en la conformación de la agenda se refiere a su transcendencia a la hora de repartir roles entre los diferentes actores y dirimir los conflictos de legitimidad entre las diferentes demandas y soluciones planteadas por los actores.

En el caso catalán, demostraremos cómo el papel de los medios de comunicación ha resultado relevante en ambas dimensiones, tanto para excluir o incluir opciones y ordenarlas en la agenda, como a la hora de definir, asignar y consolidar roles específicos a los diferentes actores. A tal fin, se va a proceder al análisis comparado del tratamiento informativo y editorial desarrollado por los medios de prensa impresa significativos de Madrid y Barcelona, como capitales de los dos polos del denominado por los propios medios "conflicto catalán". En Madrid se han seleccionado dos de los periódicos de referencia, ABC y El País, representantes del espectro de las posiciones más conservadoras, liberales y progresistas. En Barcelona se ha seleccionado a los dos medios más difundidos y que además acreditan una notable presencia en el resto del Estado: La Vanguardia y El Periódico.

La selección de estos diarios se debe, además de a cuestiones de oportunidad en cuanto se refiere a su acceso y consulta, a que se trata de las publicaciones que disfrutan de una mayor repercusión sobre la opinión pública, como se puede observar en los Gráficos (Gráfico I y II) que figuran a continuación:

Gráfico I. Periódicos más leídos al día (Abril 2015 - Marzo 2016)

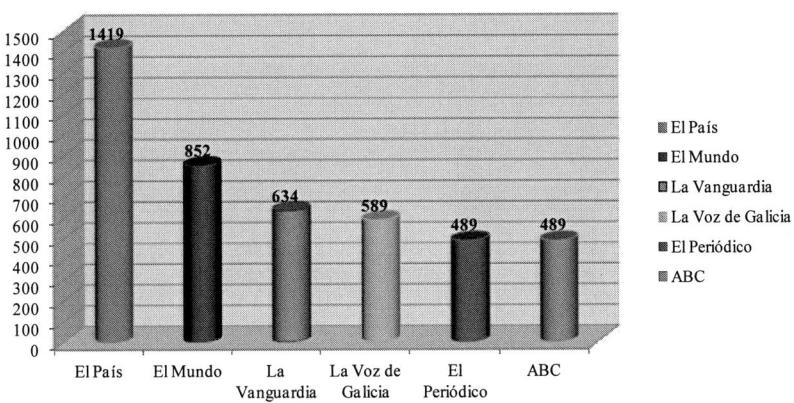

Fuente: Elaboración propia a partir de datos de EGM

Gráfico II. Periódicos con mayor promedio de tirada y promedio de difusión (Enero 2015 - Diciembre 2015)

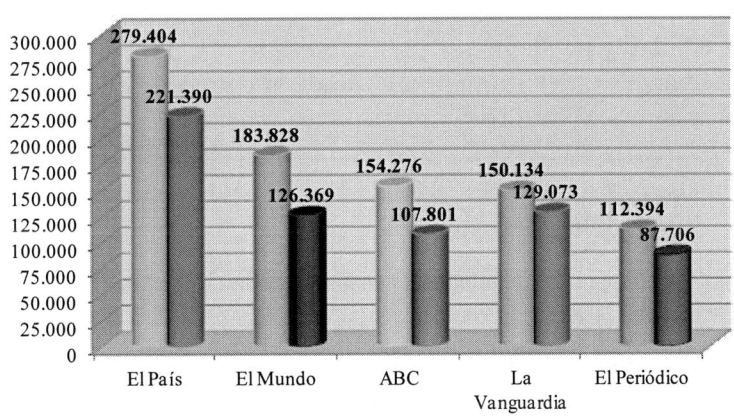

Fuente: Elaboración propia a partir de datos de OJD

No obstante, debido a que en el presente trabajo se analizan las últimas elecciones catalanas, resulta interesante conocer la difusión que dichos periódicos tienen en el territorio catalán; información disponible en el Gráfico siguiente, mediante el cual, se puede concluir que aquellos diarios con mayor difusión son precisamente las publicaciones barcelonesas, de hecho la difusión de El País, El Mundo y ABC juntas no suman ni la tercera parte de la difusión de La Vanguardia en el mismo espacio geográfico.

Gráfico III. Periódicos con mayor difusión en Cataluña (Enero 2015 - Diciembre 2015)

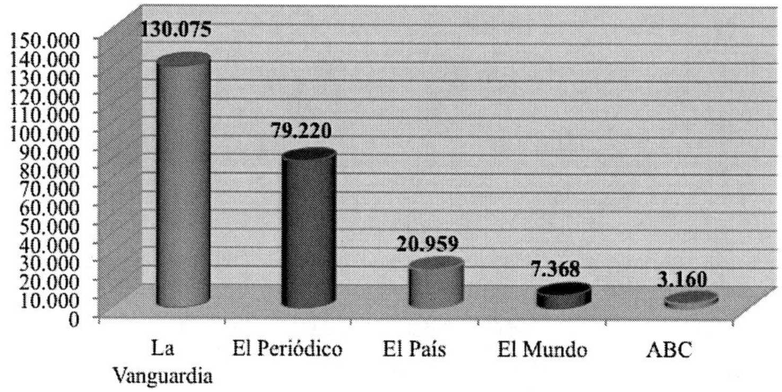

Fuente: Elaboración propia a partir de datos de OJD

Se ha optado por limitar el análisis a la prensa escrita por cuestiones de oportunidad, pero sobre todo por la evidencia contrastable de que, a pesar de la innegable caída de su venta y difusión, la prensa escrita continúa influyendo decisivamente el enfoque e incluso la línea editorial de unos medios audiovisuales que no suelen disponer de espacios editoriales porque aún siguen tomando como referencia de calidad y prestigio a la prensa escrita.

El estudio abarca el periodo temporal desde la convocatoria de las elecciones hasta su realización. Se centra en comparar el tratamiento y la posición de la prensa escrita de referencia en Madrid y Barcelona ante cinco *issues* que, como hemos constatado, marcaron de manera decisiva la campaña y los comicios catalanes. Tales asuntos se detallan en la Tabla I.

Tabla I. *Issues* principales en las Elecciones catalanas

ISSUES PRINCIPALES EN LAS ELECCIONES CATALANAS
Los costes y beneficios de la independencia
Las repercusiones internacionales y la permanencia o expulsión de la UE
La solución del referéndum
La solución de una reforma constitucional
La candidatura nacionalista única y la figura de Artur Mas

Fuente: Elaboración propia

2. CONTANDO NOTICIAS EN MADRID Y EN BARCELONA

Desde una perspectiva más cuantitativa el análisis comparado de las noticias que guardan relación con las últimas Elecciones Autonómicas catalanas nos ofrece interesantes pistas sobre cómo se ha construido la relación entre las agendas mediática y política durante la campaña. Sin embargo, antes de exponer el análisis que se ha elaborado, resulta necesario constatar del número de noticias en portada referidas a Catalunya que han publicado cada uno de los periódicos estudiados durante el lapso de tiempo especificado, como se recoge en el siguiente Gráfico (Gráfico IV):

Gráfico IV. Número de noticias publicadas (03/08/2015-27/09/2015)

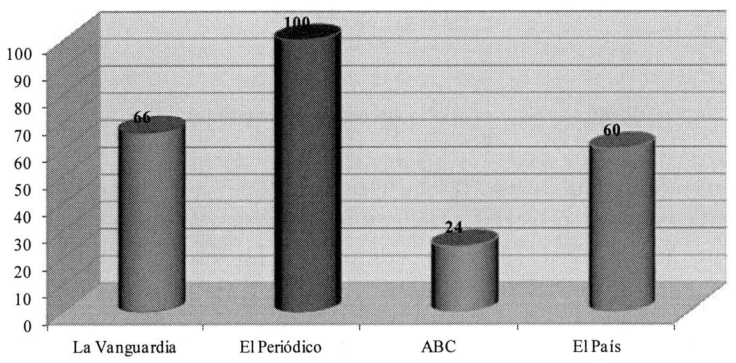

Fuente: Elaboración propia a partir de datos obtenidos de La Vanguardia, El Periódico, ABC y El País

Como se puede observar en el Gráfico (Gráfico IV) anterior, existe una gran diferencia entre el número de noticias en portada publicadas por El Periódico y ABC con respecto a los otros dos diarios, que disponen de cifras similares. Estas diferencias se deben, en el caso de El Periódico, a que desde el día 11 de septiembre, fecha en la que la celebración de la Diada coincidió con el arranque de la campaña electoral, publica todos los días dos apartados especiales titulados "Con la independencia…" y "Entre todos", además de una tercera sección, cuyo nombre se va alternando; y en el caso de ABC, a que sus portadas suelen dedicarse mayoritariamente a un único suceso, estilo que no comparten el resto de periódicos.

2.1. El volumen de las informaciones

Teniendo en cuenta el número de noticias publicadas durante estos dos meses, podemos centrarnos en qué medida son tratados los *issues* principales que han surgido durante este tiempo con respecto a las Elecciones catalanas de 2015, aspecto que se puede constatar viendo el Gráfico (Gráfico V) que figura a continuación:

Gráfico V. Porcentaje de noticias que tratan los issues principales por periódico

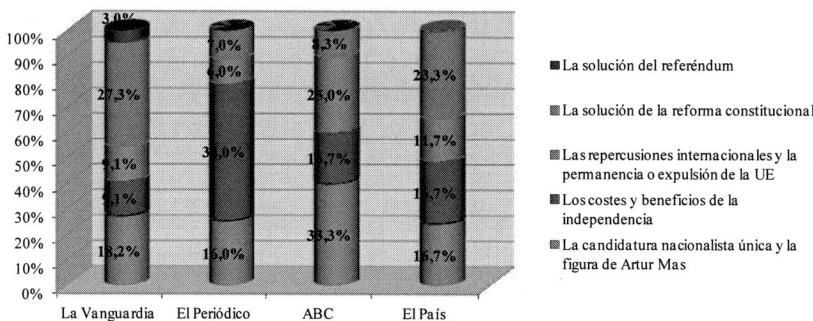

Fuente: Elaboración propia a partir de datos obtenidos de La Vanguardia, El Periódico, ABC y El País

Como muestra el mencionado Gráfico (Gráfico V), el periódico que trata en mayor medida el tema relativo a *la candidatura nacionalista única* (JxSí) *y la figura de Artur Mas* es ABC (33,3%), seguido de La Vanguardia (18,2%), El País (16,7%) y El Periódico (16%). Si bien la cantidad de noticias publicadas sobre este tema en los distintos diarios no muestra una pauta, si se relaciona ésta con el enfoque que le otorgan los cuatro periódicos, se puede observar una presentación bastante más negativa desde la prensa de Madrid con respecto a la figura de Artur Mas y a la iniciativa de la candidatura única, como comprobaremos más adelante.

El periódico que ofrece más informaciones relativas a *los costes y beneficios de la independencia* es El Periódico (34%), manteniendo una considerable distancia con respecto a las publicaciones que sobre este *issue* hacen los demás diarios. Esta distancia se debe a la presencia de las mencionadas secciones especiales que contienen las portadas de El Periódico, dedicadas a resolver diversas cuestiones que podrían tener lugar si se produjese la hipotética independencia de Cataluña. Con respecto a este tema, el segundo periódico que más noticias publica es ABC y El País (16,7%), seguido de La Vanguardia (9,1%).

Este último dato resulta bastante paradigmático si se considera el hecho de que La Vanguardia, un periódico barcelonés, aparece cómo la publicación que ha tratado con mayor frecuencia el *issue* relativo a *la solución de la reforma constitucional* (27,3%), seguida de El País (23,3%), ABC (8,3%) y El Periódico (7%), a priori, se podría esperar que los medios madrileños tratasen en mayor medida que los medios barceloneses este tema.

Además, La Vanguardia es el único periódico que ofrece titulares en sus portadas donde se habla de *la solución del referéndum*. No obstante, en la portada de El Periódico del 29 de agosto, se puede leer el siguiente subtitular:

> *"Sí que es Pot propone en su programa decidirlo "todo" en un referéndum pactado"* (El Periódico, 29/08/2015).

Y en la del 17 de septiembre:

"La entidad económica (refiriéndose al Cercle d'Economia) señala que solo cabe pactar un referéndum o más autogobierno" (El Periódico, 17/09/2015).

Por tanto, resulta relevante el hecho de que los diarios barceloneses sean las únicas publicaciones, aunque escasas, que hacen menciones relativas a *la solución del referéndum*. Tanto ABC como El País no mencionan ni una sola vez las palabras "referéndum" o "consulta" en las cabeceras de sus portadas comprendidas entre el 3 de agosto y el 27 de septiembre.

En cuanto al *issue la permanencia o expulsión de la UE*, su frecuencia es mayor, en proporción, en los medios madrileños que en los medios barceloneses; siendo su presencia de un 25% en ABC, un 10% en El País, un 9,1% en La Vanguardia y un 3% en El Periódico, unos datos que parecen indicar una mayor preocupación por las repercusiones internacionales en la prensa de Madrid.

2.2. El enfoque de las informaciones

Independientemente del tema que traten las noticias, se ha prestado atención a si el tratamiento de la información se hace en términos de *Personalidad*, entendiendo por ésta el vocablo que se le atribuye a aquellos titulares cuyos sujetos principales son los líderes políticos o, en su defecto, los partidos políticos a los que pertenecen u otras organizaciones implicadas; o en términos de *País*, es decir, cuando los sujetos principales son, en esta ocasión, Cataluña o España.

Gráfico VI. Porcentaje de noticias tratadas en términos de personalidad y de país por periódico

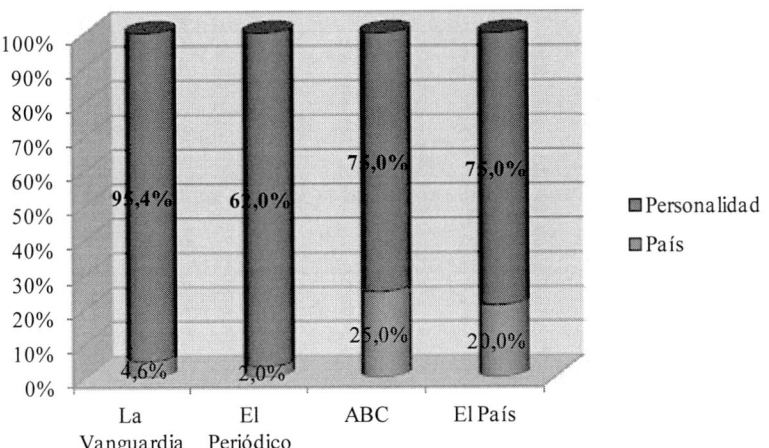

Fuente: Elaboración propia a partir de datos obtenidos de La Vanguardia, El Periódico, ABC y El País

Como se puede observar en el Gráfico (Gráfico VI) anterior, en dos de los cuatro periódicos: El Periódico y El País, sus respectivos porcentajes no suman el 100%, esto se debe a que ambas publicaciones cuentan con titulares que son impersonales, si bien, el porcentaje de cabeceras sin sujeto resulta mucho mayor en el caso de El Periódico, lo cual se debe, una vez más, a los apartados especiales ya comentados de esta editorial.

Dejando a un lado esta aclaración, los diarios que publican con mayor frecuencia noticias en términos de *País* son los periódicos madrileños (ABC (25%) y El País (20%)), a mucha distancia de los periódicos barceloneses (La Vanguardia (4,6%) y El Periódico (2%)).

Otro de los aspectos que se han analizado se refiere a si el enfoque de la noticia es positivo, negativo o neutro, en función de si la noticia se presenta como una confrontación o desafío entre líderes o naciones o se presenta como una oportunidad de mejora, medido por la selección y uso de verbos de acción o reacción y adjetivos positivos o negativos.

A tenor de los datos que muestra el siguiente Gráfico (Gráfico VII), únicamente La Vanguardia dispone de publicaciones con un enfoque neutro, lo cual se produce cuando la información se refiere exclusivamente a datos de encuestas electorales. A este respecto, el resto de diarios también ofrecen resultados de sondeos electorales, pero siempre realizan algún tipo de calificativo que hace que la noticia no se pueda clasificar como neutra. Además, La Vanguardia es el periódico que dispone de un porcentaje mayor de noticias con un enfoque positivo (30,3%), seguida a bastante distancia por el resto de diarios, cuyos porcentajes, tanto de informaciones con carácter positivo como negativo son muy similares.

Gráfico VII. Porcentaje de noticias en función de su enfoque por periódico

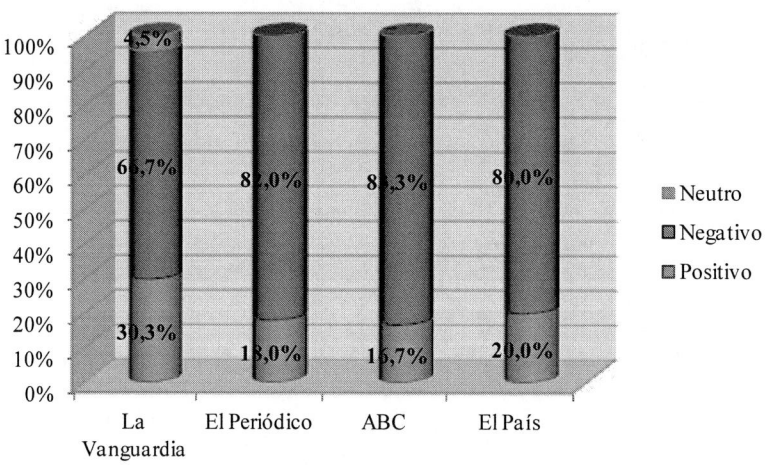

Fuente: Elaboración propia a partir de datos obtenidos de La Vanguardia, El Periódico, ABC y El País

Si relacionamos el tema de las noticias con su enfoque, en el caso de los *issues la candidatura nacionalista única y la figura de Artur Mas* y *la solución de la reforma constitucional*, se obtienen resultados dotados de mayor interés, a diferencia de los *issues los costes y beneficios de la independencia* y *la permanencia o expulsión de la UE*, puesto que no se observan diferencias significativas entre los distintos periódicos.

Gráfico VIII. Porcentaje de noticias sobre La candidatura nacionalista única y la figura de Artur Mas en función de su enfoque por periódico

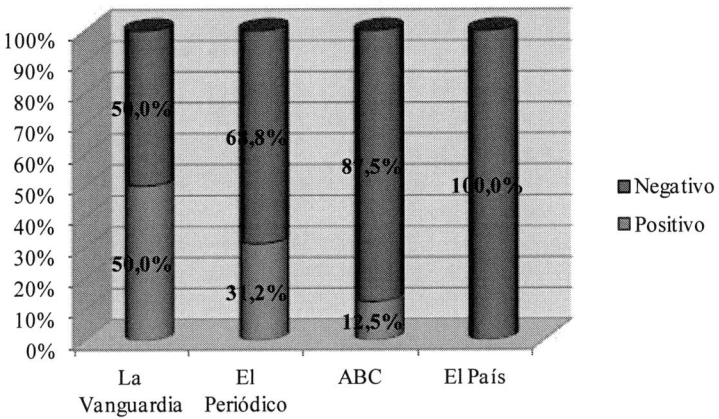

Fuente: Elaboración propia a partir de datos obtenidos de La Vanguardia, El Periódico, ABC y El País

En el primer caso, como se puede deducir del Gráfico (Gráfico VIII) anterior, se constata que, en proporción, los diarios de Madrid (El País (100%), ABC (87,5%)) son los que más noticias con enfoque negativo publican acerca de *la candidatura nacionalista única y la figura de Artur Mas*, en contraposición a los periódicos de Cataluña (El Periódico (68,8%), La Vanguardia (50%)).

Por su parte, en el segundo caso, resulta peculiar el hecho de que La Vanguardia (de nuevo) y ABC publiquen tantas noticias con enfoque positivo como negativo acerca de la reforma constitucional. Si bien, El Periódico y El País han publicado más informaciones de carácter positivo (71,3% y 64,3%, respectivamente) que de carácter negativo (28,6% y 35,7%, respectivamente). Lo que además del corte territorial parece sugerir la existencia de un corte ideológico en este *issue*. Los periódicos de línea editorial progresista publican más información y con un enfoque más positivo respecto a la reforma constitucional y sus posibilidades como solución política para cuanto sucede en Catalunya.

Gráfico IX. Porcentaje de noticias sobre La solución de la reforma constitucional en función de su enfoque por periódico

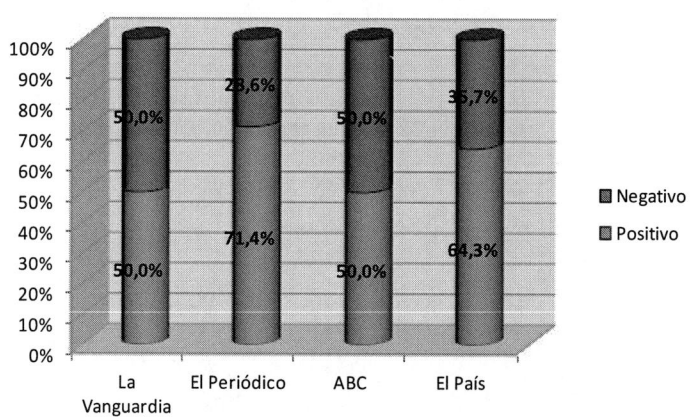

Fuente: Elaboración propia a partir de datos obtenidos de La Vanguardia, El Periódico, ABC y El País

3. LA AGENDA MEDIÁTICA Y LA AGENDA POLÍTICA EN LA CAMPAÑA DE 2015

Lo primero que debemos destacar es que, al menos durante la campaña 2015 en Catalunya, los medios parecen haber renunciado a gestionar una agenda propia y diferente respecto a aquella que intentan marcarles los contendientes electorales. La agenda mediática reproduce en gran medida la agenda electoral. Durante la campaña catalana de 2015 los medios de comunicación actúan más como socios y aliados de los actores políticos. Se comportan antes como actores primordialmente políticos que como actores guiados por el interés profesional informativo. El famoso "cuarto poder" parece haberse convertido en la "cuarta pared", en un pilar de apoyo y un aliado del poder político más que en su contrapeso o un contrapoder.

La prensa de referencia de Madrid y Barcelona opta más por un papel principalmente "transmisor", antes que "filtrador" o "verificador", de los mensajes de los actores políticos. Sólo el Periódico de Catalunya lanza una serie fija de reportajes sistemáticos y regulares destinados a contrastar o verificar periodísticamente los datos y afirmaciones principales sobre los asuntos relevantes en torno a la independencia y durante la campaña. A todos parece interesarles bastante más la difusión que el contraste informativo. Les preocupan más las cuestiones de proporción y equilibrio entre las diferentes presencias de los actores políticos que las cuestiones de verificación y contraste de los mensajes políticos. En la campaña electoral catalana de 2015 la prensa parece haber preferido limitarse a actuar más como un "soporte" y concentrase en el suministro de formatos informativos que convertir en una prioridad la orientación, verificación y ampliación de los contenidos de la agenda electoral.

En buena medida, tanto la prensa de Madrid como la prensa de Barcelona, muestran un compromiso relativo por fijar su propia agenda informativa durante la campaña. Prefieren ejercer como "árbitros" de la contienda, antes que desarrollar a fondo su misión de verificación o contraste de los mensajes políticos de los principales contendientes electorales. Una dinámica que se hace especialmente patente y relevante en temas como la información sobre los beneficios o costes económicos de la independencia, o las noticias respecto a la cuestión de la permanencia en la UE de una Catalunya independiente.

La prensa de Madrid y Barcelona priorizan el seguimiento descriptivo antes que dedicar recursos y esfuerzos a determinar la validez y veracidad de los múltiples cálculos e informes en contra o a favor de las bondades económicas de la independencia o la seguridad de la permanencia en la Unión Europea. En su lugar prefieren concentrarse en destacar aquellos aspectos de los cálculos o informes disponibles que refuerzan sus posiciones editoriales, o en denunciar los abusos y manipulaciones perpetrados por otros medios y actores políticos a la hora de manejar los datos disponibles para amoldarlos a sus posiciones de partida respecto a las consecuencias económicas o europeas de la independencia.

Otra dimensión donde podemos apreciar con nitidez la subordinación de la agenda mediática a la agenda política se refiere a los enfoques editoriales y la selección de colaboradores y articulistas. La prensa escrita apuesta por firmas que representan con nitidez y defienden con contundencia las dos posiciones extremas o más enfrentadas con respecto al *procés* catalán. Las posiciones ferozmente anti independentistas y abiertamente pro independencia se hayan sobrerrepresentadas tanto en Madrid como en Barcelona, bien para promocionarlas o bien para ridiculizarlas y convertirlas en un esperpento que refuerce las posiciones contrarias. En cambio, las posiciones que representarían ese espectro de posiciones o soluciones que podríamos denominar de "soluciones tercera vía" se hallan manifiestamente infrarrepresentadas.

Los medios de Madrid presentan sobre todo visiones contrarias al *procés* y reservan una cuota mínima a visiones pro *procés*, procurando además que sean voces extremas y fácilmente ridiculizables. Otro tanto pero, a la inversa, sucede en los medios catalanes, donde las visiones pro *procés* ejercen un potente oligopolio y los escasos espacios reservados a las visiones y voces contrarias al *procés* se reservan a sujetos y posiciones extremas y fundamentalistas fácilmente parodiables. En demasiadas ocasiones se prefiere la brocha gorda y la caricatura a la crítica política o informativa. Se trata de un juego perverso que, además, extrema las dificultades para que soluciones como la convocatoria de un referéndum o la reforma constitucional adquieran visibilidad en una agenda política claramente colonizada por las posiciones extremas.

Los criterios editoriales y las posiciones políticas de los medios definen y marcan así los límites de la información sobre el *issue* catalán. Tanto en Barcelona como en Madrid parece que, en campaña, se otorga tratamiento preferente como noticia a aquellos eventos o sucesos que refuerzan las posiciones editoriales propias en el asunto catalán. Los eventos, sucesos o datos que contradicen la posición editorial del medio no se tratan a veces ni como noticias.

El principal interés se centra en eliminar o minimizar su impacto en nombre de una supuesta "neutralidad política" que, en realidad, persigue y encubre todo lo contrario: mantener y reforzar el control editorial y mantener lejos de la agenda mediática y la agenda política las visiones y enfoques alternativos. La comparación de las portadas tanto el día de la convocatoria (Tabla II) como el día de las elecciones (Tabla III) nos muestran hasta qué punto.

Tabla II. Portadas de la prensa escrita los días de la convocatoria electoral

El País	Mas cierra una legislatura fallida con un último recurso separatista (3/8/15) Mas deja en el aire la mayoría necesaria para la independencia *El 'president' convoca elecciones plebiscitarias sin fijar condiciones.* *"Cataluña no vive en una situación normal", dice* (4/8/15)
ABC	Artur Mas convoca unas elecciones "muy diferentes" para el 27-S porque "una situación excepcional requiere soluciones excepcionales" (4/8/15)
La Vanguardia	Mas recurre a un decreto ordinario para convocar hoy elecciones *La campaña electoral arrancará a las cero horas del 11 de septiembre* (3/8/15) Mas convoca el 27-S como una "medida excepcional" *El Gobierno vigilará la neutralidad del president* (4/8/15)
El Periódico	27-S Cuenta atrás *Mas firma hoy el decreto de las elecciones en un texto sin referencia al carácter plebiscitario* (3/8/15) Mas califica el 27-S de "momento excepcional" *El decreto se ajusta a la ley y la firma solemne se retransmite en el 'prime time' de TV-3* (4/8/15)

Fuente: Elaboración propia a partir de datos obtenidos de La Vanguardia, El Periódico, ABC y El País

Los medios catalanes apuestan por un enfoque aparentemente más neutro e informativo, pero también asumen el discurso oficial que presidió la convocatoria por parte de la Generalitat, reforzando la idea de normalidad democrática y el carácter completamente legal de la misma al tiempo que se insiste en su relevancia y trascendencia política como parte de un proceso. Los periódicos de Madrid insisten sobre la idea del carácter excepcional, cuando no de dudosa legalidad. Se presenta como una huida hacia delante y una decisión que atribuyen personalmente a la estrategia y a los objetivos de los nacionalistas, especialmente a Artur Mas. Se trata, en suma, de confrontar el relato de un problema nacionalista y que interesa fundamentalmente a los nacionalistas, frente al relato de un problema de país que afecta, preocupa e interesa a todos los catalanes, nacionalistas o no.

Este contraste se hace aún más patente al cotejar las portadas del día de las votaciones. Donde los medios de Madrid ven un asunto propio de los nacionalistas y provocado por los nacionalistas, desde Barcelona se informa sobre un decisión de país que afecta al conjunto de la nación. Esta visión tan diferente e incluso opuesta: normalidad y expectativa de futuro en la prensa catalana frente a la visión de desafío y fracaso que busca transmitir la prensa de la capital del Estado, constituirá una de las constantes de la agenda mediática a la largo de toda la campaña.

Tabla III. Portadas de la prensa escrita el día de las votaciones

El País	Cataluña mide la dimensión del proyecto independista *Artur Mas se juega su futuro en una votación que plantea como un plebiscito*
ABC	Seny *ABC reúne las opiniones de su plantel editorial ante la trascendental cita electoral de hoy en Cataluña*
La Vanguardia	Catalunya se juega su futuro *Los catalanes votan hoy en las elecciones al Parlament más determinantes de su historia*
El Periódico	Encrucijada *Los catalanes fijan el rumbo: ruptura unilateral, reforma de España o statu quo*

Fuente: Elaboración propia a partir de datos obtenidos de La Vanguardia, El Periódico, ABC y El País

Los medios procesan, manejan y difunden la información más en función de criterios estratégicos o políticos que en base a criterios profesionales o periodísticos. Como preveíamos, su papel en las elecciones catalanas de 2015 no ha resultado tan determinante para la conformación de la agenda política como para la indexación y el acceso a la misma. La agenda mediática no ha marcado la agenda política aunque sí ha influido en la ordenación de sus prioridades y ha resultado especialmente relevante para mantener fuera de la agenda política determinados temas o enfoques. La agenda mediática no ha marcado la agenda política, pero sí se ha convertido en su principal guardián y protector.

4. UNA HISTORIA DE BUENOS Y MALOS O UN CHOQUE DE NACIONES

En las catalanas 2015 la agenda mediática tendió a reproducir la agenda política y a reforzar su indexación de prioridades, al tiempo que contribuía de manera decisiva a mantener fuera o relegando en la agenda aquellas posiciones y asuntos que desafiaran el dominio de la polarización entre el discurso unitarista defendido por el gobierno central y el discurso independentista manejado por la Generalitat. En este sentido resulta muy significativo que, por ejemplo, la prensa de Madrid elimine conscientemente toda referencia informativa a la solución del referéndum, o que la prensa de Barcelona dosifique su atención hacia la reforma constitucional como vía de solución.

Resulta igualmente relevante que, en general, todos los medios denunciaran la ausencia en la campaña de temas relevantes "y que importan realmente a la gente", como la evaluación de la gestión del gobierno saliente, la corrupción en la política catalana o las consecuencias económicas de la crisis y las política de ajuste y recorte, pero al mismo tiempo apenas se preocuparan de situarlas en las prioridades de sus agendas mediáticas, absolutamente dominadas por el monopolio de la cuestión nacional que denunciaban.

La siguiente Tabla (Tabla IV) contrasta de manera bastante notoria la vigencia de este análisis. Una de las cuestiones centrales que marcó la campaña, las repercusiones económicas de una hipotética independencia, encuentra en la prensa escrita un reflejo que parece reproducir con bastante precisión la dialéctica de los actores políticos dominantes en cada espacio. Para la prensa de Madrid las consecuencias desastrosas de la independencia suponen una cuestión verificada y cerrada, tampoco admite debate la autoridad de las instituciones que alertan del desastre económico que supondría.

Tabla IV. Portadas de la prensa sobre repercusiones económicas de la independencia

El País	Los bancos consideran irse de Cataluña si hay independencia *El círculo de Empresarios se suma a las advertencias y a la petición de diálogo* (19/9/15) Los riesgos económicos de la secesión deciden la recta final (22/9/15)
ABC	La banca apenas tardó 48 horas en acordar su mensaje contra la secesión (19/9/15) El Banco de España avisa de que la secesión puede llevar al "corralito" (22/9/15)
La Vanguardia	La banca toma partido contra la independencia El círculo de Empresarios pide diálogo para revisar la Constitución (19/9/15) Linde esgrime el corralito contra la independencia Mas avisa de que el Estado no podrá pagar la deuda sin acuerdo (22/9/15)
El Periódico	La banca española alerta contra la independencia *Entidades como Caixabank y el Sabadell se podrían replantear su presencia en el territorio* (19/9/15) La alerta de corralito enciende la campaña (22/9/15)

Fuente: Elaboración propia a partir de datos obtenidos de La Vanguardia, El Periódico, ABC y El País

Para la prensa de Barcelona las consecuencias económicas de la independencia resultan una cuestión abierta y debatible. Otro tanto sucede respecto a la autoridad y el criterio de quienes auguran el caos económico, a quienes suelen atribuírsele intenciones políticas en unas advertencias más orientadas a intentar influir en el debate que a respetar el rigor. No se trata de autoridades independientes emitiendo una opinión profesional, son aliados de quienes están en contra del *procés*.

La Tabla V muestra de nuevo esa dinámica de polarización mediática y política al contrastar el tratamiento dedicado a otra cuestión relevante durante la campaña: las repercusiones internacionales de la independencia, en especial el asunto de la permanencia o no en la UE. De nuevo la prensa de Madrid reproduce básicamente la tesis oficial del gobierno de España sobre la inevitable salida del UE de una Catalunya independiente y la unanimidad internacional en el rechazo al proceso de secesión. Por su parte la prensa de Barcelona se esfuerza por mostrar la cuestión del permanencia en la UE como un debate abierto, o al menos no tan cerrado como se sostiene desde Madrid, y a buscar y presentar todo tipo de fisuras, contextualizaciones y matices en los posicionamientos internacionales sobre cuanto sucede en Catalunya que sirvan para romper la tesis del rechazo unánime.

Tabla V. Portadas de la prensa sobre repercusión internacional de la independencia

El País	Cataluña dejaría todos los organismos internacionales La batalla por la secesión se traslada a Washington (17/9/15)
ABC	Occidente desmonta la independencia *Los cinco mandatarios más poderosos del mundo democrático coinciden en alertar sobre las graves consecuencias de la secesión catalana* (17/9/15) Europa advierte por escrito de que el Parlamento catalán no puede declarar la independencia (23/9/15)
La Vanguardia	Mas replica que la frase de Obama "forma parte del juego" (17/9/15) Debate vibrante con la UE como motivo de discordia Bruselas deja claro que una Catalunya independiente quedaría fuera de Europa (18/9/15)
El Periódico	Cameron dice en Madrid que una Catalunya soberana quedaría fuera de la UE (5/9/15) (¿Seguirá Catalunya en la UE?) El incierto viaje (13/9/15) (La crónica) La advertencia de Obama agita la campaña catalana (17/9/15)

Fuente: Elaboración propia a partir de datos obtenidos de La Vanguardia, El Periódico, ABC y El País

La siguiente Tabla (Tabla VI), recoge y permite comparar el diferente tratamiento otorgado a la figura de Artur Mas durante la campaña desde la prensa de Madrid y la prensa de Barcelona. Contrasta de manera muy evidente la hostilidad y culpabilización con que se presenta al President desde las portadas de la capital del Estado, con una permanente puesta en cuestión de la autenticidad de sus posiciones y la veracidad y lealtad de sus verdaderas intenciones, frente a la visión bastante más neutra e institucional elegida por sus colegas de Barcelona.

En el relato construido desde las portadas de Madrid, el *president* siempre es parte del problema y una figura bajo sospecha que oculta o manipula la información que reciben los catalanes, mientras que en las portadas de Barcelona aparece como un líder político que juega sus bazas, compite por conseguir sus objetivos y quiere ganar las elecciones, igual que los restantes líderes y candidatos, pero que se ve forzado a hacerlo sometido a un grado de presión y cierto hostigamiento muy superior al soportado por los demás.

Tabla VI. Portadas de la prensa dedicadas a Artur Mas

El País	Mas declararía la independencia sin la mayoría absoluta de los votos (5/8/15) Mas alarma a Valencia y Aragón al querer incluirles en la independencia (25/8/15) Mas achaca la investigación del 3% a una conspiración (3/9/15) *Mas amenaza con el impago de la deuda si el Estado se niega a negociar la independencia. El Banco de España advierte del peligro de un 'corralito'* (22/9/15)
ABC	Mas sólo ve "juego sucio" *Convierte su comparecencia parlamentaria en un mitin victimista y culpa al Estado tanto de la investigación por el cobro de comisiones en su partido como del órgano separatista* (3/9/15) La candidatura de Mas maneja una lista negra de catalanes no separatistas (7/9/15) Las cuentas que tapa Mas (10/9/15)
La Vanguardia	El PP quiere cambiar la ley para suspender a Mas (2/9/15) Mas califica de "montaje" del Estado el registro en CDC (3/9/15) El PP da luz verde a la ley que facilitaría la suspensión del *president* (17/9/15)
El Periódico	Mas pide una mayoría clara para "hacerlo bien" (29/8/15) Todos contra el ausente Mas (21/9/15) *Mas amaga con el impago de la deuda si el Estado no se aviene a pactar la separación* (22/9/15)

Fuente: Elaboración propia a partir de datos obtenidos de La Vanguardia, El Periódico, ABC y El País

La prensa de Madrid tendió a reproducir y tratar de reforzar la credibilidad del discurso oficial del gobierno central. La diferente orientación editorial de los periódicos analizados introduce matices respecto a su posición respecto a una hipotética reforma constitucional o su visión crítica de la estrategia inmovilista del gobierno de Mariano Rajoy, pero en general han contribuido a desarrollar un relato donde las elecciones se presentaban como un desafío, un nuevo paso dado por los nacionalistas en un enfrentamiento que sólo sirve para dividir a una sociedad catalana que no lo respalda mayoritariamente y que responde únicamente a sus demandas y urgencias políticas y estratégicas de los partidos y de los líderes nacionalistas.

Se trata pues de un conflicto entre nacionalistas y no nacionalistas, casi siempre presentados como malos y buenos, no de un conflicto entre naciones como defiende el relato oficial impulsado desde Catalunya.

La prensa escrita catalana tendió a reproducir y legitimar las prioridades y el discurso oficial defendido desde el gobierno catalán. La diferente orientación editorial de los medios introduce matices respecto a su interés por la reforma constitucional o la lectura de las consecuencias económicas, pero en general contribuyeron a construir un relato donde las elecciones se presentaban como parte de un proceso que buscaba dar respuesta a una demanda nacional y donde el conjunto de la sociedad catalana tiene que enfrentarse a la incomprensión o incluso hostilidad del gobierno central y de la propia opinión pública española.

No se trata de un conflicto entre nacionalistas y no nacionalistas, como defienden el gobierno y la prensa de Madrid, sino un conflicto entre naciones que han dejado de entenderse y deben replantearse su futuro y buscar sus propias oportunidades.

5. EPÍLOGO: UN CONFLICTO POLÍTICO Y UNA GUERRA EMPRESARIAL

Cualquier reflexión que se pretenda desarrollar respecto a la interacción entre la agenda mediática y la agenda política durante la campaña de las elecciones catalanas de 2015 debe incluir por fuerza una reflexión respecto al conflicto mediático que se ha solapado y que se solapa con el conflicto político. El *procés* no sólo ha sacudido el mapa político catalán, también el mediático. A veces de manera explícita y abierta, otras de manera más discreta y soterrada, en torno al *procés* se ha librado y libra una guerra de medios que va más allá de la cuestión política para incluir conflictos e intereses de corte económico y empresarial.

El *procés* ha tenido consecuencias demoledoras para la difusión e implantación en Catalunya de los medios públicos y privados de ámbito estatal. Barcelona es la segunda plaza de la península en difusión y volumen publicitario. Los medios catalanes públicos y privados han visto ampliada y reforzada su cuota de audiencia y mercado publicitario, tanto en medios audiovisuales como en presa escrita. Las dos radios catalanas por excelencia, tanto por el uso del idioma como por su postura favorable al *procés*, RAC1 y Catalunya Radio, doblan a sus competidoras de ámbito estatal. Lo mismo sucede con las dos televisiones de referencia, TV3 y 8TV, respecto a las cadenas de ámbito estatal. La prensa en papel no catalana ha caído hasta cifras casi simbólicas de difusión y ventas.

La respuesta de los grupos mediáticos no catalanes ante el crecimiento y consolidación de sus competidores catalanes ha buscado cuestionar su credibilidad, informando de manera sistemática sobre sus ingresos y contrataciones en dinero público con las administraciones catalanes y poniendo bajo sospecha tanto su autonomía como su independencia respecto a los partidos políticos impulsores del *procés*. Informaciones que han sido y son contestadas sistemáticamente desde los medios catalanes como ejemplos de manipulación, desinformación e incomprensión frente a cuanto sucede en Catalunya.

La guerra de medios reproduce buena parte de los clichés y estereotipos que pueden rastrearse en la competencia política respecto a Catalunya. Igual que para buena parte de los partidos políticos estatales, para los medios estatales el problema catalán responde sobre todo a una cuestión de dinero y se reduce a quién recibe las subvenciones públicas a los medios y a cambio de qué. Igual que para buena parte de los partidos nacionalistas, para los medios catalanes cualquier información que afecta a su autonomía o cuestione sus vínculos con el poder constituye otro ejemplo más de la incomprensión que llega desde el Estado, cuando no se percibe como un ataque directo a Catalunya. Esta competencia editorial y la propia competencia política partidista no han dejado de retroalimentarse e interactuar desde que comenzó eso que llamamos "el problema catalán".

6. REFERENCIAS BIBLIOGRÁFICAS

Artelton, F. C. (1987). *Teledemocracy: Can Tecnology Protect Democracy?* Newbury Park, California: Sage Publications.

Berelson, R. B. (1981). "Democratic Practice and Democratic Theory" En R. N. Luttberg (Ed.), *Public Opinion and Public Policy* (pp. 15-27). Itasca, Illinois: F.E. Peacock Publishers, Inc.

Berkowitz, D. (1992). "Who sets de Agenda Media? The Ability of Policymakers to Determine New Decisions" En J. D. Kennamer (Ed.), *Public Opinion, the press and Public Policy* (pp. 81-102). Londres: Praeger, Westport, Connecticut.

Bryant, J. & Zillman, D. (Eds.). (1994). *Media effects. Advances in Theory and Research*. New Jersey: LEA Publishers.

Burstein, U. P. (2003). "The Impact of Public Policy on Public Policy: A Review and an Agenda" *Political Research Quartely*, 56 (1), pp. 29-40

Campbell, A., Converse, P., Miller, W. & Stokes, D. (1981) "Membership in social grouping" En R. N. Luttberg (Ed.), *Public Opinion and Public Policy* (pp. 181-197). Itasca. Illinois: F.E. Peacock Publishers, Inc.

Carpini, M. & Keeter, S. (1992). "The Public's Knowledge of Politics" En J. D. Kennamer (Ed.), *Public Opinion, the press and Public Policy* (pp. 19-40). Londres: Praeger, Westport, Connecticut.

Carrillo, E., Tamayo, M. & Nuño, L. (2013). *La formación de la agenda pública. Análisis comparado de las demandas de hombres y mujeres hacia el sistema político en España*. Madrid: Centro de Estudios Políticos y Constitucionales.

Collins, R. & Murroni, C. (1996). *New Media, New Policies. Media and Comunications Strategies for the Future*. Blackwell: Policy Press.

Curran, J. (1995). *Policy for the Press*. Londres: IPPR.

Charity, A. (1995). *Doing Public Journalism*. Nueva York: Guilford Press.

Cutlip, S. M. (1988). "Public Relations in the Government" En R.R. Hiebert (Ed.), *Precision Public Relations* (pp. 30-57). Nueva York: Longman

Davis, R. (Ed.). (1994). *Politics and the Media*. New Jersey: Prentice Hall.

Entman, R. M. (1989). *Democracy Without Citizens: Media and the Decay of American Politics*. Nueva York: Oxford University Press.

Eshbaugh-Soha, M. (2005). "The Politics of Presidential Agendas" *Political Research Quartely*, 58 (2), pp. 257-268.

Fallows, J. (1997). *Breaking The News: How the Media Undermine American Democracy*. New York: First Vintage Book Editions.

Graber, A. D. (1997). "Media as opinion Resources: are the 90s a new ball game?" En B. Norrader & C. Wilcox (Eds.), *Understanding Public Opinion* (pp. 69-87).Washington DC: CQ Press.

Gerbner, G., Groos, L., Morgan, M. & Signorelli, N. (1994). "Growing Up with Television: The Cultivation Perspective" En J. Bryant & D. Zillman (Eds.), *Media effects. Advances in Theory and Research* (pp. 17-43). New Jersey: LEA Publishers.

González, J. J. & Bouza, F. (2009). "The Role of the Media Agenda in a Context of Political Polarization" *Comunicación y Sociedad*, 24 (2), pp. 78-131.

Hughes, E. J. & Conway, M. M. (1997). "Public Opinion and Political Participation" En B. Norrader & C. Wilcox (Eds.), *Understanding Public Opinion* (pp. 191-210). Washington DC: CQ Press.

Humpreys, J. P. (1996). *Mass media and Media Policy in Western Europe*. Manchester: Manchester University Press.

Kahan, M. (1999). *Media as Politics. Theory, Behavior and Change in America*. New Jersey: Prentice Hall.

Kingdom, J. W. (1984). *Agendas, Alternatives, and Public Policies*. Boston: Little Brown.

Kennader, J. D. (1992). "Public Opinion, The Press and Public Policy, an Introduction" En J. D. Kennamer (Ed.), *Public Opinion, the press and Public Policy* (pp 1-19). Londres: Praeger, Westport, Connecticut.

Kennamer, J. D. (Ed.). (1992). *Public Opinion, the press and Public Policy*. Londres: Praeger, Westport, Connecticut.

Lippman, W. (1961). *Public Opinion*. Nueva York: McMillan.

Lemert, B. J. (1992). "Effective Public Opinion" En J. D. Kennamer (Ed.), *Public Opinion, the press and Public Policy*. Londres: Praeger, Westport, Connecticut.

Luttberg, R. N. (Ed.). (1981). *Public Opinion and Public Policy*. Itasca. Illinois: F.E. Peacock Publishers, Inc.

McCombs, M. (1994). "News Influence on Our Picture of the World" En J. Bryant & D. Zillman (Ed.), *Media effects. Advances in Theory and Research*. (pp. 1-17). New Jersey: LEA Publishers.

McCombs, M. (2006). *El establecimiento de la agenda*. Barcelona: Paidós.

Noelle-Newmann, E. (2010). *La espiral del silencio. Opinión pública: nuestra piel social*. Barcelona: Paidós.

Norrader, B. & Wilcox, C. (Eds.). (1997). *Understanding Public Opinion*. Washington DC: CQ Press.

Page, I. B. (1996). *Who Deliberates? Mass Media in Modern Democracy*. Chicago: The University of Chicago Press.

Pritchard, P. (1992). "The New Media and The Public Policy Agenda" En J. D. Kennamer (Ed.), *Public Opinion, the press and Public Policy* (pp. 103-112). Londres: Praeger, Westport, Connecticut.

Rasgdale, L. (1997). "Disconnected Politics: Opinion and Presidents" En B. Norrader & C. Wilcox (Eds.), *Understanding Public Opinion* (pp. 229-251). Washington DC: CQ Press.

Shoemaker, P. J. (1984). "Media Treatment and of Deviant Political Groups" *Journalism Quaterly*, 61, pp. 66-75.

Spitzer, J. (Ed.). (1993). *Media and Public Policy*. Londres: Praeger, Westport, Conneticut.

Spitzer, J. (1993). "Introduction, defining the Media-Policy Link" En Spitzer, J. (Ed.), *Media and Public Policy* (pp. 1-18). Londres: Praeger, Westport, Conneticut.

Tripton (1992). "Reporting on the Public Mind" En J. D. Kennamer (Ed.), *Public Opinion, the press and Public Policy* (pp. 131-144). Londres: Praeger, Westport, Connecticut.

Wilcox, C. (1997). "The Diverse Paths to Understanding Public Opinion. Introducción" En B. Norrader & C. Wilcox (Eds.), *Understanding Public Opinion*. Washington DC: CQ Press.

Zaller, J. (1992). *The Nature and Origins of Mass Opinion*. Nueva York: Cambridge University Press.

Cataluña: desde la insatisfacción a la desafección

Xosé Luís Barreiro Rivas
Universidad de Santiago de Compostela

1. UN PROCESO REIVINDICATIVO

La primera idea que asoma en los datos recogidos y analizados[1] sobre el momento actual de la política catalana es que el independentismo y la gestión del proceso independentista —que en la jerga política actual se denomina *"el procés"*— no son lo mismo. Y esa distinción explica por qué el apoyo al *procés* es sensiblemente mayor que la apuesta efectiva por la independencia.

La cualidad distintiva entre ambos conceptos debe establecerse, como luego demostraremos, sobre tres variables fundamentales:

a) Mientras el independentismo responde a motivaciones sustantivas expresadas en conceptos esenciales —conciencia nacional, historia, lengua propia e identidad cultural y étnica—, y es visto por sus partidarios como una solución efectiva —y en cierto sentido definitiva— para los problemas de Cataluña, el proceso independentista tiene fuertes componentes reivindicativos, y en gran medida coyunturales.

b) Mientras los independentistas asumen una larga militancia, que incluso se describe con la expresión "desde siempre" (46,5%), muchos de los partidarios de este proceso independentista reconocen que su posición es reciente (46,3%), y que en buena parte responde a una inflexión del contexto político catalán cuyo momento, causas y protagonistas son básicamente identificables.

c) También se observa que, mientras los independentistas parecen comportarse con la tenacidad de quien cree que está culminando un largo y dificultoso trayecto histórico que tendrá como recompensa una liberación nacional, una parte significativa de los ciudadanos que apoyan el *procés* no descarta soluciones dialogadas de continuidad, puestas en relación con determinadas reformas constitucionales o con un reforzamiento de las competencias y de la fiscalidad propia.

---

[1] Postelectoral Elecciones Autonómicas en Cataluña 2015.

Para desarrollar la idea de un proceso esencialmente reivindicativo, que tiene su origen en la insatisfacción política, nos acogemos al marco teórico elaborado por los Prof. Montero, Gunther y Torcal (1998), que, basándose en sucesivas investigaciones sobre la satisfacción y las actitudes de los españoles, describieron y distinguieron con notable precisión, los componentes de la *eficacia del sistema*, cuya expresión negativa derivaría hacia una deslegitimación del mismo, y los de la *satisfacción política*, cuya expresión negativa quedaría reducida a una discrepancia de mayor o menor grado con las políticas desarrolladas, y sin que dicho desacuerdo implique una desafección del marco constitucional.

Gráfico I. Estructura de contenido del proceso independentista (%)

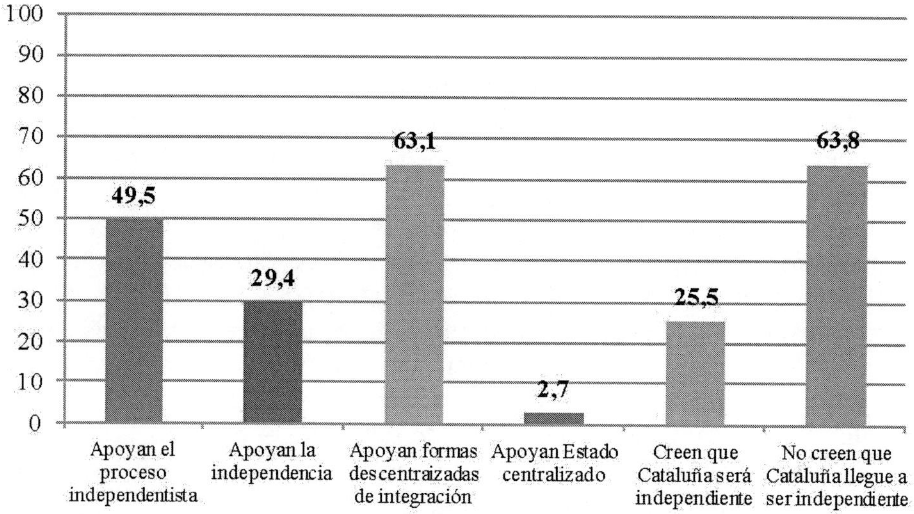

Fuente: Elaboración propia a partir de los datos del *Estudio Postelectoral Elecciones Autonómicas en Cataluña 2015*

La *eficacia/ineficacia del sistema* comprende una serie de percepciones relacionadas con su capacidad de resolver problemas básicos, que en nuestro caso describirían perfectamente, en su versión negativa, la mentalidad independentista y la respuesta rupturista —*exit*— que se le quiere dar al momento. Y la *satisfacción/insatisfacción política* sólo comprende la percepción de fracaso o error de unas determinadas políticas, que en nuestro caso describe la actitud de los que apoyan el proceso independentista como instrumento de reivindicación de gran profundidad y alcance, que, con referencia a los actores, tanto puede ser imputada al gobierno como al binomio funcional gobierno/oposición, y cuya exigencia de corrección —*voice*— es posible dentro del sistema.

El sustrato reivindicativo del *procés* se infiere de que, aunque el 49,5% de los encuestados se posiciona a favor de los movimientos independentistas, sólo el 29,4% de los encuestados cree que la solución más adecuada para Cataluña es la independencia, mientras que un 63,1% opta por distintas formas y grados de descentralización (autonómica y federal, con posibles incrementos competenciales y nuevas formas de fiscalidad) que harían posible, e incluso aconsejable, la permanencia de Cataluña dentro del Estado español (Gráfico I).

El mismo matiz reivindicativo se observa en relación con el llamado derecho a decidir y la hipotética celebración de un referéndum de autodeterminación, ya que, mientras un 75,3% de los encuestados apoya una consulta, sólo un 25,5% cree que Cataluña será finalmente independiente[2]. La idea dominante no es que el proceso soberanista va a construir finalmente un *nou Estat*, sino que va a modificar de manera sensible la relación entre España y Cataluña, apuntando con más evidencias hacia un reforzamiento del hecho diferencial que hacia la independencia. En este sentido, ha de entenderse el éxito que tuvo en el discurso independentista el término consulta, sustitutivo más abstracto y menos comprometido jurídicamente que el de referéndum, ya que, frente a la idea de ilegitimidad que acompaña al término referéndum[3], que excede para este caso las previsiones constitucionales y prima la idea de que legitimidad democrática prima sobre la legalidad del Estado, la consulta permite soslayar el debate legal, establecer *ad casum* los términos y la validez de las hipotéticas respuestas, y reducir sus efectos a una clara potenciación de los aspectos reivindicativos sin que ello obligue a tomar determinaciones secesionistas. De esta forma, se entiende también que, mientras la idea de un referéndum sólo motiva a los independentistas, la hipótesis de una consulta de definición difusa —incluyendo la ya celebrada el 9-11-2014 y la retórica plebiscitaria de las elecciones del 27 de septiembre de 2015— despierta grandes simpatías entre la gran mayoría de los que apoyan el *procés*.

---

2   La pregunta sobre la fallida consulta del 9/11/2014, que Mas anunció un año antes (12/12/2013), trataba de reflejar esta realidad, de la que la Generalitat era plenamente consciente. Y en términos envolventes —para que el Sí tuviese cabida en las dos mentalidades, se formuló así: *"En una sola pregunta con dos apartados. El primer apartado es: ¿Quiere que Cataluña sea un Estado? Sí o no. El segundo apartado, en caso de respuesta afirmativa es: ¿Quiere que este Estado sea independiente? Sí o no".*

3   El Prof. Rodríguez Aguilera explicó así el carácter de las elecciones plebiscitarias, que yo extiendo, basándome en su mismo razonamiento, a la consulta: "El apoyo de la mayoría absoluta de los votantes catalanes a JxSí y la CUP debería implicar —a juicio de estas formaciones políticas— la primacía del principio de legitimidad (material) sobre el de legalidad (formal), una separación que plantea un dilema muy problemático". Cfr.: Rodríguez-Aguilera de Prat, C. y Reniu Vilamata, J. M. (2015).

Tabla I. Motivos de apoyo a la independencia (%)

Motivos de apoyo a la independencia	%	%	Naturaleza
Porque creo que Cataluña no ha sido tratada adecuadamente por parte del Gobierno de España en los últimos años	65,5	55,6	Reivindicación económica
Porque creo que el futuro económico de Cataluña y de la sociedad catalana sería mejor fuera de España	46,6		
Porque deseo que la sociedad catalana tenga el derecho a decidir	30,1	13,7	Modelo de inserción
Porque entiendo que Cataluña es una nación	30,0	23,3	Reivindicación nacional
Porque hay motivos históricos que lo sustentan	21,1		
Porque no me siento español	16,0	7,3	Identidad

Fuente: Elaboración propia a partir de los datos del *Estudio Postelectoral Elecciones Autonómicas en Cataluña 2015*

A la misma conclusión se puede llegar por el camino inverso, a partir de las motivaciones que animan a los partidarios del proceso independentista (Tabla I), ya que, mientras el 59,3% reconoce motivaciones económicas o una modificación del modelo de inserción de Cataluña en España, solo un 21% aduce el hecho nacional o la identidad —las que hemos denominado motivaciones sustantivas expresadas en conceptos esenciales— para explicar sus actitudes. El discurso que ha calado en las bases populares del independentismo no es el que presenta a Cataluña como un país anexionado al que se le ha privado del derecho a tener su propio Estado, sino el que, partiendo de una construcción muy reciente, reivindica el equilibrio de las balanzas fiscales, o el que piensa que la solidaridad territorial del Estado autonómico está derivando hacia un "expolio fiscal" que desincentiva los esfuerzos de modernidad y la creación de riqueza atribuidos a Cataluña.

El tercer paso en la caracterización del *procés* como un acto esencialmente reivindicativo, más relacionado con la insatisfacción política que con la ineficacia del sistema, se deduce con toda claridad de la Tabla que resume y ordena las principales preocupaciones de los ciudadanos de Cataluña (Tabla II), que, además de reflejar con bastante exactitud las posiciones de la población española en su conjunto, relegan el problema de la independencia al 8° lugar (16,1%), muy alejado de la preocupación que manifiestan por el desempleo (67,5%), la clase política (46,3%) o la marcha general de la economía (38,3%).

Tabla II. Principales problemas de Cataluña (%)

	Primer problema	Segundo problema	Tercer problema	Total acumulado	Prioridad
Desempleo	35,3	19,8	12,4	67,5	1
Los políticos	17,2	15,7	13,4	46,3	2
Economía	9,4	16,9	12,1	38,3	3
Desigualdad	7,6	7,6	8,1	23,3	4
Corrupción	5,6	7,9	7,8	21,3	5
Educación	2,9	7,7	10,4	20,9	6
La sanidad	4	6,6	7,5	18,1	7
Independencia	7,1	4	4,9	16,1	8
España/Gob.	6,4	1,1	1,7	9,3	9
Inmigración	0,9	2,9	4,2	8,1	10

Fuente: Elaboración propia a partir de los datos del *Estudio Postelectoral Elecciones Autonómicas en Cataluña 2015*

El discurso político derivado de la crisis, que se ha instalado en toda la sociedad española, predomina claramente sobre el discurso independentista, haciendo que éste sea instrumento de aquel, y que muestre con más intensidad las características del desencanto, que son estrictamente reivindicativas, que las de una desafección, que se orientan a la deslegitimación del sistema. Sólo así se explica que la gestión del proceso independentista haya afectado de forma tan negativa a los partidos centrales del anterior sistema —especialmente CiU y PSC— a los que, además de haber desposeído de buena parte de sus electores, también resituó con evidente desventaja e los *cleavages* izquierda/derecha y nacionalista/autonomista[4].

Los dos discursos —soberanista y reivindicativo— existen, como hemos dicho desde el principio, pero la idea de que el problema central de Cataluña es el independentismo sólo está avalada y funcionalmente implantada por el hecho de haberse convertido la Generalitat en un actor de doble cara, que, si hacia los ciudadanos de Cataluña se muestra como un poder institucionalizado, responsable en buena parte del desencanto social que se detecta, actúa en la política española, y especialmente en relación al Gobierno del Estado, como un actor indignado que promueve y organiza la desafección frente al sistema constitucional vigente y proyecta hacia un significante denominado Estado toda los problemas reales o imaginarios de Cataluña.

---

[4] El avance de *En Comú Podem* registrado en las elecciones generales del 26 de junio de 2016, que lo sitúa como primera fuerza de Cataluña, corrobora esta doble dimensión del proceso que vive Cataluña, en el que la citada coalición jugó con una calculada ambigüedad estratégica.

Tabla III. Principales responsables de la polarización del Proceso Independentista (%)

El Gobierno de España	46,4	
El Presidente Mariano Rajoy	35,4	
Conjunto clase política española	24,4	53,3
El Tribunal constitucional	7,8	
El Poder Judicial	3,2	
El Presidente Artur Mas	32,5	
El Gobierno catalán	29,0	37,3
Conjunto clase política catalana	20,5	
Partidos que apoyan la independencia	9,7	4,4
Asociaciones que apoyan la independencia	5,7	2,6
Partidos que no apoyan la independencia	2,9	1,3
Asociaciones que no apoyan la independencia	1,6	0,7
Sector empresarial catalán	0,6	0,2

Fuente: Elaboración propia a partir de los datos del *Estudio Postelectoral Elecciones Autonómicas en Cataluña 2015*

2. LA APORÍA INSTITUCIONAL DE LA REIVINDICACIÓN

La dificultad hermenéutica del proceso independentista de Cataluña surge de la manifestación bifronte de la Generalitat, que, si por una parte se constituye como la máxima referencia reivindicativa —lo que incluye las evidencias de que todo el *procés*, tanto en sus expresiones discursivas como en las estrategias de propaganda y movilización ciudadana, está liderado por las instituciones—, también tiene la condición de polo generador de la enorme insatisfacción política que está en el origen del proceso y que ahora se extiende y multiplica entre la ciudadanía catalana al abrigo de la crisis del precedente sistema de partidos y de las crecientes dudas sobre la viabilidad efectiva de la independencia (Tabla IV). La advertencia de Sartori (1988: 139) —"vivimos ahora en un mundo repleto de persuasores ideológicos, para quienes 'la causa' tiene prioridad sobre la verdad. Y si no reconocemos esto no aprehendemos la mayoría"— debería servir como *framing* interpretativo del papel y del discurso de la Generalitat a partir, cuando menos, de 2010.

Figura I. Los flujos de satisfacción y demanda gestionados por la Generalitat

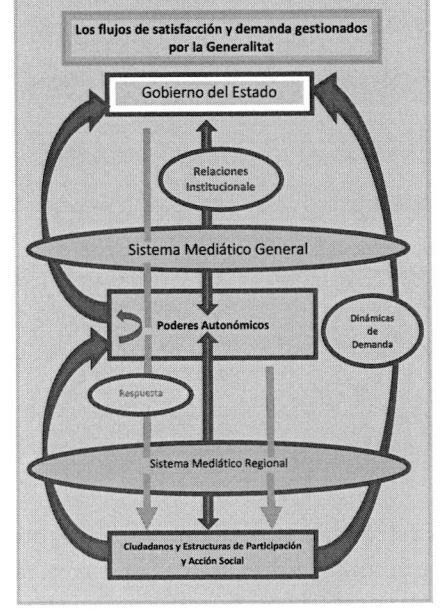

Fuente: Elaboración propia

Una somera visita al panorama mediático del *procés*, cuyo análisis corresponde a otro capítulo de este libro, pone de manifiesto que el impulso fundamental de esta operación secesionista estuvo intensamente vinculado a las autoridades de la Generalitat (los presidentes Mas y Puigdemont, y algunos miembros de los sucesivos gobiernos —líderes también de sus respectivos partidos— como Oriol Junqueras, Francesc Homs, Andreu Mas-Colell y Neus Munté). También se constata que incluso Carme Forcadell tuvo más visibilidad en el corto período de presidencia del Parlament que en los años que presidió la ANC y asumió el protagonismo de los grandes manifiestos cívicos leídos ante las multitudes concentradas en las Diadas. Igualmente se observa que el panorama mediático del *procés* responde claramente a las dinámicas del que podríamos considerar único sistema mediático regionalizado de España, al que aportan buena parte de su peso los medios públicos catalanes, lo que casa a la perfección con la condición bifronte que hemos atribuido a la Generalitat, y con la idea de que este concreto movimiento independentista no hubiese podido organizarse, ni mantenerse, ni trascender a la opinión pública en la forma en que lo hizo, si no estuviese institucionalizado y no plantease serias preguntas sobre la lealtad constitucional de su principal protagonista[5].

---

5   Para analizar la dimensión esencialmente política de los movimientos sociales, en contraposición con los grupos de intereses, cfr.: Ramos Rollón, M. L. (1997).

Gráfico II. Conflictividad constitucional Estado/Comunidades (2015)

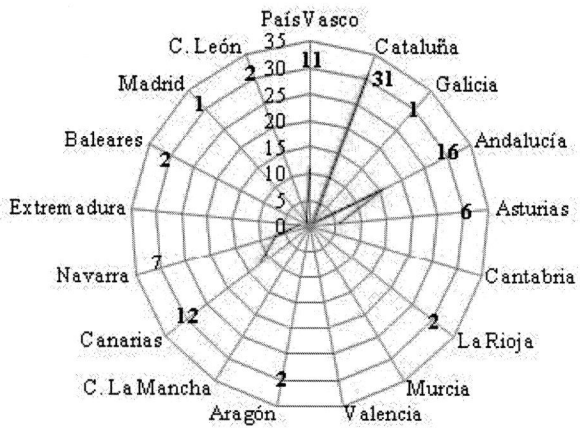

Fuente: Elaboración propia

Precisamente por eso, porque se trata de un movimiento que podemos calificar como intensamente institucionalizado, los conflictos más visibles del *procés* no son las movilizaciones populares ni la desobediencia civil que Artur Mas intentó poner al frente de las demandas independentistas, sino las confrontaciones estrictamente institucionales vinculadas con el control judicial y constitucional de la legalidad, con la financiación de las medidas anticrisis y con los desafíos discursivos y simbólicos que presentan las instituciones catalanas —comunitarias y locales— a la unidad del Estado, que son perfectamente apreciables, a modo de ejemplo, en el informe del TC de 2015.

Gráfico III. Rechazo a partidos y coaliciones en Cataluña (%)

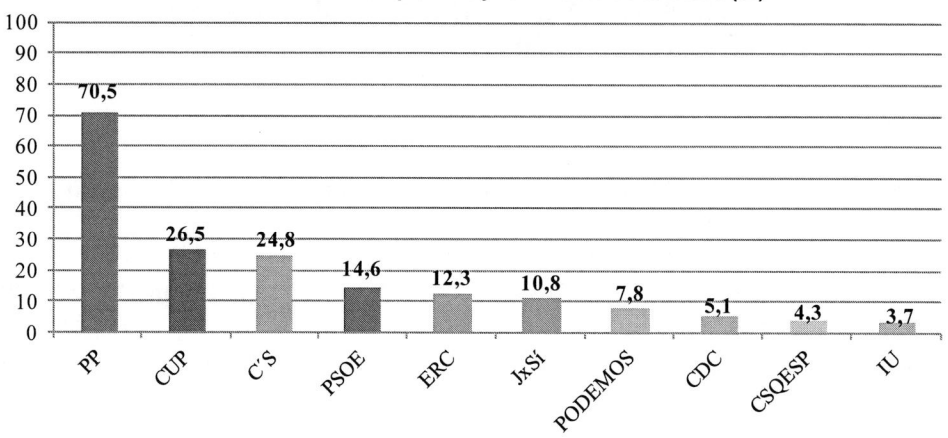

Fuente: Elaboración propia a partir de los datos del *Estudio Postelectoral Elecciones Autonómicas en Cataluña 2015*

En una disociación perfectamente intuida entre legitimidad y eficacia (Montero, Guther y Torcal, 1998: 17-18), la intervención de la Generalitat ha conseguido que la situación de buena parte de los ciudadanos de Cataluña se manifieste hacia la Generalitat como descontento —como consecuencia de la ineficacia—, y hacia el Estado como desafección —derivada directamente de la deslegitimación sistémica—, lo que hace posible que un mismo nivel de rechazo institucional genere hacia cada polo un sentimiento de respuesta claramente diferente. En este marco se insertan los dos momentos de inflexión más graves del *procés*, que coinciden con la convocatoria unilateral de un referéndum declarado ilegal por el TC, y del que se derivan los efectos presumiblemente más gravosos del control judicial promovido por el Gobierno de Madrid, y toda la actividad parlamentaria iniciada a partir de las Elecciones autonómicas de septiembre de 2015 que, además de suponer el derrumbe del liderazgo de Artur Mas y la precipitada improvisación del liderazgo de Puigdemont, está jalonado de dificultades y de crecientes desafecciones la hoja de ruta de la desconexión de Cataluña con el Estado español, que desde ahora está controlada por la CUP.

El doble papel de la Generalitat —como institución de poder y sujeto organizador e impulsor de la desafección de signo independentista— también está generando una percepción de los partidos desviada a la izquierda, como si la clásica prevalencia del *cleavage* ideológico sobre el nacionalista, hubiese sufrido una clara inversión estratégica al servicio del proceso independentista. La misma idea de enemigo exterior que utiliza la Generalitat contra el Gobierno del Estado —estrategia básica y muy frecuente en los conflictos que necesitan compactar y polarizar las posiciones institucionales— se repite en paralelo en la confrontación partidaria, en la que, mientras se le atribuye al PP el roll de fuerza de homogeneización y centralización del Estado, radicalmente contraria a todas las formas de reinserción de Cataluña en España que no estén ya constitucionalizadas, se le otorga a *Junts pel Sí* (CDC y ERC) el papel de gestor y defensor de los derechos de Cataluña, y el de coalición sacrificada en aras del *procés*. De esta forma se consigue una polarización del sistema de partidos que se traslada —o tiende a trasladarse— a todos los procesos electorales.

El rechazo de los electores se concentra de una manera determinante en el PP (70,5%), a mucha distancia de la CUP (26,5%) y Ciutadans (24,8%), mientras que la sociedad catalana parece buscar la identidad con el proceso independentista a través de una autoidentificación ideológica que nada tiene que ver con la estructura centrista que gobernó la autonomía entre 1979 y 2003. Por eso, y porque un cambio ideológico tan sensible y socialmente tan extendido no se opera en poco tiempo sin la intervención de factores concretos que lo expliquen, aportamos nuestra interpretación de que la sociedad catalana se posiciona cada vez más a la izquierda por pura conexión estratégica con el proceso independentista, lo que nos obliga a plantear la consiguiente pregunta —por ahora sin solución— sobre el carácter coyuntural de esta evolución, que estaría en perfecta coherencia con las manifestaciones hipertrofiadas de la protesta.

Gráfico IV. Los efectos del proceso independentista sobre la identificación ideológica de los partidos

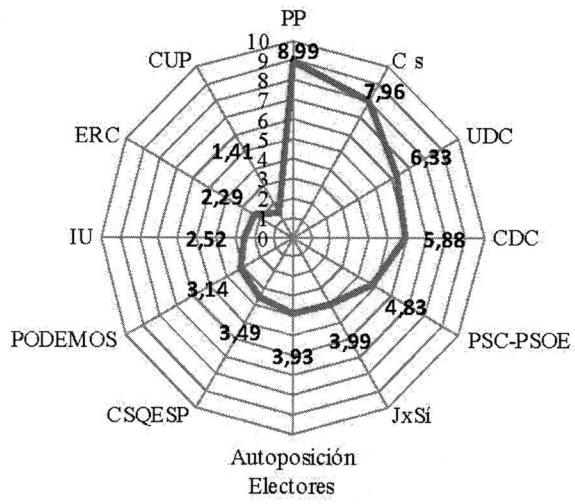

Fuente: Elaboración propia a partir de los datos del *Estudio Postelectoral Elecciones Autonómicas en Cataluña 2015*

Las precisiones que hemos hecho hasta ahora permiten dar un paso más en la explicación de la creciente evolución hacia la izquierda de los votantes de Cataluña, en la que no sólo han aumentado los votos entregados a las formaciones anteriormente reconocidas como izquierda —ERC, CSQEP, PODEMOS y CUP— sino que cambia también la percepción de los ciudadanos sobre la posición ideológica que identifica a los distintos partidos, y muy especialmente a la CDC coaligada en JxSí. Así lo muestra claramente el Gráfico IV, en el que las direcciones del rechazo aparecen claramente ligadas al eje ideológico —PP, C's y UDC— y no al territorial, en la medida en que el rechazo no obedece a un autoposicionamiento tradicional del elector, sino a que dicho rechazo se pone al servicio de un proceso independentista profundamente reivindicativo y, por ende, coyuntural.

Tabla IV. Resultados de las elecciones generales 2016-2015 (Cataluña)

Resultados de las elecciones generales 2016 -2015 (Cataluña)						
		2016			2015	
Partido	Escaños	Votos	%	Escaños	Votos	%
EnComúPodem	12	848.526	24,51%	12	929.880	24,71%
ERC-CATSÍ	9	629.294	18,17%	9	601.782	15,99%
CDC	8	481.839	13,92%	8	590.274	15,69%
PSC-PSOE	7	558.033	16,12%	8	567.253	15,08%
PP	6	462.637	13,36%	5	490.872	13,05%
C's	5	378.445	10,93%	5	418.369	11,12%

Fuente: Elaboración propia

Los partidos más afectados por el cambio de percepción de los electores son CDC —que antes se presentaba en coalición estable con UDC—, y el PSC —que en distintas coyunturas electorales pretendió primar alternativamente la imagen PSOE o PSC—. Ambos partidos —CDC y PSC— también han sufrido un mayor deterioro electoral en el conjunto de las elecciones del último decenio, ya que sólo en las elecciones autonómicas —y bajo la forma de JxSí— pudo capear CDC el vendaval independentista. Por eso entendemos que aquí se encuentra la explicación más plausible al profundo descontento que muestran los electores (Gráfico V) respecto al resultado electoral que ellos mismos han generado bajo la presión activada por las llamadas *elecciones plebiscitarias*. Porque, siendo evidente que los votantes tratan de expresar en un único voto dos *cleavages* —ideológico y nacionalista— que en su respuesta a los problemas personales y generales funcionan como contradictorios, el electorado se enfrenta siempre al mismo dilema: para apoyar el proceso independentista —que aparece como prioritario en la coyuntura actual— se inclina hacia la izquierda; y para gobernarse de acuerdo con la imagen tradicional de Cataluña, necesitaría votar al centro izquierda (PSC) o al centro derecha (CiU = UCD + UDC), por lo que el resultado siempre es más insatisfactorio de lo que es habitual en los procesos electorales que no presentan las características de excepcionalidad de las llamadas elecciones plebiscitarias.

La mezcla en una misma convocatoria electoral de dos fenómenos tan distintos como una elecciones parlamentarias y un plebiscito —porque eso deben ser las elecciones plebiscitarias a las que recurrió Artur Mas—, acabó generando en Cataluña una extraña inversión del proceso de conformación de nuevas estructuras de partidos en el que toda España parece estar inmersa. Porque todo apunta a que la nueva estructura de partidos se está generando —al contrario de los que sucede en otras comunidades autónomas y en el conjunto del Estado— a partir de la oferta, y no de la demanda, y a que esa inversión se produce en virtud de la intervención de la Generalitat en el proceso político, y de la reforzada identidad establecida entre Generalitat, JxSí e independentismo.

Gráfico V. La insatisfacción de los resultados electorales

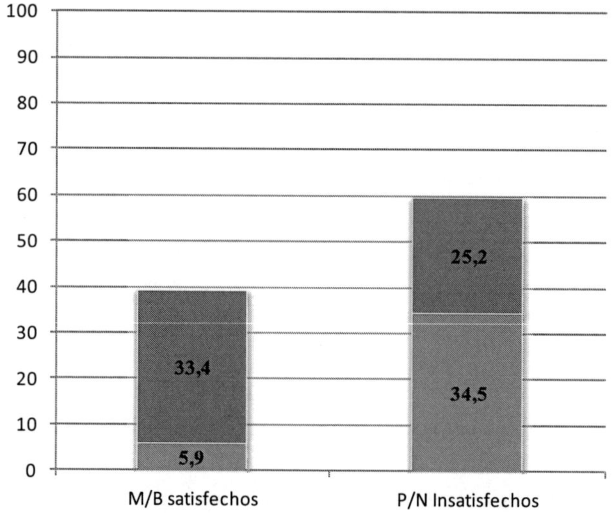

Fuente: Elaboración propia a partir de los datos del *Estudio Postelectoral Elecciones Autonómicas en Cataluña 2015*

Las recientes Elecciones Generales celebradas el día 26-06-2016, sobre las que aún no disponemos de estudios postelectorales, permiten insistir en que, más allá de las oscilaciones cuantitativas que pueden observarse en el último decenio, y de las respuestas con diferentes matices que reflejan las consultas correspondientes a los distintos niveles territoriales e institucionales, el dato más llamativo de Cataluña sigue siendo el desplazamiento del electorado hacia la izquierda, del que salen beneficiados En Comú Podem y ERC —con posiciones diferenciadas respecto del independentismo—, mientras salen perjudicados CDC, UDC y PSC— que también representa ofertas netamente distanciadas sobre la legitimidad y las orientaciones del *procés*.

Pero sería un error pensar que este desplazamiento del electorado a la izquierda responde a cambios sustantivos de cultura o sentimiento que la encuesta no detecta. Bien al contrario, la encuesta apunta a una concatenación causal de tres elementos que explican la intensidad y la hipotética coyunturalidad de los cambios y que podrían formularse de la siguiente forma:

1. En un movimiento social independentista caracterizado por las reivindicaciones, la nación pierde su condición de finalidad sustantiva para convertirse en una solución política susceptible de ser sometida a juicios de conveniencia y eficiencia.

2. En el contexto institucional de Cataluña, que tras la salida del poder de Jordi Pujol inició un proceso de reinterpretación del proceso autonómico que supuso una ruptura con su discurso histórico, el manejo de la nación o del Estado propio como una solución es más creíble en los partidos de izquier-

da —más alejados del sistema— que en los centristas y socialdemócratas, que controlaron y reivindicaron de forma continua el poder autonómico que ahora se denuesta.

3. En esa progresión causal —que en nuestra hipótesis explicativa debería ser relativamente coyuntural— no es necesario que el electorado cambie de ideología o experimente un gran cambio cultural —ninguno de ellos detectado— para que considere útil el voto a la izquierda, ya sea expresa y radicalmente independentista, como ERC, ya sea confusa y ocasionalmente complaciente con un *procés* cuya finalidad afirman no compartir, pero cuya fuerza revulsiva contra el *statu quo* desean instrumentar (En Comú Podem).

Gráfico VI. Posición estructuras del Parlamento de Catalunya en el eje izquierda-derecha

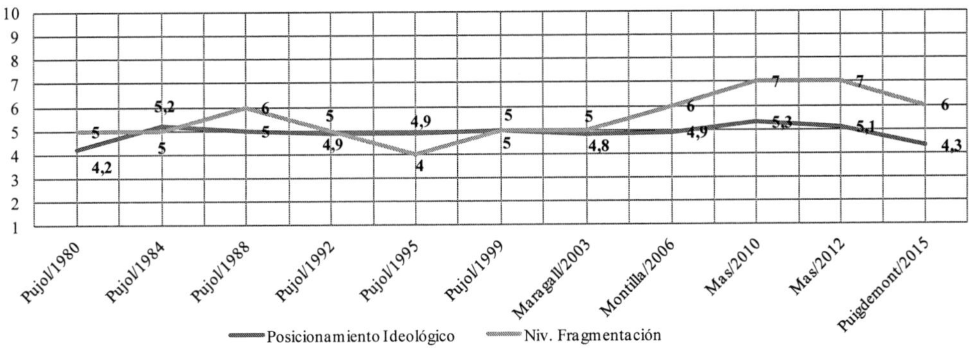

Fuente: Elaboración propia

De esta forma, puestos en el contexto de sensible insatisfacción con el voto emitido que se pone de manifiesto en el estudio postelectoral correspondiente a las Elecciones del 27-09-2015, también se puede comprender o se nos hace posible, cuando menos, librarnos de una molesta contradicción, que en el momento en que la adhesión al proceso independentista empieza a llanear, como demuestran los resultados de 2016, el único partido beneficiado por los cambios es el que concita, en nuestro estudio, todo el rechazo del electorado catalán (el PP), mientras salen relativamente perjudicados no sólo los partidos centrales del *procés*, sino también el partido que los catalanes ven como una derecha más aceptable y evolucionada (la antigua CDC).

El Gráfico VI muestra el perfil ideológico del parlamento de Cataluña de acuerdo con la media móvil de la posición atribuida por los electores a los diferentes partidos y coaliciones que la integran. Y en el se pueden destacar cuatro elementos sensibles que, vistos con la perspectiva de lo acaecido a partir de 2010, son especialmente significativos:

1. Que el posicionamiento es muy estable en las 11 legislaturas, y casi centrado —entre 4,8 y 5,3—, salvo en los períodos 1980-1984 (Primera Legislatura, 4,2), y a partir del 2015 (Undécima y actual Legislatura, 4,3).

La explicación a la primera legislatura hay que buscarla en el contexto de la Transición, cuando el Parlament no tiene derecha, y cuando el autonomismo era percibido por los electores como un sesgo hacia la izquierda. Y la explicación a la segunda legislatura hay que centrarla especialmente en el proceso independentista, con el crecimiento del voto a la izquierda del PSC y con el papel prevalente que tiene ERC en la percepción popular de JxSí, que, situada en la percepción de los ciudadanos a la izquierda del PSC (Gráfico IV), arrastra hacia la izquierda la posición de CDC en la escala ideológica.

2. El segundo elemento a considerar es que Artur Mas implica a la Generalitat en el proceso independentista en el momento en que el Parlamento es más conservador (5,3) y refleja el fracaso de los gobiernos del PSC y sus aliados (Maragall y Montilla), y que desde ese momento se inicia un sensible escoramiento a la izquierda, hasta el 4,3 de 2015 (con Puigdemont en la presidencia de la Generalitat), que resulta coherente con la destrucción de los partidos que habían administrado el desarrollo de la autonomía (CiU y PSC), con la irrupción de los partidos protesta (En Comú Podem y CUP), con la preeminencia de ERC sobre CDC, y con la idea ya expresada de que las estrategias de confrontación institucional entre la Generalitat y el Estado, y de soslayamiento del marco que representa el Estado de derecho, se siente más identificado y mejor representado en las posiciones de izquierda.

3. Que mientras la desafección con el bipartidismo se expresa por la derecha en una ligera centralización ideológica, con corrimiento de votos del PP a C's, en el lado de la izquierda se expresa en una fuerte caída del PSC y en la mayor radicalización de su voto, lo que trae como consecuencia evidente una mayor dificultad para el mantenimiento del proceso dentro del marco constitucional.

4. Que casi todos estos movimientos tienen inicialmente el signo de una provisionalidad cuyo fin puede producirse en dos destinos opuestos: en una reconducción hacia la legalidad del proceso independentista, que daría como resultado el regreso de buena parte de los electores a sus posiciones ideológicas y estratégicas precedentes; o en el enquistamiento del conflicto, mediante el inicio de procesos unilaterales de desconexión, que probablemente fragmentaría y radicalizaría aún más la ya escorada estructura de partidos de Cataluña.

La idea de que estamos ante un proceso que depende mucho más del ambiente de protesta y desafección que de un cambio sustantivo en la interpretación histórica e identitaria de Cataluña se afianza mucho con estos datos, en los que también queda patente que el cambio del discurso político e institucional sobre la relación entre el Estado y Cataluña se inicia en los gobiernos del PSC —con fines y medios diferentes—, y es readaptado después, ya en el contexto de la crisis, cuando Mas (2008) recupera la Generalitat para CiU. Y en este sentido debe quedar patente la extrañeza que produce la quiebra del discurso de máximo protagonismo y máxima eficiencia de CiU en el desarrollo del modelo autonómico y en su exitosa implantación en Cataluña, que operó entre 1980 y 2003, que finalmente deriva en este otro, situado en las antípodas, en el que Cataluña parece no haber participado —o no haberlo hecho de grado— en el proceso constituyente, y que de repente se entera de que ha sido perjudicada por el Estado español sobre la base de un modelo autonómico versionado a la actualidad como un rotundo fracaso (Lipset y Rokkan, 1967). Porque este eje del cambio de discurso —que no es evolutivo, sino rupturista— tiene mucha utilidad para la interpretación de todo el proceso.

3. LA INTELECTUALIZACIÓN DEL PROCESO: UNA EXPLICACIÓN ALTERNATIVA

Llegados a este punto, tenemos ya la convicción de que la consecuencia política más duradera del *procés*, que es, a nuestro juicio, la modificación de la estructura de partidos y el cambio del posicionamiento ideológico del electorado catalán, se ha producido como respuesta —también podríamos decir "reacción"— a los movimientos estratégicos, las políticas públicas y los planteamientos discursivos de la Generalitat, así como del conjunto de posiciones adoptadas en ese marco por diferentes organizaciones cívicas y por los principales actores del universo mediático catalán. La encuesta que estamos analizando nos informa de los hechos y de su alcance, y en nada parece reprochable que la lógica de la causalidad nos lleve a esas conclusiones en todo razonable y objetivas.

Pero también pudiera suceder, porque ambas deducciones son compatibles, que, siguiendo la clásica metodología de Lipset y Rokkan (1967), que explica la conformación de los sistemas políticos occidentales y determina las posiciones esenciales que los ciudadanos adoptan en el marco dinámico de cada territorio, cada sistema y cada época (Flora, 1999), los ideólogos del *nou Estat* catalán, en ejercicio de un enfoque y una gestión del proceso altamente intelectualizados, hayan optado por provocar la ruptura programada de ciertas estructuras tradicionales de encuadramiento y posición de los electores, consideradas como inadecuadas o poco eficientes en orden a la generación y legitimación de la *desconexión*, y que hayan intentado iniciar el ciclo completo de generación de identidad, legitimidad, penetración, participación, integración y distribución de poderes y funciones institucionales que, de acuerdo con las investigaciones actuales sobre la obra de Stein Rokkan (1967), podrían beneficiar no sólo la estrategia de una secesión exitosa, sino aportar también las claves que le permiten a los ciudadanos interpretarse dentro de un nuevo sistema y convertirse en actores políticos esenciales de la nueva situación.

En este caso, lejos de haberse producido un distanciamiento no deseado de los electores y de sus valores y motivaciones tradicionales, estaríamos ante la priorización o sustitución programada de unos *cleavages* tradicionales, que producirían en el elector medio un alto nivel de rechazo a las inseguridades y a las dudas institucionales sobre la ruptura, para instalar otras formas de encuadramiento pensadas para la independencia, en las que tanto el autoposicionamiento de los electores más a la izquierda como las ideas de desobediencia institucional y desconexión unilateral y progresiva le ofrecerían al ciudadano elector un marco de institucionalidad paralela que le facilitaría enormemente la integración nada dramática en las exigencias y estrategias del *procés*.

Los acontecimientos registrados el día 10-09-2016, cuando CDC acuerda su propia refundación en un partido "independentista, catalanista, europeísta y humanista", más a la izquierda que CiU y CDC, más próxima a los planteamientos estratégicos e ideológicos de ERC, y menos identificado con la historia real del proceso autonómico y el pujolismo, nos dan muchas razones para esta interpretación, y para decir que las mismas tensiones independentistas que hicieron de CiU y CDC dos instrumentos ineficaces para la gestión del *procés*, y sacrificados por tanto en su beneficio, inspiran ahora el nacimiento del Partit Demòcrata Català (PDC)[6], después de las complejas experiencias que se derivan del paso instrumental por JxSí. Y por eso no descartamos que el colapso de CiU responda a una estrategia voluntaria cuyo resultado sólo se verá con el paso del tiempo.

4. EL PROBLEMA DE LA DESAFECCIÓN EN PERSPECTIVA ECONÓMICA

Los ciudadanos de Cataluña creen que si mala es su situación económica, peor es aún la situación política (Gráfico VII), lo que, en un contexto general de intensa preocupación por el futuro del Estado de bienestar y por sus clases medias, que los catalanes expresan en términos muy parecidos a los del resto de ciudadanos de España (Tabla III), nos habla más de un tiempo de cambio/confusión, que alimenta con gran facilidad el desencanto político, que de deficiencias esenciales —que los partidarios del independentismo presentan también como discriminaciones evidentes— que explicarían objetivamente la protesta colectiva y la desafección consecuente.

---

[6] Buscando esa ruptura con el pasado, las bases de lo que ahora es el PDC se negaron a aceptar las dos denominaciones propuestas por Artur Mas —*Mes Catalunya* y *Convergents de Catalunya*—, que, por razones distintas, darían un sesgo personalista, y algo continuista, al nuevo partido.

Gráfico VII. Valoración de la situación económica y política en Cataluña (%)

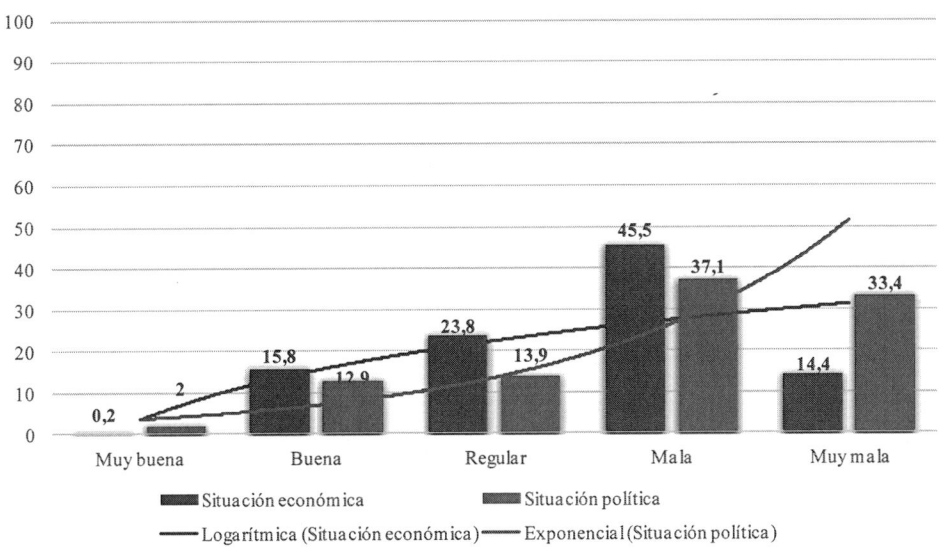

Fuente: Elaboración propia a partir de los datos del *Estudio Postelectoral Elecciones Autonómicas en Cataluña 2015*

Esta sensación, conectada con lo que durante la crisis global de 1973 se denominó "overload" (King, 1975), o sobrecarga del Estado, se refuerza notablemente en la comparación entre la situación personal y la social, cuya acusada divergencia nos permite hablar de dos lenguajes y de dos percepciones distintas, que, mientras en la vertiente personal están matizadas por la experiencia directa (Gráfico VIII), en su vertiente social responden a sendos discursos —político y mediático— que, aunque con evidente fundamento en la crisis económica iniciada a finales de 2007, recogen argumentos determinantes del proceso independentista y de las estrategias instrumentales con las que dicho proceso se gestiona.

Gráfico VIII. Percepción comparativa de la situación general y personal (%)

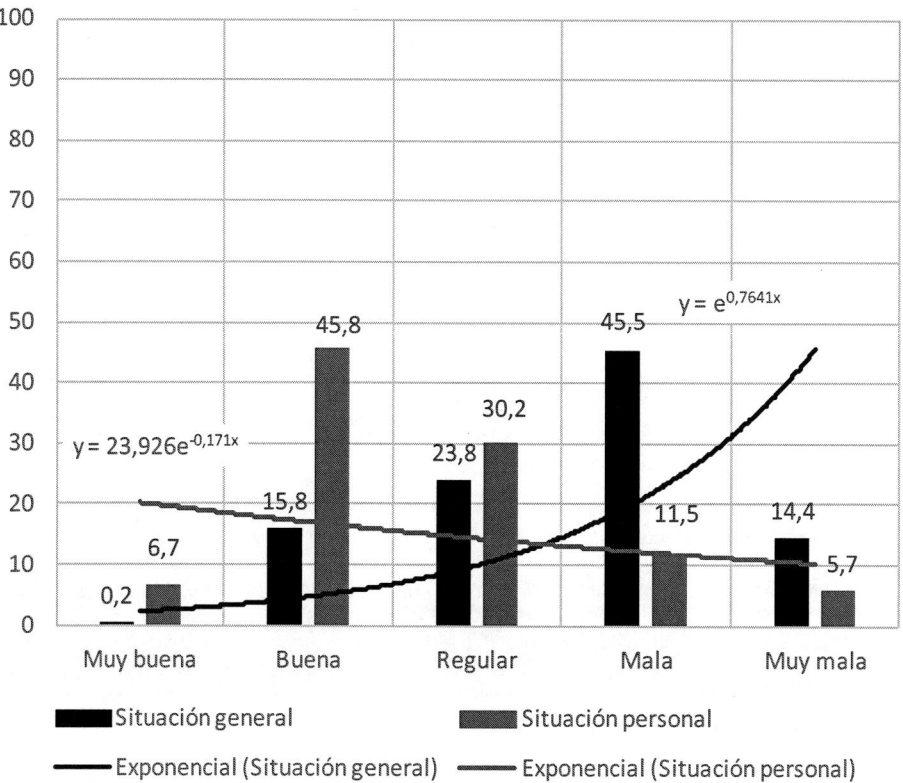

Fuente: Elaboración propia a partir de los datos del *Estudio Postelectoral Elecciones Autonómicas en Cataluña 2015*

El independentismo reivindicativo al que nos estamos refiriendo, cuya argumento principal es una nebulosa expoliación fiscal de Cataluña desde España, necesita disociar dos sensaciones que en situaciones de normalidad política evolucionan en paralelo, para afirmar que, mientras el pueblo catalán rebosa éxito y eficiencia en su desarrollo social y económico —perspectiva personal—, la autonomía constitucional desarrollada desde la transición ha fracasado —perspectiva colectiva—, y, lejos de funcionar como una fuerza de integración capaz de satisfacer las demandas de los ciudadanos de Cataluña, representa un instrumento de expolio de su fiscalidad que la propaganda del independentismo logró resumir en el burdo y exitoso eslogan —que ahora está retirado del discurso oficial y partidario— de "España nos roba". El discurso independentista ha conseguido poner en absoluta contradicción del desarrollo económico y social de Cataluña —entre los más altos de la UE— con su actual modelo político, que, frente a una sucesión de hipotéticos agravios cuya falta de rigor histórico y científico nadie quiere discutir, no deja más camino que la desafección radical, que ahora se formula como la desconexión de España y la construcción de un nuevo Estado europeo[7].

Frente a esta reivindicación sustentada en el agravio fiscal a Cataluña, que parece haber calado con éxito en las masas independentistas, el Prof. López i Casanova (2013), que entre 1995 y 1988 dirigió los estudios del *Balanç Fiscal entre Catalunya i l'Estat*, se atrevió a afirmar —en perfecta coherencia con la tesis discursiva que estamos sosteniendo— que "el debate de las balanzas fiscales es político, no técnico", y que "las estimaciones que se hacen de dichas balanzas dependen de las realidades políticas y económicas en las que, o desde las que, se alimenten". Lo que el profesor López i Casasnovas venía a decir —en nuestra interpretación— es que las balanzas fiscales, que pueden ser un instrumento muy útil para el análisis de la situación financiera de las Comunidades Autónomas, y para una interpretación comparativa de los equilibrios del Estado, no pueden agotar, y es probable que tampoco lo intenten, el complejo problema de los flujos económicos de diverso nivel y naturaleza que se producen entre los territorios de los Estados compuestos, en los que una balanza fiscal puntualmente negativa no siempre significa una inserción desigual e injusta de un territorio concreto dentro del conjunto.

Tabla V. Motivos aducidos para el Sí y el No a la independencia (%)

Motivos aducidos para el Sí y el No a la independencia			
MOTIVOS "SI"	%	MOTIVOS "NO"	%
Cataluña no ha sido tratada adecuadamente	65,5	Porque no me siento catalán	1,4
El futuro económico sería mejor fuera de España	46,6	Cataluña tendría mejor situación dentro de España y la UE	38,4
Porque deseo el derecho a decidir	30,1	Rompe el consenso y la convivencia en España	38,4
Cataluña es una nación	30	Cataluña no es una nación	8,6
Porque hay motivos históricos	21,1	Porque es un tema que afecta a todos los españoles	19,5
Me siento español	16	Porque soy español	33,8
-----------------------	---	La mayoría de los catalanes no estamos de acuerdo	26,6

Fuente: Elaboración propia a partir de los datos del *Estudio Postelectoral Elecciones Autonómicas en Cataluña 2015*

---

[7] La visión del "nou Estat" como única solución a los problemas internos —políticos y económicos— de Cataluña, y la más arriesgada convicción de que los Estados más pequeños y cohesionados habían resistido la crisis mejor que los grandes —verdadero leitmotiv— del *procés*, fue formulada paradigmáticamente en: Gabacho, P. (2012).

Conviene recordar, no obstante, que el discurso de la discriminación fiscal de Cataluña, más pensado para un proceso de negociación de un modelo definitivo de financiación autonómica que para fundamentar un proceso de secesión unilateral, se inició mucho antes de que CiU retomase la dirección política de Cataluña de manos del bipartito y el tripartito socialista[8], y antes también de que la solución intermedia del Estatut de 2006 se acabase evidenciando como una forma de alimentar la hoguera de la desafección que se empezaba a programar. El independentismo catalán, en la forma en que actualmente lo vivimos, tiene, con toda evidencia, el sello de CiU. Pero la idea de que Cataluña sale perjudicada en su relación con España, que dio origen a la desgraciada y exitosa consigna de "España nos roba", tiene un origen anterior y más difuso, en el que el PSC participó con evidente divergencia en las intenciones pero con notable confluencia en el resultado.

5. DE LA POLARIZACIÓN AL BLOQUEO: UNA DESAFECCIÓN SIN DESTINATARIO EVIDENTE

Los catalanes creen que el proceso independentista está polarizado, y distribuyen la responsabilidad de esta polarización entre el Gobierno de Madrid (46,4%) y el de Cataluña (29%), sin identificar un claro responsable. Pero si la polarización se analiza por liderazgos (Tabla III), las responsabilidades de Artur Mas (32,5%) y las de Mariano Rajoy (35,4%) está muy repartidas. Lo mismo sucede cuando se atribuye la responsabilidad de la polarización a la clase política catalana (20,5%) o a la clase política española (24,4%). Y más sorprende aún que entre los agentes de polarización, se les atribuya mucha más responsabilidad a los jueces y el Tribunal Constitucional (11%) que a las asociaciones cívicas que trabajan a favor o en contra del proceso independentista (7,3%).

El análisis de los motivos aducidos para posicionarse a favor o en contra de la independencia (Tabla VI), que, aunque son formulados por separado facilitan el establecimiento de comparaciones significativas, permite darle mayor contenido a la idea de polarización que acabamos de describir. Los que se posicionan en el sí porque creen que la situación de Cataluña sería mejor fuera de España (46,6%), y los que creen lo contrario (38,4%), ensanchan la percepción de limbo político en el que está entrando Cataluña, a la que contribuyen los que dan el Sí porque "Cataluña es una nación" (30%), y los que dan en No porque "soy español" (33,8%),

---

8   Al inicio de las investigaciones a las que nos estamos refiriendo corresponden las siguientes publicaciones de interés: Castells y Perellada (1983), Castells (1991) y Bosch, Castells y Costa (1988).

y los que creen que un referéndum independentista cubriría una necesidad de la sociedad catalana (30,1%), o los que piensan que "rompe el consenso y la convivencia en España" (37%).

Tabla VI. El bloqueo institucional del *Procés* (%)

El bloqueo institucional del *Procés*					
Posibilidad de llegar a un entendimiento con el Gobierno de España según Provincia					
		Barcelona	Girona	Lleida	Tarragona
Sí	52,40%	32,10%	29,60%	46,60%	48,50%
No	43,70%	60,00%	56,80%	48,60%	46,60%
Ns/Nc	3,90%	7,90%	13,60%	4,70%	4,90%
Posibilidad de llegar a una reversión del Proceso Independentista según Provincia					
		Barcelona	Girona	Lleida	Tarragona
Sí	42,90%	24,30%	26,30%	47,30%	40,60%
No	46,80%	64,30%	63,80%	46,60%	49,50%
Ns/Nc	10,30%	11,40%	10,00%	6,10%	9,90%

Fuente: Elaboración propia a partir de los datos del *Estudio Postelectoral Elecciones Autonómicas en Cataluña 2015*

Si a este panorama le sumamos la baja calificación de la gestión de la Generalitat, que en su conjunto no alcanza el aprobado, y la más negativa valoración que se le atribuye al Gobierno central, se extrae la obligada conclusión de que la polarización de la sociedad catalana entre el independentismo y las posibilidades variables de mantener el actual estatus de inserción de Cataluña dentro de España están evolucionando claramente hacia un bloqueo (Tabla VII), que los propios encuestados describen como una enorme dificultad —o práctica imposibilidad— de alcanzar la independencia, y como una difícil reversibilidad del proceso auspiciado desde la Generalitat.

Los ciudadanos catalanes desconfían tanto del éxito del proceso independentista —entendido como la creación de un Estado independiente— como de la posibilidad de revertir la situación hacia los parámetros anteriores al 2003. Y eso equivale a decir que en realidad se fía el final de esta crisis a dos alternativas de difícil asunción: una utópica, en la que aparecería una solución intermedia que, siendo satisfactoria para los independentistas fuese también aceptable para los que no lo son y para los que piensan que una integración coherente del Estado español es el bien primero a proteger; y otra que apunta a la consunción del proceso a través del progresivo abandono de las actividades reivindicativas y de la interiorización de la extrema dificultad jurídica, política y económica del proceso, que equivaldría a una desactivación del *procés* sin dar solución expresa a sus demandas.

Que la desafección pierda fuelle aunque sus causas no sean eliminadas ni sus demandas atendidas no es una buena solución para los problemas políticos, salvo que interpretemos que, del mismo modo que la coyuntura de la crisis explica una parte del proceso, por estructuras de oportunidad que los independentistas explotaron al máximo en favor de sus tesis, también un cambio de coyuntura política, a nivel local, estatal o internacional, pueda crear oportunidades para un proceso de integración ordenado y estrictamente legal que en este momento —salvo la abstracta solución de un federalismo constitucional apenas formulado— no se vislumbra.

La idea de que existen además dos *Cataluñas* —una que gira en torno a la población barcelonesa y otra que se afianza en las provincias de Lleida, Tarragona y Girona, complica mucho más la búsqueda de consensos y alimenta, en términos políticos, la sensación creciente de un bloqueo estéril y de un desencanto muy arraigado. Y por eso pensamos, como principal conclusión, que caminamos hacia una solución falsa, incapaz de provocar la secesión y profundamente desencantada por la enorme distancia que se está definiendo entre las aspiraciones que vertebraron el proceso independentista y los objetivos realistas que en las circunstancias actuales se pueden alcanzar.

6. REFERENCIAS BIBLIOGRÁFICAS

Beltrán Villalba, M. (2016). *Dramaturgia y hermenéutica: para entender la realidad social.* Madrid: Centro de Investigaciones Sociológicas.

Bosch, N., Castells, A. y Costa, M. (1988). *Els fluxos fiscals del sector públic a Catalunya.* Barcelona: Centre d'Estudis de Planificación

Burke, E. (1984). *Textos Políticos.* México: Fondo de Cultura Económica.

Castellls, A. y Perellada, M. (1983). *Els fluxos econòmics de Catalunya amb la resta d'Espanya i la resta del mon. La balança de pagaments de Catalunya.* Barcelona: Institut d'Estudis Catalans.

Castells, A. (1991). *Descentralización y gasto público. Un estudio empírico de diez países.* Madrid: Instituto de Estudios Fiscales, 94.

Flora, P. (1999). *State Formation, Nation-Building, and Mass Politics in Europe. The Theory of Stein Rokkan.* New York: Oxford University Press.

Gabancho, P. (2012): *L'autonomia que ens cal és la de Portugal.* Barcelona: La Mansarda.

Kaase, M. y Newton, K. (1995). *Beliefs in Government.* Oxford: Oxford University Press.

King, A. (1975). "Overload": Problems of Governing in the 1970s". *Political Studies*, 23, 284-96.

Lipset, S. M. y Rokkan, S. (Eds.). (1967). *Party Systems and Voter Alignments.* New York: Free Press.

Llera, F. J. (Ed.). (2016). *Desafección política y regeneración democrática en la España actual: diagnósticos y propuestas.* Madrid: CEPCO.

López i Casasnovas, G. (2013). "Balanzas fiscales; las verdades del barquero". *El País.*

Mair, P. (2015). *Gobernando el vacío*. Madrid: Alianza.

Mas, A. (2008). *Per una casa gran del catalanisme*. Barcelona: Base.

Mas-colell, A. y Muñoz Fonteriz, E. (*et al.*) (2012). *El ajuste fiscal de las Comunidades Autónomas visto desde dentro*. Madrid: Instituto de Estudios Económicos.

Molinero, C. (2014). *La cuestión catalana: Cataluña en la transición española*. Barcelona: Crítica.

Montero, J. R., Gunther, R. & Torcal, M. (1998). "Hacia la democracia en España: legitimidad, descontento y desafección". *REIS*, 83, 9-49.

Pallarés, F., Gifreu, J. y Capdevila, A. (Eds.). (2007). *De Pujol a Maragall: comunicació política i comportament electoral a les eleccions de 2003*. Barcelona: Unitat d'Investigació en Comunicació Audiovisual.

Paramio, L. (Coord.). (2015). *Desafección política y gobernabilidad: el reto político*. Madrid: Marcial Pons. Alcalá de Henares: Instituto de Investigación en Estudios Latinoamericanos.

Pujol, J. (2009/2012). *Tiempo de Construir, 1980-1993*. Y *Años decisivos, 1993-2011*. Barcelona: Editorial Destino.

Ramos Rollón, M. L. (1997). "La dimensión política de los movimientos sociales: algunos problemas conceptuales". *REIS*, 79, 247-263.

Rodríguez-Aguilera de Prat, C. y Reniu Vilamala, J. M. (2015). "Elecciones catalanas: plebiscitarias "ma non troppo"". *Quaderni dell'Osservatorio Elettorale*, 74, 33-58.

Sartori, G. (1988). *Teoría de la democracia. 1. El debate contemporáneo*. Madrid: Alianza.

Sorens, J. (2012). *Secessionism: identity, interest, and strategy*. Montreal: McGill-Queen's University Press.

Torcal, M. y Montero, J. R. (2006). "Political Disaffection in Comparative Perspective". En M. Torcal y J. R. Montero (Eds.). (2006). *Political Disaffection in Contemporary Democracies*. Londres: Routledge.

Traugott, M. (Comp.). (2002). *Protesta social: repertorios y ciclos de la acción colectiva*. Barcelona: Hacer.

Vallés, J. M. (Coord.). (2008). *Actitudes políticas y comportamiento electoral en Cataluña; materiales para un debate social*. Barcelona: Generalitat de Catalunya. Direcció General de Participació Ciutadana.

Análisis de los debates electorales: el *procés* como *master frame*

Paloma Castro Martínez
Elba Maneiro Crespo
Alejandro Peso Lago
Universidad de Santiago de Compostela

Los debates electorales se han convertido en momentos fundamentales de las campañas electorales. Se trata de eventos singulares y muy significativos en los que la lógica tradicional de la campaña, basada en una relación candidato-ciudadano, deja paso a una interacción directa entre candidatos, generalmente en espacios mediáticos privilegiados y, por lo tanto, dirigidos a públicos diversos.

Los debates son fruto de la "mediatización" de nuestras sociedades, y por ende, de la oferta de información de los medios, pero también de la demanda informativa que proviene de ciudadanos que necesitan construir sus preferencias y, en su búsqueda de recursos cognitivos, encuentran en los debates, un momento para la comparación entre los candidatos, sus posiciones y las de sus respectivas organizaciones. Y ello porque, aun asumiendo la existencia de esta demanda de información, esta actitud activa, los ciudadanos tratan de economizar los recursos, fundamentalmente el tiempo, que tendrían que dedicar a conocer las distintas propuestas recogidas en los extensos programas electorales de los diferentes partidos, y a sus respectivos candidatos, que concurran en unas determinadas elecciones. En el fondo, la vieja idea de "atajos cognitivos" que sirviera a la Escuela de Michigan, invita a pensar en los debates como "atajos informativos" en razón de tres factores que nos atrevemos a proponer: (1) permiten ver juntos a los candidatos y compararlos, (2) permiten comparar las propuestas sobre los temas fundamentales y (3) permiten visualizar las relaciones y estrategias entre los competidores.

Efectivamente, como consecuencia de los elevados costes que supone la adquisición de información por parte de los ciudadanos, los debates electorales constituyen la ocasión propicia para que los futuros votantes obtengan la información necesaria para decidir su forma de participación en las elecciones, al exponer los líderes, en poco tiempo, las medidas más relevantes de los partidos políticos que representan y que, probablemente, aglutinen el mayor número de votos una vez celebrados los comicios. En este sentido, los debates electorales, a juicio de Best y Hubbard (1999), cumplen principalmente tres funciones normativas:

a) Los debates electorales involucran a los espectadores en la campaña: aumentan su implicación, animando a los electores a mostrar interés por los candidatos y por los temas que tratan, y su participación en la elección.

b) Los debates electorales informan a los potenciales votantes de los temas: ponen en consideración la importancia de las diversas cuestiones políticas y las alternativas que se ofrecen como soluciones a éstas, permitiendo a los espectadores evaluar las agendas de temas y las posiciones políticas respecto a éstos de los distintos candidatos.

c) Los debates electorales informan a la audiencia acerca de los líderes políticos: revelan las cualificaciones, los rasgos característicos y las posiciones políticas en torno a los temas sobre los que se debate, permitiendo a los espectadores evaluar a los candidatos y decidir la orientación de su voto.

Si a estas funciones se suma que los debates electorales, al ser televisados, alcanzan niveles de audiencia muy superiores a otras formas de comunicación en campaña, llegando así, a *targets* del electorado que habitualmente no son receptores de la información política (como es el caso de los votantes indecisos); que, al generar mucha información mediática, estimulan, de forma indirecta, el debate político de la ciudadanía, y que, debido a que la cobertura mediática tiende a expresarse en términos deportivos (lucha, ganador, perdedor), se genera una percepción ciudadana acerca de quién ha sido el vencedor y quién ha sido el perjudicado tras el debate; se podría afirmar, tal y como apunta Luengo (2011), que estos eventos constituyen una forma de comunicación política muy interesante para la investigación.

Los debates electorales nacieron como una sucesión de monólogos[1] que los candidatos exponen ante los espectadores para que estos puedan conocer las diferencias entre ellos. Hoy en día, tienen formatos diversos, pero su objetivo fundamental ha sido y es, resaltar las diferencias entre los candidatos y, en este sentido, los debates se conforman como una síntesis de la competición electoral, como una microcompetición que tiene sentido en sí misma, y cuya influencia dependerá de lo igualada que esté la competición electoral (Garrido y Sierra, 2013), de la apertura de la propia competición, es decir, del voto que queda por decidir y de los factores que van a incidir en dicha decisión (Canel, 1998) o, del propio debate (hay debates que influyen y otros estériles) (Luengo, 2011). Y así, se puede afirmar que la influencia de los debates depende de los factores de la competición, pero también de factores del propio debate y, desde nuestro punto de vista, estos dos tipos de factores no ostentan ninguna jerarquía, sino que conviven en importancia y temporalidad.

---

[1] Como es el caso de los siete debates que tuvieron lugar entre Lincoln y Douglas en 1858, cuyo formato consistía en una primera intervención de 60 minutos por parte de uno de los candidatos, una intervención del otro candidato de 90 minutos, y una segunda intervención, a modo de réplica, del primer candidato en tomar la palabra de 30 minutos.

Según la Teoría de la agenda-*setting*, las campañas electorales, además de legitimar el sistema democrático, también desempeñan un papel importante con respecto a la fijación de los temas de la agenda. Y en este sentido, los debates electorales ofrecen un mayor conocimiento a la audiencia sobre los diversos *issues*, constituyen una ocasión singular y propicia para que los candidatos atraigan la atención de los medios hacia aquellos temas de los que desean hablar, es decir, los partidos políticos compiten por introducir sus temas en los listados de *issues* que conforman la agenda mediática y la agenda pública.

Es más, los debates electorales contribuyen a aclarar las posiciones políticas de los participantes en el debate en relación a los temas, al constituir una instancia de apertura a aquellos candidatos que se encuentran en una posición de inferioridad. Así, un debate electoral permite dotar de cierta simetría a la campaña, especialmente si los candidatos menos conocidos por la población aprovechan esta oportunidad. Si la función básica de una campaña electoral es dotar de información, los debates electorales son una de las fuentes de información de la campaña electoral (Crespo, Garrido, Carletta y Riorda, 2011).

Sin embargo, en la práctica, los debates electorales no siempre tienen un efecto sobre la agenda, ya que si los temas se encuentran muy anclados al comienzo de la campaña electoral, difícilmente los debates podrán modificar el listado de *issues* más relevantes. Se trataría más de ratificar los principales temas de campaña de los partidos políticos y de sus candidatos. Por ello, los líderes políticos intentan que los temas que les son favorables permanezcan en el debate (Garrido y Sierra, 2013).

Además, a pesar de que los debates televisados tienen la capacidad de llegar a una gran audiencia, generalmente, son vistos por aquellas personas que ya manifiestan un gran interés por la política y que, por ende, son las más informadas.

De acuerdo con el modelo de efectos limitados, las campañas electorales influyen mínimamente en los resultados electorales. En consonancia con esta afirmación, muchos autores consideran que los debates electorales no tienen ningún tipo de efecto sobre los votantes, pues los individuos se esfuerzan por mantener una coherencia cognitiva que les lleva a asimilar información que no contradiga las disposiciones previas (Lledó, 2001).

Contrariamente, investigaciones más recientes (Best y Hubbard, 1999; Yawn y Beatty, 2000; Lledó, 2001; Benoit y Hansen, 2004; Garrido y Sierra, 2013) sí que encuentran influencias apreciables de los debates electorales en la decisión del voto de los ciudadanos. No obstante, existe cierta disparidad en los que respecta a las conclusiones empíricas halladas, lo cual puede estar motivado por los diferentes contextos en los que las campañas electorales tienen lugar.

De esta forma, diversos autores (Schrott, 1990; Lanoue, 1992; Jamieson y Adasiewicz, 2000; Yawn y Beatty, 2000) consideran que la función principal que cumplen los debates electorales, desde el punto de vista de la decisión del voto, es, además de un mayor conocimiento de los candidatos, la de refuerzo de las preferencias del electorado, al margen de la incidencia o impacto que puedan tener sobre el electorado indeciso. La mayor influencia de los debates electorales sobre el comportamiento electoral se produce cuando las posiciones de los contendientes están muy igualadas, cuando existe una fuerte competitividad, por cuanto pueden convertirse en decisivos, es decir, cuanto más reñidas sean unas elecciones, cuando el escenario electoral presente un mayor número de indecisos con unas fidelidades partidistas no muy fuertes, más influencia tendrán los debates electorales sobre la decisión del voto de los ciudadanos.

No obstante, aunque el refuerzo sea el único efecto que podemos observar como consecuencia del visionado de los debates electorales, éste tendría consecuencias sobre los resultados electorales, pues el refuerzo podría convertir preferencias previas de los potenciales votantes en votos definitivos que, en ausencia de la celebración de los debates, podría haberse manifestado en forma de abstención.

Asimismo, Lledó (2001) afirma que la percepción del ganador de los debates se encuentra fuertemente influenciada por las actitudes y preferencias preexistentes: valoración del líder, identificación partidista e intención de voto, entre otras; o lo que es lo mismo, la agregación de preferencias previas actuaría como una barrera al considerar ganador al candidato del partido contrario al que se señala en la intención de voto, por lo que en todo caso, los espectadores optarían por el empate.

Cada elector, en función de la "percepción selectiva", tiende a considerar como ganador al candidato que representa al partido político por el que siente una mayor simpatía y, por ende, aquel candidato que se corresponda con la organización política preferida para una mayor masa de electores que muestre unas predisposiciones claras antes de las elecciones será el que figure como ganador del debate electoral en los resultados de las encuestas.

1. LA APLICACIÓN DE LA TEORÍA FUNCIONAL A LOS DEBATES ELECTORALES

Una de las teorías más empleadas y sistemáticamente testadas en los análisis de contenidos de los debates electorales televisados es la Teoría funcional. Esta Teoría parte del presupuesto de que el discurso de campaña es inherentemente instrumental, en el sentido de que se trata de un medio para alcanzar un fin deseado: asegurar votos para ganar unas elecciones determinadas (Benoit, 1999, citado por Benoit y Airne, 2005; Isolatus, 2011).

En esta línea, los debates electorales muestran las aptitudes de los candidatos, al ser una oportunidad para que los líderes políticos expliquen sus roles y sus posiciones políticas, defendiendo su candidatura y atacando a sus oponentes (Carlin y Bicak, 1993, citado por Benoit y Airne, 2005)

En relación a esto, Benoit et al. (2003, 2007b) parten del axioma de que votar es un acto comparativo, mediante el cual, los candidatos deben distinguirse a ellos mismos de sus oponentes, siendo los mensajes de las campañas políticas los que permiten a los candidatos diferenciarse, a través de *acclaims*, ataques y defensas; y de dos tipos de temas: las políticas públicas y los rasgos definitorios de los candidatos, siendo más frecuentes los primeros que los segundos en los debates electorales.

Este axioma constituye la base de los tres supuestos básicos de la Teoría funcional del discurso de campaña política, según los cuales los ciudadanos pueden discernir si un candidato es preferible a los otros (Benoit y Airne, 2005; Benoit, Brazeal y Airne, 2007b; Isolatus, 2011):

1. *Acclaims* o autoalabanzas: identifican las ventajas de los candidatos, es decir, éstos deben aclamar sus características positivas o sus posiciones políticas.
2. Ataques o críticas de un oponente: demuestran las debilidades de los oponentes, tanto en lo que respecta a sus posiciones políticas como a las características de los oponentes, incrementando así, el ataque a la conveniencia neta de los candidatos. Un ataque exitoso incrementa la red de ataques favorable a la reducción de la deseabilidad de los oponentes (Isolatus, 2011).
3. Defensas o respuestas al ataque: pretenden refutar la pretendida debilidad de los candidatos.

Estas tres funciones operan conjuntamente sobre la base de un análisis costebeneficio de modo informal, de tal forma que los *acclaims* incrementan los beneficios, los ataques incrementan los costes de los oponentes y las defensas incrementan los costes pretendidos de los candidatos. No obstante, el apelativo de "modo informal" indica que no todos los votantes cuantifican los costes y beneficios o los combinan matemáticamente, sino que, en su lugar, los *acclaims*, cuando persuaden, tienden a aumentar la deseabilidad percibida de los candidatos; los ataques, cuando son aceptados por la audiencia, deberían tender a reducir la deseabilidad percibida hacia los candidatos; y las defensas, cuando son efectivas, son aconsejables para atenuar los costes aparentes de los ataques a los candidatos.

Por tanto, a juicio de Benoit et al. (2003, 2007b), los candidatos pueden desear atraer a los votantes de partidos independientes o de terceros partidos, desalentar a los simpatizantes del propio partido a desertar o a votar por un partido rival y/o a desanimar a los potenciales votantes de los partidos de la oposición.

La Teoría funcional anticipa que, en los debates electorales, los *acclaims* serán la función que se produzca con mayor frecuencia, seguida de los ataques y de las defensas, debido al hecho de que las autoalabanzas no presentan inconvenientes, por lo que los participantes no tienen razones para moderar su uso. Por la contra, algunos espectadores indican que no les agradan las reyertas, así que ésta sería una buena razón para que los candidatos moderasen sus ataques. Además, las defensas también muestran una serie de desventajas, al presentarse el riesgo de que el candidato parezca reactivo en vez de proactivo y de alejar al líder político del mensaje que desea transmitir, debido a que, normalmente, las defensas son respuestas a ataques dirigidos a los candidatos. Además, para defenderse, es necesario que los participantes identifiquen los ataques que se encuentran dirigidos hacia ellos, lo que implica que las defensas pueden informar o recordar a los votantes acerca de las presuntas debilidades de los candidatos.

Teniendo en cuenta la clasificación anterior, la Teoría funcional también compara los candidatos *incumbent* con los candidatos *challenger*, siendo la diferencia entre ambos, que los primeros disponen de experiencia en los puestos a los que se presentan, a diferencia de los segundos. Por esta razón, la experiencia de los candidatos *incumbent* puede ser una fuente de *acclaims* por su parte y, al mismo tiempo, puede ser causa de ataques por parte de los *challengers*.

Si el objetivo de todo candidato es ganar las elecciones y, para tal fin, tendrán que persuadir a los votantes, demostrando que son preferibles a sus oponentes, los líderes políticos deben explicar por qué son la mejor opción (*acclaims*), por qué sus contrincantes no son la opción conveniente (ataques) y por qué las debilidades que los oponentes les atribuyen no son correctas (defensa).

En consonancia con este razonamiento, Benoit, Brazeal y Airne (2007b) formulan la hipótesis relativa a que los candidatos que se presenta a la reelección hacen un mayor uso de la función de *acclaims* que de la función de ataques, en comparación con los candidatos aspirantes, hipótesis que trataremos de testar en el presente capítulo, al analizar los debates que tuvieron lugar durante la campaña electoral de las Elecciones catalanas.

2. EL CONTEXTO DE LOS DEBATES ELECTORALES

Durante la campaña electoral de las Elecciones autonómicas catalanas celebradas el 27 de septiembre de 2015, tienen lugar dos debates electorales, emitidos en dos días consecutivos (el 19 y el 20 de septiembre) por La Sexta, moderado por la periodista Ana Pastor, y TV3, moderado por la expresidenta de la Televisión de Catalunya y también periodista, Mónica Terribas, respectivamente. Por tanto, ambas contiendas se emiten justo en la mitad de la campaña electoral, en horario de máxima audiencia (a las 21:30 horas, el debate de La Sexta y a las 22:15 horas, el debate de TV3), alcanzando el 8,2% y el 22,3% de cuota de pantalla, respectivamente.

Ambos debates se producen entre los cabezas de lista de siete partidos que presentan su candidatura al Parlament de Catalunya: Raül Romeva, representando a Juns pel Sí (JxSí); Inés Arrimadas, líder de Ciutadans (C's); Miquel Iceta, del Partit dels Socialistes de Catalunya (PSC); Xavier García Albiol, candidato del

Partido Popular (PP); Antonio Baños, de Candidatura d'Unitat Popular (CUP); Lluís Rabell, cabeza de lista de Catalunya Sí Que Es Pot (CSQEP) y Ramón Espadaler, de Unió Democrática de Catalunya (UDC). Por tanto, la participación de este elevado número de candidatos tiene una clara intención ecuánime, es decir, se trata de dotar de cierta simetría a la campaña electoral en la que se enmarcan ambos debates.

De los siete participantes en los debates electorales, ninguno de ellos se presenta a la reelección como President de la Generalitat de Catalunya. No obstante, conviene mencionar algunas singularidades de algunos de los candidatos. En primer lugar, Raül Romeva, como se ha mencionado, participa en el debate como cabeza de lista de la coalición JxSí, conformada por Convergencia Democrática de Catalunya (CDC) y Esquerra Republicana de Catalunya (ERC), aunque, además de no ser un candidato *incumbent*, no ha formado parte del gobierno de Convergencia i Unió (CiU), presidido por Artur Mas, siendo éste el aspirante a ocupar el mismo cargo, a pesar de no encabezar la lista. Este hecho pone en entredicho a Romeva en el transcurso de los debates electorales, ya que el resto de representantes de los partidos políticos se encargan de mantener presente la figura de Artur Mas, acusando a Romeva de ser el "peón del expresident", el escudo del mismo ante la opinión pública. Es más, Miquel Iceta, llega a afirmar, en referencia a la contienda electoral de TV3, que el debate está "amputado", pues el "auténtico" candidato a la presidencia de Cataluña no acude a los debates; e Inés Arrimadas considera que Romeva ostenta una falta de educación al asistir él al debate, en lugar de Mas.

En segundo lugar, la experiencia al frente de la Generalitat, pasa factura a Ramón Espadaler, representante de UCD, pues sus oponentes le recuerdan que su partido político ha formado parte de los últimos gobiernos de la Generalitat, así como los casos de corrupción presentes en sus listas. Acusaciones a las que Espadaler trata de hacer frente pasando desapercibido.

Por último, a Xavier Albiol, que hasta entonces había ocupado el puesto de Alcalde de Badalona, se le menciona constantemente debido a su vinculación directa con el gobierno del PP en Madrid, como consecuencia de ser el representante de dicho partido en el debate electoral. No obstante, el propio Albiol se encarga de sobresalir en el debate haciendo continuas alusiones a su gestión al frente de la Alcaldía de Badalona, presentándose como un político experimentado; gestión que también es criticada por Espadaler.

Independientemente de las singularidades de cada candidato, en esta ocasión y como se podía prever, los debates giran en torno al tema de la independencia, como se podrá observar en el análisis de contenido de los debates, al presentar Artur Mas las Elecciones del 27 de septiembre como un plebiscito sobre la hipotética independencia de Cataluña.

De esta forma, se puede distinguir entre los candidatos independentistas: Raül Romeva y Antonio Baños, y los candidatos unitaristas: Miquel Iceta, Xavier García Albiol, Lluís Rabell, Inés Arrimadas y Ramón Espadaler. Si bien, dentro de este segundo grupo, se diferencian claramente posturas que van desde la permanencia de Cataluña en un Estado central hasta su continuidad en un Estado de corte más federal.

3. METODOLOGÍA

En el presente capítulo se procederá a un doble análisis de los mencionados debates electorales. En primer lugar, una vez transcritos ambos debates electorales, se realizará, siguiendo la Teoría funcional del discurso de campaña, un análisis de contenido conjunto mediante el cual, en un primer momento, se tipificarán las intervenciones de los candidatos según las funciones del mensaje: *acclaims*, ataques y defensas; y, en un segundo momento, se clasificarán las intervenciones de los candidatos en función del tema del que traten.

A este respecto, se debe tener en cuenta que la complejidad de este análisis reside en el hecho de que esta teoría ha sido argumentada con la finalidad de estudiar campañas electorales de sistemas bipartidistas, por lo que se debe adaptar a una campaña que, en esta ocasión, se desarrolla en un escenario multipartidista, hasta el punto de que los debates electorales suponen la confrontación de las comparecencias de siete candidatos que aspiran a presidir la Generalitat de Catalunya.

En segundo lugar, se realizará un análisis descriptivo en el que se tratará de poner en la relación los efectos que los debates electorales pueden producir en el electorado a la hora de votar, con el recuerdo de voto en estas Elecciones autonómicas, así como con el momento en el que los encuestados tomaron su decisión en cuanto al voto que iban a ejercer.

4. ANÁLISIS DE CONTENIDO DE LOS DEBATES ELECTORALES

Como ya hemos mencionado anteriormente, a la hora de realizar el análisis de contenido de los debates electorales, se ha optado por analizarlos de forma conjunta, pues, además del hecho de que los participantes en ambos debates son los mismos, estas contiendas electorales presentan ciertas similitudes en cuanto a su estructura y a los temas tratados.

En primer lugar, si se presta atención al porcentaje de intervenciones realizadas por cada candidato en ambos debates, podemos constatar que, a excepción de Romeva, las intervenciones del resto de participantes oscilan entre el 12,12% y el 15,15%, como se puede observar en el Gráfico I, siendo la media de un 14,29% de participaciones. Sin embargo, la superioridad en el número de intervenciones realizadas por Romeva, se debe a las respuestas que por alusiones protagoniza el candidato, como consecuencia de las acusaciones que sus oponentes le dirigen, hecho que podremos observar con mayor detalle al clasificar las intervenciones de cada candidato por el tipo de declaración.

Gráfico I. Intervenciones por candidato (%)

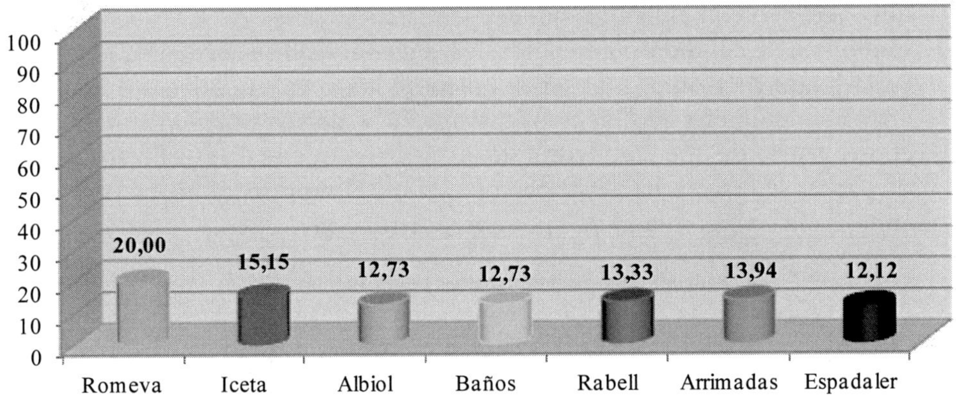

Romeva	20,00	
Iceta	15,15	
Albiol	12,73	
Baños	12,73	
Rabell	13,33	
Arrimadas	13,94	
Espadaler	12,12	

Fuente: Elaboración propia, a partir de los debates electorales emitidos por La Sexta y TV3

Siguiendo las directrices formuladas por la Teoría funcional, se han tipificado las intervenciones realizadas por los participantes en ambos debates electorales de la forma siguiente:

Tabla I. Funciones del mensaje según la Teoría funcional

Funciones del mensaje	
Acclaims	Autoelogio de sus propias características, tanto de carácter como de gestión, o de sus posiciones políticas
Ataques	Acusaciones dirigidas hacia otros candidatos
Defensas	Respuestas a los ataques

Fuente: Elaboración propia a partir de Benoit, W.L., Brazeal, L.M. y Airne, D. (2007)

Como se desprende de los datos que nos revela la mencionada clasificación, como muestra el Gráfico II, se pueden establecer tres modelos de candidatos:

1. El modelo de candidato que se autoalaba: Este modelo se corresponde únicamente con Ramón Espadaler, quien dedica la mayor parte de sus intervenciones a alabar su trabajo y el de su partido a lo largo de los años en los que se mantuvo en el gobierno, haciendo hincapié en las propuestas programáticas que ofrece la formación política. No obstante, aunque por el número de ataques, Lluís Rabell se ubica en el modelo siguiente, es preciso señalar que su número de *acclaims* se encuentra muy igualado con el de los

ataques, pues se centra también en las propuestas recogidas en el programa electoral de CSQEP.

2. El modelo de candidato atacante: La mayoría de candidatos se encuadran dentro de este modelo, pues forman parte de este grupo: Miquel Iceta, Xavier García Albiol, Antonio Baños, Lluís Rabell e Inés Arrimadas, siendo ésta última la que realiza un mayor número de ataques, al mostrar un perfil muy agresivo con el bando independentista.

3. El modelo de candidato a la defensiva: Este modelo se encuentra plasmado en la figura de Romeva, al ser el único de los siete candidatos que realiza un mayor número de defensas, casi un 76% de sus intervenciones, como consecuencia de que la mayoría de los ataques que realizan el resto de participantes se dirigen hacia su persona, al ser el representante de JxSí y, por ende, de la coalición a la que pertenece Artur Mas.

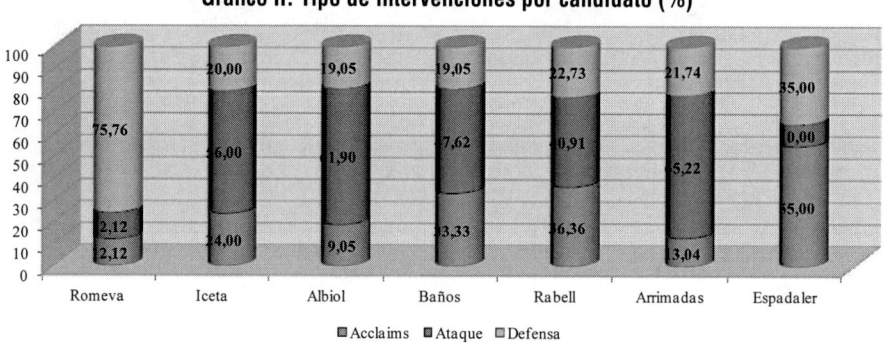

Gráfico II. Tipo de intervenciones por candidato (%)

Fuente: Elaboración propia, a partir de los debates electorales emitidos por La Sexta y TV3

A tenor de esta clasificación, se podría afirmar que, en unos debates electores donde prima el enfrentamiento entre los candidatos del bando independentista y del banco unionista, Ramón Espadaler y Lluís Rabell manifiestan un perfil más bajo que el resto de participantes, al ser los candidatos que cuentan con menos intervenciones dedicadas a los ataques, a excepción de Raül Romeva, cuya preocupación se centra en defenderse de los ataques de sus oponentes.

Una vez clasificadas las intervenciones de los candidatos en *acclaims*, ataques y defensas, se procede a analizar las mismas en función del tema del que se traten. Esta clasificación, a pesar de resultar compleja, debido a que ambos debates han girado en torno al *procés*, enmarcándose todas y cada una de las intervenciones en este tema, pretende ser lo más exhaustiva posible, por lo que se han diferenciado cuatro grandes bloques temáticos y varios subtemas para dos de ellos, como se recoge en la Tabla siguiente (Tabla II):

Tabla II. Principales temas y subtemas de los debates electorales

Temas	Subtemas
1. *Procés*	a) Proceso independentista b) Permanencia o salida de la UE c) Riesgo económico y financiero d) Salida pactada (referéndum) e) Pacto fiscal
2. Políticas económicas y sociales	-
3. Corrupción	-
4. Gestión Mas	a) Gestión Generalitat b) Mas como President

Fuente: Elaboración propia

El primer gran bloque temático lo constituye el *Procés*, dentro del cual se han distinguido cinco subtemas. En cuanto a este primer bloque temático, es preciso aclarar que, en ambos debates, todas las intervenciones de los diversos candidatos pivotan alrededor del proceso independentista. Por tanto, aunque con la finalidad de facilitar el análisis, se han diferenciado un total de cuatro bloques temáticos, lo cierto es que los otros tres bloques, así como todas las intervenciones que contienen, siempre hacen referencia al *procés*. Esta anomalía se deriva de que en la agenda *setting* de esta campaña electoral, se encuentra fuertemente anclado un único tema: el proceso de independencia de Cataluña, que deja en un segundo plano al resto de temas que normalmente forman parte de las agendas política y mediática de las campañas electorales.

Dentro de este primer gran bloque temático, el primero de los subtemas, se refiere al propio Proceso Independentista referido como tal. Dentro de este subtema se recogen aquellas intervenciones que tratan del *procés* en sí mismo, de manera directa, las argumentaciones que se derivan de su defensa o de su ataque, pero no las posibles consecuencias y situaciones que tendrían lugar si la independencia finalmente se llevase a cabo. No obstante, una vez más, subrayamos que esta clasificación no debe hacer que perdamos de vista que el hecho de que el resto de intervenciones, aunque las ubiquemos dentro de los otros tres bloques temáticos, se enmarcan dentro del *frame* del *procés*.

El segundo y el tercer subtemas guardan relación con las posibles consecuencias de la hipotética independencia catalana: la posible Permanencia o Salida de Cataluña de la Unión Europea y los posibles Riesgos económicos y financieros derivados de la independencia. Dentro de este último subtema, destacan las menciones sobre los interrogantes acerca de las pensiones y de las inversiones extranjeras, así como los efectos que tendría sobre las empresas radicadas en Cataluña. El cuarto subtema aborda la posible Salida de Cataluña pactada con el gobierno estatal, vía tratada a colación con el caso escocés y el referéndum que se había celebrado para decidir la permanencia o la salida de Escocia en/de Reino Unido; y el quinto subtema abarca el posible acuerdo sobre un Pacto fiscal entre Cataluña y el Gobierno central como solución alternativa a la independencia de Cataluña.

El segundo bloque temático engloba las propuestas de los candidatos sobre las Políticas económicas y sociales, especialmente en lo que respecta al problema del paro y a la creación de empleo; mientras que el tercer bloque temático aborda el tema de la Corrupción, tanto los casos que afectan al partido que se encontraba en el Gobierno (CDC) como al resto de agrupaciones políticas y sus respectivos miembros.

Por último, el cuarto bloque temático se divide en dos *issues*: la Gestión de Artur Mas al frente del Gobierno de la Generalitat durante los gobiernos de CiU y, posteriormente, de CDC; y la figura de Artur Mas como President y la posibilidad de que vuelva a revocar el cargo, a pesar de no ser el cabeza de lista de la coalición JxSí, con las consecuentes dificultades que esto acarrea para el ejercicio de la *accountability*.

Para comprender la complejidad del análisis de las intervenciones de los candidatos en relación con el tema del que hablen, resulta imprescindible señalar que la mayoría de estudios sobre debates televisivos tienen como objeto de estudio debates con escenarios bipartidistas, es decir, enfrentamientos entre dos candidatos. El problema surge cuando el debate objeto de estudio se produce entre más contendientes, como son los casos que nos ocupan, donde los enfrentamientos electorales se producen entre los representantes de siete partidos políticos.

Cuando los debates electorales se producen entre dos candidatos, al público le supone un menor esfuerzo diferenciar cuál de los dos candidatos sería mejor o estaría más preparado para lidiar en alguna de las cuestiones de la política pública (Aalberg y Todal, 2007). Cuando se presenta un escenario con más de dos candidatos, ante la dificultad de monopolizar un tema, los participantes tratarán de dirigir la atención del público hacia aquellas cuestiones en las que pueden coincidir con más votantes que los ya habituales. Esto supone que habrá más partidos políticos que temas de discusión, por lo que los representantes de los partidos tendrán que pelear para ocupar un importante espacio discursivo a lo largo de todo el debate electoral.

Como ya se ha indicado, los debates electorales se organizan en torno a cuatro grandes bloques temáticos, estructurados del modo en que se presentan en el Gráfico III y de acuerdo con la Tabla II.

Gráfico III. Intervenciones según tema (%)

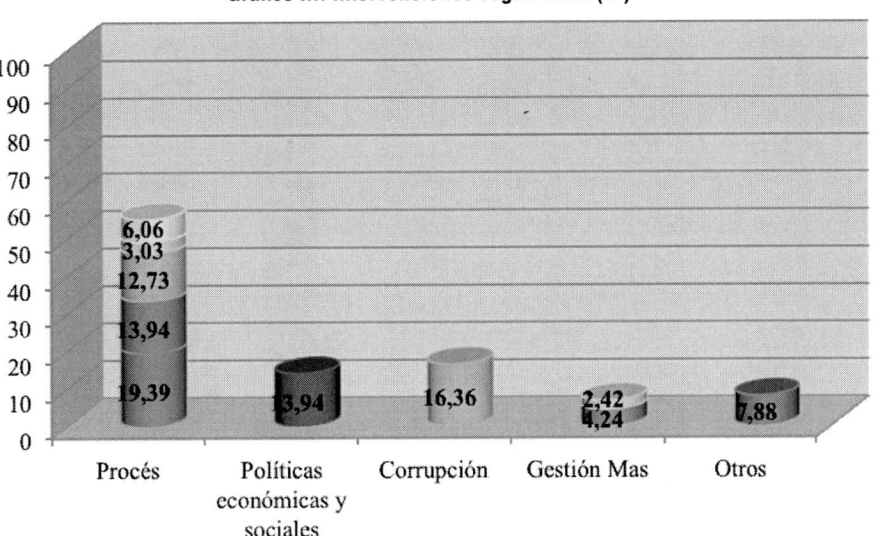

Fuente: Elaboración propia, a partir de los debates electorales emitidos por La Sexta y TV3

Si los datos de este Gráfico los relacionamos con las intervenciones que realiza cada candidato, se puede constatar que del total de 165 intervenciones, la gran mayoría de las mismas se corresponden con el bloque relativo al *Procés*, suponiendo el 55% de las declaraciones de los candidatos sobre este tema. De este 55%, el candidato que habla más veces sobre este *issue* es Raül Romeva, con el 19% de las intervenciones, a bastante distancia del resto de participantes, cuyo número de intervenciones oscila entre el 3% de las declaraciones de Lluís Rabell y el 14% de Inés Arrimadas. Por tanto, los datos parecen respaldar la caracterización de las Elecciones del 27 de septiembre como un plebiscito por parte de Artur Mas. No obstante, esta diferencia también se encuentra motivada por la gran cantidad de ataques que recibe Romeva en torno a esta cuestión, siendo necesaria la defensa de su programa en múltiples ocasiones, como ya hemos visto.

Como se puede deducir del Gráfico que figura a continuación (Gráfico IV), dentro del bloque de la independencia, los subtemas a los que se dedica un mayor número de intervenciones y, por ende, los que ocupan mayor tiempo en los debates, son el Proceso independentista, siendo los participantes que más hablan sobre este *issue*, los candidatos que defienden posturas independentistas (Raül Romeva y Antonio Baños); la Permanencia o Salida de la Unión Europea, siendo Inés Arrimadas la que más habla sobre este tema (un 33% de las ocasiones), al mostrarse muy preocupada por la hipotética salida de Cataluña de la UE en el caso de que se produjese finalmente la independencia; y el Riesgo económico o financiero que supondría la independencia, sobre el cual habla en un mayor número de oportunidades Xavier García Albiol.

Gráfico IV. Intervenciones según tema por candidato

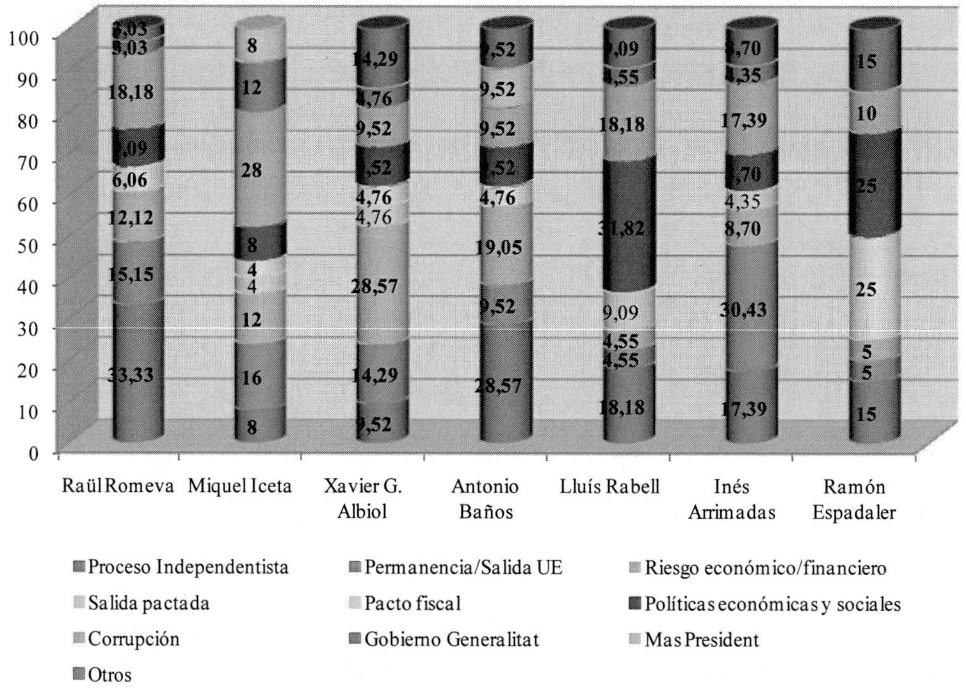

Fuente: Elaboración propia, a partir de los debates electorales emitidos por La Sexta y TV3.

Por su parte, Lluís Rabell es el candidato que menos presencia tiene en el primer bloque, centrándose sus intervenciones acerca de la propuesta de la Salida pactada de Cataluña, siguiendo el modelo escocés, a pesar de realizar una dura intervención enfrentándose a Antonio Baños, al poner en cuestión el compromiso de éste último como catalán durante el debate electoral de TV3. Esta escasa presencia durante el primer bloque temático se ve compensada con sus intervenciones (un 32% de las intervenciones sobre este *issue*) durante el segundo tema: las Políticas económicas y sociales, seguida de la presencia de Ramón Espadaler, quien realiza el 25% de las intervenciones, dato que constata el hecho de que sus intervenciones son de carácter programático, rebajando así el número de ataques directos.

El protagonista del tercer bloque temático: la Corrupción, se podría decir que es Miquel Iceta, al realizar el 28% de las intervenciones sobre este *issue*, seguido a bastante distancia de sus oponentes. Este número de declaraciones es consecuencia de los ataques que le dirige el candidato socialista a Raül Romeva, al ser el representante de Convergencia en el debate electoral. Por esta misma razón, Romeva toma la palabra en cuatro ocasiones dentro de esta área, con la finalidad de defenderse de las interpelaciones que recibe de sus contrincantes, en especial, de Iceta.

Este dato entronca con el hecho de que Miquel Iceta también es el candidato que cuenta con más intervenciones en el bloque temático relativo a la Gestión de Artur Mas, al emplear muchos de sus turnos de palabra para hacer referencia a la mala gestión que, a su juicio, ha llevado a cabo el líder de CDC a lo largo de las dos legislaturas anteriores al frente de la Generalitat de Catalunya, al tiempo que aprovecha estas mismas intervenciones para mencionar propuestas de su programa electoral o para hacer referencia a logros pasados de los gobiernos socialistas en Cataluña.

5. EFECTOS DE LOS DEBATES

La idea de que los debates, y las propias campañas, tienen efectos limitados sobre los votantes parece clara cuando analizamos el comportamiento electoral de aquellos encuestados que vieron ambos debates enteros o en parte, pues, como se puede observar en la Tabla III, independientemente del partido político al que hayan votado, es mayor el porcentaje de entrevistados que afirma que los debates no le han influido en absoluto a la hora de votar que el porcentaje de entrevistados que consideran que el visionado de los debates electorales le ha producido algún tipo de efecto. No obstante, el hecho de que los efectos sean limitados no quiere decir que no sean fundamentales para la decisión, todo depende de lo ajustadas que sean las elecciones y del nivel de competitividad de las mismas.

Los datos de nuestro estudio, además, hacen hincapié en la existencia de partidos cuyos electores reconocen que les han influido más los debates que a los votantes de otras formaciones, siendo posible diferenciar dos tipos de electores: (1) los que de forma muy mayoritaria se ven poco influidos por los debates (votantes del PP, UDC y PSC) y (2) los que admiten estar más influidos por los debates (votantes de C's, CUP, CSQEP y JxSí). Mientras que para los primeros, el efecto admitido de los debates no alcanza el 30%, para los segundos, ronda el 40% e, incluso, en algunos casos, se acerca al 50%. Viendo quienes conforman cada uno de los dos bloques de partidos, pudiéramos pensar que los ciudadanos que admiten una mayor influencia de los debates son aquellos que respondían a algún tipo de movimiento o reposicionamiento electoral. Ya por tratarse de nuevos partidos, ya por el hecho de construir una coalición, ya por estar asentando una posición institucional para recoger votantes de otras formaciones.

Otra posibilidad que no hay que dejar de analizar es que los partidos que han mostrado más crecimiento en estas Elecciones son aquéllos, cuyos votantes dicen haber tenido mayor influencia de los debates. Lo cual puede leerse de dos modos: o bien que el debate incide en el resultado, o bien que los ciudadanos que están migrando a opciones de mayor éxito buscan más información en los debates.

Tabla III. Efectos de los debates electorales en función del Recuerdo de Voto en las Elecciones autonómicas de 2015

		Efectos debates		
		Efectos debates	Ningún efecto debates	Total
Me dijo que votó por un partido pero, en concreto, ¿cuál fue el sentido de su voto?	JxSí	38,4%	61,6%	100,0%
	C's	45,9%	54,1%	100,0%
	PSC	28,6%	71,4%	100,0%
	PP	,0%	100,0%	100,0%
	CUP	48,0%	52,0%	100,0%
	CSQEP	38,9%	61,1%	100,0%
	UDC	20,0%	80,0%	100,0%
	Otro		100,0%	100,0%
	Ns/Nc	28,2%	71,8%	100,0%
Total		37,5%	62,5%	100,0%

Fuente: Elaboración propia a partir de los datos del *Estudio Postelectoral Elecciones Autonómicas en Cataluña 2015*

Si se tiene en cuenta el momento en el que los electores decidieron el sentido de su voto, antes o durante la campaña electoral, resulta relevante que el porcentaje de entrevistados que decidieron su voto durante la campaña electoral y que declaran que los debates electorales les han influido de alguna forma a la hora de ejercer su voto (70%) es mucho mayor que el porcentaje de encuestados que afirman experimentar tales efectos, pero que han decidido su voto antes de la campaña electoral (32%), tal y como se recoge en las Tablas IV y V. Esto, que en principio puede parecer una obviedad, ya que lógicamente sólo los que deciden su voto durante la campaña están afectados por los debates de la campaña, muestra, sin embargo, que aquellos electores que son votantes habituales de un partido o están más identificados con los mismos tienen una menor predisposición a sentirse influidos por los debates, mientras que aquellos que deciden su voto más tarde, asumen un alto nivel de influencia. Y en este sentido, la lógica de la limitada influencia es relativa cuando pensamos en los ciudadanos que deciden su voto durante las campañas. Porque aunque éstos sigan siendo minoría, son en muchas ocasiones, cada vez más, los que deciden el resultado de las elecciones, y esto es lo que hace que sigan gastando tantos recursos en las campañas electorales.

Tabla IV. Efectos de los debates electorales en función del Recuerdo de Voto en las Elecciones autonómicas de 2015 de aquellos encuestados que decidieron su voto antes de la campaña electoral

		Efectos debates		
		Efectos debates	Ningún efecto debates	Total
Me dijo que votó por un partido pero, en concreto, ¿cuál fue el sentido de su voto?	JxSí	32,8%	67,2%	100,0%
	C's	44,3%	55,7%	100,0%
	PSC	24,5%	75,5%	100,0%
	PP		100,0%	100,0%
	CUP	35,0%	65,0%	100,0%
	CSQEP	28,6%	71,4%	100,0%
	UDC	50,0%	50,0%	100,0%
	Otro		100,0%	100,0%
	Ns/Nc	27,6%	72,4%	100,0%
Total		31,7%	68,3%	100,0%

Fuente: Elaboración propia a partir de los datos del *Estudio Postelectoral Elecciones Autonómicas en Cataluña 2015*

De hecho, cuando comparamos los electores que decidieron su voto antes de la campaña electoral con los que lo hicieron durante la misma, se puede observar que a la mayoría de los primeros, no les influyen los debates, a la mayoría de los segundos, sí. Y esta distribución afecta a los votantes de todos los partidos.

Tabla V. Efectos de los debates electorales en función del Recuerdo de Voto en las Elecciones autonómicas de 2015 de aquellos encuestados que decidieron su voto durante la campaña electoral

		Efectos debates		
		Efectos debate	Ningún efecto debate	Total
Me dijo que votó por un partido pero, en concreto, ¿cuál fue el sentido de su voto?	JxSí	82,8%	17,2%	100,0%
	C's	61,5%	38,5%	100,0%
	PSC	71,4%	28,6%	100,0%
	CUP	61,9%	38,1%	100,0%
	CSQEP	60,0%	40,0%	100,0%
	Ns/Nc	100,0%	,0%	100,0%
Total		69,8%	30,2%	100,0%

Fuente: Elaboración propia a partir de los datos del *Estudio Postelectoral Elecciones Autonómicas en Cataluña 2015*

Por último, si analizamos el tipo de efecto que los debates electorales produjeron sobre los espectadores (Tabla VI), podemos constatar que, para todos los partidos políticos, la mayoría de los votantes declaran que los debates electorales reforzaron su decisión de votar por el partido por el que pensaban. No obstante, el mayor porcentaje de electores que considera que los debates le animaron a votar se corresponde con los votantes de C's, mientras que, el mayor porcentaje de electores que afirma que los debates le animaron a votar a otro partido distinto del que pensaba, se corresponde con los votantes de la CUP.

Tabla VI. Tipo de efecto en función del Recuerdo de Voto en las Elecciones autonómicas de 2015 de aquellos encuestados que decidieron su voto durante la campaña electoral

		Efectos debates				
		Me animaron a votar	Me ayudaron a decidir el partido por el que iba a votar	Reforzaron mi decisión de votar por el partido que pensaba	Me animaron a votar a otro partido distinto del que pensaba	Total
Me dijo que votó por un partido pero, en concreto, ¿cuál fue el sentido de su voto?	JxSí	48,7%	38,1%	50,0%	23,1%	45,4%
	C's	30,8%	16,7%	13,0%	15,4%	13,6%
	PSC	5,1%	11,9%	5,8%	15,4%	9,9%
	PP			,0%		2,4%
	CUP	5,1%	14,3%	16,7%	30,8%	11,8%
	CSQEP	7,7%	7,1%	10,1%	15,4%	9,4%
	UDC	,0%		,0%		,6%
	Otro					,5%
	Ns/Nc	2,6%	11,9%	4,3%		6,4%
Total		100,0%	100,0%	100,0%	100,0%	100,0%

Fuente: Elaboración propia a partir de los datos del *Estudio Postelectoral Elecciones Autonómicas en Cataluña 2015*

6. CONCLUSIONES

Durante el desarrollo de ambos debates, el *Procés* estuvo omnipresente, restando importancia a otros temas típicos en las agendas política y mediática, como pueden ser las políticas económicas y sociales o la corrupción. Sin duda, en la presencia constante de este *issue* incide el hecho de que estas elecciones autonómicas fueran convocadas como un plebiscito por parte del, hasta entonces, President de la Generalitat, Artur Mas; de tal forma que, cuando un tema está tan arraigado en la *agenda setting*, monopolizándola, resulta prácticamente imposible que los debates electorales dinamicen la temática a tratar.

A este factor de competición se le suma un factor de los propios debates electorales: la paradoja de que el previsible aspirante a ocupar la Presidencia de la Generalitat no acuda al debate, al no ser el cabeza de lista de la coalición de la que forma parte, siendo el representante de JxSí, Raül Romeva. En consecuencia, Romeva se convierte en el candidato que más habla del Proceso independentista, seguido de Antonio Baños, al ser los líderes de los partidos políticos que se declaran abiertamente a favor de la independencia de Cataluña. Al mismo tiempo, debido a las mencionadas circunstancias, Romeva se convierte en el blanco del mayor número de ataques, seguido a bastante distancia por Ramón Espadaler, quien paga las consecuencias de haber formado parte del Gobierno de CiU en los últimos años. Precisamente, la experiencia al frente de la Generalitat es la oportunidad que aprovecha el propio Espadaler para realizar más *acclaims* en su beneficio. Aún así, contrariamente a lo que la Teoría funcional predice, el porcentaje total de ataques propiciados durante ambos debates es superior al porcentaje de *acclaims*, lo que demuestra, una vez más, que a la tensión propia de los debates electorales, se le añade el incentivo del carácter plebiscitario de estas Elecciones.

A este respecto, también conviene mencionar que dentro del *issue* del *Procés*, si bien Romeva y Baños son los candidatos que cuentan con más intervenciones dentro del subtema Proceso independentista, al protagonizar su defensa, Inés Arrimadas es la líder que más intervenciones realiza acerca de la Salida de Cataluña de la UE en caso de que la independencia tuviese lugar, mientras que, Xavier García Albiol es el participante que más interviene cuando se habla de los Riesgos económicos y financieros que acarrearía dicho proceso. Por tanto, son los representantes de los dos partidos políticos (C's y PP, respectivamente) que defienden la permanencia de Cataluña dentro de España, de acuerdo con una postura más proclive al centralismo del Estado, los que más intervenciones realizan argumentado las consecuencias desastrosas que ocasionaría la independencia de Cataluña.

Sin embargo, aunque el *Procés* no deja de estar presente a lo largo de los dos debates, Lluís Rabell y Ramón Espadaler son aquellos líderes que más intervenciones realizan con respecto al tema de las Políticas económicas y sociales, siendo Miquel Iceta, el candidato que más crítico se muestra con respecto al *issue* de la Corrupción y a la Gestión llevada a cabo, por el hasta entonces President, Artur Mas. A tenor de los datos, resulta cuanto menos resaltable que los representantes de los partidos políticos que optan por posturas más moderadas (no se declaran abiertamente independentistas ni son defensores de un Estado centralista) son los que más intervenciones realizan de aquellos temas que se escapan un poco del dominio temático del *Procés*.

Por otra parte, de acuerdo con la Teoría de los efectos limitados, los datos avalan la hipótesis de que los ciudadanos se exponen a aquella información que no implica una contradicción con sus predisposiciones previas. Esta afirmación se refuerza al observar que los encuestados consideran que el ganador del debate es aquel candidato que mejor valoran y el representante del partido político al que, posteriormente, han votado.

De hecho, son menos los ciudadanos que declaran que los debates electorales le han ocasionado algún tipo de influencia a la hora de votar. No obstante, resulta interesante el hecho de que son aquellos votantes indecisos, que han decidido la orientación de su voto durante la campaña electoral, aquellos que más proclives se han considerado a sufrir algún tipo de efecto como consecuencia del visionado de los debates electorales, en contraposición a aquellos electores que ya habían decidido su voto antes de la campaña electoral. A esto cabe añadir, que de los diversos tipos de efectos que son susceptibles de producir los debates electorales, los votantes de JxSí son los que declaran en mayor proporción que los debates les animaron a votar, les ayudaron a decidir que iban a votar a JxSí, pero, sobre todo, les reforzaron su intención de votar por esta coalición política.

Por tanto, a tenor de los datos expuestos, estaríamos en condiciones de afirmar que las campañas electorales y, por ende, los debates electorales, al ser elementos constitutivos de éstas, son determinantes a la hora de captar a aquellos votantes indecisos, y sobre todo, de reforzar la intención de voto de los ciudadanos.

7. REFERENCIAS BIBLIOGRÁFICAS

Aalberg, T. y Todal, A. (2007). "Do Television Debates in Multiparty Systems affect Views? A Quasi-experimental Study with First-time Voters". *Scandinavian Political Studies*, 30 (1), 115-135.

Abramovitz, A. I. (1988). "The Impact of a Presidential Debate or Voter Rationality". *American Journal of Political Science*, 22 (3), 680-690.

Banwart, M. Ch. y McKinney, M. (2005). "A Gendered Influence in Campaigns Debates? Analysis of Mixed-gender Unites States Senate and Gubernatorial debates". *Communication Studies*, 56 (4), 353-373.

Benoit, W. L. (2007a). *Communication in Political Campaings*. New York: Peter Lang.
  - Brazeal, L. M. y Airne, D. (2007b). "A Functional Analysis of Televised U.S. Senate and Gubernational Campaign debates". *Argumentation and Avocacy*, 44, 75-89.
  - y Airne, D. (2005). "A Functional Analysis of American Vice Presidential Debates". *Communication Studies Faculty Publications*, 41, 225-236.
  - Hansen, G. y Verser, R. (2004). "Presidential Debate Watching, Issue Knowledge, Character Evaluation, and Vote Choice". *Human Communication Research*, 30 (1), 335-350.
  - Hansen, G. y Verser, R. (2003). "A Meta-Analysis of the Effects of Viewing U.S. Presidential Debates". *Communication Monographs*, 70 (4), 335-350.

– y Harthcock, A. (1999). "Functions of Great Debates: Acclaims, Attacks, and Defenses in the 1960 Presidential Debates". *Communication Monographs*, 66 (4), 341-357.

Best, S. J. y Hubbard, C. (1999). "Maximizing Minimal Effects: The Impact of Early Primary Season Debates on Voter Preferences". *American Politics Quartely*, 27 (4), 450-467.

Blais, A. y Boyer, M. (1996). "Assesing the Impact of Televised Debates: the Case of the 1988 Canadian Election". *Bristish Journal of Political Science*, 26, 143-164.

Bosch, A., Díaz, A. y Riba, C. (1985). "Las funciones de popularidad. Estado de la cuestión y principales debates". *Revista Española de Investigaciones Sociológicas*, 99, 171-197.

Canel, M.J. (1998). "Los efectos de las campañas electorales". Communication & Society, 11 (1), 47-67.

Carlin, D., Morris, D. y Smith, S. (2001). "The Influence of Format and Questions on Candidates' Strategic Argument Choices in the 2000 Debates". *The American Behavioral Scientist*, 44 (12), 2196-2218.

Carrera, V. (2015). "La red de confianza de los debates electorales y la mente de los candidatos". *RevistaMarco*, 1, 39-61.

Casado, A. (2012). "Debates electorales en televisión: nuevos contenidos para nuevos formatos". *Comunicació i risc: III Congrés Internacional Associació Espanyola d'Investigació de la Comunicació.*

Chaffe, M. (1978). "Presidential debates are they helpful to voters?" *Communication Monograph*, 45 (4), 330-346.

Coleman, S. (2000). *Televised Election Debates: International Perspectives.* Houndmills: Macmillon Press.

Conrad, Ch. (1993). "Political Debates as Televisual Form". *Argumentation and Avocacy,* 30 (2), 1-15.

Crespo, I. (Dir.).(2013). *Partidos, medios y electores en procesos de cambio. Las Elecciones Generales españolas de 2011.* Valencia: Tirant Humanidades.

– y del Río Morató, J. (2012). *Las campañas electorales y sus efectos en el voto en la Comunidad de Madrid. Las elecciones autonómicas de 2011.* Madrid: Fragua.

– Garrido, A., Riorda, M. y Carletta, I. (2011). *Manual de Comunicación Política y estrategias de campaña. Candidatos, medios y electorales en una nueva era.* Buenos Aires: Biblios.

Davis, C. J., Bowers, J. S. y Memon, A. (2011). "Social Influence in Televised Election Debates: A Potential Distortion of Democracy". *PLoS ONE*, 6 (3).

Druckman, J. N. (2003). "The Power of the Television Images: The First Kennedy-Nixon Debate Revised". *The Journal of Politics*, 65 (2), 559-571.

Fernández, F. (2008). "Los debates Zapatero/vs/Rajoy de 2008: claves discursivas de la victoria". *Linred: revista electrónica de lingüística*, 6 (2).

Garrido, A. (2013). *La mente política: neurociencia en las campañas electorales.* Sevilla: AECPA.

– (2011). "¿Por qué ganó Mariano Rajoy el debate electoral?" *Más Poder Local, Revista de Comunicación Política e Institucional*, 8, 30-32

– y Sierra, J. (forthcoming). "Los efectos de los debates electorales sobre la decisión de voto: Un estudio a través de las encuestas del CIS". *Universidad de Murcia*

Heilemann, J. y Halperin, M. (2010). *Game Change: Obama and the Clintons, McCain and Palin, and the Race of a Lifetime.* Nueva York: Harper.

Herrero, J.C. (Ed.). y Römer, M. (Coord.). (2014). *Comunicación en campaña. Dirección de campañas electorales y marketing político.* Madrid: Pearson.

Isolatus, P. (2011). "Analyzing Presidential Debates. Functional Theory and Finnish Political Communication Culture". *Nordicom Review*, 32 (1), 31-43.

Just, M., Crigler, A. y Wallach, L. (1990). "Thirty Seconds or Thirty minutes: What Vierwers Learn from Spot Advertisements and Candidate Debates". *Journal of Communication*, 40 (3), 120-133.

Kraus, S. (2000). *Televised Presidential Debates and Public Policy*. Mahwah: NJ: Lawrence Erlbaum.

- (1988). *Televised presidential debates*. Hilllsdale: Lawrence Erlbaum Associates Publishers.

- (Comp.). (1979). *The Great Debates: Carter vs. Ford 1976*. Bloomington: Indiana University Press.

Kenski, K. y Jomini stroud, N. (2005). "Who Whatches Presidential Debates? A Comparative Analysis of Presidential Debates Viewing in 2000 and 2004". *American Behavioral Scientist*, 49 (2), 213-228.

Lanoue, J. D. (1992). "One that Made a Difference. Cognitive, Consistency, Political, Knowledge, and the 1980 Presidential Debate". *Public Opinion Quarterly*, 56 (2), 168-184.

Lehrer, J. (2011). *Tension City: Inside the Presidential Debates, from Kennedy-Nixon to Obama-McCain*. Nueva York: Random House.

Lledó, P. (2001). "La influencia de los debates electorales sobre la decisión de voto: el caso de mayo de 1993". *Revista Española de Ciencia Política*, 5, 143-170.

López, G. (Ed.). (2011): *Política binaria y SPAM electoral. Elecciones Generales 2008: nuevas herramientas, viajes actitudes*. Valencia: Tirant lo Blanch.

Luengo, Ó. (2011). "Debates electorales en televisión: una aproximación preliminar a sus efectos inmediatos". *Revista Española de Ciencia Política*, 25, 91-96.

Manin, B. (2006). *Los principios del gobierno representativo*. Madrid: Alianza Editorial.

- Przeworski, A y Stokes, S C. (2002). "Elecciones y representación". *Zona Abierta*, 110/111, 19-49.

McKinney, M. S., y Warner, B. R. (2013). "Do Presidential Debates Matter? Examining a Decade of Campaign Debate Effects". *Argumentation and Advocacy*, 49, 238-258.

- Rill, L. A. (2009). "Not Your Parents' Presidential Debates: Examining the effects of the CNN/YouTube Debates on Young Citizens Civic Engagement". *Communication Studies*, 60 (4), 392-406.

- y Chattopadhyay, S. (2007). "Political Engagement Through Debates: Young Citizens' Reactions to the 2004 Presidential Debates". *American Behavioral Scientist*, 50 (9), 1169-1182.

- Lee, L., Byshom, D. G. y Carlin, D. B. (2005). *Communicating politics, engaging the public in democratic life*. New York: Peter Lang.

McLeod, J. M., Bybbe, C. R. y Durall, J. A. (1979). "Equivalence of Informed Political Participation". *Communication Research*, 6 (4), 463-487.

Miller, A., McKuen, M. (1979). *Informing the Electorade: A National Study*. Bloomington: Indiana University Press.

Norton, M. y Goethals, G. (2004). "Spin (and Pitch) Doctors: Campaign Strategies in Televised Political Debates". *Political Behavior*, 26 (3), 227-248.

Prior, M. (2012). "Who Whatches Presidential Debates? Measurement Problems in Campaign Effects Research". *Public Opinion Quaterly*, 76 (2), 350-363.

Sampedro, V. y Seoane, F. (2008). "The 2008 Spanish General Elections: Antagonistic Bipolarizacion geared by Presidential debates, Partisanship, and Media interest". *The International Journal of Press/Politics*, 13 (3), 336-344.

Schroeder, A. (2008). *Presidential Debates. Fifty years of high-risk TV*. New York: Columbia University Press.

Schrott, P. (1990). "Electoral Consequences of Winning Debates". *Public Opinion Quartely*, 54 (4), 567-585.

Sierra, Javier (2013). "Los debates electorales y su influencia sobre el liderazgo: avances en la investigación aplicada al caso español". *II Congreso de Comunicación Política y Estrategias de Campaña. ALICE*: Toluca.

– (2012a). "Planteamientos sobre los efectos de los debates electorales en televisión: aplicación al caso español". *XXII World Congress of Politican Science*: Madrid.

Tsfati, Y. (2003). "Debating the Debate: The Impact of Exposure to Debate News Coverage and Its Interaction with Exposure to Actual Debate". *Press/Politics*, 8 (3), 70-86.

Wald, K. y Lupfer, M. (1978). "The Presidential Debates as a Civics Lesson". *Public Opinion Quarterly*, 42, 342-353.

White, T. H. (1982). *America in Search of Itself. The Making of the President 1956-1980*. New York: Harper and Row.

Yawn, M., y Beatty, B. (2000). "Debate-induced Opinion Change: What Matters?" *American Politics Quartely*, 28 (2), 270-285.

– Ellsworth, B. y Kahn, K.F. (1998). "How a Presidential Primary Debate Changed Attitudes of Audience Members". *Political Behaviour*, 20 (2), 155-181.

Análisis crítico de los discursos políticos en la campaña electoral

Laura Feijóo Vázquez
Adrián García Alonso[1]
Universidad de Santiago de Compostela

1. ANÁLISIS CRÍTICO DEL DISCURSO (ACD)

No existe una técnica o modelo genérico de aproximación único para hacer análisis del discurso, pues el mismo dependerá de la meta que nos propongamos al empezar dicha tarea. Teniendo en cuenta nuestro propósito de estudio e interpretación de los discursos políticos de la campaña electoral catalana del 27-S, aplicaremos la perspectiva del Análisis Crítico del Discurso, pues permite la interpretación de los actos discursivos entendiéndolos como formas o prácticas sociales. Ello redunda en el establecimiento de una conexión entre el relato político y el contexto político, social, económico, cultural e institucional en el que se reproduce.

Es a través de la comprensión del lenguaje empleado en los discursos como llegamos a entender las relaciones sociales existentes en una sociedad y los nexos de poder entre las distintas partes que la configuran. El lenguaje político - discursivo es entendido como un motor de cambio u transformación del espacio público al revertir sobre el conjunto de la sociedad en cuestión, con el afán de persuadirles para la causa defendida. Asimismo, es necesario hacer alusión al poder (político y social de un grupo sobre los restantes) como elemento central en todo Análisis Crítico del Discurso. Y así, al analizar los discursos políticos debemos facilitar la comprensión de la expresión discursiva del fenómeno político - social que atenga a Cataluña, es decir, el proceso independentista y las luchas de poder entre las partes implicadas y enfrentadas (Charadeau, 2005).

Pero, ¿a qué nos referimos cuando hablamos de un discurso? En el caso de este estudio, la atención se centra en aquellos de carácter político.

Van Dijk entiende por discurso todo "evento comunicativo (que) [...] involucra a una cantidad de actores sociales en diferentes roles [...] que intervienen en un acto comunicativo, en una situación específica (tiempo, lugar y circunstancia)

---

[1] Doctorando en la USC con la cofinanciación a cargo del Programa de Ayuda a la Etapa Predoctoral de la Xunta de Galicia (Consellería de Cultura, Educación y Ordenación Universitaria).

y determinado por otras características del contexto" que tienen como objetivo construir o modular las categorías actitudinales e ideológicas de la ciudadanía, mediante figuras como la persuasión, poniendo en juego la hegemonía político - social pero también simbólica de una sociedad determinada en un momento concreto (control de los tiempos políticos y discursivos). En suma, el discurso político es un instrumento de poder que participa para Van Dijk, de la construcción social de la realidad política, en este caso de la sociedad catalana, en un momento concreto.

En lo referente a la ideología, el mismo autor señala que "[...] sirven a los grupos y a sus miembros en la organización y manejo de sus objetivos, prácticas sociales y toda su vida social [...]", y que por lo tanto son "[...] condiciones para la existencia y reproducción de los grupos, o para el manejo colectivo de las relaciones entre grupos [...]", cumpliendo funciones sociales como puedan ser la organización y el sostenimiento de posicionamientos sociales y creación de elementos de solidaridad, y lo más importantes si cabe, la (des)legitimación del poder vigente como de la oposición al mismo dentro de los marcos legales establecidos.

La legitimación estaría entonces relacionada con elementos de orden moral y jurídico que a su vez servirían de base para el posterior enjuiciamiento de las acciones llevadas a cabo. Concluye Van Dijk que ideología y legitimación estarían entrelazadas en cuanto al control relacional entre los diversos grupos sociales. En suma, los discursos políticos no solo han de ser estudiados en base al contenido sino que es necesario realizar una previa aproximación al contexto, el cual ha de entenderse como el "[...] conjunto estructurado de todas las propiedades de una situación social que son posiblemente pertinentes para la producción, estructuras, interpretación y funciones del texto y la conversación".

Parecería así que la legitimidad es exógena a la propia producción de la acción política y en vez de entender la política de forma constructivista y evolutiva, dinámica y movilizadora no solo de la acción social sino también de todos los aspectos institucionales y normativos de la sociedad, la entenderíamos estáticamente encorsetada por una institucionalidad inalterable, que no responde al movimiento y al cambio que realmente ocurre en nuestras sociedades modernas. Y es precisamente por eso que nuestra lectura contiene la existencia de precondiciones en las que emerge la política pero también la existencia de una legitimidad endógena a la propia construcción política y a su capacidad movilizadora y productora de cambios.

2. MARCO METODOLÓGICO

Para la composición del corpus se han seleccionado dos discursos de cada partido político o coalición, con representación en el Parlament de Catalunya tras las Elecciones Autonómicas celebradas el día 27 de septiembre del año 2015. Se trata de JxSí, C's, PSC, CSQEP, PP y CUP. Centrándonos en los candidatos, se ha optado por los aspirantes a la presidencia de la Generalitat, excepto en el caso de JxSí, cuyo cabeza de cartel era Raül Romeva, pero debido a que carecía de afiliación o cargo político previo en los partidos políticos catalanes decidimos no analizar, y si en cambio escoger a los líderes de las dos formaciones políticas englobadas en dicha coalición a favor de la independencia junto con otras asociaciones cívico-culturales: en el caso de Convergencia, a su líder y por aquel entonces President de la Generalitat, Artur Mas; y también escogemos a Oriol Junqueras por ser el líder ERC.

Todos los discursos se corresponden con el período de campaña electoral. Con el fin de facilitar una comparación u observar una evolución en los mismos, siempre que ha sido posible hemos escogido aquellos pronunciados en el inicio y en el cierre de la campaña. De lo contrario, la prioridad de unos discursos frente a otros responde a distintos criterios. En el caso de C's se ha optado por el discurso de Inés Arrimadas en Girona el 12 de septiembre, ya que en el de arranque de campaña la intervención de la candidata no alcanzaba los seis minutos. De este modo, el citado mitin además de ser el primero en el que se expone un discurso más denso, se celebra en una ciudad que ha estado bajo el control de Convergencia i Unió, desde el 2011 hasta la fecha de las Elecciones, y de Convergencia Democrática de Catalunya desde entonces hasta la actualidad, con Carles Puigdemont, actual President de la Generalitat, como alcalde.

Por lo que incumbe al Partido Popular, no ha resultado posible contar con el discurso del cierre de campaña. En sustitución, analizamos el de Xabier García Albiol en Lleida el 13 de septiembre. Tras realizar un seguimiento de la prensa, observamos que prosigue a la Diada y a unas polémicas declaraciones de José Manuel García Margallo. El entonces Ministro de Asuntos Exteriores y Cooperación, en contra del criterio del partido según el cual se emitiría un solo discurso desde Cataluña para evitar varias voces, manifestó su opinión sobre cómo facilitar un mejor encaje de Cataluña. Así, se abrió el debate sobre la Constitución y el IRPF, algo que el PP de Cataluña no contemplaba en su programa. Este mitin en Lleida contó además con la presencia del Presidente del Gobierno, Mariano Rajoy. Tampoco ha sido posible contar con el discurso de Antonio Baños durante el acto de inicio de campaña y se ha suplido por otro celebrado el día 20 de septiembre. Teniendo en cuenta las noticias en prensa, días antes de esa fecha, la CUP manifestó su intención por abandonar la Unión Europea, tal y como está configurada en la actualidad, y varios concejales de Barcelona En Comú pidieron el voto para esta formación.

En último lugar, señalar que todos los discursos fueron pronunciados en mítines por lo que nos fue necesario realizar una labor de transcripción para su posterior análisis. Antes de empezar a realizar dicha transcripción nos pusimos en contacto con los departamentos de comunicación de las diferentes formaciones políticas catalanas con el afán de que compartieran con nosotros los documentos, si bien el éxito fue nulo, pues tan solo nos respondieron los del PSC, la CUP y CS-QEP para decirnos que los discursos eran improvisados, pero que los podíamos ver en *Youtube*. Consecuentemente, la fuente con la que trabajamos fue el canal de *Youtube*, por lo que es una fuente de orden secundaria.

Tabla I. Resumen del corpus seleccionado

Partido Político / Coalición	Siglas	Candidatos	Actos	Fecha	Fuente
Junts Pel Sí	JxSí	Oriol Junqueras Artur Mas	Inicio de Campaña (Barcelona)	10/09/2015	https: //www.youtube.com/watch?v=LWiVXkX33CU
			Final de Campaña (Barcelona)	25/09/2015	https: //www.youtube.com/watch?v=EnNu6qdKbAQ
Ciutadans	C's	Inés Arrimadas	Acto en Girona	12/09/2015	https: //www.youtube.com/watch?v=t9ZGzhHRE7o
			Final de Campaña (Barcelona)	25/09/2015	https: //www.youtube.com/watch?v=E2M3LxfMSBg
Partit dels Socialistes de Catalunya	PSC	Miquel Iceta	Inicio de Campaña (Barcelona)	10/09/2016	https: //www.youtube.com/watch?v=3wKHnN3ajqw
			Final de Campaña (Barcelona)	25/09/2015	https: //www.youtube.com/watch?v=CVDWG4LXkT4
Catalunya Sí Que Es Pot	CSQEP	Lluís Rabell	Inicio de Campaña (Barcelona)	10/09/2015	https: //www.youtube.com/watch?v=5PDSG3BEs1w
			Fin de Campaña (L'Hospitalet de Llobregat)	25/09/2015	https: //www.youtube.com/watch?v=2vsYMnf-0XQ
Partit Popular	PP	Xabier García Albiol	Inicio de Campaña (Barcelona)	10/09/2015	https: //www.youtube.com/watch?v=reMMCFG_hqg
			Acto en Lleida	13/09/2015	https: //www.youtube.com/watch?v=YU0IDbGT_iM
Candidatura de Unitat Popular	CUP	Antonio Baños	Acto central en Barcelona	20/09/2015	https: //www.youtube.com/watch?v=DLUWIXkej0I
			Fin de campaña en Badalona	25/09/2015	https: //www.youtube.com/watch?v=g72SMoxmFFc

Fuente: Elaboración propia

3. METODOLOGÍA

La metodología empleada para el análisis de los discursos es de naturaleza cuantitativa y cualitativa. Por un lado, hemos tenido en cuenta la frecuencia con la que se ha mencionado cada palabra en el corpus en base a una nube de palabras o etiquetas, (transformado para este artículo en gráficos), las cuales posibilitan la observación de las palabras más reiteradas de forma visual. Es importante señalar que el tamaño con el que se presentan hace referencia a la mayor o menor repetición que han tenido. En segundo lugar, y teniendo en cuenta lo anterior, hemos realizado un análisis descriptivo. Nos hemos basado en un contexto previo y en unas codificaciones o parámetros específicos del caso catalán a los que posteriormente añadimos un proceso de traducción e interpretación.

4. ANÁLISIS DISCURSOS ELECTORALES CATALUÑA 27-S

Si seguimos la Teoría de Hunter acerca de las diferentes visiones que persisten en el seno de una misma sociedad política, en el caso de Cataluña encontramos una marcada diferencia entre dos sectores que difieren en la visión o perspectiva de análisis de los problemas que acucian a la sociedad catalana. Pero en el centro de todas las discusiones divisamos la dicotomización de todo argumento entorno a la independencia de Cataluña, con dos posturas dispares y cada vez más antagónicas por el enconamiento de las posiciones a favor y en contra del proceso. Todos los discursos políticos de la campaña de las Elecciones Autonómicas de Cataluña del 27-S giraron, en mayor o menor medida, en base a la interpretación de *"agravios"* intergubernamentales y a partir de los mismos, de la proyección de un modelo para el futuro del sujeto político catalán continuista o rupturista.

Pero en todos ellos podemos divisar el empleo, por parte de los distintos líderes de las formaciones contendientes en los comicios, de la persuasión política, que más que como una técnica de manipulación de la voluntad política de los ciudadanos, debiera ser vista o entendida como el proceso discursivo a través del cual una formación política (y en especial el orador, habitualmente el líder o candidato del partido) trata de convencer a aquellos ciudadanos que no tiene decidido el signo de participación en la jornada electoral.

Fue pues una campaña en la que los contendientes se dispusieron entorno a dos marcos interpretativos (Lakoff, 2007) de la realidad político - social de Cataluña: los partidarios de la independencia, es decir, las formaciones políticas de JxSí y la CUP, y las partidarias del no a la independencia, C's, PP y PSC. En este sentido, cabe señalar la existencia de una postura intermedia defendida por CSQEP, que pasaría por la celebración de un referéndum, pero no aclaran o muestran una postura oficial de la coalición al respecto del sentido del voto en la misma.

Las categorías conceptuales más empleadas en todos los discursos políticos durante la campaña del 27-S, indistintamente de los líderes políticos que los pronunciaran y partidos políticos a los que pertenecieran, fueron entre otras las que siguen:

Gráfico I. Frecuencia palabras más empleadas en los discursos

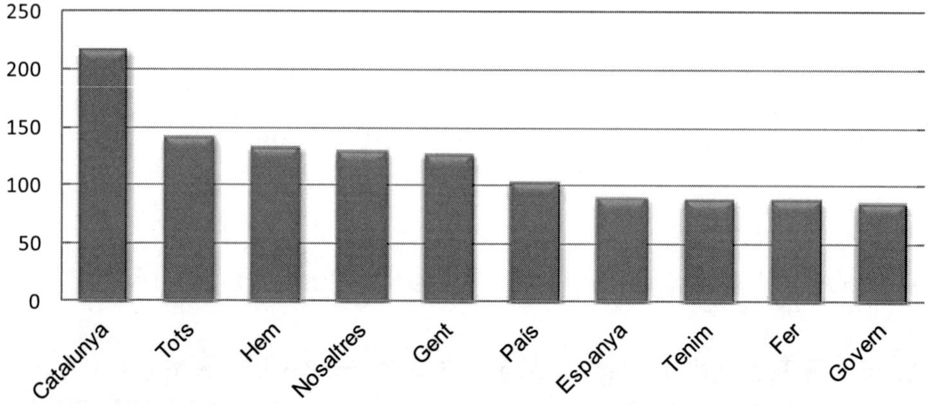

Fuente: Elaboración propia a partir de los discursos que componen el corpus del trabajo

En los discursos de la campaña de las Elecciones Autonómicas catalanas del pasado 27 de septiembre detectamos elementos de corte populista ya que por parte de los dos bloques implicados (a favor y en contra) del proceso independentista, se emplean reiteradamente figuras retóricas de exaltación de la identidad (catalana u española) por contraposición con un enemigo externo (en este caso el que mantiene una postura contraria a la propia del partido en cuestión). Por otro lado, se usa reiteradamente el contraste político nosotros / ellos, lo que conduce a la construcción de elementos disgregadores entre la sociedad catalana y el conjunto de la española. El "*nosotros*" discursivo subrayado precedentemente e incluido en los discursos, refiere a un propósito inclusivo y aglutinador de voluntades en torno a los dos bloques. En relación con lo mismo, se suelen emplear figuras retóricas de contraste con el adversario político entre los actores implicados, como pueda ser el caso de las metáforas.

Del mismo modo, se recurre e impone una dinámica discursiva antagónica que busca ahondar en la división política en un escenario ya propicio para la crispación social como es el actual momento, donde confluye una fuerte y prolongada crisis económica que deviene en social y con ello el incremento de la desconfianza ciudadana hacia las instituciones vigentes. En todos y cada uno de los relatos políticos resulta posible observar una descripción negativa de la realidad político - social, por parte tanto de los partidos favorables al proceso independentista (que hacen hincapié en la supeditación de Cataluña respecto de España), como de los partidos contrarios a la independencia (que argumentan y refieren a los males que conllevaría el éxito del proceso independentista).

Por tanto, en los argumentarios de los principales líderes catalanes se desarrolla un proceso de revelación de los culpables de la situación política presente. Mientras que para los independentistas el enemigo o culpable de la situación en el discurso es el Gobierno de España y Rajoy, los que se posicionan en contra del proceso señalan como enemigo al Gobierno presidido por Artur Mas, los independentistas.

Asimismo, se produce un elogio de los valores e ideales que simbolizan la unidad de las comunidades políticas, siendo para los partidarios de la independencia los valores del pueblo catalán, y para los contrarios a la independencia, los principios de la unidad nacional del Estado español. En este sentido, cabe puntualizar que existe una destacada ausencia en todos y cada uno de los discursos de los diferentes líderes partidistas, indistintamente de la formación política y de la nación a la que refirieran (España o Cataluña), del empleo de la palabra *nación* como elemento de debate indentitario. Así pues, el debate independencia - sí / no - se construye más a partir de la identificación de "enemigos" externos que del reforzamiento de los valores propios, constructo de la comunidad política nacional en cuestión. Estamos ante discursos políticos que, en su mayoría, mantienen un relato que se ve reducido a un monotema (el *procés*) y dicotomizador política y socialmente (a favor / en contra de dicho proceso) en base a dos bloques políticos antagónicos que mantienen y perseveran en su defensa de posturas difícilmente reconciliables.

A continuación, procedemos a hacer un análisis pormenorizado de los discursos partidistas (en el caso de JxSí haremos referencia por separado a los relatos del President Artur Mas y del actual Vicepresident de la Generalitat, Oriol Junqueras) y en los restantes a los pronunciados por los cabezas de lista de las diferentes formaciones políticas. Primeramente, nos referiremos a los discursos del bloque político - partidista pro - independentista (JxSí y la CUP), para a continuación centrarnos en los del bloque anti - independentista (PP, C's y PSC) y finalmente la posición intermedia sostenida por CSQEP.

En el caso de JxSí, y en base a los discursos de Oriol Junqueras se sigue la siguiente estructura: el enfatizamiento de la idea de que *"[...] estamos haciendo historia"*; sucesivas referencias a la *"ilusión y esperanza"* que conlleva el éxito del proyecto de JxSí y consecuentemente del *procés* independentista; la idea de que solo es viable y factible la independencia *"[...] nosotros lo que queremos es volar libres [...]"*.

En general, se trata de relatos en los que a partir de historias particulares (habitualmente que afectan al líder de ERC y sus antepasados), se construye la idea de que la independencia del pueblo catalán es una lucha por un futuro mejor, un camino donde no se permite la rendición ni la resignación hacia los poderes de los enemigos, en los que sitúa el Gobierno de España y los poderes económicos, en definitiva el statu quo al que llama a derribar en el día de las votaciones, un día que señala como decisivo en el futuro de Cataluña, pues remarca la idea de que *"[...] el día de la independencia ha llegado [...]"*.

Gráfico II. Frecuencia palabras más repetidas en los discursos de Oriol Junqueras (JxSí)

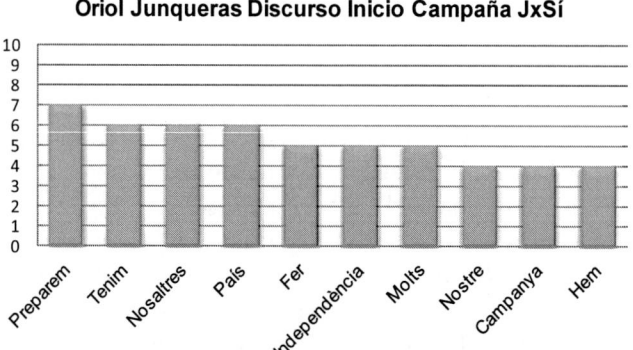

Fuente: Elaboración propia

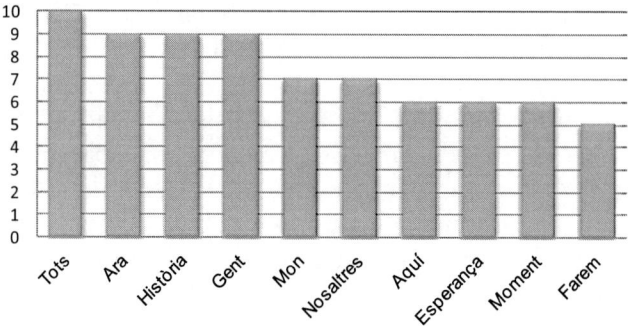

Fuente: Elaboración propia

Por otra parte, centrándonos en las alocuciones del ex-President de la Generalitat de Cataluña hasta el pasado mes de enero, Artur Mas, observamos que en el inicio trata siempre de posicionarse a sí mismo en una postura de heroicidad político - institucional *"[...] hemos tenido que salvar muchos obstáculos, muchas dificultades, muchas barreras. Han hecho todo lo posible y un poco más para que el pueblo de Cataluña no pudiera decidir su futuro. Lo habéis visto estos últimos tres años"*, respecto de los demás actores políticos implicados en la coyuntura política actual. Con ello busca atraer el apoyo ciudadano del pueblo catalán mediante la creencia en el efecto de solidaridad con el proyecto y precedente gestión política de la Generalitat hecha por el propio Mas (algo que en el caso de los relatos de Junqueras se conseguía a través de las historias personales de su infancia con sus abuelos en la ciudad condal). Su estrategia está basada en la persuasión y emoción del ciudadano, con el objetivo de captar su apoyo hacia las posturas defendidas.

En segundo término hace referencia a las dificultades que se ha encontrado durante su etapa al frente de la Generalitat de Cataluña (2010-2015) en lo relativo a la gestión *"[...] para llegar al punto en el que estamos, hemos tenido que salvar muchos obstáculos, muchas dificultades, muchas barreras"*; haciendo también hincapié en los problemas y trabas que desde distintos ámbitos le han ido surgiendo al proyecto independentista. En el relato, confluye en todo momento la idea de que valió la pena la soledad institucional y el sacrificio personal, *"Tampoco han sido años fáciles para aquella gente que ha estado al frente de las instituciones"*, en aras de la búsqueda de un mejor futuro para Cataluña, que no pasa sino, por el éxito del proyecto independentista.

Un tercer elemento fijo en los discursos del ex-President de la Generalitat ha sido el focalizar el "enemigo" de Cataluña en el Estado, el Gobierno de España y la localización geográfica de Madrid *"[...] nos han atacado sistemáticamente"*. En oposición a ello, recalca el inmenso apoyo ciudadano y movilización en torno al proyecto independentista (proyecto cargado de ilusión, futuro y cambio real del statu quo imperante) y evoca al pueblo catalán a unirse a JxSí (que simboliza el proyecto común, de unidad por Cataluña) para hacer frente a los ataques proferidos por parte de los "enemigos" de Cataluña. Una movilización masiva en las fechas precedentes, que reclamaba fuera igual de masiva en la jornada electoral para otorgar una victoria *"[...] contundente [...]"* de JxSí a través de las urnas frente a los poderes externos y amenazadores del proyecto de país. Asimismo, visualizaba en la formación nacionalista el único garante de que el proceso independentista prosperase.

Finalmente, cabe destacar la existencia en la argumentación discursiva de Mas, de sucesivas referencias al momento histórico del que estaba disponiendo Cataluña *"[...] tenemos una oportunidad de oro"* y cuyo proceso electoral podía suponer el culmen a un proyecto trabajado desde distintos ámbitos de la sociedad catalana.

Gráfico III. Frecuencia palabras más repetidas en los discursos de Artur Mas (JxSí)

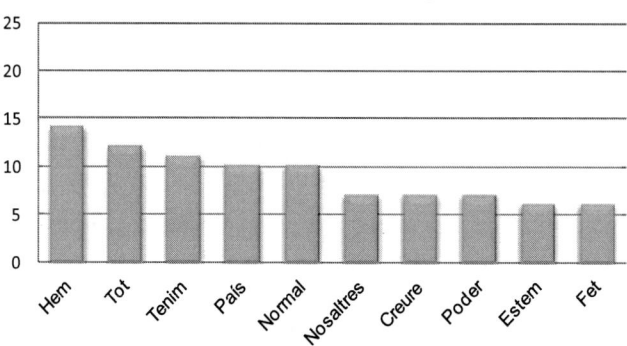

Fuente: Elaboración propia

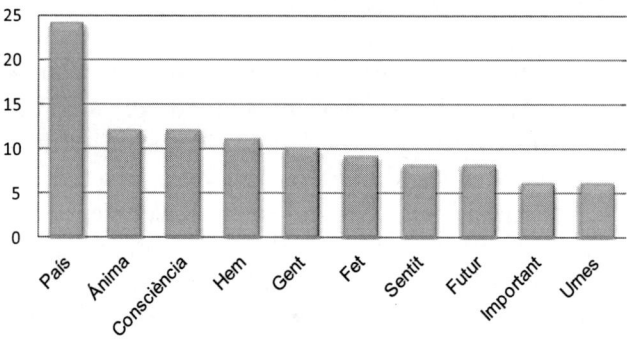

Fuente: Elaboración propia

Centrándonos en los discursos del líder de la CUP, Antonio Baños, identificamos la inclusión de diferentes argumentarios.

En primer lugar, la temática social y anti-sistema, acompañada de una crítica al capitalismo, al que presenta como *"[...] la mayor plaga de nuestra sociedad [...]"* es un elemento central de sus discursos. A ello se le suma un tono de rebelión contra el statu quo imperante: contra el *"[...] Estado opresor español [...]"* al que sitúa como el *"enemigo"* del pueblo catalán junto con la banca, la OTAN (de la que propone salir en la futura República Catalana, o más bien no adherirse pues quedaría fuera de la misma al independizarse de un Estado miembro), y la UE. Contrariamente, presenta a la CUP como aquellos que desde el Gobierno de la Generalitat se situarían a favor de los más necesitados y lucharían contra el drama de los refugiados. Se erigen como *"[...] la garantía de la defensa de los servicios públicos y de la gente de este país"*.

Por otra parte, existe una dicotomización entre las élites y el pueblo, *"[...] la vieja y eterna lucha entre la oligarquía y como siempre la unidad popular. Porque no pueden convencer, doblegar a un pueblo que está unido, organizado, combativo [...]"*. Estamos ante un relato de una lucha y rebelión contra el orden establecido, que tendría como punto final la creación de una República catalana sinónimo de *"[...] justicia, dignidad y derechos del pueblo catalán"*.

Pero sin duda, el elemento en torno al cual se engloba todo el argumentario de la formación anticapitalistas, es la independencia, fin último de su proyecto político y de país. Ello derivaría en la fundación de la República catalana *"[...] feminista, popular, digna y trabajadora"* mediante la elaboración de una Constitución, la cual *"[...] no la harán hombres franquistas ni de la Troika. La Constitución la haremos, aplicaremos y defenderemos nosotros"*, contraponiéndolo con la *"falsa"* Transición española *"[...] entre poderes fascistas e izquierdas traidoras"*.

Gráfico IV. Frecuencia palabras más repetidas en los discursos de Antonio Baños (CUP)

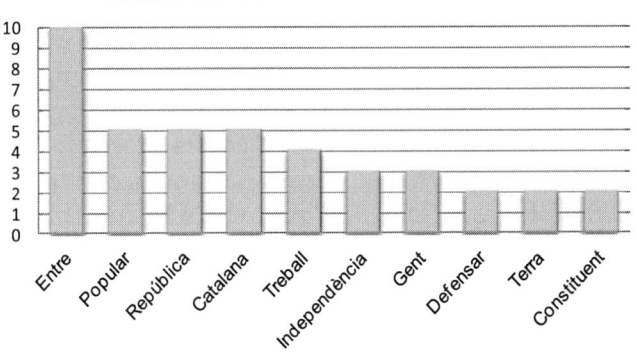

Fuente: Elaboración propia

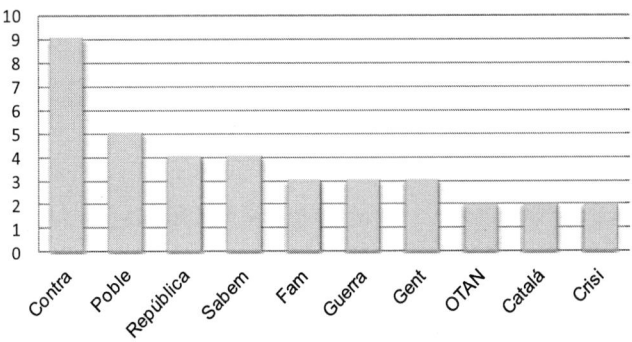

Fuente: Elaboración propia

Una vez resaltados los elementos principales de los discursos de los líderes de las dos formaciones políticas pro - independencia, pasaremos a continuación a referir a las dos formaciones políticas cuyas posturas eran contrarias al proceso independentista, siendo en este caso PP, C's y PSC.

En el caso del PP, hicieron una campaña en la cual los discursos aglutinaban las siguientes ideas: que la campaña del 27-S era la *"[...] más importante de la historia de Cataluña"* y que el PP representaba el partido de las ideas claras, el partido que plantaba cara a *"[...] aquellos que lo quieren romper todo"*, pues dejaba claro que *"[...] a los independentistas les hemos parado los pies nosotros"*, en referencia a las resoluciones judiciales en contra del proceso independentista y a la cobertura mediática del mismo. Por el contrario, situaban a JxSí como adalid independentista y clamaba a la ciudadanía un voto en su contra, pues de ganar con mayoría, advertía de que sin duda *"[...] van a iniciar el proceso para intentar romper Cataluña del resto de España"*, para reflexionar a continuación si valía la pena romperlo todo y concluir que *"[...] no merece la pena [...]"* la independencia puesto que la misma implicaba *"[...] un mal negocio [...] desde un punto de vista sentimental [...] (y) desde un punto de vista económico [...]"*.

Otro elemento reiterado en los discursos de García Albiol es la crítica a los adversarios políticos, principalmente al President Mas por su gestión al frente de la Generalitat y por el hecho de no ir a los debates electorales, *"[...] se ha escondido en el número 4 para no tener que dar explicaciones, para no tener que pasar balance de su acción"*. Por otro lado, al PSC y al PSOE encarnados en las figuras del primer secretario de los socialistas catalanes y cabeza de cartel, Miquel Iceta, y del por entonces Secretario General del PSOE, Pedro Sánchez. En este caso, su crítica iba hacia la indefinición de los socialistas en torno al proceso independentista planteado por los independentistas.

Concluía sus discursos resaltando el orgullo de ser catalán a la vez que español *"Cataluña es nuestra tierra y España es nuestro país"*, y abogaba por hacer un frente PP, PSC y C's para paralizar el *procés"[...] tenemos que dejar de lado nuestras diferencias para defender a todos aquellos hombres y mujeres que vivimos en Cataluña"*. Defender la permanencia dentro de España y la unidad de la patria era el eje central del discurso político de los populares catalanes.

Gráfico V. Frecuencia palabras más repetidas en los discursos de Xavier García Albiol (PP)

Xavier García Albiol Discurso Inicio Campaña PP

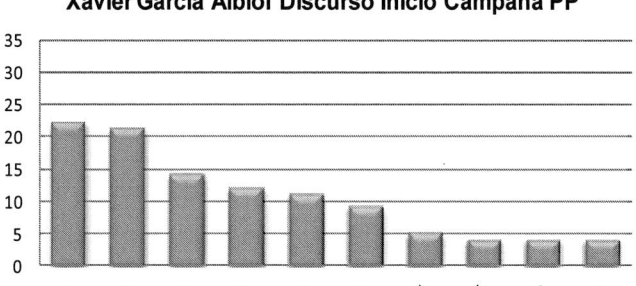

Fuente: Elaboración propia

Xavier García Albiol Discurso 13/09/2015 PP

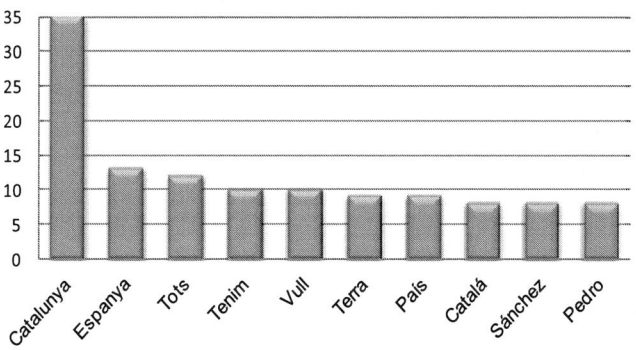

Fuente: Elaboración propia

En lo concerniente a C's, ha protagonizado lo que han venido en denominar la *"[...] campaña de la ilusión"*, pues votar a Ciutadans, repetían, significaba llenar las urnas de ilusión, a la vez que suponía un *"[...] voto que no engaña, el voto útil para las personas, no [...] para los partidos [...]"*. El voto naranja suponía, por tanto, *"[...] un voto fiable"*. Del mismo modo, en todos sus mítines apuntaban que C's era la única alternativa real a un gobierno de JxSí. Un voto a C's implicaría el establecimiento de un gobierno sensato en una *"[...] Cataluña sin bandos"*, en una Cataluña para todos. También, que Cataluña gobernada por C's desde la Generalitat, estaría en un proceso de constante lucha contra la corrupción la cual señalaban, CiU trataba de tapar con banderas y con el proyecto independentista.

Otro elemento de los relatos protagonizados por Inés Arrimadas a lo largo de la campaña era el ataque a la posición *"inmovilista"* del PP, a quién acusaba de pensar solo en qué hacer cuando Mas declarase la independencia, y frente a ello contraponía el hecho de que C's salía a ganar. Por otra parte, sus ataques a CS-QEP, y más concretamente a Lluís Rabell, se basaban en la indefinición del candidato en cuanto a la cuestión que regía de forma casi monotemática la campaña, es decir, el proceso independentista. Teniendo en cuenta todo ello, concluyen que PP, PSC Y CSQEP tendrían que decidir el 28 de septiembre que opción de gobierno apoyar: la del proyecto independentista encarnado en la figura de Artur Mas y englobada en el proyecto de JxSí, o si apostaban por el cambio sensato, un gobierno presidido por la propia Inés Arrimadas.

Un último elemento a resaltar y que salía en todos los discursos políticos pronunciados a lo largo de la campaña electoral tanto por el líder a nivel nacional del partido, Albert Rivera, como por la candidata a presidir la Generalitat, Inés Arrimadas, era la idea de reforzar el proyecto común España - Cataluña, pues argumentaban que *"[...] vale mucho la pena seguir siendo españoles [...]"* pues decían que *"[...] no queremos dejar de ser catalanes y españoles y europeos, [...], sino que lo que queremos es cambiar de presidente y de gobierno".*

Gráfico VI. Frecuencia palabras más repetidas en los discursos de Inés Arrimadas (C's)

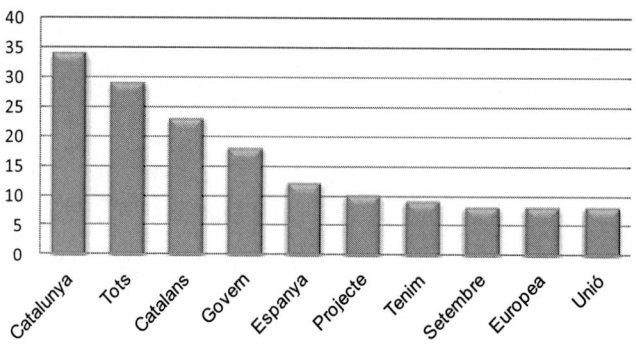

Fuente: Elaboración propia

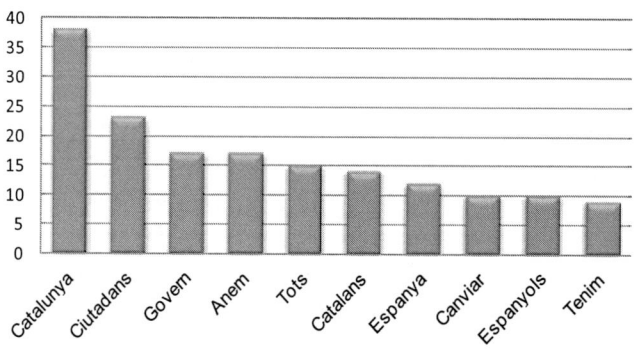

Fuente: Elaboración propia

Por último, pasamos a resaltar las ideas fundamentales de los discursos pronunciados por el primer secretario general de los socialistas catalanes, Miquel Iceta.

En todos ellos se hace referencia a la historia del partido al que representaba, a poner en alza el valor de las actuaciones y avances protagonizados por los gobiernos socialistas a lo largo de la historia, resaltando la implementación del Estado de bienestar, de la sanidad y de la educación pública, universal y gratuita, entre otras medidas de corte marcadamente social y progresista llevadas a cabo por los líderes socialistas de todas las épocas en el ejercicio de sus funciones públicas. El lema de campaña escogido por el PSC "*Una Cataluña mejor en una España diferente*" ahondaba en la idea de la reforma constitucional y el reconocimiento de "*[...] la singularidad de Cataluña*" como garante de la indivisibilidad de la unidad nacional. El PSC mantenía una postura de "*[...] no (querer) dividir a los catalanes, no (querer) separarnos de España, no (querer) salir de Europa y aún menos [...] salir de la legalidad*". Es decir, prevalece la idea de que "*[...] no queremos la independencia pero tampoco el inmovilismo [...]*" y por tanto no se estaba en el juego de "*[...] ni Junts pel sí ni Front pel No [...]*". Concluían que frente a la "*guerra de banderas*" alentada tanto por JxSí como por el PP, el PSC tenía soluciones para los problemas de los catalanes y catalanas. Entre ellas, cabe destacar la celebración de un referéndum en todo el territorio español para dar respuesta al "*enredo*" institucional que suponía el desafío independentista abanderado por JxSí y la CUP. Remarcaba también la idea de que el PSC tenía un proyecto sólido y de cambio en positivo para la sociedad catalana, y que si Cataluña precisaba estabilidad, crecimiento e inversión, era el proyecto de los socialistas catalanes el que encarnaba mejor dicha meta, para a continuación señalar que "*[...] todos aquellos que quieren derrotar al independentismo en las urnas, la opción más clara es la nuestra*".

Un tercer elemento recogido en todos los relatos políticos de Iceta eran las críticas a la gestión de Artur Mas al frente de la Generalitat de Cataluña (2010-2015) y argüía que frente al "*lío*" que había montado el President y su partido "*[...] nos han metido en un embolado del que no saben salir*", el PSC tenía soluciones. Por otra parte, también se le criticaba de una forma constante a Mas el hecho de "*esconderse*" en el número cuatro de la lista de JxSí para no dar la cara por su gestión, "*[...] evasión de responsabilidades*", principalmente en los debates televisados. Por otra parte, se observa una crítica hacia el "*oportunismo político*" de la recién creada coalición política por aunar tanto a la izquierda como a la derecha independentista, así como a determinadas asociaciones cívico - culturales favorables a la independencia de Cataluña. Iceta lamenta que en lo único en lo que se había logrado un acuerdo fuese en el hecho de defender el *sí* a la independencia.

Otros dos elementos remarcados en los discursos del líder socialista catalán eran: por un lado el hecho de apelar al voto pues apuntaba que "*[...] lo que se debe hacer el veintisiete es ir a votar, que ninguno se quede en casa porque corre el riesgo de que sean otros los que tomen una decisión por el o por ella [...]"*; y por otra parte, la idea de la defensa de la unidad nacional, puesto que *"[...] este país tiene un potencial enorme [...] (y sería) un error monumental dividirlo alrededor de cuestiones identitarias. Este país necesita unidad. Unidad alrededor de objetivos compartidos".*

En definitiva, trabajando los discursos de Miquel Iceta, observamos que la idea general de sus relatos era que votar socialista significaba derrotar a Mas, impedir la independencia, parar los recortes, aumentar el gasto social, crear empleo, mejorar el Estado de bienestar, luchar contra la corrupción y el fraude fiscal y reformar la Constitución del 78.

Gráfico VII. Frecuencia palabras más repetidas en los discursos de Miquel Iceta (PSC)

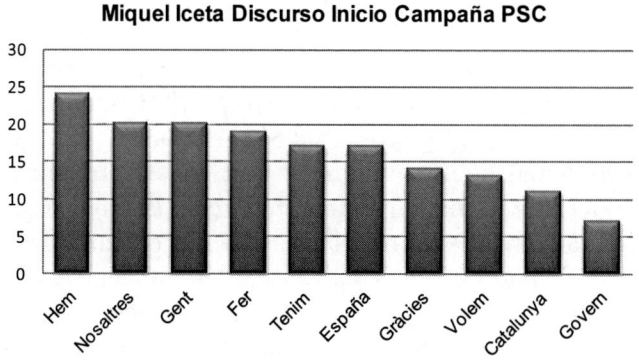

Miquel Iceta Discurso Inicio Campaña PSC

Fuente: Elaboración propia

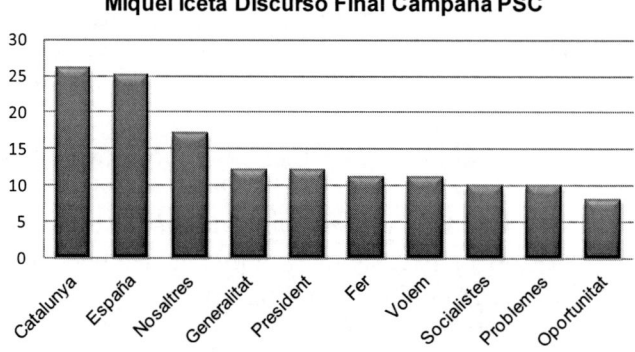

Miquel Iceta Discurso Final Campaña PSC

Fuente: Elaboración propia

En suma, podemos afirmar que en las tres posiciones políticas contrarias al proceso independentista existen diferencias claras a la hora de abordar la contienda político - electoral contra el proyecto independentista encarnado por JxSí y la CUP.

Encontramos la posición frentista de acudir a la ley y a las "filias y fobias" ciudadanas, defendida por el PP que además ahondaba en las diferencias existentes en el seno de la ciudadanía catalana y enquistaba aún más el problema político - institucional surgido a partir del auge del proceso soberanista. En segundo lugar, expusimos la alternativa del proyecto común y cambio en positivo encarnada por C's. Se trataría en este caso, de tender puentes y de optar por el cambio sensato, de reforma constitucional para mejorar el encaje institucional de las partes conformadoras del Estado español. Una campaña, la de C's que en definitiva era la de la ilusión ciudadana, la del "reenganchamiento" al proyecto común. En cuanto al PSC, apostaba por la Reforma Constitucional para convertir España en un Estado federal, reconociendo la singularidad de Cataluña y con una posterior consulta al conjunto de la ciudadanía española al respecto de dichas reformas y proyectos.

El tercer grupo está compuesto por CSQEP, coalición que mantenía una posición ambigua respecto del eje central de la campaña, y que giró entre los aspectos positivos y negativos que se atribuían o que conllevaría la independencia de Cataluña. Atendiendo a los discursos protagonizados por Lluís Rabell como cabeza de cartel de CSQEP, apuntaremos que junto con los de la CUP, supusieron los relatos políticos más combativos, revolucionarios y anti statu quo de todos los pronunciados a lo largo de los quince días de la campaña electoral catalana para el 27-S. Llevaron a cabo una campaña con un ánimo de corte "revolucionario", pues la misma iba *De la necesidad de dar un proyecto a [...] (la) gente trabajadora, sencilla"* que fue la que *"[...] defendió e hizo posible el retorno de las libertades y de las conquistas"*, conquistas sociales que ahora están en peligro por la actuación política de los gobiernos presididos por Mariano Rajoy y Artur Mas, en consonancia con las directrices de Bruselas. El tono "revolucionario", anti statu-quo, lo vemos en las ánimo de romper con el orden político establecido, cuando se señala que *"[...] al final de año tumbaremos el odioso gobierno de Rajoy"*, siendo pues empleada una estrategia de tensión política y división social entre una y otra parte de la sociedad catalana.

Como en casi todos los relatos de corte populista, se hacía referencia de forma continuada a la unidad intrínseca e invariable entre el pueblo y el partido de CSQEP, a la Cataluña de la gente, de justicia social y de cambio que suponía la formación política que representaba, pues aducía que *"[...] Es la hora del cambio y es hora de recuperar la Generalitat para la gente de Cataluña"*, *"Un gobierno favorable al pueblo"*. Asimismo, se establecía una dicotomización social entre *"buenos y malos"*, tanto en España como en Cataluña, focalizando "la bondad" en el propio pueblo, en la gente corriente, y "la maldad" en las élites de Madrid, Barcelona y Bruselas que aplican recortes y causan sufrimiento e injusticia al primero. En este sentido, añaden que solamente se vencería con la unidad del pueblo, pues *"No nos dejaremos dividir por banderas ni por identidades"*, una lucha que veía estéril, tal y como señalaba JxSí por un lado, y PP y C's por otro, sobre todo teniendo en cuenta que las tres formaciones defendían y aplicaban los mismos recortes allí donde legislaban, y por ello su estrategia solo devenía en el fomento de la crispación social, el enfrentamiento y el enquistamiento de los problemas de la sociedad en cuestión.

Otro elemento que divisamos en los relatos de Lluís Rabell es la constante referencia al Gobierno presidido por Artur Mas, para apuntar que estaba *"[...] actuando con una irresponsabilidad extraordinaria. [...] haciendo pesar sus intereses privados, su voluntad de seguir a la cabeza del Gobierno de la Generalitat por delante de la unidad del pueblo de Cataluña. [...] provocando la ruptura de este pueblo"*. A continuación ligaba la gestión de la Generalitat hecha por Convergencia con la corrupción, la cual señalaba *"[...] impregna toda la vida política [...]"* para remarcar la necesidad de *"[...] echarles a todos"*, pues *"La corrupción nos sale muy cara y hemos de acabar con ella"*. Se destaca aquí la idea de que el poder corrompe a la par que equipara las actuaciones y actitudes de los gobiernos de Madrid y Barcelona. En relación con todo ello, avisaba para futuros pactos post - electorales, de que *"[...] no nos esperen para pactar y concentrarnos con el partido del 3%. Nosotros no gobernaremos nunca con Artur Mas [...]"*.

En suma, destacamos tres ideas centrales de todos sus discursos, ejes de su proyecto político y estratégico durante la campaña electoral.

El primero refiere al llamamiento al votante de ERC y de la CUP, al voto de izquierdas, cuando señalaba lo siguiente: *"Amigos de ERC, amigos de la CUP. Si estáis tan incómodos con Artur Mas [...], votad Lluís Rabell"*. La segunda idea central era el *cambio,* del establecimiento de los gobiernos del cambio en Europa, pues primero fue Grecia, luego sería Cataluña y a finales de año, España, porque era conveniente y deseable tener *"[...] un gobierno amigo en Madrid. Nos gustaría mucho ver a Pablo en la Moncloa"*. Y el tercer y último eje se basa en su postura en torno al proceso independentista. Pese a no ser tan contundente en su postura (sí / no) a la independencia de Cataluña, y al margen del posicionamiento personal del cabeza de lista de la candidatura de CSQEP a la presidencia de la Generalitat en lo referente a la suscitada cuestión, lo máximo que se llegó a afirmar era que *"[...] queremos finalmente un gobierno que defienda [...] el derecho a decidir"*, sin especificar quienes serían los sujetos político - civiles que tomarían la decisión definitiva, es decir, solo los habitantes de Cataluña o todos los ciudadanos del Estado español, y por ello la necesidad de preparar *"[...] un referéndum"*, pues *"Si alguien quiere defender la independencia que luche por la soberanía de Cataluña"* argumentando que *"[...] con la democracia ganamos la gente trabajadora"*, con la cual se identificaba continuamente el proyecto liderado y defendido por la formación apoyada por Podemos a nivel nacional.

Gráfico VIII. Frecuencia palabras más repetidas en los discursos de Lluís Rabell (CSQEP)

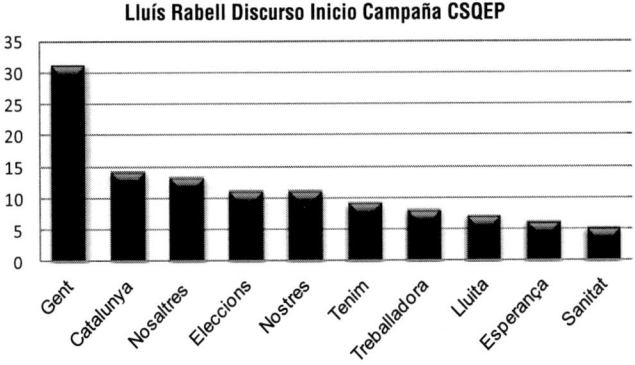

Fuente: Elaboración propia

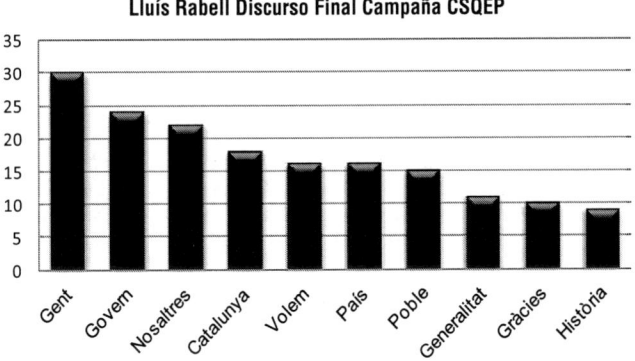

Fuente: Elaboración propia

5. CONCLUSIONES

Recopilamos finalmente las ideas básicas extraídas del análisis de los discursos de la campaña electoral catalana para el 27-S.

Todos los partidos y coaliciones se muestran favorables al cambio y expresan la necesidad de llevarlo a cabo por el bien de Cataluña. Sin embargo, cada uno de ellos mantiene diferentes concepciones del cambio, a la vez que se erige como la única opción capaz de protagonizarlo de forma que resulte positivo para los catalanes.

Tabla II. Resumen comparativo de las principales ideas extraídas del corpus

Formación Política	Cataluña	Independencia	Proyecto de país	Enemigo(s)	Víctima(s)
JxSí	Inferioridad política e institucional Dificultades históricas Pueblo oprimido y maltratado Consciencia de país	Mejor futuro para Cataluña Libertad Sueño Justicia Esperanza Dignidad	Situar a Cataluña entre las naciones libres del mundo Permanencia en la UE	Estado Español Mariano Rajoy Poderes económicos	Artur Mas Cataluña Gobierno de la Generalitat
C's	Corrupción Abandono de los problemas sociales que afectan a los ciudadanos	Cortina de humo División Problemas económicos y sociales Salida de la UE Inestabilidad	Unidad nacional Permanencia en España y en la UE Reforma constitucional Sin corrupción Capacidad de negociación y diálogo Gobierno inclusivo	Gobierno de la Generalitat Artur Mas Independentistas Inmovilistas	Catalanes y catalanas
PSC	Corrupción Abandono de los problemas sociales que afectan a los ciudadanos	Cortina de humo División Problemas económicos y sociales Salida de la UE Inestabilidad Proceso al margen de la legalidad	Proyecto federal Permanencia en España y en la UE Reforma constitucional y referéndum a nivel nacional Aumento del gasto social Capacidad de consenso Lucha contra la corrupción	Gobierno de la Generalitat Artur Mas Inmovilistas	Catalanes y catalanas
CSQEP	Corrupción Abandono de los problemas sociales que afectan a los ciudadanos	Referéndum catalán	Gobierno del pueblo Derecho a decidir Instituciones al servicio de la gente	Élites políticas y económicas Gobierno de la Generalitat Artur Mas Gobierno de España Mariano Rajoy	"El pueblo"
PP	Corrupción Abandono de los problemas sociales que afectan a los ciudadanos	Proceso de locura Cortina de humo	Unidad nacional	Gobierno de la Generalitat Artur Mas Independentistas	Catalanes y catalanas
CUP	Corrupción Abandono de los problemas sociales que afectan a los ciudadanos	Libertad	República Catalana	Estado Español UE OTAN Capitalismo Élites políticas y económicas	"El pueblo"

Fuente: Elaboración propia

En relación a Cataluña, JxSí presenta un pueblo, víctima del Estado español como consecuencia de su consciencia de país. C's, PSC, PP y CSQEP muestran una Cataluña cuyos gobernantes no solo han dividido a los ciudadanos sino que los han dejado desamparados. Denuncian los problemas y las necesidades sociales resultantes del periodo de Artur Mas como President de la Generalitat, y del mismo modo, proponen una nueva Cataluña para todos, sin bandos, sin corrupción, con futuro y que tenga en cuenta a las personas, es decir, con un gobierno inclusivo en torno a un proyecto común. C's, PP y PSC abogan claramente por permanecer en España y en la Unión Europea, si bien el PSC aboga por la celebración de un referéndum a nivel nacional, mientras que CSQEP es favorable a la convocatoria de un referéndum (sin especificar si solo en Cataluña o en el conjunto del territorio español) para que sea el pueblo el que decida sobre su futuro. JxSí y la CUP apuestan por una Cataluña independiente como forma de *"liberación"*, y estos últimos, además, proponen la instauración de una República Catalana.

La independencia para JxSí supondría la consecución de un sueño relacionado directamente con la libertad. Por el contrario, equiparan la unidad de España y el mantenimiento del statu quo con la opresión. La CUP también se muestra favorable como única vía para la instauración de la República Catalana. Y en la misma línea que JxSí, identifican al Estado Español como el *"enemigo"*. Contrariamente, C's, PSC y PP ofrecen unidad frente a ruptura, a la vez que alertan de las consecuencias negativas que conllevarían la independencia para Cataluña y el resto de España. Frente al debate de independencia, indican que hay alternativa a la ruptura institucional y tachan el proceso de cortina de humo para tapar la corrupción que acorrala a Convergencia, el partido del Gobierno catalán y del President Mas, antes liderado por Puyol. CSQEP, tal y como hemos señalado anteriormente, defiende el derecho a decidir por razones democráticas. Pese a que el debate sobre la independencia ha acaparado toda la atención, C's, PSC, PP, CSQEP y CUP se mostraron favorables a tratar otros temas de carácter social, proponiendo nuevos debates en torno a la creación de puestos de trabajo, la sanidad y la educación.

Los mensajes para calificar la campaña también varían en función de los actores. JxSí y C's calificaron la campaña con dos palabras: ilusión y esperanza. Es importante señalar en qué términos se han presentado las elecciones. Por un lado, plantean la disyuntiva: sí a España - no a España, y por otro: sí a Cataluña - no a Cataluña.

Como alternativas al independentismo, el PSC propone "Una Cataluña mejor en una España diferente", es decir, defienden la unidad pero añaden que las transformaciones que Cataluña necesita han de estar acompañadas por reformas en el conjunto del Estado, principalmente la reforma de la Constitución del 78 y la instauración de un Estado federal que reconozca la singularidad de Cataluña dentro del territorio nacional. Se presentan como el partido capaz de transformar España porque tienen la capacidad necesaria para realizar una lectura correcta de lo que verdaderamente la sociedad reclama, tal y como hizo el PSOE a partir del año 82. Se proyectan como un partido con experiencia y buen legado (Estado de bienestar y educación y sanidad universales, públicos y gratuitos, entre otros muchos avances sociales abanderados por el socialismo español y catalán) y como el partido que ha asentado la democracia y ha incrementado los derechos sociales. Ante las dudas sobre si es posible que en Cataluña se pueda reactivar la economía, se puedan recuperar los avances sociales y dejar al margen los debates identitarios, Iceta asegura que es totalmente viable y factible porque hay "un gran partido", el PSC, que ofrece soluciones, que tiene valores, que cuenta con una historia que lo avala, y con un presente y un futuro para Cataluña.

El PP asegura que es la única opción frente a los independentistas mientras que C's apela al voto útil y acusa a PSC y PP de no haber defendido a los catalanes frente a los independentistas. CSQEP se erige como la alternativa de las clases populares, con las que se identifican de forma continuada. Ensalzan las luchas protagonizadas por generaciones anteriores para la conquista de los derechos y libertades que hoy en día están en peligro, y afirman que están siendo arrebatados por las poderosas élites *"corruptas"* y actuales gobernantes, y defendidos por la gente sencilla. Por último, la CUP marca diferencias con JxSí al proponer un proceso constituyente participativo que desemboque en la construcción de una República Catalana fuera de la Unión Europea y al margen del sistema económico capitalista.

En base a todo lo anterior y teniendo en cuenta las estrategias y herramientas analítico-descriptivas que hemos recogido en el marco teórico en referencia a Wodak, hemos detectado la referencia, la predicación y la argumentación. La diferenciación entre el "nosotros" y "ellos" conlleva la valoración positiva de la propia identidad y negativa de la ajena, de forma que se trata de un claro discurso de discriminación, empleado en mayor o menor grado por todos y cada uno de los partidos contendientes en la liza electoral de las pasadas Elecciones Autonómicas catalanas de hace apenas un año.

6. REFERENCIAS BIBLIOGRÁFICAS

Álvarez Junco, J. (2016). *Dioses útiles. Naciones y nacionalismos*. Barcelona: Galaxia Gutenberg, p. 213-34.

Anderson, B. (1993). *Comunidades imaginadas: Reflexiones sobre el origen y la difusión del nacionalismo*. México: Fondo de Cultura Económica.

Angemüller, J. (2007). L'analyse Du Discours En Europe. En: Bonnafous, S. & Temmar, M. (eds.).*Analyse Du Discours et Sciences Humaines et Sociales*. 178. París: Ophrys.

Balcells, A. (1992). *Història del nacionalisme català: Dels orígens al nostre temps*. Barcelona: Generalitat de Catalunya.

(2003). *Breve historia del nacionalismo catalán*. Madrid: Alianza.

Beard, A. (2000). *The Language of Politics*. New York: Routledge.

Bel, G. (2013). *Anatomía de un desencuentro. La Cataluña que es y la España que no pudo ser*. Barcelona: Destino.

Charadeau, P. (2005). *Le Discours Politique: Les Masques du Pouvoir*. París: Vuibert.

Charteris-Black, J. (2005). *Politicians and Rhetoric. The Persuasive Power of Metaphor*. Basingstoke: Palgrave Macmillan.

– (2013). *Analysing Political Speeches: Rhetoric, Discourse and Metaphor*. Basingstoke: Palgrave Macmillan.

Chilton, P. (2003). *Analysing Political Discourse: Theory and Practice*. London: Routledge.

Degani, M. (2015). *Framing the Rhetoric of a Leader. An Analysis of Obama's Election Campaign Speeches*. London: Palgrave Macmillan.

Dunmire, P. L. (2005). *Preempting the Future: Rhetoric and Ideology of the Future in Political Discourse*. Discourse & Society 16 (4), 481-513.

Fairclough, N. (1995). *Critical Discourse Analysis: The Critical Study of Language*. London: Longman.

Finlayson, A. (2007). *From Beliefs to Arguments: Interpretative Methodology and Rhetorical Political Analysis*. The British Journal of Politics & International Relations 9 (4), 545-63.

Gee, J. P. & Handford, M. (eds.) (2014). *The Routledge Handbook of Discourse Analysis*. New York: Routledge.

Georgakopolou, A. (2007). *Small Stories, Interaction and Indentities*. Amsterdam: John Benjamins.

Givón, T. (2005). *Context as Other Minds: The Pragmatics of Sociality, Cognition and Communication*. Amsterdam: John Benjamins.

Holmes, J. & Stubbe, M. (2003). *Power and Politeness in the Workplace: A Sociolinguistic Analysis of Talk at Work*. London: Pearson.

Krees, G. (1992). *Critical Discourse Analysis*. Annual Review of Applied Linguistics, 11, 84-99.

Lakoff, G. (2007). *No pienses en un elefante: Lenguaje y debate político*. Madrid: Complutense.

Lancaster, S. (2010). *Speechwriting*. London: Robert Hale.

Leith, S. (2011). *You Talkin' To Me? Rhetoric from Aristotle to Obama*. London: Profile Books.

L'Hôte, E. (2014). *Identity, narrative and metaphor. A Corpus-Based Cognitive Analysis of New Labour Discourse*. London: Palgrave Macmillan.

Luntz, F. I. (2007). *Words that Work: It's Not What You Say, It's What People Hear*. New York: Hyperion.

Martin, J. R. & Rose, D. (2003). *Working with Discourse: Meaning Beyond the Clause*. London: Continuum.

Reisigl, M. (2008). Analyzing Political Rhetoric. En Wodak, R. & Krzyzanowski, N. (eds.), *Qualitative Discourse Analysis in the Social Sciences*. Basingstoke: Palgrave Macmillan, 96-120.

Schäffner, C. (2004). *Political discourse analysis from the point of view of translation studies*. Journal of Language and Politics, 3 (1), 117-50.

Semino, E. (2008). *Metaphor in Discourse*. New York: Cambridge University Press.

Toolan, M. (2001). *Narrative: A Critical Linguistic Introduction*. London: Routledge.

Van Dijk, T. (1997). Cognitive Context Models and Discourse. En: Stamenov, M. (eds.), *Language Structure, Discourse and the Acess to Consciousness*. Amsterdam. John Benjamins, 189-226.

Van Dijk, T. (1998). Towards a Theory of Context and Experience Models in Discourse Processing. En: Oostendorp & Goldman R. S. (eds.).*The Construction of Mental Representations During Reading*. Mahwah. New Jersey: Psychology Press.

Van Dijk, T. (2002). Political Discourse and Political Cognition. En: Chilton, P. & Schäffner, C. (eds.).*Politics as text and talk: analytic approaches to political discourse.* Amsterdam: John Benjamins: 203-37.

Van Dijk, T. (2003). Critical Discourse Analysis. En: Hamilton, T. & Schiffrin, M. (eds.). *The Handbook of Discourse Analysis.* Malden, M.A. Oxford: Blackwell Publishing.

Van Dijk, T. (2006). *Discourse, Context and Cognition.* Discourse Studies 8 (1), 159.

Van Leeuwen, T. (2008). *Discourse and Practice: New Tools for Critical Discourse Analysis.* Oxford: Oxford University Press.

Wilson, J. (1990). *Politically Speaking: The Pragmatic Analysis of Political Language.* London: Blackwell.

Wodak, R. (ed.) (1989). *Language, Power and Ideology.* Amsterdam: John Benjamins.

  – (2011). *The Discourse of Politics in Action: Politics as Usual.* New York: Palgrave Macmillan.

Wodak, R. & MEYER, M. (eds.) (2009). *Methods of Critical Discourse Analysis.* London: Sage.

Zinken, J. (2003). *Ideological imagination: Intertextual and correlational metaphors in political discourse.* Discourse & Society, 14 (4), 507-23.

De la nación primordial a la nación en proceso: la nueva identidad nacional catalana

Ángel Cazorla Martín
Universidad de Granada
José Manuel Rivera Otero
Universidad de Santiago de Compostela

A lo largo de los últimos años hemos observado cómo se desarrollaba una movilización independentista en Cataluña de la mano del crecimiento de los partidos nacionalistas, de la homogeneización de los objetivos de estos partidos y del aumento de la tensión entre los gobiernos de Cataluña y de España. Desde entonces, nada en la política catalana o española ha sido ajeno a esta tensión independentista ni a este repunte nacionalista, que ha propiciado coaliciones electorales que transcienden el "clivaje" izquierda-derecha y han exigido el reposicionamiento de todos los actores respecto de un nuevo "master frame" hegemónico: el *procés*.

Con este marco referencial, la entrada de nuevos partidos en la competición política catalana, al igual que ocurrió en España, ha dejado un panorama político, tras las elecciones autonómicas de 2015, marcado por la complejidad y por la inestabilidad. A la dificultad para la formación de gobierno, tras la obligada renuncia de Mas, ha sucedido un período de inestabilidad gubernativa anclada en la debilidad de los enlaces entre el gobierno y sus socios parlamentarios, así como a la clásica tensión entre pragmatismo e ideología que Sartori, Ware, Przeworsky y Stone, entre otros, señalaran en los partidos políticos y a la propia inestabilidad del modelo de construcción de decisiones, especialmente de la CUP, que hace que nada garantice la coherencia de una decisión con la tomada anteriormente.

En efecto, frente a los que creían que la existencia de un gobierno en funciones en España constituía el escenario ideal para el reforzamiento político de un gobierno catalán, orientado por el objetivo de la "desconexión", lo cierto es que este objetivo ha mostrado sus debilidades para compensar la distancia ideológica y de orientación de políticas públicas entre los socios de gobierno. Todo ello, porque mientras los componentes de Junts pel Sí han hecho gala de un pragmatismo, otrora imposible para ERC, la CUP se ha visto incapaz de renunciar al gran peso que la ideología y los mecanismos de decisión poseen en su formación.

Cuando abordamos este proyecto, nuestro plan de investigación requería renovar preguntas y metodologías para ser capaces de analizar desde una lectura dinámica, evolucionista y constructivista la cuestión nacional en Cataluña. Tratamos de explicar hasta qué punto el crecimiento del sentimiento identitario nacionalista, así como la incorporación de nuevos elementos y actores a la competición política, se relacionaban con el desarrollo de actitudes hacia la independencia, y si esto era así, averiguar qué factores incidían en la génesis de esa identidad y de esas actitudes.

El argumento clásico en la explicación del surgimiento del nacionalismo ha adoptado tradicionalmente una concepción prepolítica y organicista de la nación. En esta perspectiva, la nación preexiste al nacionalismo, y son las precondiciones étnico-culturales diferenciales, tales como la lengua, la historia, cultura o religión, correlatos diacríticos de la identidad, el punto de partida para la aparición y generalización de la identidad nacional. La existencia de esas diferencias objetivas, precondiciones de la conciencia nacional, catalizan la formación de una serie de intereses comunes que, a su vez, generarán valores compartidos, dando lugar al surgimiento de una identidad nacional que se materializará políticamente, tarde o temprano, en un movimiento, el nacionalismo. De este modo, las precondiciones objetivas de la nación asientan la formación de la identidad y sobre ésta se construye, como su expresión necesaria, el movimiento, la acción política, y los actores que la expresan.

Las aproximaciones tradicionales a los nacionalismos, ya sea desde una visión histórica basada en máximas como "the nation exists in time" (Kumar, 2006, 12) o la nación "taken as given" (Kymlicka, 2001), ya sea de índole estructural o cultural, han construido su interpretación en torno a esta formulación de la nación como fenómeno *prepolítico*, que convierte al nacionalismo en una mera, si bien legítima y única, expresión o representación de una nación dada, cristalizada en lo social.

Por otra parte, las interpretaciones de la "cultura nacional" como cultura creada mediante la "invención de la tradición" (Hobsbawm y Ranger, 1983) o de la propia nación como "comunidad imaginada" (Anderson, 1983), han servido más para poner énfasis en la idea de creación, de construcción cultural, que en la dimensión propiamente "política" de la nación. Desde estas lecturas culturalistas, el mito, la nación, se construye, se imagina, pero es una construcción cultural que tiene sus raíces en el pasado, que se interpreta y desarrolla desde una progresión lineal, y que preexiste a la construcción política y en ese sentido continúa siendo exógena a la propia confrontación política.

La idea de nación preexistente genera un marco indiscutido (*frame*) para el argumentario político y para la competición electoral, en el que encuentran perfecta ubicación los partidos nacionalistas, pero respecto del cual deben ubicarse también los partidos y los electores no nacionalistas, como muestran las distintas representaciones espaciales que se han analizado a lo largo de este libro.

El problema que presentan hoy las concepciones prepolíticas de la nación es su alergia a la evolución, su linealidad, su estaticidad, basadas en el carácter socialestructural de las precondiciones de la identidad y en la ausencia de dinamismo de la propia cultura, orientada fundamentalmente por la etnicidad, fruto de su carácter expresivo y *políticamente exógeno*. Frente a esta condena a la estaticidad, lo que nos ha mostrado el proceso catalán, es que la identidad nacional es dinámica, evoluciona, incorpora nuevos actores, nuevos argumentos que alteran las bases y la linealidad de su propia construcción, que ponen en cuestión las precondiciones de la identidad, e incluso en el límite, la necesidad de elementos étnico-culturales inmutables sobre los que asentarse o desarrollarse. Por ello, la interpretación y el análisis de este dinamismo, afectado de factores estratégicamente ligados a la competición política, requieren abandonar las concepciones estáticas y prepolíticas de la nación para comprender el nacionalismo como un fenómeno decisivo en la producción misma de las naciones, para dar cuenta de su enorme capacidad movilizadora, prestando atención tanto a los factores mediante los cuales se afirma, como a la generalización y reafirmación de la existencia de una nación construida como "internamente homogénea" y diferenciada de los "otros", en la que la identidad nacional juega un papel decisivo, asumiendo así que "nationalism is not engendered by nations. It is produced —or better, it is induced— by *political fields* of particular kinds" (Brubaker, 1996: 17). Incluso los análisis que suscriben una *lógica de la demanda*, esto es, el surgimiento de los partidos nacionalistas como respuesta política a una preexistente identidad nacional, se ven precisados a admitir una cierta *lógica de la oferta*. En efecto, esa identidad nacional ha sido el producto, a su vez, de la movilización política previa de líderes, movimientos y partidos nacionalistas (Boonen y Hooghe, 2014:72). Por lo tanto, en nuestra perspectiva, no es que la identidad nacional catalana no constituya una dimensión fundamental de la identidad individual de los ciudadanos y ciudadanas de Cataluña, trasmitida intergeneracionalmente (Rico y Jennings, 2012), sino que esta identidad compartida es susceptible de muy diversas articulaciones políticas, tanto en lo que afecta a la índole de la contraposición nosotros/ellos, propio/ajeno etc. cuanto a las demandas políticas de autogobierno que se defienden en una coyuntura dada. Nada de todo ello está inscrito de modo "natural" en el sustrato identitario, sino que es el resultado de un complejo y contingente proceso de construcción política.

Es el discurso nacionalista, y su articulación organizativa, el que (re)construye la idea específica de nación, el que labra la identidad compartida por los ciudadanos, el que asienta la "voluntad de ser" nación y la produce a través de la acción política. De este modo, las explicaciones de las políticas relacionadas con la etnicidad, como elemento constitutivo de la nación, se introducen de lleno en el campo de las estrategias (Hale, 2008), y específicamente en el de la estrategia política/electoral.

El discurso nacionalista, articulado así, es una eficaz combinación de elementos esencialistas y estratégicos, de intereses y lazos afectivos, que tiene la virtualidad y la flexibilidad para incluir en un momento dado elementos esencialistas de la nación, y en otro elementos radicalmente estratégicos, hasta alterar el carácter de unas elecciones para convertirlas en un plebiscito, convirtiendo el hecho mismo de la independencia en un "issue" de la competición política. Es esa virtualidad, esa flexibilidad, la que posibilita la coordinación del movimiento nacionalista y retroalimenta el marco interpretativo en el que se construye la idea de nación que como "a product of cultural coordination and the claim of statehood or political autonomy for the population that successfully coordinates." (Laitin, 2007: 41). Un proceso si cabe aún más complejo en sociedades con diferentes identidades nacionales, donde las personas deciden con quién quieren compartir un país, preguntándose con quiénes se identifican y hacia quiénes confiesan un sentimiento de empatía y solidaridad.

La necesaria relación entre cultura y coordinación no requiere, sin embargo, de la homogeneidad de la comunidad que reclamaban los estructuralistas, ni siquiera en lo que se refiere a los valores políticos. Efectivamente, la asunción de una cultura compartida no significa que todos sus miembros asuman los mismos valores, y de este modo, la homogeneidad no es un requisito imprescindible, como tampoco lo son ni la concurrencia ni la estaticidad ideológica. De este modo, es posible entender las lecturas compartidas desde posiciones ideológicas diferentes, tal y como ha ocurrido en el caso catalán, e incluso los propios desplazamientos de los ciudadanos y de los partidos en los espacios ideológicos, como hemos visto en capítulos anteriores.

El nacionalismo se mueve, evoluciona ideológicamente de modo muy diverso, movido por la competición y las tensiones externas e internas (Shelef, 2010). Es más, en los Estados plurinacionales las demandas políticas de las naciones internas son el resultado contingente no solo de 1) la construcción identitaria de las naciones y 2) los intereses económicos, políticos y culturales de las diferentes comunidades, sino 3) del proceso interactivo entre los arreglos institucionales (modelo territorial de Estado), 4) las políticas (fiscales, competenciales, lingüísticas etc.) del gobierno central, y 5) las estrategias discursivas y *framing* de los líderes y los partidos en competencia (Hale, 2008).

Si queremos atender a la acción política de la que da cuenta el nacionalismo, debemos comprenderlo como un proceso creativo, dinámico, decisivo en la producción misma de las naciones, que no se acota normativamente y por lo tanto no puede estar limitado en constituciones y leyes de rango diverso. El nacionalismo resignifica y (re)construye a la nación políticamente, asentado sobre dos elementos que asumen el carácter de precondición (precondiciones étnico-culturales y precondiciones económico-sociales), otros dos que poseen carácter estratégico-organizativo (una estructura de oportunidad política y una movilización política eficaz) (Máiz, 2003a), y articulado (Máiz 2003b) a través de un discurso que crea el marco en el que estos elementos adquieren valor político y competitivo.

Así, la nación no preexiste a la construcción nacional, porque no son suficientes las diferencias históricas y etnoculturales. Si bien la *demanda* que emerge de una identidad previa tiene su papel innegable (Boonen y Hooghe, 2014), lo que más importa e efectos explicativos es la *oferta*, esto es, el trabajo político sobre aquella demanda mediante un discurso articulador y una movilización nacionalista exitosa para la generación de una nación. No es la nación la que genera el nacionalismo como su exteriorización y manifestación necesarias, sino los nacionalismos los que, en determinados contextos y en competición con otras fuerzas e ideologías, configuran la nación en un proceso siempre abierto y sin fin. Proceso en el que se juega no solo el éxito o fracaso de la construcción nacional (esto es, la nación como fenómeno de masas y no de élites), sino la orientación política y las demandas nacionales. Sólo la política, a través de su construcción discursiva, estratégica, organizativa e institucional puede canalizar el dinamismo de esta construcción.

A lo largo de las próximas páginas vamos a tratar de explicar cómo funcionan estos elementos en el caso catalán y el peso que han tenido en la construcción de la identidad nacional catalana, partiendo de la constatación del incremento de los sentimientos nacionalistas en los ciudadanos, así como la deriva de éstos hacia posiciones independentistas.

La relación entre estos dos elementos, nacionalismo e independentismo, no es algo autoevidente ni "natural", sino una opción, entre otras, cuyo origen, extensión y alcance deben ser explicados. Tampoco la "independencia" constituye un objetivo político unívoco, ni una demanda exenta de ambigüedad. Por el contrario, se trata de un término polisémico bajo el cual compiten muy diferentes proyectos y demandas de autogobierno, como muestra la política comparada, desde Escocia a Ukrania, pasando por Uzbekistán o Quebec ("Independence-Lite", "Semi-sovereignty" "Partial Independence") (Keating, 2009 y 2012; Hale, 2008, Rezvani, 2014). El discurso tradicional del nacionalismo parte de un aserto *performativo*: postular la preexistencia objetiva de condiciones generadoras de la identidad nacional, y que esta identidad nacional conduce, en última instancia e irremisiblemente, a la búsqueda de la independencia. En este sentido, la independencia posee para el nacionalismo tradicional un implausible sentido inmanente y teleológico, de postulado a priori, siendo la acción política sólo el medio natural y necesario para alcanzar ese fin.

En capítulos anteriores hemos visto como en Cataluña se han producido reposicionamientos espaciales de los ciudadanos, al mismo tiempo que se generaban actitudes y comportamientos orientados a la independencia. La coexistencia de estos movimientos requiere del análisis de la construcción nacional desde una lectura nueva que no dé por supuestos los apriorismos mencionados, sino que analice la propia (re)construcción política de la idea nacional y su desarrollo, lo cual significa, no sólo a nivel metodológico sino también analítico, modificar la mirada para que algunas variables que expresan la posición nacional de los ciudadanos o de los líderes o partidos puedan ser analizadas como variables dependientes. Nuestra lectura constructivista requiere de esta nueva mirada en la medida que reconoce que la ubicación de los ciudadanos en la escala nacionalista, por ejemplo, es una posición políticamente producida, y que responde a una construcción *endógena* de las preferencias que lleva a unos ciudadanos a ubicarse en un punto y a otros en otro.

Desde esta lectura, Máiz (2003a, 2003b, 2012) propone un esquema para la explicación constructivista de la nación que incorpora cuatro factores fundamentales en constante interacción los unos con los otros: La existencia de precondiciones sociales (étnico-culturales, económicas, ...); la presencia de una estructura de oportunidad política (contexto institucional nacional e internacional, actores, competición electoral...); la movilización nacionalista (organización, liderazgo, repertorio de movilización); y el discurso nacionalista (estrategias identitarias, demandas de autodeterminación).

Esquema I. Nación y Nacionalismo. Modelo constructivista relacional (factores)

Fuente: Máiz, 2012

Ninguno de estos factores es exógeno a la propia construcción política, incluso las precondiciones sociales se elaboran como tales ora a través de la definición del relato etnogenético, ora a través de la producción de las expectativas económicas y políticas de Cataluña en España y la Unión Europea. Tampoco la estructura de oportunidad es fruto de un contexto "objetivo" sin más, muy al contrario, tanto el contexto institucional como los realineamientos y la competición entre los actores se construyen a través del propio relato que alimenta cada uno de los elementos que conforman el esquema. Las oportunidades son siempre "oportunidades percibidas" por los actores y, además, cada movilización exitosa abre, ensancha sus previas oportunidades. Y qué decir de la movilización política, que incorpora actores individuales y colectivos a la construcción nacional, porque frente a la lógica de la acción colectiva tradicional, la lectura constructivista permite comprender la temporalización de la producción *endógena* de preferencias y con ello la consistencia de la producción individualizada o colectiva de las preferencias, según el caso.

En este sentido, oportunidad, movilización y discurso interactúan como aspectos de la competición, coexisten temporal y estratégicamente y, a través de los realineamientos, liderazgos y del propio "proceso", se convierten en elementos estratégicamente fundamentales de la competición electoral. De este modo, el esquema analítico propuesto por Máiz, más allá de su vocación explicativa de las naciones como fenómenos políticos (no étnicos, no sociales), permite interpretar la competición electoral como momento específico en la producción de la nación y, en nuestro caso, revisar la incidencia de la propia competición en la construcción de la identidad nacional catalana.

1. FACTORES DE LA COMPETICIÓN QUE INCIDEN EN LA PRODUCCIÓN DE LA NACIÓN CATALANA

1.1. *Precondiciones sociales*

Frente a la idea tradicional de precondiciones sociales objetivas y exógenas, ligadas a los elementos diacríticos de la identidad —lengua, etnia, cultura, religión— que ha generado el nacionalismo esencialista, el nuevo nacionalismo catalán se *desetnifica* y se politiza; esto es, se genera ligado a la producción de condiciones —crisis económica— y expectativas —confianza— que alimentan el sustrato sobre el que se desarrolla el proceso.

El nacionalismo catalán se ha caracterizado históricamente por su alta fragmentación, por su propensión a la agregación estratégica, condicionada a la presencia de elementos externos que hicieran peligrar las bases comunes, así como por la constante mutación de sus ejes motrices, ya fueran culturales, históricos, económicos o políticos. Los datos del CEO[1], evidencian así que a partir de 2010 el paro y la precariedad laboral —la crisis económica— se convierten en las principales preocupaciones para los catalanes, disparándose a porcentajes que superan el 80% a partir de 2008, mientras que la preocupación por la relaciones entre Cataluña y España —afectadas por una crisis de confianza— han ido ascendiendo como inquietud para los catalanes en todo el periodo de crisis, hasta situarse como primera opinión en Junio de 2016. Del mismo modo, la insatisfacción con la política se ha mostrado como otra de las principales constantes a lo largo del periodo 2008-2016.

---

[1] Centre de Estudis de opinió, organismo demoscópico adscrito a la Generalitat de Catalunya.

Esta percepción de la economía y la política en Cataluña está relacionada con las actitudes nacionalistas, y para comprenderlo no hay más que ver la gradación que existe al respecto de las valoraciones que se hacen de la política y de la economía en esta Comunidad en función de la ubicación de los ciudadanos en la escala nacionalista (Tabla I). Las visiones más positivas y optimistas al respecto de la economía catalana se corresponden con los que poseen una autoubicación claramente más nacionalista mientras que, por el contrario, a medida que se desciende en las posiciones medias de la escala estas valoraciones, tanto económicas como políticas, son mucho más negativas.

Tabla I. Autoubicación media en la escala nacionalista según percepciones contextuales

Autoubicación media en la escala nacionalista		Media	Desv. Típica
	Muy buena	8,23	1,75
	Buena	6,45	3,09
	Regular	5,71	3,24
Economía de Cataluña	Mala	5,61	3,40
	Muy mala	4,54	3,80
	Ns	4,13	4,86
	Nc	5,23	,85
	Muy buena	9,26	1,15
	Buena	8,01	2,20
	Regular	6,62	2,92
Política de Cataluña	Mala	5,60	3,17
	Muy mala	3,96	3,42
	Ns	8,08	5,80
	Nc	8,46	1,57
	Mejorará	7,32	2,77
	Continuará igual	6,17	3,07
Evolución economía	Empeorará	3,28	3,11
	Ns/Nc	6,30	3,01
	Mejorará	7,28	2,83
	Continuará igual	5,67	3,27
Evolución política	Empeorará	3,46	3,13
	Ns/Nc	6,32	2,77

Fuente: Elaboración propia datos del Estudio Postelectoral Elecciones Autonómicas en Cataluña 2015

Lo cierto es que, de algún modo, el nacionalismo catalán ha mostrado nuevamente su capacidad de aglutinar y reordenar no sólo los espacios políticos, como hemos visto en capítulos anteriores, sino también las percepciones económicas y políticas de los catalanes; todo ello al mismo tiempo que se producía la evolución de las posiciones nacionalistas de los ciudadanos y la de las preferencias sobre un Estado independiente (éstas últimas se han triplicado a lo largo de los últimos años, pasando de un porcentaje cercano al 15% en el periodo previo a la crisis, a representar aproximadamente la mitad de los ciudadanos). Prat (2015), ha señalado cuatro momentos en los que se ha producido esta evolución de los sentimientos nacionalistas e independentistas: (a) un periodo de cierta estabilidad entre 2005 y abril de 2009, donde el apoyo se situaba cerca del 15%; (b) un crecimiento sostenido a partir de abril de 2009 hasta junio de 2011, cuando se llegó hasta el 25%; (c) una auténtica aceleración desde entonces, donde se pasa del 29% (junio de 2011) al 34% (junio de 2012), con un aumento del 5% en un solo año; y (d) el afianzamiento de estas posiciones y la división de la ciudadanía en dos bloques prácticamente simétricos (en Junio de 216 se llega al 47% de apoyo al independentismo).

Tabla II. Evolución sentimiento nacionalista (2006-2016)

Año	Solo catalán	Más catalán que español	Tan catalán como español	Más español que catalán	Solo español	Ns/Nc
2006	14,5%	27,2%	44,3%	4,7%	6,1%	1,2%
2010	20,3%	25,5%	42,5%	3,9%	5,5%	2,3%
2011	20,5%	29,5%	39,3%	3,3%	5,0%	2,4%
2012	22,7%	30,2%	37,3%	3,5%	4,0%	2,3%
2013	23,4%	27,2%	38,2%	2,6%	3,7%	4,7%
2014	24,6%	26,0%	38,2%	3,5%	4,2%	3,4%
2015	27,6%	24,6%	35,2%	3,1%	5,7%	3,7%
2016	26,3%	24,2%	33,8%	5,7%	5,1%	5,0%

Fuente: Elaboración propia a partir de los barómetros del Centre d'Estudis d'Opinió

La Tabla II nos muestra cómo el desplazamiento del sentimiento identitario se ha producido desde posiciones equilibradamente compartidas hasta posiciones excluyentemente nacionalistas, haciendo que aquellos que hoy se sienten sólo catalanes casi dupliquen a los que poseían este sentimiento hace diez años. De igual modo, el apoyo a la independencia, tradicionalmente minoritario dentro del nacionalismo catalán, ha superado en los últimos años incluso los propios límites de lo que hasta ahora se entendía como nacionalismo (Gráfico I). En este sentido, la confianza en la clase política catalana y las expectativas de solucionar mejor los problemas al margen de España, se han convertido en el motor de una nueva idea de nación catalana que se ha ido construyendo en los últimos años. Y esta construcción se ha dado más allá de los propios elementos simbólicos, culturales e históricos que la definían tradicionalmente, encontrando una nueva articulación a través del papel mediador de políticos y estrategias que han sabido canalizar sentimientos y actitudes relacionadas con la desconfianza política —ligada al rechazo hacia posiciones y actores estatales— así como con la confianza en los actores y las instituciones catalanas.

Gráfico I. Evolución de las preferencias sobre la organización territorial de Cataluña

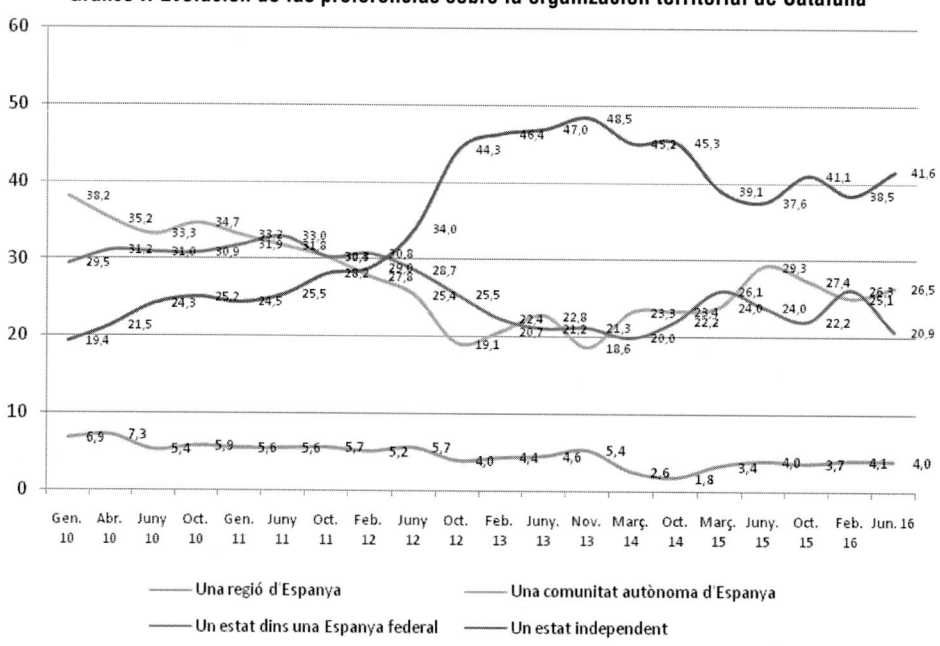

Fuente: Elaboración propia datos del Centre d'Estudis d'Opinió (Baròmetre d'Opinió Política 2010-2016)

Frente a esto, elementos diacríticos más tradicionales, como la lengua, han perdido peso hasta el punto de que sólo alrededor de un 30% de los votantes de los partidos que apoyan el proceso usa exclusivamente el catalán. En este sentido, la lengua ha dejado de ser el elemento de la confrontación porque hay nuevos elementos, de carácter estratégico, que han cobrado más fuerza que los componentes de carácter culturalista tradicionales y que generan que el nuevo nacionalismo tenga un componente esencialista menor.

1.2. La estructura de oportunidad política

Frente a la idea de que la estructura de oportunidad política es acumulativa, es decir, se abre por una serie favorable de hechos generados desde el contexto institucional, el fenómeno catalán nos muestra que la estructura de oportunidad no preexiste a la movilización, sino que es leída, interpretada y ensanchada por el relato que da vida a los elementos latentes de oportunidad, que no solo traslada sino que, en rigor, peralta su potencial de movilización, que los convierte en "issues" de la competición, y que son los mismos actores en presencia quienes generan dichos escenarios de la competición a través de la movilización.

El "procés", construido como "master frame" y usado estratégicamente como "issue", tal y como se ha mostrado en los capítulos sobre discurso y sobre los debates, se convierte, en Cataluña, en el articulador clave de la competición política, capaz de reconducir posiciones identitarias de una parte de la población catalana, incluso como señalamos, más allá de las propias bases ideológicas y nacionalistas de la misma, tal y como se mostró, también, en los capítulos dedicados a los espacios políticos y al liderazgo político. El problema ahora es comprobar si los elementos a través de los que se incorpora este nuevo espacio nacionalista son los mismos que constituían las bases del nacionalismo tradicional o, como nos muestra la lectura descriptiva, son también novedosos. Para ello debemos comenzar por saber si hay un nuevo perfil sociodemográfico de nacionalismo y de haberlo, cuales son los elementos que explican dicha lectura identitaria.

Gráfico II. Autoubicación en la escala nacionalista

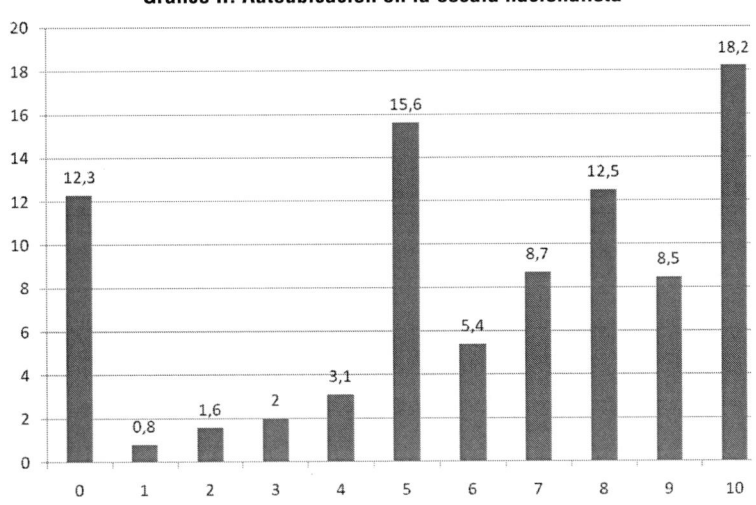

Fuente: Elaboración propia datos del Estudio Postelectoral Elecciones Autonómicas en Cataluña 2015

En una primera lectura descriptiva, observamos como la autoubicación media de los catalanes en la escala nacionalista es alta, en concreto un 6,23 en una escala de 0 a 10, marcando espacios muy polarizados, ocupados en la posición del cero por un 12% que se declararía nada nacionalista, mientras que en la posición del diez un 18% que se ubicarían en el máximo nacionalismo. Otro dato interesante es destacar como, si obviamos el 15% que se ubicaría en la posición mediana, los que se sitúan en un espacio nacionalista (6 a 10 en la escala) representan el 53,3% de la población, frente al 19,7% de los que se autoubicarían en posiciones poco o nada nacionalistas (0 a 4 en la escala).

Además, es interesante resaltar la enorme transversalidad de estas ubicaciones, en cuanto que las principales características sociodemográficas de la población no presentan diferencias sustantivas, situándose la mayoría de subgrupos en puntuaciones por encima o cercanas al seis en la escala (Tabla III). Es cierto que se puede observar que las personas de menor nivel de ingresos (por debajo de 1000 €) serían aquellas que menos puntuación mostrarían en la escala, 4,33 de media, al igual que se observa una aparente relación entre edad y autoubicación en la escala, de modo que, a medida que desciende la edad mayor es la puntuación media. Algo semejante ocurre respecto al nivel de estudios, donde también se observan ligeras diferencias, sobre todo en el caso de aquellos que mayor nivel de estudios poseen, y que son los que mayores puntuaciones presentan en la medición, aunque una vez realizadas las ANOVAS para estas variables sociodemográficas, sólo se confirma la existencia de diferencias significativas para el nivel de estudios a través de estadísticos robustos (al no existir igualdad de varianzas). Las únicas diferencias estadísticamente significativas hacen referencia a las diferencias entre las personas que tienen estudios primarios respecto al resto de categorías.

Tabla III. Autoubicación en la escala nacionalista según características sociodemográficas

		Autoubicacion nacionalista	
		Media	Desv. típica
Sexo	Hombre	6,18	3,27
	Mujer	6,28	3,29
Grupos de Edad	18 a 29	6,68	2,88
	30 a 49	6,46	3,17
	50 a 64	5,96	3,53
	65 y más años	5,84	3,40
Nivel de estudios	No estudio	5,00	3,84
	Algunos años de estudios primarios	6,00	3,77
	Estudios primarios	5,31	3,41
	Estudios secundarios	6,08	3,31
	FP I y II	6,10	3,12
	Estudios de grado medio	6,94	3,08
	Estudios de grado superior	6,63	3,19
	Nc	,	,
Ingresos	Bajos	4,33	3,46
	Medios	5,88	3,31
	Altos	6,63	3,08

Fuente: Elaboración propia datos del Estudio Postelectoral Elecciones Autonómicas en Cataluña 2015

Por lo que respecta a la incidencia de factores políticos en la apertura de la estructura de oportunidad, uno de los fenómenos más interesantes en la construcción discursiva nacionalista, por su incidencia en los realineamientos electorales, es como la identidad nacional incorpora el "proceso", como si ambas cosas fueran una sola; una especie de (con)fusión que hace difícil distinguir y casi imposible analizar las relaciones entre ambos elementos. Fieles a nuestro enfoque, nuestra investigación se esforzó en tratarlos de forma diferenciada para poder singularizar y analizar dichas relaciones.

El Gráfico III nos muestra la relación que existe entre estar a favor o en contra del proceso y la ubicación en la escala nacionalista. La primera lectura descriptiva deja ver que mientras los que están a favor del proceso se ubican claramente en posiciones altas de la escala nacionalista, los que están en contra no lo hacen del mismo modo en las posiciones bajas. Mientras el 85,8% de los que están a favor del proceso se ubica en las posiciones 6-10, sólo el 56,3% de los que está en contra lo hace en las posiciones 0-4, y ello porque el 27,5 de los que están en contra del proceso se ubican acomodaticiamente en la posición neutral de la escala.

Gráfico III. Autoubicación en la escala nacionalista y apoyo al proceso de independencia

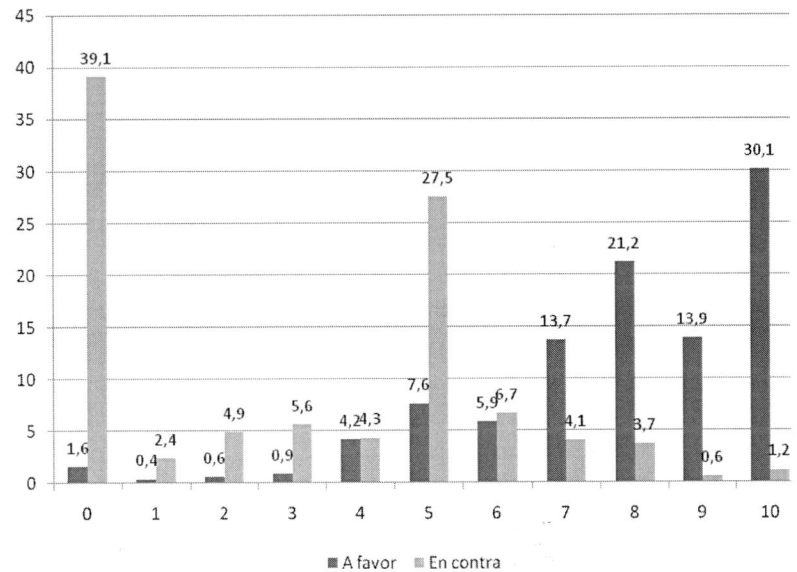

Fuente: Elaboración propia datos del Estudio Postelectoral Elecciones Autonómicas en Cataluña 2015

En capítulos anteriores hemos visto como el repunte del nacionalismo y la homogeneización respecto a la exigencia independentista transcendía la propia ubicación ideológica de ciudadanos y partidos, generando un espacio unificado hacia el cual han ido acercándose, pero también alejándose, partidos políticos desde diferentes posiciones ideológicas. De este modo, el tradicional esquema de ubicación enmarcado por los ejes ideológico y nacionalista es superado por la dinámica del *procés,* que pasa a actuar como catalizador de los sentimientos identitarios, generando los realineamientos decisivos tanto de partidos como de electores.

Estos realineamientos, que ya se avanzaban en el capítulo sobre los espacios, y que muestran la apertura de la estructura de oportunidad, nos van a servir ahora para mostrar, también, la debilidad de la homogeneidad nacionalista a través del análisis de tres tipos de relaciones: la primera, la relación entre la autoubicación ideológica y la autoubicación en la escala nacionalista; la segunda entre la identificación partidaria (expresada a través de la pregunta de simpatía) y la ubicación ideológica; y la tercera, la relación entre la identificación partidaria y la ubicación nacionalista.

La primera relación fue plenamente mostrada en el capítulo sobre los espacios, y ponía de manifiesto la prevalencia del eje nacionalista sobre el ideológico en su incidencia sobre el voto. Las otras dos relaciones, sin embargo, hemos preferido analizarlas teniendo en cuenta la variable simpatía, que toma como referentes cada uno de los partidos que conforman la coalición JxSí, en vez de la propia coalición. Para ello hemos realizado un análisis de correspondencias de la autoubicación ideológica con respecto a la simpatía y de ésta última con la autoubicación en el eje identitario, análisis que nos permite fortalecer y contrastar afirmaciones ya realizadas en este trabajo. En este sentido se pueden observar las coincidencias de espacios entre algunos partidos, es el caso de PSC, C's y CatSíqueEsPot; si bien también se observan ciertas diferencias que vienen dadas fundamentalmente por la posición de CiU en ambos espacios y que permiten concluir claramente como el *procés* ha estructurado la competición política, concediendo en la misma un peso fundamental al eje identitario y relegando especialmente la posición ideológica de CiU. Esto último, queda respaldado entre otras cuestiones con el escaso nivel de coincidencias ideológicas que el análisis del cálculo de distancias ideológicas bajo los modelos espaciales de voto mostraba en el caso de la coalición política Junts pel Sí, frente al elevado nivel de coincidencias que la misma formación presentaba cuando las distancias analizadas eran las identitarias.

En efecto, el análisis de las correspondencias entre los espacios de ideología con simpatía, así como de nacionalismo con simpatía nos permite mostrar gráficamente lo que comentamos. En el primero de los casos (Figura I), se evidencia la enorme correspondencia entre partidos políticos y espacios ideológicos, de modo que el espacio electoral catalán muestra tres bloques ideológicos claramente delimitados: por el lado de la izquierda (0 a 4 en la escala de autoubicación ideológica) se produce una perfecta gradación entre los valores más extremos y el apoyo, por orden, a la CUP, IU, ERC, Podemos y el PSOE. Por el lado del centro y el centro derecha (del 5 al 7 en la escala) nos encontramos con CiU, CDC, UDC y Ciudadanos. Por último, en el extremo más a la derecha (8 al 10 en la escala) el PP en solitario.

Figura I. Análisis de correspondencias entre autoubicación en la escala ideológica y simpatía política

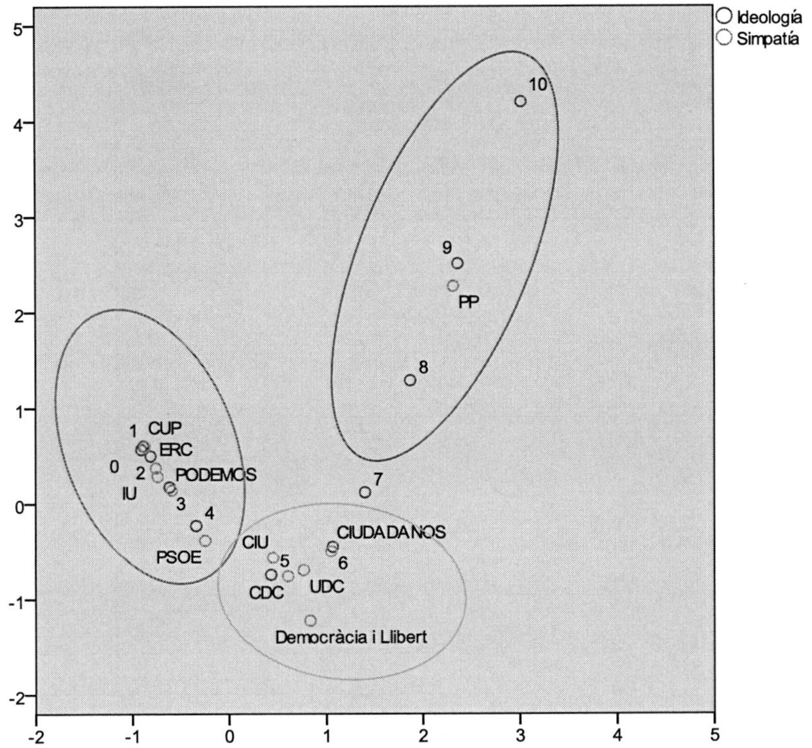

Fuente: Elaboración propia datos del Estudio Postelectoral Elecciones Autonómicas en Cataluña 2015

Sin embargo, al analizar la relación entre el nacionalismo y la simpatía política (Figura II) podemos observar como esos espacios de carácter ideológico se rompen, produciéndose un realineamiento en función del eje motriz nacionalista. Es así que, salvo en el caso de los simpatizantes al PP y la CUP, que mantienen un espacio tanto ideológico como nacionalista perfectamente inmutable, los simpatizantes de los demás partidos comienzan a moverse de manera diferencial, mostrando la tensión entre el eje nacionalista y el eje ideológico. Este es el caso de los simpatizantes de IU, PODEMOS o UDC, al igual que ocurre en posiciones más centralistas con los simpatizantes del PSOE y Ciudadanos, muy lejos en el anterior análisis exclusivamente ideológico. Sin embargo, por su enorme importancia dentro de todo este proceso de construcción nacional, es de destacar el caso de los votantes de CiU, muy lejos ideológicamente de sus compañeros de coalición y que se alinean perfectamente es este nuevo espacio, donde la ideología deja de ser importante (Figura II).

Figura II. Análisis de correspondencias entre autoubicación en la escala nacionalista y simpatía política

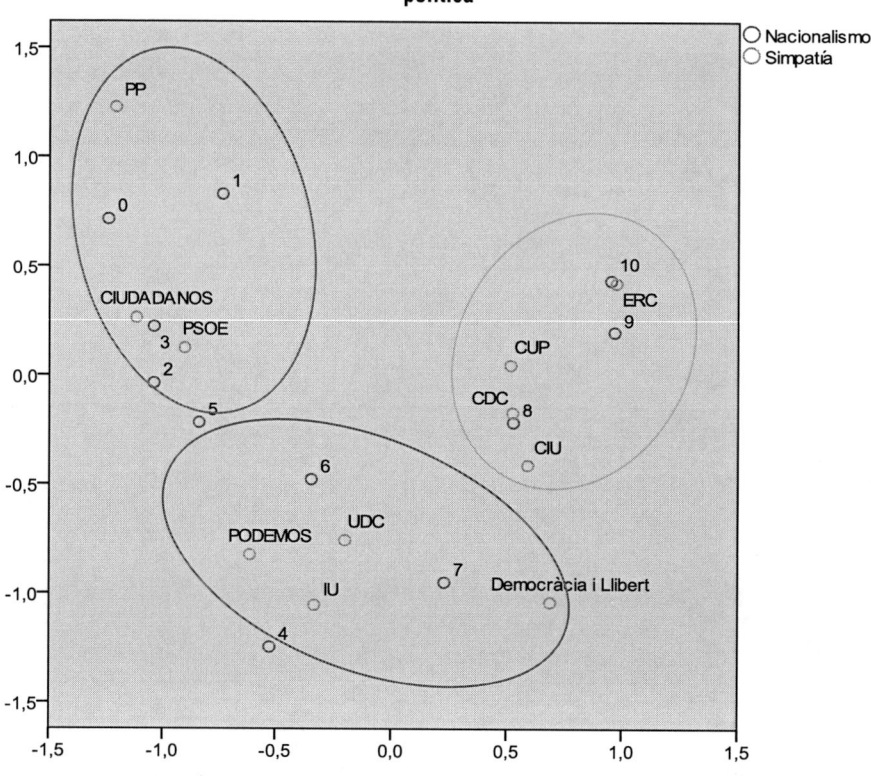

Fuente: Elaboración propia datos del Estudio Postelectoral Elecciones Autonómicas en Cataluña 2015

1.3. Factores de la movilización

Con anterioridad hemos mostrado cómo los líderes nacionalistas no sólo construyeron una coalición orientada a la competición, sino que ocuparon la totalidad del espacio nacionalista, excluyendo del mismo a los actores que no eran suficientemente radicales para abrazar el proceso. Los partidos nacionalistas perdieron protagonismo para cederlo a una coalición-instrumento y a un innovador "liderazgo compartido", planteándose el mismo proceso electoral como un plebiscito para que las políticas públicas que pudieran hacer pivotar la competición sobre el eje ideológico cedieran protagonismo al eje identitario.

Tres elementos son fundamentales para entender cómo se ha producido la movilización: por un lado el propio papel del proceso, por otro el papel aglutinador de los líderes, y finalmente, el tiempo que llevan los ciudadanos adheridos al proceso independentista. Tanto del proceso como del papel de los líderes hemos hablado en diversos capítulos de este libro y mostraremos después en nuestro modelo SEM su funcionamiento; el tiempo, sin embargo, merece un comentario especial.

La Tabla IV nos muestra la relación entre el tiempo desde el que los ciudadanos se sienten independentistas y la ubicación media en la escala nacionalista. Lo primero que llama la atención es que la ubicación media de los que se sienten independentistas desde hace sólo un año (6,43) es muy próxima a la media de los catalanes (6,23), y lo segundo, el hecho de los que se sienten independentistas desde hace cinco o menos años se ubican en posiciones nacionalistas inferiores a la media.

Tabla IV. Comparación de medias autoubicación en la escala nacionalista según tiempo desde el que se siente independentista

	Media	N	Desv. típ.
Desde siempre	8,48	294	2,063
Desde hace cinco años	7,76	171	1,614
Desde hace tres años	6,75	56	2,271
Desde hace un año	6,43	22	2,366
Más de cinco años	8,63	43	1,169
Ns/Nc	5,05	39	2,455
Total	7,85	625	2,171

Fuente: Elaboración propia datos del Estudio Postelectoral Elecciones Autonómicas en Cataluña 2015

La paulatina incorporación de ciudadanos a la opción independentista y la evolución de las posiciones nacionalistas se hace aún más patente cuando, más allá de la media de las auto-ubicaciones, estudiamos la posición en la que se ubican los ciudadanos en función del tiempo en que se sienten independentistas. La Tabla V nos muestra la diversidad de las posiciones y deja patente que, si bien hay una estrecha relación entre la ubicación ideológica y el sentimiento independentista, esta relación no es la misma en función del tiempo desde el que los ciudadanos poseen este sentimiento.

Tabla V. Autoubicación en la escala nacionalista según tiempo desde el que se siente independentista

		¿Desde cuándo se siente Ud. independentista?						
		Desde siempre	Desde hace cinco años	Desde hace tres años	Desde hace un año	Más de cinco años	Ns/Nc	Total
Autoubicación en la escala nacionalista	0	1,40%			8,70%		10,00%	1,60%
	1	0,00%		3,70%				0,30%
	2	0,70%		1,90%				0,50%
	3	1,70%			4,30%			1,00%
	4	2,40%	3,50%	11,10%		0,00%	17,50%	4,20%
	5	3,10%	7,60%	7,40%	4,30%	2,30%	47,50%	7,50%
	6	3,10%	7,60%	20,40%	17,40%		2,50%	6,10%
	7	8,50%	22,70%	18,50%	26,10%	11,60%	2,50%	13,80%
	8	17,10%	27,30%	16,70%	34,80%	32,60%	10,00%	21,10%
	9	17,10%	12,20%	5,60%	4,30%	25,60%	2,50%	13,90%
	10	45,10%	19,20%	14,80%		27,90%	7,50%	30,10%

Fuente: Elaboración propia datos del Estudio Postelectoral Elecciones Autonómicas en Cataluña 2015

De este modo, la idea de la supuesta homogeneidad nacionalista choca también con las diferencias asociadas a las posiciones estratégicas asumidas al amparo de la propia movilización, así como de los *issues* que acompañaron dicha movilización. La idea de que el proceso se convierte en productor de identidad, y que el tiempo de incorporación de cada ciudadano es fundamental para comprender los matices asociados a la lectura nacional de cada uno se hacen ahora evidentes; como también se hace evidente el hecho de que esta heterogeneidad nacionalista que la competición electoral ha presentado con carácter unívoco encierra lecturas plurales de la sociedad catalana, unificadas entorno al proceso asumido como "master frame" de una competición que no se extingue en el mero proceso electoral.

1.4. El discurso: El "Procés" y la dialéctica esencialista/estratégica

Si el proceso se conforma como el *master frame* de la construcción de la nueva identidad catalana y como el *issue* de competición que genera la movilización, los motivos para estar a favor o en contra del proceso delimitan los elementos sobre los que se asienta la nueva construcción identitaria.

En el capítulo dedicado al análisis del discurso hemos visto como 1) el proceso independentista se convertía en el protagonista fundamental del discurso y 2) como el término nación desaparecía prácticamente del mismo. En el dedicado a los debates parlamentarios, descubríamos que de las 165 intervenciones, 91 de las mismas versaban sobre el proceso independentista. Y en el capítulo sobre los medios, vimos como la tensión entre los medios de Madrid y Cataluña dejaba sin espacio a posiciones de alternativa.

Cuando analizamos los motivos por los que los ciudadanos están a favor del proceso de independencia, se evidencia que los motivos estratégicos, "España nos trata mal" o "el futuro económico de Cataluña será mejor fuera de España", son mayoritarios frente a los motivos esencialmente identitarios (Tabla VI).

Tabla VI. Principales motivos a favor del proceso independentista en Cataluña

Porque creo que Cataluña no ha sido tratada adecuadamente por parte del Gobierno de España en los últimos años	65,5
Porque creo que el futuro económico de Cataluña y de la sociedad catalana sería mejor fuera de España	46,6
Porque deseo que la sociedad catalana tenga el derecho a decidir	30,1
Porque entiendo que Cataluña es una nación	30,0
Porque hay motivos históricos que lo sustentan	21,1
Porque no me siento español	16,0
Otros. ¿Cuál?	5,1
Ns/Nc	,6

Fuente: Elaboración propia datos del Estudio Postelectoral Elecciones Autonómicas en Cataluña 2015

Tanto el análisis de los discursos como los datos de nuestro estudio nos muestran la existencia de un marco hegemónico, "el proceso", a través del cual se articulan los relatos, tanto los de carácter estratégico como los esencialistas, que se convierten en *issues* de la competición y alimentan la propia construcción de la identidad. Los elementos tradicionales de la construcción identitaria pierden peso para ganarlo los motivos estratégicos que se articulan en torno al proceso. Pero el hecho de que el discurso se construya en torno a estos factores no hace que la construcción sea más débil, como pudiera pensarse desde una óptica etnicista o estructural, muy al contrario, como hemos visto, se muestra capaz de generar realineamientos que sobrepasan diferencias sociológicas e ideológicas.

Nuestro modelo trata de incorporar estos elementos para analizar el peso de cada uno de ellos en la construcción de la identidad nacional de Cataluña en la actualidad.

2. LOS COMPONENTES EN LA EXPLICACIÓN DEL NACIONALISMO CATALÁN

Con el objeto de construir un modelo que explique los componentes en el estudio del nacionalismo, se ha agrupado y recodificado la información alrededor de los principales factores determinantes, que desde el campo teórico, permiten explicar el nacionalismo en Cataluña. En este sentido, nos decidimos por la aplicación de modelos de ecuaciones estructurales (SEM), en tanto que la naturaleza de la información y capacidad analítica de esta técnica así lo aconsejaban. Para ello, el primer paso consistió en la realización de un análisis factorial exploratorio en el cual determinar los conjuntos de variables realmente significativos en la construcción final del modelo, así como los correspondientes test de normalidad univariante. El resultado final ha supuesto la creación de una serie de constructos analíticos que se corresponden con varios niveles explicativos en el modelo final. Éste, en tanto que articula e interrelaciona distintas dimensiones, nos permite elaborar una respuesta multidimensional a nuestro objeto de investigación. En este sentido, la solución final presenta una serie de constructos latentes, así como variables intervinientes que se corresponden con un espacio de simetría entre actitudes pro catalanas y pro centralistas (los espacios izquierdo y derecho de la ecuación), del mismo modo que interrelaciona dimensiones actitudinales, y de liderazgo en los niveles superior, medio e inferior, respectivamente.

La variable endógena es la autoubicación en la escala nacionalista (*NACIONALISMO*) y sobre ella se han interrelacionado una serie de variables correspondientes a los siguientes constructos latentes:

A) En un primer lugar nos encontramos elementos contextuales de carácter político y económico, que actúan como precondiciones, alimentando sentimientos de confianza o rechazo hacia Cataluña o el resto del País.

- ConfianzaCAT: Confianza en la clase política catalana y en el que los políticos catalanes representen los intereses de Cataluña.
- ConfianzaESP: Confianza en la clase política española y en el que los políticos españoles representen los intereses de Cataluña.
- EvoluciónCAT: Valoraciones prospectivas respecto a la evolución política y económica de Cataluña en el futuro tras conseguir ser un Estado independiente.

B) En segundo lugar un nivel relativo al liderazgo, como generador de la movilización, que actúa en Cataluña y en el resto de España.

- LiderazgoCAT: Engloba las valoraciones de Artur Mas, Raül Romeva y Oriol Junqueras.
- LiderazgoESP: Engloba las valoraciones de Mariano Rajoy, Pedro Sánchez y Albert Rivera (los más significativos dentro de los políticos españoles ya que ni Pablo Iglesias ni Alberto Garzón aportaban significación al modelo).

C) En último lugar, una serie de variables mediadoras, que representan el nivel intermedio en la ecuación y que estaría conformado por los elementos clásicos en la configuración del nacionalismo y que en nuestro esquema figuran ya como precondiciones (LENGUA) ya como factores de la movilización (TIEMPO), ya como elementos del discurso e *issues* generadores de la estructura de oportunidad (PROCESO).

Tabla VII. Codificación de las variables presentes en el modelo SEM

VARIABLE	TIPO	CATEGORÍAS
NACIONALISMO	escala	0-10
CONF_CAT	escala	0-10
CONF_ESP	escala	0-10
POLI_REPRE_CAT	escala	0-10
POLI_REPRE_ESP	escala	0-10
EV_ECONOMÍA	Ordinal	mejorará, continuará igual, empeorará
EV_POLÍTICA	Ordinal	mejorará, continuará igual, empeorará
LENGUA	escala	catalán, español, indistintamente, más en catalán que en español, más en español que en catalán.
TIEMPO	escala	desde siempre, desde hace cinco años, desde hace tres años, desde hace un año.
PROCESO	dicotómica	a favor, en contra
MAS	escala	0-10
JUNQUERAS	escala	0-10
ROMEVA	escala	0-10
RAJOY	escala	0-10
SÁNCHEZ	escala	0-10
RIVERA	escala	0-10

Fuente: Elaboración propia

Antes de comenzar con la exposición de los resultados derivados de la aplicación de nuestro modelo presentaremos las medidas de ajuste global del mismo, con el objeto de establecer los parámetros de idoneidad del modelo, ya sean el valor RMSEA[2], como las medidas incrementales de ajuste del modelo,

---

[2] El índice de bondad de ajuste más robusto propuesto es el Error Medio Cuadrático de Aproximación (RMSEA, por sus siglas en ingles). Este índice ha sido desarrollado como una medida absoluta de la diferencia de la estructura de relaciones entre el modelo propuesto y los valores de covarianza en población medida. El término proviene de la medida inicial de diferencia entre los datos y el modelo. La importancia de este índice radica en que refleja una diferencia absoluta entre el modelo propuesto y los datos observados, tomando en cuenta el número de estimaciones y el tamaño de la muestra implicada por el modelo bajo prueba (Steiger, 1990). Es muy importante notar que este índice, debido a su origen y propiedades estadísticas, compara

NFI y CFI[3], las más usuales en el ajuste de modelos mediante ecuaciones estructurales.

Los resultados de dicho test evidencian que nos encontramos ante un modelo SEM correctamente ajustado, siempre entre los valores determinados como adecuados en cada uno de los tres valores (Tabla VIII).

Tabla VIII. Medidas de ajuste del modelo

	NFI	CFI	RMSEA
Modelo nacionalismo catalán	0,910	0,901	0,069

Fuente: Elaboración propia

Los resultados de nuestro modelo evidencian que la explicación del nacionalismo en Cataluña surge como una derivación de distintos niveles, que engloban factores referentes a las precondiciones, la estructura de oportunidad, el discurso y los elementos de movilización, especialmente el liderazgo, uno de los primordiales a la hora de comprender la posición de los catalanes en la escala de autoubicación nacionalista, en tanto que ha actuado como elemento reforzador de la reconstrucción reciente del sentimiento identitario.

En este sentido, nuestro análisis muestra el gran peso que los liderazgos, tanto catalán como español, poseen. En concreto, por el lado de Cataluña, observamos que el liderazgo incide directa e indirectamente en la articulación del sentimiento nacionalista, directamente en la medida que la valoración del liderazgo de los tres políticos catalanistas, Artur Mas, Oriol Junqueras y Raül Romeva, explican gran parte de la variabilidad en la escala nacionalista (45%), del mismo modo que, por el lado no-nacionalista, Mariano Rajoy, Pablo Iglesias y Albert Rivera explican, en sentido inverso, el 10% de la variabilidad en los datos de esta escala. Dentro de los constructos latentes referidos a LiderazgoCAT los tres líderes poseen un peso similar (cercano al 90%), lo que incide en la explicación que dimos en el capítulo de liderazgo, mientras que por el lado del LiderazgoESP, los líderes que mayor

---

el modelo con la estructura de relaciones entre las variables en la población. La interpretación del indicador es la siguiente:

· Cuando el RMSEA presenta valores menores a 0.10 se tiene una indicación de buen ajuste entre el modelo de medición y la estructura de los datos.

· Cuando los valores del RMSEA resultan menores a 0.05 el ajuste entre el modelo y los datos es considerado superior.

· Cuando los valores del RMSEA resultan menores a 0.01 el ajuste entre el modelo y los datos es sobresaliente.

3   El Índice de bondad de ajuste (CFI), es un índice de la variabilidad que es explicada por el modelo, oscilando sus valores entre el 0 (pobre ajuste) y el 1 (ajuste perfecto). Se aceptan valores superiores a 0,90 como indicativos de un ajuste aceptable del modelo.

peso poseen en el constructo son Albert Rivera (79%) Mariano Rajoy (77%) y Pedro Sánchez (64%).

De igual modo, la relación entre nacionalismo y liderazgo también se produce de manera indirecta, en la medida que el liderazgo alimenta las visiones sobre el contexto político y económico en los dos niveles, español y catalán. En concreto, el liderazgo catalán explica el 89% de las percepciones al respecto del contexto político y económico en Cataluña (ConfianzaCAT), del mismo modo, el liderazgo español explica el 71% del contexto económico y político de España (ConfianzaESP).

En este mismo nivel de la precondiciones observamos como las expectativas respecto a la evolución de la economía y la política en Cataluña actúan significativamente respecto al nacionalismo, en particular hablamos de un 8% de la variabilidad en la escala, de modo que el optimismo al respecto de la evolución prospectiva del contexto político y económico incide en un incremento en la autoubicación de la escala nacionalista.

En lo que respecta a uno de los elementos culturales centrales, la lengua, observamos que la valoración del liderazgo catalán explica el 45% de la variabilidad en esta variable, entendiendo que a mayor valoración del liderazgo mayor es la probabilidad de expresarse exclusivamente en catalán. La lengua, a su vez, incide de manera muy moderada sobre la autoubicación nacionalista (12%), no nos olvidemos, uno de los ejes tradicionalmente vertebradores en la justificación del nacionalismo. Pero el hecho de que sea la variable liderazgo la que incide sobre la lengua, y a través de esta última genere efectos indirectos sobre la identidad, apunta aún más a la pérdida comparativa de peso de los elementos tradicionales.

Ángel Cazorla Martín y José Manuel Rivera Otero

Figura III. Modelo SEM. Componentes de la abstención en las elecciones europeas de Mayo de 2014

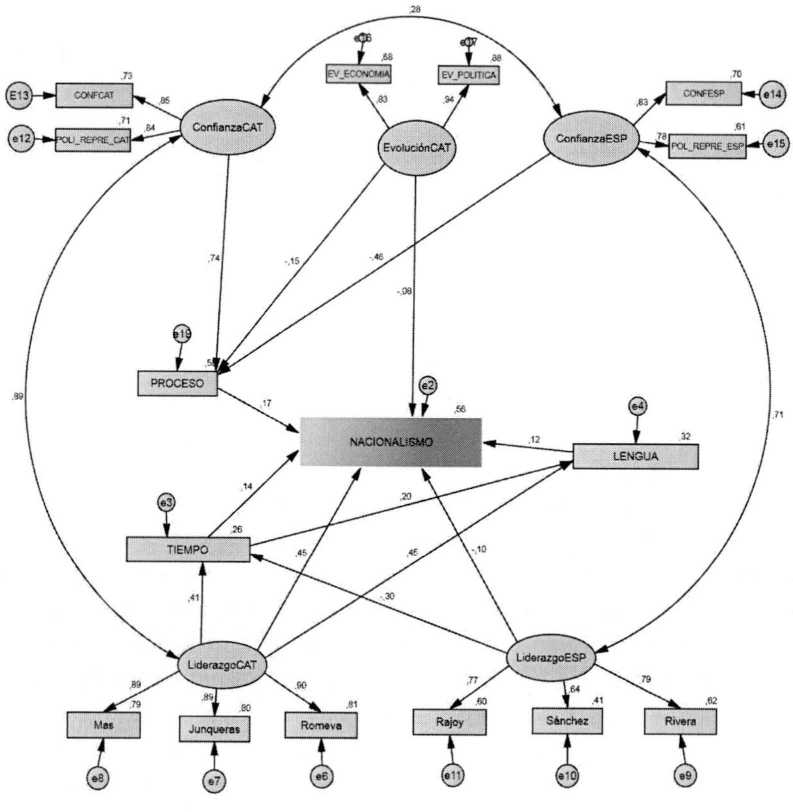

Fuente: Elaboración propia Estudio Postelectoral Elecciones Autonómicas en Cataluña 2015

De igual modo, el otro gran eje sobre el que ha girado el mecanismo de reconstrucción nacionalista ha sido el del propio proceso político en sí, *"el procés"* mostrando nuestro análisis como los efectos sobre la variable nacionalismo son importantes, tanto a través de la variable tiempo, es decir, del momento en el cual se han sumado al sentimiento independentista, como de su opción al respecto del proceso mismo. En concreto, *"el procés"* explica el 17% de la variabilidad de la escala, esto es, más nacionalismo entre los que están a favor del proceso independentista. Del mismo modo, el propio *procés* recibe una serie de efectos directos e indirectos, relacionados de nuevo con los constructos latentes confianza en Cataluña y España. El constructo ConfianzaCAT explica el 74% del apoyo al proceso de independencia, en un sentido de a mayor confianza en la política catalana y defensa de los intereses catalanes por parte de sus políticos, más a favor del mismo, mientras que en el caso de ConfianzaESP ocurre en sentido inverso (- 46%), de modo que a mayor confianza en la política y políticos españoles más en contra del *procés*.

Por último, un elemento importante es el momento en el cual los ciudadanos se han sumado a esas posturas independentistas, incidiendo en la idea de construcción de los sentimientos nacionalistas, y sobre todo, analizando el papel del liderazgo en este proceso de desarrollo y afianzamiento del mismo. En este sentido, la relación entre liderazgo catalán y momento de incorporar estos sentimientos independentistas es muy fuerte (0,41) explicando como la mayor fortaleza en las valoraciones del liderazgo en Cataluña correlacionan con una mayor cercanía temporal en la incorporación de estas tesis nacionalistas e independentistas. Estos datos refuerzan la idea relativa al papel del liderazgo en la reconstrucción de los sentimientos nacionalistas, explicitando no sólo la relación entre ellos, sino también la incidencia indirecta respecto al apoyo al *procés*, de modo que actúa como un importante elemento reforzador de las actitudes a favor del mismo. En otras palabras, las valoraciones más positivas del liderazgo inciden en el momento, más cercano en el tiempo, incorporando unos valores y actitudes que, a su vez, representan el apoyo al proceso en sí y el refuerzo del propio nacionalismo.

Tabla IX. Efectos, totales, directos e indirectos (estandarizados)

Efectos totales estandarizados

	Confianza ESP	Confianza CAT	Liderazgo ESP	Liderazgo CAT	Evolución CAT	TIEMPO	PROCESO	LENGUA
TIEMPO	0	0	-0,305	0,408	0	0	0	0
PROCESO	-0,459	0,739	0	0	-0,149	0	0	0
LENGUA	0	0	-0,062	0,536	0	0,203	0	0
EV_POLITICA	0	0	0	0	0,936	0	0	0
EV_ECONOMIA	0	0	0	0	0,825	0	0	0
POL_REPRE_ESP	0,778	0	0	0	0	0	0	0
CONFESP	0,835	0	0	0	0	0	0	0
CONFCAT	0	0,853	0	0	0	0	0	0
POLI_REPRE_CAT	0	0,842	0	0	0	0	0	0
MARIANO RAJOY	0	0	0,774	0	0	0	0	0
PEDRO SÁNCHEZ	0	0	0,643	0	0	0	0	0
RIVERA	0	0	0,79	0	0	0	0	0
MAS	0	0	0	0,887	0	0	0	0
JUNQUERAS	0	0	0	0,893	0	0	0	0
ROMEVA	0	0	0	0,9	0	0	0	0
NACIONALISMO	-0,076	0,123	-0,149	0,573	-0,107	0,165	0,166	0,117

Efectos directos estandarizados

	Confianza ESP	Confianza CAT	Liderazgo ESP	Liderazgo CAT	Evolución CAT	TIEMPO	PROCESO	LENGUA
TIEMPO	0	0	-0,305	0,408	0	0	0	0
PROCESO	-0,459	0,739	0	0	-0,149	0	0	0

LENGUA	0	0	0	0,453	0	0,203	0	0
EV_POLITICA	0	0	0	0	0,936	0	0	0
EV_ECONOMIA	0	0	0	0	0,825	0	0	0
POL_REPRE_ESP	0,778	0	0	0	0	0	0	0
CONFESP	0,835	0	0	0	0	0	0	0
CONFCAT	0	0,853	0	0	0	0	0	0
POLI_REPRE_CAT	0	0,842	0	0	0	0	0	0
RAJOY	0	0	0,774	0	0	0	0	0
SÁNCHEZ	0	0	0,643	0	0	0	0	0
RIVERA	0	0	0,79	0	0	0	0	0
MAS	0	0	0	0,887	0	0	0	0
JUNQUERAS	0	0	0	0,893	0	0	0	0
ROMEVA	0	0	0	0,900	0	0	0	0
NACIONALISMO	0	0	-0,099	0,452	-0,082	0,142	0,166	0,117

Efectos indirectos estandarizados

	Confianza ESP	Confianza CAT	Liderazgo ESP	Liderazgo CAT	Evolución CAT	TIEMPO	PROCESO	LENGUA
LENGUA	0	0	-0,062	0,083	0	0	0	0
NACIONALISMO	-0,076	0,123	-0,05	0,120	-0,025	0,024	0	0

Fuente: Elaboración propia Estudio Postelectoral Elecciones Autonómicas en Cataluña 2015

3. CONCLUSIONES

A lo largo de este capítulo hemos tratado de hacer dialogar las diferentes aproximaciones teóricas a la construcción de las identidades nacionales, mostrando cómo la idea de la nación preexistente ocultaba, en su carácter esencialista, las bases constructivas, políticas, no sólo de la nación sino, también, de las propias precondiciones de la nación. De este diálogo, complejo, seleccionamos cuatro factores fundamentales en la construcción de la nación: precondiciones, estructura de oportunidad, movilización y discurso. Estos integran una serie de elementos que nos sirvieron como indicadores en la construcción de nuestro modelo.

Desde este planteamiento, hemos visto como la competición electoral puede ser interpretada desde estos parámetros, asumiendo que se trata de una coyuntura crítica en la producción de la nación, en tanto que la estrategia de los actores, que han prescindido del eje ideológico de la competición para centrarse exclusivamente en el nacionalista. En este sentido, han mostrado lo improductivo de los esfuerzos del liderazgo socialista para incidir en el eje ideológico, al mismo tiempo, que expulsa del constructo latente catalanista el liderazgo de Pablo Iglesias para ubicarlo en el no-identitario, pese a los esfuerzos de éste último por tener una postura híbrida respecto a este tema.

La fuerza de los liderazgos como constructores de la nación da muestra de la potencia de la comunicación y del modo en que factores de carácter estrictamente político se han convertido en determinantes a la hora de analizar la construcción de las identidades. La nación se actualiza en la competición entre los líderes, así como en las posiciones y en las contraposiciones que estos asumen, de tal modo que las preferencias de los ciudadanos hacen referencia no sólo a sus posiciones individuales o colectivas, sino a las posiciones percibidas de los propios líderes y a los discursos a través de los cuales se articulan dichos posicionamientos.

Es así que cobra sentido que los realineamientos electorales y la evolución de posiciones en el orden de la identidad, o incluso de las preferencias por la independencia, no tengan necesariamente que ser homogéneas, sino que puedan conducir a opciones diferenciadas respecto de la cuestión de la solución territorial, entre otras. Porque, si algo ha quedado claro a lo largo de estas páginas es que en Cataluña la identidad tiene componentes esencialistas y estratégicos, que hay diferencias fundamentales entre los nacionalistas tradicionales y los nuevos, ya que mientras los primeros han construido su identidad en base a la idea de una nación preexistente, los segundos han construido la nación por motivos que tienen que ver con el trato, la confianza y las expectativas.

Esta nueva idea de nación no sólo no la hace más débil, sino que genera una *decisión de nación* más consciente, más deliberada, más consistente por cuanto su asunción forma parte del mismo acto de la construcción nacional, pero también los propios elementos de la construcción la vuelven menos teleológica que la nación histórica preexistente en su búsqueda de la independencia. Efectivamente, mientras la lógica de la demanda, impresa en el mundo nacionalista tradicional de Cataluña, exige la independencia desde una nación que preexiste a la acción política, la lógica de la oferta, que da paso a la nación construida, encuentra en la heterogeneidad y en la pluralidad, como nos muestra el modelo, no sólo los recursos movilizadores de su propia construcción sino, también, las alternativas de salida al propio conflicto.

Es por ello que, si los actores catalanes y españoles no son capaces de ver la nueva riqueza del nacionalismo catalán, sus decisivos componentes políticos y su apertura y dinamismo (que anticipa la propia variabilidad de los elementos que construyen la idea de nación, frente a la estaticidad etnogenética de la nación preexistente) será imposible generar soluciones al problema. Principalmente, porque los límites de la nación preexistente, el estaticismo etnogenético y sociologista, se pueden contener a través de la Ley, como algunos formulan, mientras que sólo la política puede acoger el dinamismo y la evolución de la nación construida. Hoy, Cataluña, tiene ya un componente fundamental de nación construida.

4. REFERENCIAS BILIOGRÁFICAS

Anderson, B. (1983) *Imagined Communities* London: Verso.

Boonen, J. & Hooghe, M. (2014) "Do nationalist parties shape or follow sub-national identities? A panel anlysis on the rise of the nationalist party in the Flemish Region of Belgium, 2006-2011" *Nations and nationalism* 20 (1) 56-79.

Brubaker, R. (1996) *Nationalism Reframed* Cambridge: Cambridge U. Press.

Clua i Fainé, M. (2010) "Democràcia i participació ciutadana: les consultes sobiranistes a Catalunya". *Cucó & Santamarina, Políticas y ciudadanía: miradas antropológicas*, pp. 13-32.

Clua i Fainé, M. (2014) "Identidad y política en Cataluña: el auge del independentismo en el nacionalismo catalán actual". *Quaderns-e de l'Institut Català d'Antropologia*, 2 (19), pp. 79-99.

Hale, H.E. (2008) *The Foundations of Ethnic Politics* New York: Cambridge U. Press.

Hobsbawm, E. (1998). *Naciones y Nacionalismo desde 1780.* Barcelona: editorial Hurope.

Hobsbawm & Ranger (1984) *The Invention of Tradition* Cambridge: CUP.

Keating, M. (2009) *The Independence of Scotland.* Oxford: Oxford U. Press.

Keating, M. (2012) "Rethinking Sovereignty. Independence-Lite, Devolution-Max and national Accomodation" *Revista d'Estudis Autonomics y federals* 16, 9-29.

Kumar, K. (2006) *The Sage handbook of nations and nationalism* Thousand Oaks: Sage.

Kymlicka, W. (2001) *Politics in the Vernacular* Oxford: Oxford U. Press.

Laitin, D. (2007) *Nations, States and Violence* New York: Oxford U. Press.

Máiz, R. (2003a) "Politics and the Nation: nationalist mobilization of ethnic differences" *Nations and Nationalism* 9:2, 195-214.

Máiz, R. (2003b) "Framing the Nation: three rival versions of contemporary nationalist ideology" *Journal of Political Ideologies* 8:3, 251-270.

Máiz, R. (2012) *The Inner Frontier* Bruxelles: Peter Lang,

Muñoz, J. & Guinjoan, M. (2013) Accounting for internal variation in nationalist mobilization: unofficial referendums for independence in Catalonia (2009-11), *Nations and Nationalism 1* (19), pp. 44-67.

Prat, S. (2012) *El suport a la independència de Catalunya. Anàlisi de canvis i tendències en el període 2005-2012,* Barcelona: CEO.

Rezvani, D.A. (2014) *Surpassing the sovereign state* New York: Oxford U. Press

Rico, G. & Jennings, M.K. (2012) "The intergenerational Transmission of Contending Place Identities" *Political Psychology* 33,5 m 723-742.

Shelef, N. (2010) *Evolving Nationalism* Ithaca (NY): Cornell U. Press.

Ucelay Da Cal, E. (1979) *The Strategies of Separation and Revolution Catalan Radical Nacionalism (1919-1933)* (Tesis Doctoral). Columbia University, New York.

El espacio político del federalismo en Cataluña

Nieves Lagares Diez
Ramón Máiz Suárez
Universidad de Santiago de Compostela

En este capítulo exploraremos la cuestión de si existe espacio político para una eventual acomodación federal de las demandas de autogobierno en la Cataluña actual y, en su caso, como se configura el mismo. Con el fin de responder a esta pregunta, sin embargo, se impone una cuestión previa; a saber: qué entendemos por "federalismo". La preconcepción sobre lo que constituye una federación resulta de todo punto decisiva, porque condiciona no solo la lectura e interpretación de las encuestas sobre la "solución al problema de Cataluña", sino, de modo aún más decisivo, la propia operacionalización del concepto y su traducción en el diseño del cuestionario. Sostendremos en lo que sigue que la utilización acrítica de un modelo reduccionista y muy problemático de federalismo ha sesgado en muchas ocasiones la posibilidad misma de conocer con precisión las opiniones y actitudes del electorado hacia una solución de tipo federal en Cataluña y en España. La crítica de este modelo standard y la elaboración de una visión alternativa de federalismo están en la base del parcialmente innovador diseño que se ha experimentado en la encuesta que sirve de base a esta investigación y que se elabora tanto en este capítulo dedicado a la solución territorial del problema catalán, como en el estudio de las identidades colectivas del capítulo anterior.

1. PARA UN CONCEPTO EVOLUTIVO DE FEDERACIÓN Y FEDERALISMO

El concepto dominante de federalismo en el debate español, no solo resulta minoritario frente a la hegemonía de distintas variantes de nacionalismo de Estado y nacionalismos contra el Estado, sino que, cuando se postula, resulta deudor, las más de las veces, de una visión estructural y estática, muy cuestionable tanto desde el punto de vista teórico como empírico y comparado. Podemos sintetizar las principales características de esta visión hegemónica federal en los estudios académicos de Derecho Público y Ciencia Política, y en los medios de comunicación en nuestro país, con los siguientes rasgos: 1) es una visión estructural y rígida, esto es, atiende a una distribución de competencias en el bloque de constitucionalidad

(Constitución y Estatutos de Autonomía) que cristaliza ámbitos competenciales cuya invasión da lugar a conflictos que se solventan vía Tribunal Constitucional; 2) es una concepción estática, ora centrada en la distribución de poderes de los puntuales pactos fundadores (Constitución y Estatutos), que aboca a una preocupación constante por el "cierre" y el "techo" jurídicos del sistema, formulada desde una perspectiva de equilibrio y falta de incentivos para la trasformación del sistema, nada apta para dar cuenta del cambio económico, social, político e institucional en España y en Europa; 3) es una visión federal centralista, obsesionada con la cooperación ("federalismo cooperativo") y la coordinación jerárquica del sistema desde los órganos centrales del Estado; 4) es una perspectiva nacionalista de Estado, que desconsidera por definición ("soberanía de la Nación española") la realidad de un Estado plurinacional (y el reconocimiento constitucional de nacionalidades históricas y regiones); 5) en fin, postula una versión de federalismo simétrico que, peraltando al extremo "la igualdad de derechos de los españoles", desatiende la dimensión capital de experimentación en políticas públicas y de pluralidad de preferencias políticas de los diversos electorados y de los gobiernos autónomos resultantes de las mismas.

En este libro argumentaremos que, frente a esta óptica estructural y estática del federalismo, resulta mucho más apropiada, teórica y empíricamente, una visión evolucionista de las federaciones. La interpretación evolutiva que aquí se propone resulta en buena medida deudora de nuevas corrientes en las ciencias sociales tales como la teoría evolucionista del comportamiento político (Alford y Hibbing, 2004, Bowles y Gintis, 2011), el evolucionismo institucional (Steinmo, 2010, Blyth, Hodgson, Lewis y Steinmo, 2011, Lustick, 2011), el neoinstitucionalismo histórico (Thelen, 2004, Streeck y Thelen, 2005) y el neoinstitucionalismo discursivo (Schmidt 2011). Pero conecta asimismo con destacados programas de investigación sobre federalismo *adaptativo* (Agranof, 1999; Simeon, 2001; Bednar, 2009, 2011 y 2014), y con los enfoques *constructivistas* del nacionalismo y las identidades étnicas que hemos desarrollado en el capítulo anterior (Shelef, 2010, Chandra, 2012).

De hecho, el federalismo constituye, desde el punto de vista de la política comparada, un sistema político que ha mostrado una inigualable capacidad de adaptación y resiliencia en muy diferentes contextos sociales y económicos, así como de extraordinaria variación en sus arreglos institucionales y flexibilidad en el tiempo para enfrentar diversas coyunturas, cambios o crisis. En esta perspectiva, una federación puede ser considerada como un conjunto estratificado y traslapado de reglas, normas y actores que, producto de un continuo proceso evolutivo, nunca está por completo suturado ni definitivamente cristalizado y genera una gran capacidad de variación en el espacio y de transformación (réplica e innovación) en el tiempo. De este modo, en contra de lo asumido por la visión estructural, desde una óptica evolucionista se asume que "una federación sólida es flexible no rígida" (Bednar, 2009: 15).

Podemos sintetizar brevemente, a los efectos que aquí importan, las principales características de esta visión evolutiva del federalismo como sigue:

1) La teoría evolucionista constituye un paradigma *interaccionista* (Mayr, 2001, Fearon, Ferejohn, Weingast et al., 2013), esto es, no privilegia a priori ni a los actores ni a las estructuras. Desde el punto de vista federal esto se traduce en que el énfasis exclusivo en las estructuras de incentivos deja paso a un neoinstitucionalismo atento a los actores y, sobre todo, a la interacción entre actores, ambiente (contexto social político y económico) e instituciones en los niveles micro y macro. De esta suerte las instituciones federales se insertan en un complejo y cambiante conjunto de reglas, normas, valores y conductas. Esta interacción es la que, desde un punto de vista evolutivo, impide pensar un sistema federal desde la falacia ontológica de la simple agregación de sus partes constitutivas: hay *propiedades emergentes* en el conjunto institucional que no estaban dadas en los componentes previos (estos no constituyen, en rigor, sus variables independientes explicativas) (Blyth, Hodgson y Steinmo, 2011). Las reglas y las normas, sin embargo, no agotan el funcionamiento del sistema que depende de la adherencia de los actores, de su contestación o reproducción parcial de las mismas. Diversas conductas son posibles, con resultados previstos unas veces e imprevistos otras, y todas coexisten y cambian en el seno del mismo sistema. Del mismo modo que en biología evolutiva el Fenotipo es el resultado de la interacción entre el Genotipo y el Ambiente, en la perspectiva adaptativa del federalismo que aquí se propone la interacción política entre los arreglos institucionales, las estrategias de los actores, la competición o solapamiento de identidades, las decisiones de los diferentes niveles de gobierno etc. constituye el fulcro de una concepción de las federaciones como procesos indeterminados y contingentes, más que como estructuras cristalizadas de una vez para siempre (Nicolaidis y Howse, 2001).

2) El evolucionismo no es teleológico ni postula un desarrollo necesariamente eficiente de un sistema modélico (en contra de lo que se cree, no suscribe la tesis spenceriana de la "supervivencia del más apto"). Esto se traduce, en el ámbito que aquí importa, en el abandono de las pretensiones de construcción de un concepto o diseño federal tipo, superior y universal, mediante la fijación rígida de unas características imprescindibles. La perspectiva evolutiva, por el contrario, invita a dejar de lado la pulsión taxonómica centrada en determinar que es y no es auténtico federalismo, que tipo de arreglo institucional encaja en la categoría (en biología se diría la "especie") federal, esto es, abandona la febril procura de cómo deslindar federalismo y "autonomía", federalismo y "cuasifederalismo" etc. La visión evolucionista postula una idea de federación como *sistema complejo adaptativo*, es decir, un sistema dotado de una extraordinaria capacidad de experimentación y variación en el tiempo y en el espacio, según requieren diversos contextos específicos. Todas las federaciones cambian históricamente y se adaptan a nuevas estructuras de oportunidad, de la mano de una constante interacción entre actores e instituciones. Y el resultado de este cambio no es una *vía regia* a la federación

ideal-típica sino un *continuum* de una amplia gama de variaciones federales. A partir de un núcleo duro- integrado por *soberanía compartida*, autogobierno y co-gobierno jurídica y políticamente garantizados mediante pacto y producción política de la confianza, muy diversos factores actúan y poseen diferente peso en cada federación concreta, de tal modo que las mismas variables importan de modo distinto en diferentes contextos. Con el transcurso del tiempo las propias variables cambian, se adaptan y resultan afectadas por los procesos políticos en curso (Steinmo, 2011: 11). El federalismo adaptativo se muestra, así, especialmente capacitado para dar cuenta de la enorme variedad de formas, mecanismos, diseños y prácticas que muestran los sistemas federales en todo el mundo (Watts, 2008).

3) Los sistemas biológicos raramente están en equilibrio, los sistemas políticos tampoco, lo que en nuestro caso podría traducirse, en síntesis, como: "las federaciones exitosas no están en equilibrio" (Bednar, 2014). Frente a una perspectiva federalista estática propia de la visión estructural, sea en al ámbito jurídico ("blindaje" de competencias en el bloque de constitucionalidad y control jurisdiccional del TC), o politológico (modelos de equilibrio que implican ausencia de incentivos institucionales a los actores para alterar el actual estado de cosas), la visión evolutiva proporciona una perspectiva dinámica atenta al cambio y abierta a la contingencia. En concreto, la concepción evolucionista proporciona tres mecanismos explicativos clásicos del cambio que revisten aquí especial relieve; a saber: *variación, selección y refuerzo* (Mayr, 1982, Dennet, 1995). La variación es el resultado de aprendizaje político e innovación mediante ensayo y error, de la eliminación mediante selección de determinados diseños o arreglos institucionales y la retención de otros que se han mostrado especialmente aptos en determinados contextos y resultan, de este modo, reforzados para el futuro del sistema. La selección constituye un proceso estratégico de filtrado y depuración de arreglos institucionales, ahora bien, en su implementación, la repetición y la herencia es, sin embargo, siempre imperfecta. No hay replicación absoluta sino *replicación con variación* (Hodgson, 2002), las federaciones se adaptan no solamente a diferentes contextos en el espacio (variedad), sino a diferentes realidades económicas y sociales (cambio) (Simeon, 2001).

4) La perspectiva evolutiva del federalismo aporta, además, una visión de *cambio institucional endógeno y gradual*, no exclusivamente exógeno y disruptivo. Desde esta óptica, la flexibilidad y aún ambigüedad en los arreglos federales permiten mejor la adaptación que la rigidez, el "cierre del sistema" o el "blindaje competencial". La interacción continua entre las estrategias adaptativas de los actores y la selección y refuerzo institucional y ambiental generan, en la mayoría de las ocasiones, cambios graduales, progresivos. La perspectiva evolutiva, dinámica y atenta al cambio, postula que muchas modificaciones no se realizan generalmente mediante grandes transformaciones estructurales, reformas constitucionales de vasto alcance, ni ante el impacto de crisis externas (como sostienen los modelos

de "punctuated equilibrium" inspirados en Stepehn Jay Gould) (Gould, 2002), sino a través de modificaciones aparentemente menores o *ad hoc*. Estas últimas se implementan de modo muy diverso: negociaciones, acuerdos parciales, interpretaciones o incluso omisiones constitucionales. En numerosas ocasiones, las federaciones, más que mediante mecanismos formales como reformas constitucionales, las cuales tratan de abordar todas las cuestiones pendientes de distribución competencial y tensión identitaria, proceden mediante mecanismos políticos informales más sutiles (Wattts, 2008). Por ejemplo, resulta muy frecuente que la evolución de las federaciones proceda mediante cambios constitucionales implícitos, "cambios constitucionales sin reforma constitucional" (Colino, 2009; Colino y Olmeda 2012), o incluso recurriendo a "silencios constitucionales" (Foley, 1989; Simeon, 2001), o "silencios acordados" (Erk y Gagnon, 2000, 2001) que dejan estratégicamente abiertas cuestiones conflictivas. Todo ello se realiza mediante mecanismos muy diversos como delegaciones competenciales, interpretaciones, acuerdos parciales bilaterales o multilaterales ("compacts"), con o sin mecanismos de autorrefuerzo etc. Por todo ello la perspectiva evolutiva se muestra más adecuada que la estructuralista, para dar cuenta del proceso multidimensional de continuidad y cambio, formal e informal, en las federaciones. Sobre todo porque devuelve al primer plano un aspecto clave: *la política*, esto es, la renegociación y los acuerdos, las soluciones provisionales de múltiples ganadores, frente a la sola aplicación del derecho y la judicialización de la vida federativa, en suma, frente al "Estado federal jurisdiccional" (Caamaño, 2014).

Las federaciones estables tienden a desarrollar una serie de "mecanismos de selección" o salvaguardas federales que retienen las mutaciones beneficiosas para el sistema y minimizan o rechazan aquellas que ponen en peligro la solidez de cada proyecto federal específico. Es por ello, entre otras razones, por lo que "una federación congelada en el tiempo es una federación moribunda" (Bednar, 2011). Ahora bien, el número y la prioridad política e institucional de esas salvaguardas difiere notoriamente, en una perspectiva evolutiva, de la en exceso monista y reductiva, propia de la visión estructuralista o de equilibrio, centrada en el control judicial de los incumplimientos del pacto constitucional originario. En efecto, en esta última, dos son los mecanismos básicos de selección: 1) la distribución competencial entre los dos ámbitos de gobierno (Unión y Estados miembros) y 2) la jurisdicción constitucional, concentrada o difusa, ejerciendo al control judicial de las invasiones competenciales. Desde una perspectiva evolutiva, sin embargo, el número, variedad y el orden mismo prioritario de los mecanismos de salvaguarda resulta muy diferente; a saber: 1) distribución de poderes entre los diversos niveles; 2) el sistema de partidos complejo y no centralizado (con competición de fuerzas de ámbito estatal y de ámbito no estatal) agregando y diversificando las preferencias políticas; 3) la opinión pública y la cultura política federal que proveen, suministrando valores, actitudes y disposiciones a los ciudadanos, el criterio de lo permisible en la invasión competencial (recuérdese *El Federalista* N°

46 y 51) (Hamilton, Madison y Jay, 2015: 369-375, 397-402); 4) la negociación bilateral y multilateral, así como el ocasional conflicto intergubernamental; y 5) por último, el control judicial, a su vez influenciado por la cultura política y la opinión pública.

5) La visión evolutiva subraya, además, una característica fundamental del federalismo, que se deriva del principio de la soberanía compartida; a saber: la presencia de una pluralidad de gobiernos autónomos, dotados de un sólido espacio competencial, capaces de experimentación e innovación (Ferejohn y Weingast, 1997). Es por ello que el modelo de federalismo cooperativo presenta, desde la óptica evolutiva, muy serios problemas debido a varias de sus características: 1) su centralismo (mediante la imposición de mecanismos de coordinación jerárquica); 2) su crónico déficit democrático, derivado de las "trampas de decisión conjunta" (Scharpf) o "trampas de consenso" (Darnstädt); y 3) su bloqueo o entorpecimiento de la experimentación y la acomodación de la diversidad de políticas públicas autónomas. En este orden de cosas, la visión adaptativa y evolucionista del federalismo resalta, por una parte, que los conflictos, la invasión ocasional de competencias, en definitiva, el "oportunismo" (*encroachment* de la Unión o *shirking* de los Estados miembros) resulta inherente y funcional al federalismo. Es más, las trasgresiones de ámbito competencial, mientras se mantengan dentro de ciertos límites, resultan funcionales para el sistema, porque permiten reajustes, innovación, exploración de espacio para posibles acuerdos, innovaciones en la redistribución competencial, adaptación a nuevos contextos y variada intensidad de las preferencias etc. Por otra parte, la perspectiva evolutiva favorece el empleo de mecanismos *opting-out* y cooperación reforzada, como por ejemplo el "derecho a la diferencia" (*Abweichungsrecht*), que permite la no aplicación por parte de un Estado, en determinadas circunstancias, de una norma de la Federación. En definitiva, la óptica adaptativa apunta más bien a una suerte de un "competitive welfare federalism" (Keating, 2012) o "uncooperative federalism" (Bednar, 2014), en el que los Estados conservan amplias facultades de experimentación, diversificación y aprendizaje en políticas públicas y autonomía fiscal, frente a la obsesión cooperativa por la armonización intergubernamental.

6) Ahora bien, si la óptica evolutiva atiende a la central capacidad de experimentación, diversidad y aprendizaje de las federación mediante procesos varios de selección multinivel (Blyth, Hodgson y Steinmo, 2011), un problema adicional de la visión estructural —jurídica o institucionalista clásica— radica en su holismo, la obsesión por una (forzada) coherencia interna del sistema. La perspectiva evolucionista, por el contrario, abre espacio para atender a la complejidad, a las contradicciones y desajustes, a los inevitables compromisos inestables entre subsistemas y elementos diferentes que surgen en el proceso. El federalismo se muestra siempre inestable por diseño, atravesado por su tensión constitutiva entre autogobierno y coordinación: unas veces la Unión erosiona el ámbito competencial de los Estados; otras se produce *free-riding* de los Estados vulnerando

las competencias federales (Weingast y De Figueiredo, 1998). El federalismo, en cuanto sistema adaptativo complejo, presenta por definición conflictos internos o desajustes entre los diversos órdenes institucionales que lo integran. Todo sistema federal evoluciona a través de una tensión inevitable entre procesos de centralización y descentralización o, si se prefiere, por medio de tendencias y contratendencias de federalización (descentralización y asimetría) y desfederalización (recentralización y resimetrización) (Beramendi y Máiz, 2004; Máiz y Caamaño, 2010).

Es más, habida cuenta que el federalismo reemplaza el principio jerárquico y vertical de la soberanía (tanto de la federación como de los Estados miembros) por el principio horizontal, competencial de la *soberanía compartida* (y si la soberanía está repartida pierde sus clásicos atributos de indivisibilidad e indelegalibilidad) (Rodden, 2006), la visión piramidal de la distribución del poder se reemplaza por otra, en red, que alumbra un sistema de ámbitos autónomos en eventual fricción, que requiere una eficaz *coordinación no jerárquica* entre las partes constitutivas. Y esta inevitable "fricción institucional" constituye una causa mayor de los cambios endógenos en los sistemas institucionales complejos (Steinmo, 2010; Shelef, 2010). Todo ello se traduce, desde una óptica evolutiva, en que la adaptación de los sistemas federales se produce en varias direcciones y mediante mecanismos diversos que coexisten simultáneamente. De ahí que el modelo de federalismo adaptativo no se corresponda con la ordenada y estratificada disposición de capas de un *layer cake*, sino con la más caótica de un *marble cake*, según la clásica metáfora de Grodzins (Grodzins, 1966). El mundo "dual" de la distribución estanca y hermética de competencias, si es que tal mundo ha existido alguna vez, ya no volverá en el contexto globalizado y multicéntrico de nuestros días.

7) La óptica interactiva y atenta a la variación, la selección y el refuerzo del evolucionismo permite conectar, en el análisis de las federaciones, con algunas aportaciones más recientes del neoinstitucionalismo histórico. El cuestionamiento sistemático de la asunciones del primer institucionalismo de elección racional (intereses objetivos, preferencias fijas, incentivos institucionales neutrales), abre alentadoras posibilidades para el análisis del federalismo actual. Así, las instituciones no constituyen una dimensión exógena del proceso sino propiamente *endógena* (Rodden, 2006), forman parte activa del problema y orientan, seleccionan y filtran en una dirección u otra. En la lógica evolutiva, las actitudes, valores, esquemas y marcos cognitivos se ubican simultáneamente y de modo interactivo en la mente de los individuos y en las estructuras políticas institucionales. Esto genera tanto replicaciones y reproducciones varias de las pautas institucionales, como contestaciones e innovaciones contingentes de las mismas.

Esta perspectiva evolutiva, enlaza también con desarrollos recientes de la escuela de la elección racional y, sobre todo, del neoinstitucionalismo discursivo, cada vez más críticos con la visión *homo oeconomicus* maximizador de utilidades individuales. En concreto, se han abandonado las asunciones de la versión primera de la teoría para admitir que las preferencias no son coherentes, discretas, estables o igualmente intensas (Steinmo, 2007). Es más como quiera que las preferencias se forman mediante la experiencia histórica individual y del grupo, en toda federación, y especialmente en federaciones plurinacionales: a) diferentes grupos desarrollan diversos conjuntos de preferencias en las que predomina un determinado tipo de conducta, identidades y demandas colectivas; b) la dominancia de ciertas preferencias colectivas no obsta a que exista siempre una gran variación y diferencias en el seno de un mismo grupo; y c) los individuos y los grupos poseen múltiples preferencias e identidades no transitivas y a menudo en conflicto entre ellas. Frente a la asunción de los "intereses objetivos" y las "preferencias cristalizadas" (Berman, 2001; Weingast y Katznelson, 2005), los intereses siempre se interpretan no solo mediante su inscripción en un conjunto más amplio de creencias y valores, sino que resultan también deudores de emociones contrapuestas (McDermott, 2004, McDermott et al. 2008) (resentimiento, empatía etc.). Todo esto resulta clave para el federalismo evolutivo pues plantea la profunda relación, descuidada en la visión estructural, que existe entre las instituciones federales, la producción de las identidades colectivas nacionales y la cultura política federal.

8) En efecto, la óptica evolucionista del federalismo posee una virtualidad adicional, conecta estrechamente dos campos de investigación que han permanecido, por regla general, ajenos el uno al otro: el estudio comparativo de las federaciones y el análisis constructivista de los nacionalismos y las identidades nacionales que hemos adoptado en el capítulo anterior. En una visión evolutiva las instituciones no "expresan" preferencias e identidades colectivas y nacionales esenciales y previas, dadas de antemano, sino que se sostiene que son precisamente las instituciones, en interacción con los actores, las que seleccionan, filtran, en definitiva, producen unos intereses (preferencias adaptativas) y unas identidades determinadas (superpuestas o mutuamente excluyentes, por ejemplo) y desincentivan otras (Wimmer, 2013). Además, los intereses colectivos de los grupos nacionales, su maximización de las oportunidades de bienestar, están inscritos en las creencias sobre el mundo (nacionalismo) y en los valores que informan lo que se considera un "trato justo". Las identidades no vienen dadas de antemano en la historia, sino que son construidas políticamente —con mayor éxito o fracaso, con una orientación política u otra (democrática y pluralista o racista y xenofóbica)— mediante complejos procesos de coordinación. En esta perspectiva evolucionista y constructivista, como hemos visto, no es la nación, previamente dada en la historia, la que genera, tarde o temprano, al nacionalismo como su necesaria expresión política. Es el nacionalismo el que, en determinados contextos favorables y en competición con otras ideologías y fuerzas políticas, construye y difunde una versión hegemónica de nación (seleccionada de entre las varias posibles) (Máiz, 2003a, 2003b). Así, una nación es el proceso político indeterminado mediante el que un grupo coordina un conjunto de creencias sobre la propia identidad cultural y cuyos representantes demandan un Estado propio —independiente o federado— para defender sus intereses (Laitin, 2007). Las culturas nacionales importan

porque proveen recursos simbólicos que facilitan la coordinación, condicionan los intereses, valores y afectos de los individuos y los grupos, pero *son siempre contestadas y plurales*. Es preciso distinguir, además entre (1) la etnicidad, cultura o identidad colectiva, como la lente a través de la cual se leen, interpretan políticamente, (2) los intereses económicos de un grupo en un determinado contexto. La identidad étnico-cultural y nacional provee una capital reducción de incertidumbre, seleccionada evolutivamente (Barkow, Cosmides y Tooby, 1992), que facilita la orientación en la complejidad del mundo social. Al hacerlo exacerba la diferencia nosotros/ellos, propio/ajeno y peralta los peligros de explotación, dominación, injusticia, dominación, pero no aboca por principio a la secesión como única salida. No existen intereses nacionales por excelencia, ni una preferencia política inherente a la identidad nacional: el nacionalismo evoluciona ideológicamente de modo muy diverso movido por la competencia y tensiones externas e internas (Shelef, 2010). En los Estados plurinacionales las demandas políticas de las naciones internas son el resultado contingente no solo de la 1) construcción identitaria de las naciones y 2) los intereses económicos, políticos y culturales de las diferentes comunidades, sino del proceso interactivo entre: 3) los arreglos institucionales (modelo territorial de Estado), 4) las políticas (fiscales, lingüísticas etc.) del gobierno central, y 3) las estrategias discursivas y *framing* de los líderes y los partidos en competencia (Hale 2008).

9) Precisamente por esto, la concepción de las federaciones como contextos de acomodación dinámicos, como sistemas complejos adaptativos, subraya no solo el proceso flexible de experimentación e interacción entre el entorno y los actores. El federalismo adaptativo sostiene que los arreglos federales, en cuanto realidades institucionales evolucionan en cuanto son reconocidas y aceptadas por los ciudadanos (solo existen cuando se cree de modo compartido que existen) y están lingüísticamente constituidas. Lo que apunta a la relevancia de la cultura política federal (esto es, el soporte interpretativo tanto cognitivo como actitudinal) y no solo de los diseños institucionales (Máiz, 2013). Ante todo, se requiere un imprescindible *thinking federal* (Elazar), una *supportive political culture* (Wildawsky), esto es, la activación de valores y actitudes federales en la ciudadanía, cuya ausencia hipoteca, desde luego, cualquier federación. Pero la perspectiva adaptativa llama la atención sobre una dimensión actitudinal más profunda; a saber: la producción política de la confianza que permita relaciones reciprocidad no instrumental (*strong reciprocity*), el desarrollo de preferencias sociales y las mínimas dosis de altruismo condicional necesarias para una cooperación leal entre grupos que no dependa exclusivamente de la capacidad de sanción y retaliación (Sober y Wilson, 1998; Bowles y Gintis, 2013).

Pero además, el empleo de las ideas condiciona el proceso de cambio evolutivo de los arreglos institucionales. Esto es, por una parte el contenido de una estructura cognitiva (identidad nacional, agravio) condiciona la respuesta de los actores en determinado contesto de decisión y, por otra, esa estructura cognitiva no resulta endógena y enteramente reconducible a los rasgos objetivos y materiales del contexto (intereses económicos) (Jacobs, 2015). Y ello en un doble sentido. Por una parte las ideas concebidas evolutivamente como discurso de coordinación entre diferentes actores y escenarios multinivel, electorales o de políticas públicas (Schmidt, 2011). Por otra, y sobre todo, las ideas entendidas como soluciones creativas a los problemas planteados por el sistema (Lieberman, 2011). Como sucede con las *mutaciones* en biología, las ideas, proporcionan una dimensión fundamental de la interacción entre actores e instituciones: más allá de la dualidad apuntan al *dualismo* estructura/acción, a la contestación del sistema, a la postulación de alternativas. En una perspectiva adaptativa, de cambio endógeno y variación, las ideas (en nuestro caso arreglos o diseños federales alternativos) que resultan descartadas en un determinado momento permanecen disponibles, si poseen adecuado soporte organizativo, como posibles cursos de acción futuros. Las creencias y las preferencias inducidas, no son fijas, cambian como resultado de la interacción entre el gobierno central y los gobiernos de los estados miembros de la federación. De esta suerte se abren ventanas de oportunidad política para que nuevas ideas resulten capaces de ofrecer nuevos "compromisos creíbles" (credible commitments) en los procesos de selección de instituciones derivados de inéditas coyunturas críticas (Weingast, 2005; Lewis y Steinmo, 2012).

2. NACIONALISMO E INDEPENDENCIA EN CATALUÑA

Con esta visión evolutiva del federalismo en mente, volvamos al "problema de Cataluña" y sus salidas institucionales. La asunción generalizada, en el discurso informativo y político de nuestro país, de que "estar a favor del proceso de independencia", "querer separarse de España" y "ser nacionalista" constituyen un único argumento y significan políticamente lo mismo ha servido para simplificar y ocultar un debate muy complejo, plural y lleno de matices. En el capítulo anterior hemos analizado detenidamente las diferencias y relaciones entre "estar a favor del proceso" y "ser nacionalista". En este capítulo vamos a prestar atención a una relación mucho más compleja, a saber, ¿es lo mismo estar a favor del proceso independentista que plantearse una solución territorial del conflicto en el que Cataluña quede fuera del Estado español? ¿Es la secesión la única salida posible? Los datos de nuestra encuesta nos dicen claramente que no.

Mientras la mayoría de los catalanes (49,5%) se declara abiertamente a favor del proceso por la independencia, sólo algo más del 30% es partidario de una solución territorial que contemple una Cataluña independiente del Estado español. Y esta aparente contradicción, que los políticos y los medios de comunicación tienden a pasar por alto, necesita ser explicada desde un análisis y una argumentación algo más profundos y matizados que aquí intentaremos llevar a cabo.

Tabla I. Posición en torno al proceso independentista

	Frecuencia	Porcentaje
A favor	692	49,5
En contra	615	44,0
Ns/Nc	91	6,5
Total	1399	100,0

Fuente: Elaboración propia a partir de datos del *Estudio Postelectoral Elecciones Autonómicas en Cataluña 2015*

Tabla II. Tipo de solución político-territorial más adecuada para Cataluña

	Frecuencia	Porcentaje
Su independencia del Estado español	411	29,4
Su permanencia dentro del Estado de las Autonomías	229	16,3
Su permanencia dentro del Estado federal español	245	17,5
Su permanencia dentro de un Estado federal que reconozca a Cataluña como nación	108	7,7
Su permanencia dentro del Estado de las Autonomías, pero con un mayor nivel de competencias	148	10,6
Su permanencia dentro del Estado de las Autonomías, pero con un estatus fiscal equiparable al País Vasco y Navarra	155	11,0
Su permanencia dentro de un estado centralizado	38	2,7
Ns/Nc	67	4,8
Total	1399	100,0

Fuente: Elaboración propia a partir de datos del *Estudio Postelectoral Elecciones Autonómicas en Cataluña 2015*

El hecho de que sólo el 57,9% de los catalanes que están a favor del proceso de independencia piensen que la mejor solución territorial para Cataluña es su independencia del Estado Español obliga a hacerse dos preguntas. La primera, ¿a qué solución territorial aspiran los catalanes que están a favor del proceso y, sin embargo, no quieren una solución territorial que los sitúe fuera del Estado español? La segunda, ¿cuál es el perfil de esos ciudadanos que, estando a favor del proceso, tienen aspiraciones tan diferentes?

A la primera pregunta contestan los propios ciudadanos de forma directa, tal y como vemos en la Tabla III. Lo cierto es que un modelo federal satisfaría al 23,6% de estos catalanes que están a favor del proceso de independencia; y que otro 15,1% aspiran a un modelo autonómico con más competencias o con un estatus fiscal equiparable al País Vasco o Navarra (Tabla III).

Dicho de otro modo, casi el 40% de los catalanes que declaran estar a favor del proceso de independencia aspiran a una solución territorial que encaja en el concepto de federalismo adaptativo —plurinacional, no cooperativo, no centralizado, no simétrico— que hemos sintetizado en el primer apartado. Parecería, pues, a primera vista, que hay camino para un debate plural y creativo desde el que abordar el tema de la independencia catalana.

Tabla III. Tipo de solución político-territorial más adecuada para Cataluña en función de la posición en torno al proceso independentista

	A Favor	En Contra	Ns/Nc	Total
Su independencia del Estado español	57,9	0,8	5,5	29,4
Su permanencia dentro del Estado de las Autonomías	0,9	35,6	4,4	16,4
Su permanencia dentro del Estado federal español	12,3	22,6	23,1	17,5
Su permanencia dentro de un Estado federal que reconozca a Cataluña como nación	11,3	3,6	8,8	7,7
Su permanencia dentro del Estado de las Autonomías, pero con un mayor nivel de competencias	5,5	15,7	14,3	10,6
Su permanencia dentro del Estado de las Autonomías, pero con un estatus fiscal equiparable al País Vasco y Navarra	8,7	11,4	26,4	11,0
Su permanencia dentro de un estado centralizado	0,3	5,4	2,2	2,6
Ns/Nc	3,2	5,0	15,4	4,8
Total	100,0	100,0	100,0	100,0

Fuente: Elaboración propia a partir de datos del *Estudio Postelectoral Elecciones Autonómicas en Cataluña 2015*

Sin embargo, la política importa, y puede abrir o cerrar caminos. Los actores políticos, los medios de comunicación y la propia sociedad, tanto la catalana como la española, han tendido a construir la idea de una cierta homogeneidad del nacionalismo de base étnico-identitaria y una fuerte fragmentación de la solución territorial basada en la radical diversidad taxonómica de los significantes "autonomía", "federalismo", "cupo", "concierto", etc., y en la exacerbación de las diferencias de los significados correspondientes a dichos significantes. Sin embargo, desde nuestra lectura, claramente constructivista y evolutiva, tanto la supuesta homogeneidad del nacionalismo como la fragmentación catalana respecto a la solución territorial resultan el producto contingente de la competición político-electoral y se construyen activamente desde marcos que en función de la competición homogenizan o fragmentan estos significantes.

En el capítulo anterior hemos deconstruido la idea de homogeneidad nacionalista (y no sólo en su lectura izquierda-derecha), en éste vamos analizar si la diversidad de significantes referidos a la fórmula de autogobierno —"autonomía", "independencia", "federación"— necesariamente debe responder a interpretaciones excluyentes o si puede existir una eventual lectura inclusiva para, al menos, parte de esa diversidad.

En el análisis descriptivo de los datos de nuestra investigación se hacen patentes dos factores fundamentales:

1. Que los ciudadanos de Cataluña tienen opciones alternativas, diferentes y plurales a la hora de afrontar el conflicto territorial catalán.
2. Que esas diferencias existen también entre los que están a favor del proceso independentista y que, en este caso, están relacionadas con cuatro factores: (a) la antigüedad (el tiempo) en el sentimiento separatista, (b) la actuación de los líderes políticos, (c) la relación con los partidos y (d) los temas de campaña. Veámoslos con más detalle.

3. LA PLURALIDAD DE LAS OPCIONES

Efectivamente, los datos nos mostraron, de manera contundente que los catalanes son muy plurales a la hora de pensar de la solución político-territorial más adecuada para Cataluña. Hay quienes quieren construir un estado catalán independiente del estado español, hay quienes desean permanecer en España dentro del actual modelo autonómico, y hay otros, en fin, que quieren permanecer en España pero con cambios de vario relieve. Estos tres grupos básicos no son homogéneos políticamente ni socialmente, pero es cierto que algunos han construido mejor internamente su homogeneidad política que otros.

Tabla IV. Grupos de población a partir del tipo de solución político-territorial más adecuada para Cataluña

	Frecuencia	Porcentaje
Su independencia del Estado español	411	29,4
Su permanencia dentro del Estado de las Autonomías	229	16,3
Su permanencia dentro del Estado pero con algunos cambios	655	46,8
Su permanencia dentro de un estado centralizado	38	2,7
Ns/Nc	67	4,8
Total	1399	100,0

Fuente: Elaboración propia a partir de datos del *Estudio Postelectoral Elecciones Autonómicas en Cataluña 2015*

Tabla V. Posición en torno al proceso independentista en función del tipo de solución político-territorial más adecuada para Cataluña

	Su independencia del Estado español	Su permanencia dentro del Estado de las Autonomías	Su permanencia dentro del Estado federal español	Su permanencia dentro de un Estado federal que reconozca a Cataluña como nación	Su permanencia dentro del Estado de las Autonomías, pero con un mayor nivel de competencias	Su permanencia dentro del Estado de las Autonomías, pero con un estatus fiscal equiparable al País Vasco y Navarra	Su permanencia dentro de un estado centralizado	Ns/Nc	Total
A Favor	97,6	2,6	34,7	72,2	25,7	39,0	5,4	32,8	49,5
En Contra	1,2	95,6	56,7	20,4	65,5	45,5	89,2	46,3	44,0
Ns/Nc	1,2	1,7	8,6	7,4	8,8	15,6	5,4	20,9	6,5
Total	100,0	100,0	100,0	100,0	100,0	100,0	100,0	100,0	100,0

Fuente: Elaboración propia a partir de datos del *Estudio Postelectoral Elecciones Autonómicas en Cataluña 2015*

En la Tabla V se muestra que mientras el primer grupo (secesión) está prácticamente en su totalidad a favor del proceso de independencia, el segundo, está en su práctica totalidad en contra (permanencia en el Estado de las Autonomías). Son las dos posiciones antagónicas, la de la ruptura y la del inmovilismo; y en el fondo, estos dos grupos tienen algo en común, políticamente muy importante. A saber: han construido marcos de interpretación suficientemente sólidos, y han hecho de la confrontación y de la polarización los ejes de su acción política, cuyo éxito de interpelación y movilización se asienta en su propia inflexibilidad.

Las opciones alternativas, las que forman el tercer grupo, resultan sin embargo más plurales. Algunos se decantan por hablar de "autonomía con mayores competencias", otros de "autonomía con un estatus fiscal equiparable al País Vasco o Navarra" y otros directamente prefieren hablar de "Estado federal". Estas tres opciones tiene en común que la mayoría de los catalanes que optan por ellas están en contra del proceso de independencia (aunque evidentemente unas y otras mayorías son diferentes).

Queda sin embargo una cuarta opción dentro de este tercer grupo, que agrupa a los que desean "un estado federal que reconozca a Cataluña como nación" pero dentro de España, y los que se apuntan a esa opción están, de manera inmensamente mayoritaria, a favor del proceso de independencia, pero aspiran a una solución territorial que permita dejar a Cataluña dentro de España.

Visto así, reducir el debate a la dicotomía dominante continuismo o ruptura, Autonomía o Independencia, no es más que la muestra del fracaso de una política y unos actores políticos y el correlativo triunfo de otros, porque es evidente que en la ciudadanía hay una pluralidad mayor que las opciones dominantes que están ofertando los políticos, y una complejidad mayor de la que hoy es capaz de abarcar y canalizar la propia competición política polarizada.

Este tercer grupo es un grupo heterogéneo, también como veremos ahora en sus propios perfiles, pero por encima de todo, es el grupo que además de representar la enorme diversidad de las sociedades plurales, decantaría en un hipotético referéndum hacia qué lado se inclinaría la balanza. El problema es que este grupo diverso, heterogéneo y complejo, lejos de encontrar una fórmula de coordinación que integre esa complejidad se ve forzado a elegir, en razón de su dispersión, entre el inmovilismo y el separatismo, porque éstas son las posturas hegemónicas que han construido una enmarcación político-discursiva que se adecúa a la competición y a la estrategia de los actores políticos nacionalistas dominantes de Cataluña y de España.

En ocasiones, las estrategias de la competición que en un momento genera el marco de la contienda electoral y política dotan de tal fortaleza y autonomía a la propia competición que ésta se vuelve correosa y excluyente de la entrada de nuevos marcos. Y es en ese momento cuando sólo grandes crisis o grandes acuerdos pueden modificar la propia enmarcación dominante (*master frame*) de la contienda.

Tabla VI. Perfiles de los grupos de población a partir del tipo de solución político-territorial más adecuada para Cataluña

	Su independencia del Estado español (29,4%)	Su permanencia dentro del Estado de las Autonomías (16,3%)	Su permanencia dentro del Estado pero con algunos cambios (46,8%)
Sexo	Mujer (51,2%)	Mujer (65,9%)	Hombre (54,3%)
Grupo de edad	30 a 49 años (43,4%)	30 a 49 años (40,3%)	30 a 49 años (39,7%)
Nivel de estudios	Estudios de grado superior (40,2%)	Estudios primarios (26,5%)	Estudios de grado superior (34,4%)
Ocupación	Trabaja (60,1%)	Trabaja (35,9%)	Trabaja (48,2%)
Nivel de ingresos	De 1801 a 2400 (16,8%)	De 1201 a 1800 (18,7%)	De 1201 a 1800 (15,2%)
Voto en 2015	Junts pel Sí (76,8%)	Ciudadanos (41,5%)	Junts pel Sí (29,5%)

Fuente: Elaboración propia a partir de datos del *Estudio Postelectoral Elecciones Autonómicas en Cataluña 2015*

4. LA PLURALIDAD DE LA OPCIÓN FAVORABLE AL PROCESO

El efecto de esta bipolarización que hemos señalado ha sido doble: ha producido el crecimiento del independentismo en los últimos años en Cataluña y ha exacerbado el nacionalismo español y la lectura negativa sobre Cataluña desde el resto de España, y más específicamente desde los territorios más centralistas[1].

Pero tampoco todos estos catalanes, que en medio de esta polarización inmovilismo-separatismo se han sumado al proceso independentista, tienen una lectura homogénea de la solución territorial y mucho menos coincidente con la postura de los independentistas tradicionales. Como hemos señalado, cuatro factores, al menos, están relacionados con la posición de los ciudadanos respecto a la solución territorial que prefieren: la antigüedad (el tiempo) en el sentimiento separatista; la acción de los líderes políticos; la relación con los partidos y los temas de campaña. Analicémoslos con algún detalle.

4.1. Tiempo y sentimiento separatista

La consistencia identidad-separatismo viene marcada por el tiempo al que se remonta el separatismo de unos y otros. Efectivamente, el tiempo desde el que se sienten independentistas los ciudadanos catalanes resulta ser una variable clave para entender su interpretación de este sentimiento, de tal modo que parece existir una suerte de independentismo "esencial" y otra de independentismo "estratégico", los dos igualmente legítimos, los dos igualmente sustantivos (no se trata de una cuestión de intensidad, no hay un "independentismo *light*") pero construidos desde anclajes diferentes y, por lo tanto, diversamente susceptibles al diálogo y al encuentro.

La diferencia es tan extrema que mientras el 78,5% de los independentistas tradicionales aspiran efectivamente a la solución separatista, en el caso de los nuevos independentistas, los que lo son sólo desde hace un año, este porcentaje se reduce únicamente al 13%. La Tabla VII muestra, además, la absoluta linealidad entre el tiempo desde el que los ciudadanos se reconocen independentistas y su aspiración a separarse del Estado español.

Apenas un 20% de catalanes independentistas tradicionales aspiran a una solución territorial que suponga permanecer dentro del Estado español. Pero esta cifra asciende a casi un 40% cuando nos referimos a los que se reconocen independentistas desde hace más de cinco años; sube a un 45% para los que son independentistas

---

[1] No hay más que ver los datos del CEO de porcentaje "a favor" de los que quieren que Cataluña se convierta en Estado independiente. Diciembre 2014-44,5; Febrero 2015 - 44,1; Junio 2015 - 42,9; Octubre 2015 - 46,7; Noviembre 2015-46,6; 1ª ola 2016 (22 Febrero-8 Marzo) - 45,3; 2ª ola 2016 (22 Junio-8 Julio)-47,7.

desde hace sólo 5 años; y se eleva a más de un 70% para los que lo son desde hace tres y a casi un 80% para los que lo son desde hace sólo un año.

Tabla VII. Tipo de solución político-territorial más adecuada para Cataluña en función del tiempo desde el que se siente independentista

	Desde siempre	Más de cinco años	Desde hace cinco años	Desde hace tres años	Desde hace un año	Ns/Nc	Total
Su independencia del Estado español	78,5	61,7	51,6	23,4	13,0	10,0	57,9
Su permanencia dentro del Estado de las Autonomías	0,0		0,0	3,1		8,0	0,9
Su permanencia dentro del Estado federal español	5,0	0,0	15,6	20,3	39,1	36,0	12,3
Su permanencia dentro de un Estado federal que reconozca a Cataluña como nación	7,5	27,7	14,5	18,8		2,0	11,1
Su permanencia dentro del Estado de las Autonomías, pero con un mayor nivel de competencias	3,1	4,3	0,5	15,6	17,4	22,0	5,5
Su permanencia dentro del Estado de las Autonomías, pero con un estatus fiscal equiparable al País Vasco y Navarra	5,0		12,9	14,1	21,7	12,0	8,7
Su permanencia dentro de un estado centralizado		4,3					0,3
Ns/Nc	0,9	2,1	4,8	4,7	8,7	10,0	3,3
Total	100,0	100,0	100,0	100,0	100,0	100,0	100,0

Fuente: Elaboración propia a partir de datos del *Estudio Postelectoral Elecciones Autonómicas en Cataluña 2015*

Evidentemente, el tiempo de militancia en el independentismo es una variable fundamental para definir la salida del proceso, pero también es cierto que las cúpulas de las organizaciones políticas que apoyan la independencia y articulan los marcos interpretativos desde los que se construye el relato, están mayoritariamente formadas por independentistas tradicionales o de larga tradición.

Ni que decir tiene que la relación entre estas dos variables y la identidad nacionalista es clara. Para comprobarlo no hay que recurrir a pruebas sofisticadas, basta ver qué posiciones tienen en la escala nacionalista cada uno de estos grupos, tal y como se muestra en la Tabla VIII.

Tabla VIII. Media de la valoración nacionalista en función del tiempo desde el que se siente independentista

	Media	Desviación típica
Desde siempre	8,48	2,063
Más de cinco años	8,63	1,169
Desde hace cinco años	7,76	1,614
Desde hace tres años	6,75	2,271
Desde hace un año	6,43	2,366
Ns/Nc	5,05	2,455
Total	7,85	2,171

Fuente: Elaboración propia a partir de datos del *Estudio Postelectoral Elecciones Autonómicas en Cataluña 2015*

4.2. Los líderes

En el capítulo 6, hemos mostrado la consistencia de la relación entre las posiciones de los líderes y las de los ciudadanos. De lo que allí hemos dicho se desprenden dos conclusiones para nuestro interés en el tema que ahora nos ocupa: la primera, que la distancia entre los líderes y los ciudadanos es menor en el eje nacionalista que en el ideológico, especialmente para los líderes de partidos nacionalistas, y por ello, la segunda, el modelo de competición de estas elecciones ha privilegiado el liderazgo en los espacios identitarios, especialmente el referido al "issue" dominante en la campaña, el proceso, y ligado a éste la definición de las opciones territoriales.

Estas dos conclusiones están relacionadas con algunos argumentos fundamentales para entender la relación entre líderes y ciudadanos al respecto de la solución territorial al problema de Cataluña. El primer argumento tiene que ver con el hecho de que mientras los líderes de ámbito catalán ejercen su liderazgo en clave exclusivamente catalana, los líderes de los partidos de ámbito estatal ejercen su liderazgo en clave catalana y española; y esto supone que la construcción de los mensajes tenga destinatarios diferentes. Un líder catalán emite mensajes prioritariamente para los catalanes; un líder de un partido de ámbito estatal, incluso aunque sea catalán, emite mensajes para catalanes y para ciudadanos del resto de España. Y esto quiere decir que la polaridad España-Cataluña, constituye estratégicamente un marco de competición que favorece, dentro de Cataluña, a los partidos y a los líderes de ámbito catalán, que ejercen su liderazgo y emiten sus mensajes en clave exclusivamente catalana. Obviamente, los partidos de ámbito español que favorecen este marco estratégico de competición lo hacen porque entienden que los rendimientos políticos que obtienen en el resto del territorio español compensan su déficit en Cataluña. Pero quizás no son tan conscientes de que a medida que fortalecen ese marco estratégico incentivan y refuerzan ciertos posicionamientos de los ciudadanos respecto de la solución territorial.

Un segundo argumento relacionado con las conclusiones anteriormente señaladas, hace referencia a la consistencia del cambio de posición de los ciudadanos respecto al cambio de posición de los líderes. En este sentido, en el capítulo 6, mostramos cómo los ciudadanos que estaban más cerca de Artur Mas que de otros líderes nacionalistas y se declaraban independentistas lo eran desde hace muy poco tiempo. Es decir, que cambiaron su posición con el cambio de su líder. Pero también es cierto que ese cambio no se ve abalado por una opción en favor de una solución territorial fuera del estado español, hasta tal punto que los ciudadanos catalanes que cumplen las condiciones expuestas anteriormente (proximidad a Mas y ser separatistas desde hace poco) se orientan mayoritariamente a soluciones que no suponen que Cataluña se separe del Estado español.

Dicho de otro modo, los ciudadanos son maduros y políticamente sofisticados hasta el punto de tener también comportamientos estratégicos-instrumentales en el seguimiento de los líderes. Lo cual sugiere que los ciudadanos catalanes permitirán que sus líderes les lleven hasta donde los propios ciudadanos quieran llegar y no más allá.

4.3. La relación con los partidos

El tercer factor que hemos señalado, la relación con los partidos, no hace referencia de forma académica a la *identificación* partidista sino al modo en que los electores han seguido a los partidos políticos en la construcción del proceso y han transitado de unos a otros precisamente por la doble lectura elección-plebiscito que estas elecciones tenían. Por eso hemos elegido para esta parte del trabajo la variable recuerdo de voto y no la variable simpatía.

En la Tabla IX se observa claramente como son las opciones JxSí y CUP, las que acumulan la práctica totalidad de los ciudadanos que quieren una solución territorial que coloque a Cataluña fuera del estado español. Sin embargo, se ve también que incluso en esas opciones electorales, el porcentaje de ciudadanos que opta por la secesión no supera el 60% y son más de un 35% en los dos casos los que aspiran a soluciones alternativas a la separación *tout court*.

El resto de las opciones partidarias no tienen componente separatista, ni siquiera CatSíqueEsPot, pero la pluralidad de opciones respecto a la solución territorial sigue siendo la constante que define a todos estos partidos. Solo en el caso del PP la opción claramente mayoritaria es la de permanecer en el actual estado de las autonomías (53,8%), aunque también aquí, por cierto, cabe destacar la existencia de un 25% de ciudadanos que preferirían un modelo federal.

Tabla IX. Tipo de solución político-territorial más adecuada para Cataluña en función del voto en 2015

	JxSí	C's	PSC	PP	CUP	CSQEP	UDC	Otro	Ns/Nc	Total
Su independencia del Estado español	60,0		0,8		60,2	1,6			20,2	31,0
Su permanencia dentro del Estado de las Autonomías	1,0	38,5	27,9	53,8		19,8		50,0	15,6	15,8
Su permanencia dentro del Estado federal español	9,3	15,8	25,6	24,6	12,4	44,4	52,9		14,7	17,4
Su permanencia dentro de un Estado federal que reconozca a Cataluña como nación	11,6	1,8	3,1		15,0	2,4	5,9	50,0	11,0	7,9
Su permanencia dentro del Estado de las Autonomías, pero con un mayor nivel de competencias	4,1	17,6	21,7	9,2	5,3	7,9	17,6		17,4	10,1
Su permanencia dentro del Estado de las Autonomías, pero con un estatus fiscal equiparable al País Vasco y Navarra	9,3	11,3	14,7	1,5	2,7	18,3	23,5		12,8	10,5
Su permanencia dentro de un estado centralizado		9,0	1,6	6,2	1,8	1,6			3,7	2,6
Ns/Nc	4,8	5,9	4,7	4,6	2,7	4,0			4,6	4,6
Total	100,0	100,0	100,0	100,0	100,0	100,0	100,0	100,0	100,0	100,0

Fuente: Elaboración propia a partir de datos del *Estudio Postelectoral Elecciones Autonómicas en Cataluña 2015*

El caso de los votantes de Ciudadanos, partido que exhibe la bandera del centralismo y que agrupa a la mayoría de los catalanes que quisieran retornar a un estado centralizado, aunque estos no constituyan más que un 10% de la masa de sus votantes, da muestra de la complejidad política de Cataluña y de las necesidades que tienen tanto los nuevos partidos como los viejos de repensar sus posiciones. Efectivamente, casi la mitad de los votantes de ciudadanos aspiran a una solución territorial que les deje como están actualmente o incluso algunos, una minoría, plantean un retorno a un modelo centralizado. Sin embargo, existe prácticamente otra mitad de votantes que pertenecen a ese tercer grupo heterogéneo que aspira a soluciones federales más flexibles de las que hoy ofrece el panorama político actual (secesión o Estado de las autonomías recentralizado).

4.4. Los temas: maltrato e intereses económicos

Los ciudadanos que están a favor del proceso de independencia y optan efectivamente por separarse, esgrimen como razón fundamental de su posición "el maltrato del Estado español a Cataluña". Pero lo importante no es el motivo en sí mismo, lo importante es que este motivo no es discriminante sino que es común a todos los catalanes que están a favor del proceso, independientemente que opten por la solución territorial separatista o por cualquier otra. Lo cierto, es que la idea del maltrato se ha impuesto entre los catalanes que están a favor del proceso y sólo podremos entender la posición de estos ciudadanos si entendemos los motivos.

La idea del maltrato es una idea tan construida políticamente como cualquier otra de las ideas que enmarcan la competición política, pero por ello mismo tan *real* y movilizadora como cualquier otro elemento de los que inciden en la competición. Y está tan extendida que es común a *todas* las opciones territoriales alternativas al inmovilismo.

Tabla X. Motivos a favor del proceso independentista en función del tipo de solución político-territorial

	Su independencia del Estado español	Su permanencia dentro del Estado de las Autonomías	Su permanencia dentro del Estado federal español	Su permanencia dentro de un Estado federal que reconozca a Cataluña como nación	Su permanencia dentro del Estado de las Autonomías, pero con un mayor nivel de competencias	Su permanencia dentro del Estado de las Autonomías, pero con un estatus fiscal equiparable al País Vasco y Navarra	Su permanencia dentro de un estado centralizado	Ns/Nc	Total
Porque entiendo que Cataluña es una nación	39,4		14,1	23,1	13,2	13,3		31,8	30,1
Porque no me siento español	25,4		0,0	9,1	0,0	1,7			15,9
Porque creo que Cataluña no ha sido tratada adecuadamente por parte del Gobierno de España en los últimos años	69,1	28,6	44,7	76,9	67,6	63,3		56,5	65,4
Porque deseo que la sociedad catalana tenga el derecho a decidir	34,2	0,0	22,4	34,6	18,4	23,3		18,2	30,1
Porque hay motivos históricos que lo sustentan	26,2	42,9	10,6	16,9	10,8	11,7	100,0	9,1	21,0
Porque creo que el futuro económico de Cataluña y de la sociedad catalana sería mejor fuera de España	48,4	71,4	27,1	52,6	63,2	56,7		9,1	46,6
Otros	5,7		7,1	3,8		1,7		13,6	5,2
Ns/Nc			4,7						0,6

Fuente: Elaboración propia a partir de datos del *Estudio Postelectoral Elecciones Autonómicas en Cataluña 2015*

La lógica constructivista nos ha enseñado a comprender que en estos tiempos de información y comunicación generalizadas los anclajes estructurales han ido cediendo paso a la construcción política y endógena de las preferencias. Hasta el punto de que, como hemos visto, no habiendo diferencias sociodemográficas de relieve en los perfiles de los ciudadanos, las diferencias son muy consistentes a la hora de construir y expresar sus preferencias políticas.

El segundo motivo que eligen los catalanes para estar a favor del proceso es la creencia de que el futuro económico de Cataluña es mejor fuera de España. El hecho de que estas sean las dos primeras razones tanto para los que aspiran a separarse efectivamente del estado español, como para todos los grupos que aspiran a una solución alternativa a la actual pero dentro de España, muestra dos cosas: la primera, que los temas estratégicos se han impuesto a los esencialistas y étnico-culturales en los motivos de construcción de la decisión; la segunda, que dichos motivos (temas) estratégicos generan marcos comunes a una inmensa mayoría del pueblo catalán que le permite superar la quiebra nacionalistas-no nacionalistas o incluso la de izquierda-derecha.

La Tabla X muestra claramente como la idea del maltrato y la de un futuro mejor fuera de España se han impuesto a motivos tradicionales tales como los factores históricos, el sentimiento antiespañol o incluso el derecho a decidir. Los verdaderos motivos son ahora pragmáticos y estratégicos, y no obligan a los ciudadanos a definirse sobre posiciones esencialistas, lo cual permite la creación de marcos comunes en los que nadie se sienta necesariamente excluido. Y por eso las opciones son tan heterogéneas incluso entre votantes de las mismas fuerzas políticas; y por eso también resulta posible crear ese espacio de comunidad nacional entre votantes de opciones políticas tan diferentes.

5. ESPACIOS, POSICIONES Y ALTERNATIVAS

Estos cuatro elementos de los que hemos hablado, funcionando de forma conjunta en la competición política, han permitido la creación de ese espacio de *comunidad nacional estratégica* que, como hemos visto en las diversas representaciones espaciales de los capítulos 5 y 6, ha llevado a los ciudadanos catalanes a posiciones más a la izquierda y más nacionalistas de lo que estaban anteriormente. Ahora bien, esas posiciones, al no tener carácter esencialista dan lugar a opciones territoriales diversas y habilitan un espacio común si bien heterogéneo en el que se mueven las opciones alternativas al separatismo y al inmovilismo.

El Gráfico I nos muestra la ubicación de los ciudadanos catalanes en los ejes identitario e ideológico así como la relación entre estos espacios y las opciones territoriales definidas por los ciudadanos. En seguida se percibe que hay dos opciones que tienen espacios muy cerrados y definidos, mientras las opciones alternativas al separatismo y al inmovilismo se inscriben en un espacio común más heterogéneo. Esta idea que se nos hace presente a lo largo de todo el trabajo nos lleva a pensar en la eventual posibilidad de una solución federal flexible capaz de dar expresión a una comunidad plural que se ve obligada a decantarse entre las posiciones hegemónicas, extremas y estáticas. Y es precisamente en ese espacio complejo, heterogéneo, dinámico, donde el federalismo adaptativo mostraría su capacidad de dar respuesta a las aspiraciones de buena parte de la ciudadanía.

Gráfico I. Soluciones territoriales en base al espacio bidimensional de los ejes identitario e ideológico

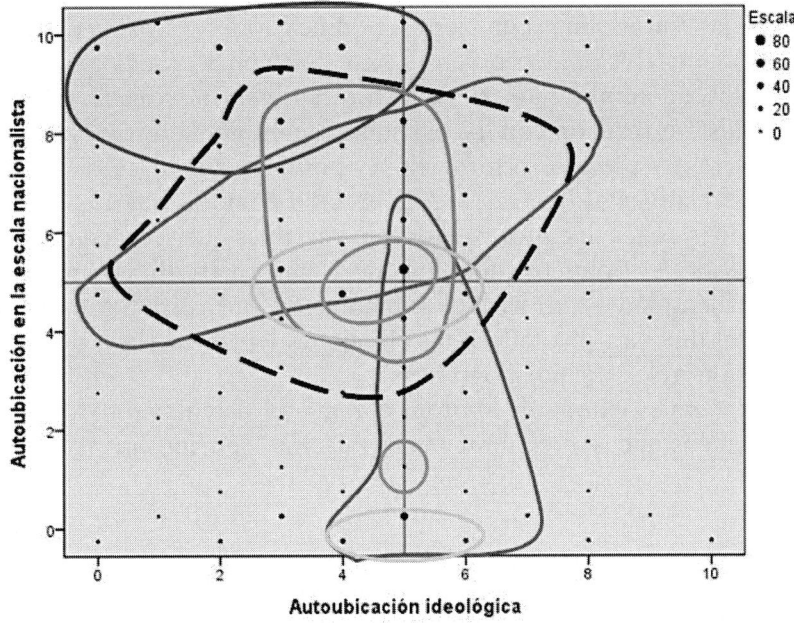

Fuente: Elaboración propia a partir de datos del *Estudio Postelectoral Elecciones Autonómicas en Cataluña 2015*

Finalmente, veremos desde modelos multivariantes, cuáles son las razones o motivos que llevan a los ciudadanos a decantarse por uno u otro tipo de solución político-territorial, utilizando varios modelos de regresión logística (ver Tablas XI y XII)[2].

En un primer planteamiento se ha trabajado con el conjunto muestral y se han definido las variables dependientes a partir de la pregunta central sobre la que pivota este capítulo, esto es, cuál es el tipo de solución político-territorial que los catalanes quieren para Cataluña. A partir de dicha pregunta se han creado tres variables dependientes cuya explicación se pretende explorar y que como se ha expuesto en líneas precedentes es ante todo plural: la opción de aquellos que se decantan por la independencia de Cataluña respecto al Estado español, la opción que se ha definido como "autonomista" y que recoge las preferencias de aquellos que se decantan por el mantenimiento del status quo, o bien el mantenimiento del Estado de las Autonomías con ciertas modificaciones y, finalmente, la opción federal[3]. Como variables independientes han sido consideradas inicialmente en los tres modelos, un amplio número de factores: a) variables relativas a la identificación partidista o relación con los partidos, representada a través de la simpatía por los diferentes partidos o formaciones políticas; b) variables de liderazgo, tanto aquellas relativas al liderazgo en el proceso como al liderazgo político de los representantes de los distintos partidos; c) variables que recogen el peso de los dos grandes *cleavages* políticos sobre los que se ha construido el espacio político —ideología e identidad—[4], d) variables referentes al *procés* y por tanto, al tema central sobre el que han pivotado estas elecciones leídas en clave plebiscitaria y finalmente, e) variables sociodemográficas[5].

En líneas generales y antes de abordar con mayor detenimiento la explicación de los tres modelos que se presentan a continuación, debemos mencionar que los

---

[2] Se ha optado por la construcción de modelos lineales generalizados con función de enlace *logit*.

[3] La construcción de estas tres variables dependientes parte de la contrastación, a través del análisis descriptivo previo, de la oportunidad de tratar de forma conjunta las opciones inicialmente recogidas en la pregunta original. De tal forma que dentro de la opción "autonomista" se incluyen las opciones iniciales de: "permanencia dentro del Estado de las Autonomías", "permanencia dentro del Estado de las Autonomías pero con un mayor nivel de competencias" y "permanencia dentro del Estado de las Autonomías pero con un status fiscal equiparable a País Vasco y Navarra". La opción "federal" agrupa las siguientes opciones: "permanencia dentro de un Estado federal español" y "permanencia dentro de un Estado federal que reconozca a Cataluña como nación". De tal forma que la construcción de esta categoría permite aislar a los votantes que se decantan por estas tres opciones y construir a partir de la variable original, tres variables *dummy*.

[4] La importancia tanto del liderazgo como de los *cleavages* en estas elecciones se aborda con detenimiento en otras partes de este libro, por lo que su importancia e inclusión en este análisis era inevitable.

[5] En las Tablas XI y XII se recogen los modelos ajustados y por tanto, únicamente las variables que han resultado estadísticamente significativas para cada caso. Los datos reflejan los coeficientes de regresión logística. Entre paréntesis figuran los errores estándar. Solo se reflejan las variables significativas en alguno de los modelos. *$p<0,05$, ** $p<0,01$, *** $p<0,001$.

niveles de explicación son más que aceptables[6] —en torno al 50% de explicación de la variabilidad de la variable dependiente—, teniendo en cuenta la complejidad de la cuestión a tratar, así como la pluralidad de electorados que abogan por las distintas soluciones, especialmente en el caso de la solución autonomista y de la solución federal. Asimismo debemos destacar al hilo de esta cuestión, la parquedad y mayor homogeneidad que presenta el modelo construido para la opción independentista frente a los otros dos modelos presentados, una homogeneidad que, como ya se ha expuesto en el análisis descriptivo previo, presenta ciertos matices.

Como se ha mencionado, el modelo que permite explicar la elección por parte de los votantes, de la opción independentista para Cataluña respecto al Estado español, pivota fundamentalmente respecto a tres cuestiones: a) la identidad representada a través de la importancia del sentimiento catalanista, la autoubicación en la escala identitaria y el tiempo desde el cual el votante se siente independentista; b) la relación con los partidos o formaciones políticas, a través de la simpatía y el recuerdo de voto a la CUP y Junts pel Sí, respectivamente, tal y como ya se reflejaba a nivel descriptivo y c) la valoración de los líderes entorno al proceso, concretamente la valoración de Artur Mas y la valoración de Pedro Sánchez. Todas las variables mencionadas, salvo la posición del líder socialista, contribuyen positivamente a aumentar la probabilidad de optar por la independencia como solución político-territorial más adecuada, definiéndose de esta forma un grupo de votantes muy concreto, ligado identitaria y políticamente hablando a la cuestión catalana y al *procés*.

Frente a este modelo, los dibujados para la opción autonomista y federal, se presentan menos parcos y por tanto, más dispersos en términos explicativos. En ambos casos, la cuestión del liderazgo cobra un papel fundamental, junto a la identificación por los partidos políticos de corte estatal y la consideración del proceso independentista como una clara línea de fractura del consenso y de la convivencia existentes en el estado español. Respecto a la identidad y si bien ésta está ausente en el caso del modelo planteado para la opción autonomista, cobra cierto protagonismo en el caso de la cuestión federal, a través de un sentimiento más moderado en términos identitarios que el que se observaba en el primer modelo[7]. Asimismo debemos destacar la relevancia en ambos modelos de las variables sociodemográficas, hecho que no se presentaba en el anterior modelo y que desvela la dispersión y complejidad del corpus electoral que se decanta por ambas opciones, autonomista y federal, como soluciones político-territoriales para el futuro de Cataluña y de España. Una complejidad que como ya hemos mencionado

---

6   Los valores de explicación global de la variabilidad de cada una de las variables dependientes se recogen en la Tabla XI, siendo el *pseudo* R^2, el de Nagelkerke, en los tres supuestos.

7   Esta cuestión se refleja en la importancia estadística de las dos opciones de la pregunta Moreno: tan español como catalán y más catalán que español.

es también de carácter político y que queda patente en la relevancia de las diferentes simpatías políticas en ambos modelos, donde parecen confluir votantes y/o simpatizantes tanto de formaciones de izquierdas como de derechas, con un nexo en común, su ámbito estatal.

Una última cuestión de gran relevancia respecto de la información que aportan estos dos últimos modelos —autonomista y federal— es el hecho de que como se puede observar con claridad en los resultados presentados, los elementos que resultan significativos si bien son prácticamente los mismos en ambos, presentan relaciones inversas con las variables independientes (ver signo de los coeficientes en Tabla XI). Esta contraposición tendría su explicación no sólo en el hecho diferencial que marcarían los electorados que en cada caso estarían sustentando ambas opciones político-territoriales, sino y sobre todo, en la diferente construcción de significantes que han llevado a cabo las diferentes opciones políticas, tanto partidos como líderes, dando lugar a posiciones de significado y espacios discursivos diferenciados en torno a la cuestión identitaria. Estas diferentes posiciones llevan, por poner un ejemplo, a que la identificación partidista con el PP resulte significativa en términos positivos para explicar la opción federal y que no resulte significativa para la explicación de la opción autonomista; en la cual se incluye no sólo la opción autonomista de permanencia del *status quo*, sino también la opción que aboga por la autonomía con un mayor status fiscal, lo que provocaría que este corpus de votantes se sintieran más cercanos a la opción federal sin adjetivos que a la opción autonomista adjetivada en términos de más nacionalismo. No son pues sólo los significantes federal y autonómico los que entran en una construida contradicción, sino también y sobre todo, las adjetivaciones de tales significantes que han sido utilizadas con "issues" en la propia competición.

Los modelos confirman, por tanto, las cuestiones planteadas a nivel descriptivo: la pluralidad de las opciones, especialmente en el caso de la autonomista y federal, la importancia de los liderazgos y sus mensajes en la construcción del proceso, la relevancia que la relación con los partidos establece y finalmente el peso de los temas, en este caso representados a través de los motivos que estructuran las posiciones en contra y a favor del proceso.

Tabla XI. Regresiones logísticas según tipo de solución político-territorial

	Independencia del Estado Español	Solución Autonomía	Solución federal
Edad	-0,020** (0,008)		
Sexo		-1,625*** (0,371)	1,721*** (0,385)
Nivel de ingresos		-0,223* (0,116)	
Nivel de estudios		-0,562*** (0,125)	0,524*** (0,125)
Activos remunerados		0,846* (0,375)	-1,025** (0,362)
Activos no remunerados		1,659** (0,624)	-3,533*** (0,829)
Simpatía por el PP			2,089** (0,749)
Simpatía por el PSOE		1,438*** (0,434)	-1,492*** (0,442)
Simpatía por PODEMOS			-1,203* (0,618)
Simpatía por la CUP	1,912** (0,650)		
Recuerdo de voto Junts pel Sí	1,004** (0,355)		
Tan español como catalán			1,385** (0,462)
Más catalán que español			2,162*** (0,589)
Únicamente catalán	1,280*** (0,263)		
Porque es un tema que rompe el consenso y la convivencia existente en España		0,702* (0,362)	-0,772* (0,356)
Valoración gestión del proceso independentista por parte de A. Mas	0,228*** (0,065)		
Valoración gestión del proceso independentista por parte de Oriol Junqueras			-0,186* (0,084)
Valoración de la posición ante el proceso independentista de P. Sánchez	-0,240*** (0,067)		
Autoubicación en la escala nacionalista	0,202** (0,066)		
Autoubicación en la escala ideológica	-0,229** (0,073)		-0,362** (0,137)
Tiempo desde el que se considera independentista	0,399*** (0,104)		
Valoración A. Mas		-0,471*** (0,118)	
Valoración O. Junqueras		0,481*** (0,120)	
Valoración Ll. Rabell		-0,206* (0,103)	0,283** (0,102)
Valoración M. Rajoy		0,289*** (0,085)	-0,312*** (0,090)
Valoración P. Sánchez		-0,466*** (0,119)	0,389*** (0,108)
Valoración P. Iglesias		0,184* (0,082)	-0,231** (0,098)
Valoración A. Rivera		0,377*** (0,099)	-0,328*** (0,097)
Constante	-3,086*** (0,784)	2,976*** (0,870)	-1,386 (1,079)
Pseudo R^2	0,464	0,450	0,441
-2log de la verosimilitud	426,450	251,882	261,642

Fuente: Elaboración propia a partir de datos del *Estudio Postelectoral Elecciones Autonómicas en Cataluña 2015*

Pero si una cuestión resulta relevante a lo largo del análisis, como ya se expuso con anterioridad, es la de qué explica el hecho de que alrededor de un 49,5% de votantes se declaren a favor del proceso independentista, y que de ellos, sólo un 57,9% apueste por la independencia como solución político-territorial para Cataluña. Para dar una respuesta lo más precisa posible a esta pregunta, y si bien ya se han expuesto con anterioridad en un análisis descriptivo algunas cuestiones, se construyó un último modelo de regresión logística que intenta encontrar cuáles son los elementos que aúnan a este grupo del electorado (Tabla XI). En dicho modelo, la variable dependiente es, por tanto, la opción en favor de una solución político-territorial distinta de la independencia, previo filtro de aquellos votantes que con anterioridad afirmaron estar a favor del proceso independentista[8]. Dicho de otro modo, cuáles son los elementos que explican que algunos catalanes que afirman estar a favor del proceso, aspiren, sin embargo, a una solución territorial que no los separe de España.

Con un nivel de explicación global del 59,4%, esta posición pivota de nuevo entorno a la ubicación identitaria y la posición de los líderes y en este caso también del Gobierno de España en torno al proceso de independencia. Estamos ante unos votantes que si bien sostienen el discurso del maltrato o trato inadecuado hacia Cataluña por parte del Gobierno de España, no presentan una posición identitaria claramente independentista, aunque sí pro catalanista. Las valoraciones de Pedro Sánchez ante este proceso y la valoración como líder de M. Iceta y de A. Rivera contribuyen a aumentar el nivel de explicación y son, por tanto, reflejo de la pluralidad política a la que se hacía referencia en líneas anteriores; y ello frente al efecto negativo que generan en este último, las valoraciones como líderes de los dos principales agentes implicados en el proceso, A. Mas y M. Rajoy.

A modo de conclusión, podemos afirmar que detrás de la decisión de optar por una u otra solución político-territorial de futuro para España y Cataluña, se encuentran dos factores fundamentales: la cuestión identitaria en mayor o menor medida según el tipo de solución, la importancia de los distintos liderazgos en el proceso, diferenciando entre los líderes de los partidos estatales y regionales y por último, la identificación partidista o la relación con los partidos, que en el fondo explica el carácter constructivo, endógenamente político de la construcción de las preferencias previas de los electores y de sus posicionamientos ante los distintos temas. Por tanto, y si bien estamos ante grupos plurales internamente, existen elementos que permiten construir un espacio común, que hacen que sean susceptibles de ser interpretados de forma conjunta. En definitiva, pese al innegable crecimiento del independentismo al hilo del proceso, existe un espacio político sustantivo para una acomodación federal adaptativa y flexible- asimétrica y plurinacional- de Cataluña en el Estado español. Pero este es un espacio que, ante la polarización nacionalista entre independentistas e inmovilistas, permanece hasta la fecha huérfano de los factores que políticamente han construido con éxito ambas alternativas hegemónicas: discurso, organización y liderazgo.

---

[8]   Como variables independientes se han tenido en cuenta las variables que han sido descritas para los modelos anteriores.

Tabla XII. Regresión logística solución política distinta de la independencia de aquellos que se encuentran a favor del proceso independentista

	Solución
Edad	$0,048^{***}$ $(0,011)$
Nivel de ingresos	$0,364^{***}$ $(0,104)$
Activos no remunerados	$1,111^{**}$ $(0,501)$
Simpatía por PODEMOS	$1,383^{*}$ $(0,734)$
Tan español como catalán	$3,427^{***}$ $(0,547)$
Más catalán que español	$1,726^{***}$ $(0,343)$
Porque creo que Cataluña no ha sido tratada adecuadamente por parte del Gobierno de España en los últimos años	$0,629^{*}$ $(0,323)$
Valoración posición ante el proceso independentista del Gobierno de España	$0,384^{*}$ $(0,154)$
Valoración de la posición ante el proceso independentista de P. Sánchez	$0,351^{***}$ $(0,095)$
Valoración de la posición ante el proceso independentista de P. Iglesias	$-0,311^{***}$ $(0,096)$
Autoubicación en la escala nacionalista	$-0,361^{***}$ $(0,087)$
Valoración A. Mas	$-0,223^{**}$ $(0,074)$
Valoración M. Iceta	$0,209^{*}$ $(0,095)$
Valoración M. Rajoy	$-0,554^{***}$ $(0,139)$
Valoración A. Rivera	$0,326^{***}$ $(0,097)$
Constante	$-3,527^{**}$ $(1,252)$
Pseudo R^2	$0,594$
-2log de la verosimilitud	$292,570$

Fuente: Elaboración propia a partir de datos del *Estudio Postelectoral Elecciones Autonómicas en Cataluña 2015*

6. CONCLUSIÓN

A lo largo de este libro hemos visto en numerosas ocasiones la insatisfacción que han producido los resultados de las elecciones autonómicas de 2015 en los catalanes de uno y otro signo político. Hay un cierto sabor a que la riqueza y la pluralidad de los ciudadanos de Cataluña no está siendo debidamente recogida por las posiciones políticas actuales obligando a los ciudadanos a decantarse entre opciones rígidas y estáticas. El capítulo dedicado al análisis de la identidad nacional nos ha mostrado cómo está naciendo una nueva identidad colectiva construida con componentes no tradicionales y la apertura que eso supone para el futuro político de Cataluña y España.

Es un problema general de nuestro tiempo que la política de aversión al riesgo favorece soluciones ya experimentadas, fórmulas del pasado, para construir el futuro. Pero lo cierto es que las bases de la construcción de las decisiones políticas han cambiado de manera determinante en los últimos años, y los elementos de carácter sociodemográfico han perdido peso para ganarlo factores ligados a la pluralidad de la información y la producción política de los intereses. Dicho de otro modo, las preferencias de los ciudadanos se desociologizan, y en el ámbito nacional se *desetnifican* y se construyen de manera más dispersa, más plural, por motivos cada vez más heterogéneos, y ante esa cambiante diversidad no cabe dar respuestas simples, homogéneas y estáticas.

En este capítulo hemos visto cómo ni todos los catalanes que están a favor del proceso quieren lo mismo en cuanto a la acomodación territorial de Cataluña, ni todos los que están en contra desean seguir como están en un Estado de las autonomías *recentralizado* (Máiz, Caamaño y Azpitarte, 2010). Hemos visto que existe un espacio de comunidad plural, lleno de matices, de ciudadanos y ciudadanas que esperan soluciones políticas más creativas y flexibles, menos esclerotizadas. Y hemos apuntado que existen soluciones viables si se trabaja políticamente de modo adecuado el heterogéneo espacio de confluencia ajeno a la confrontación entre soberanismo español y soberanismo catalán. Aspectos ligados al reconocimiento, al trato justo, a la negociación y el pacto resultan básicos para dar salida a las expectativas de los catalanes, pero también la modulación de otros factores tácticamente políticos ligados a la competición de los partidos y que sobresalen claramente en el componente explicativo de la identificación nacional.

Más allá del ámbito académico, en el debate español sobre del Estado de las Autonomías, fruto de una competición política más pensada para obtener rendimientos fuera de Cataluña que para solucionar el problema catalán, se han convertido "autonomía" y "federalismo" en dos significantes mutuamente excluyentes. Lo cual se traduce, como hemos visto, en que lo que resulta considerado como positivo para los que piensan una solución territorial en términos de autonomía, sea valorado negativamente para aquellos que la imaginan en términos de federalismo (Cfr. Tabla XI). Lo cierto es que para muchos de quienes están a favor del proceso pero quieren continuar de otro modo en España, los elementos que explican su posición están claros, aunque no sean en absoluto simples. Desde nuestros supuestos evolutivos y adaptativos, nos es dado pensar que hay espacio para la acomodación en un modelo que responda a la pluralidad y el dinamismo de la sociedad catalana. Ahora bien, ese espacio potencial, no viene dado de antemano, hay que construirlo políticamente, comenzando por romper el antagonismo entre autonomía y federalismo, superando la retroalimentación soberanista entre nacionalismo español y nacionalismo catalán, haciendo del reconocimiento de la plurinacionalidad de España y la negociación de las soberanías compartidas el eje de una nueva relación política federal. Un modelo federal adaptativo, plurinacional y asimétrico, como el que hemos presentado en las primeras páginas de este capítulo no solo nos permite explicar mejor, en su complejidad irreductible, lo que está sucediendo en Cataluña, también puede ayudar a encontrar una respuesta a la necesaria búsqueda de nuevas fórmulas solidarias de acomodación del pluralismo nacional en el acelerado dinamismo de la sociedad española de nuestro tiempo.

7. REFERENCIAS BILIOGRÁFICAS

Agranoff, R. (ed.) (1999). *Accomodating Diversity: Asymmetry in Federal States*. Baden-Baden: Nomos.

Akçay, E., Fearon, J., Ferejohn J. y Weingast, B. (2013). *Biological Institutions: The Political Science of Animal Cooperation*. Stanford University.

Bednar, J. (2009). *The Robust federation. Principles of Design*. New York: CUP.

Alford, J. & Hibbing, J. (2004). The Origin of Politics: An Evolutionary Theory of Political Behavior. *Perspectives on Politics*, 2 (4), 207-724.

Barkov, J., Cosmides, L. y Tooby, J. (1992). *The Adapted Mind: Evolutionary Psycollogy and the Generation of Culture*. New York: Oxford U. Press.

Bednar, J. (2011). *Nudging Federalism toward Productive Experimentalism*. pro ms. University of Michigan.

Bednar, J. (2014). *The Resilience of the American Federal System*. En, M. Tushnet et al. Handbook of Constitutional Law.

Beramendi, P. y Máiz, R. (2004). Spain: unfulfilled federalism. En U. Amoretti y N. Bermeo. *Federalism and Territorial Cleavages*. Baltimore: Johns Hopkins U. Press pp. 122-155.

Berman, S. (2001). Ideas, Norms and Culture in Political Analysis. *Comparative Politics*, 45 (3), 345-367.

Blyth, M., Hodgson, G., Lewis, O. y Steinmo, S. (2011). The evolution of Institutions. *Journal of Institutional Economics*, 7 (3), 299-315.

Bowles, S. y Gintis, H. (2006). The Evolutionary Basis of Collective Action. En, B. Weingast. *Handbook of Political Economy*. New York: Oxford U. Press, pp. 951-1010.

Bowles, S. y Gintis, H. (2013). *A Cooperative Species. Human Reciprocity and its Evolution*. Princeton: Princeton U. Press.

Chandra, K. (2012). *Constructivist Theories of Ethnic Politics*. New York: Oxford U. Press.

Colino, C. (2009). Constitutional Change without Constitutional Reform: Spanish Federalism and the Revision of Catalonia's Statute of Autonomy. En, *Publius* 39 (2), 262-88.

Colino, C. y Olmeda, J. (2012). The Limits of Flexibility for Constitutional Change and the Uses of Subnational Constitutional Space: the case of Spain. En, A. Benz y F. Knüpling (eds.). *Changing Federal Constitutions. Lessons from International Comparison*. Opladen: Verlag Barbara Budrich, pp. 190-209.

Caamaño, F. (2014). *Democracia Federal*. Madrid: Turpial.

Dennett, D. (1995). *Darwin's Dangerous Idea*. New York: Simon & Schuster.

Erk, J y Gagnon, A. (2000). Constitutional Ambiguity and Federal Trust. *Regional and Federal Studies*, 10 (1), 92-111.

Erk, J. y Gagnon. A. (2001). Legitimacy, Effectiveness and Canadian Federalism. En, H. Bavkis y G. Skogstad. *Canadian Federalism*. Toronto: Oxford U. Press.

Foley, M. (1989). *The Silence of Constitutions*. New York: Routledge.

Gould, S. J. (2002). *The Structure of Evolutionnary Theory*. Cambridge (Mass): Harvard U. Press.

Grodzins, M. (1966). *The American Political System*. Chicago: Rand McNally.

Hale, H. (2008). *The Foundations of Ethnic Politics*. New York: CUP.

Hamilton, A. Madison, J. Jay, J. (2015) *El Federalista* (Edición de R. Máiz) Madrid: Akal

Hodgson, G. (2002). Darwinism in economics; from analogy to ontology. *Journal of Evolutionary Economics*, 12, 259-265.

Jacobs, A. M. (2015). Process tracing the effects of ideas. En A. Bennett y J. Checkel (eds.) *Process Tracing*. Cambridge: CUP.

Keating, M. (2012). Intergovernmental Relations and Innovation: From Co-operative to Competitive Welfare federalism in the UK. *The British Journal of Politics and International Relation*, 14, 214-230.

Laitin, D. (2007). *Nations, States and Violence*. New York: Oxford U. Press.

Lieberman, R. (2011). Ideas and Institutions in Race Politics. En D. Békland y R. H. Cox. *Ideas and Politics in Social Science Research*. New York: Oxford U. Press.

Lustick, I. (2011). Taking Evolution Seriously: Historical Institutionalism and Evolutionary Theory. *Polity*, 43 (2), 179-209.

Máiz, R. (2003a). Politics and the Nation: nationalist mobilization of ethnic differences. *Nations and Nationalism*, 9 (2), 195-214.

Máiz, R. (2003b). Framing the Nation: three rival versions of contemporary nationalist ideology. *Journal of Political Ideologies*, 8 (3), 251-270.

Máiz, R. Caamaño, F. Azpitarte (2010). The Hidden Counterpoint of Spanish Federalism: Recentralization and Resymmetrization in Spain (1978-2008). *Regional and Federal Studies*, 20 (1), 63-82.

Máiz, R. (2013). Beyond Institutional Design: The Political culture of federalism. En A. Basaguren (ed.). *The Ways of Federalism in Western Countries*. Berlin: Springer, pp. 83-104.

McDermott, R. (2004). The Feeling of Rationality: the Meaning of Neuroscientific Advances for Political Science. *Perspectives on Politics*, 2, 242-256.

McDermott, R., Fowler, J. y Smirnov, O. (2008). On the Evolutionary Origin of Prospect Theory Preferences. *The Journal of Politics*, 70 (2), 334-349.

Mayr, E. (2001). *The Growth of Biological Thought. Diversity, Evolution, and Inheritance*. Cambridge (Mass.): Harvard U. Press.

Nicolaidis, K. y Howse, R. (2001). *The Federal Vision*. New York: Oxford U. Press.

North, D. (2006). What is Missing from Political Economy. En B. Weingast, *Handbook of Political Economy*. New York: Oxford U. Press.

Rodden, J. (2006) *Hamilton's Paradox* New York: Cambridge U. Press

Schmidt, V. (2011). Reconciling Ideas and Institutions through Discursive Institutionalism. En, D. Béland y R. H Cox. *Ideas and Politics in Social Science Research*. New York: Oxford U. Press.

Shelef, N. (2010). *Evolving Nationalism*. Ithaca: Cornell U. Press.

Simeon, R. (2001). *Adaptability and Change in federations*. UNESCO, 2001, 145-153.

Sober, E. y Wilson, D.S. (1998). *Unto Others. The Evolution and Psychology of Unselfish Behavior*. Cambridge(Mass): Harvard U. Press.

Steinmo, S. (2011). *The Evolution of Modern States*. New York: CUP.

Steinmo, S. y Lewis, O. (2007). *Taking evolution seriously: Institutional Analysis and Evolutionary Theory*. Firenze: EUI.

Steinmo, S. y Lewis, O. (2012). *How Institutions evolve: Evolutionary Theory and Institutional Change*. Florencia: EUI.

Streeck, W. y Thelen, K. (2005). *Beyond Continuity*. Oxford: Oxford U. Press.

Thelen, K (2004). *How Institutions Evolve*. New York: CUP.

Watts, R. (2008). *Comparing Federal Systems*. Montreal: McGill-Queen's University Press.

Weingast, B. (2005). Pesuasion, Preference Change, and Critical Junctures. En B. Wingast y I. Katznelson. *Preferences and situations*, pp. 161-184.

Weingast, B. y Ferejohn, J. (1997). *Can States be Trusted?* Standford: Hoover Institution.

Weingast, B. y Figueiredo, R. (1998). *Self-inforcing federalism: Solving the two Fundamental Dilemmas*. Paper PEPEI Conference.

Weingast, B. y Katznelson, I. (2005). *Preferences and Situations*. New York: Russell Sage.

Wimmer, A. (2013). *Ethnic Boundary Making*. New York: Oxford U. Press.

Los componentes del voto

Nieves Lagares Diez
Universidad de Santiago de Compostela

1. INTRODUCCIÓN

El objetivo de este capítulo no es otro que tratar de explicar cuáles son los elementos que han influido en la decisión de voto de los electores catalanes en las pasadas elecciones autonómicas de 2015. En un contexto político complejo, de gran confrontación en torno al tema de la independencia, y con unas elecciones autonómicas con pretensión de plebiscito sobre la misma, los resultados del estudio postelectoral que dan contenido a este trabajo, nos permiten analizar diferentes cuestiones relacionadas con el voto a partidos, y con los factores que están detrás de ese voto. Para ello, siguiendo la lógica de los capítulos tres y cuatro, vamos a comenzar por analizar cuál es la ubicación de los encuestados en un espacio bidimensional conformado por el eje identitario y por el eje ideológico a partir de la consideración de si se manifiestan a favor o en contra del proceso independentista. Así, aunque no construyamos en este capítulo un modelo para averiguar los factores que están detrás de cada uno de estos posicionamientos, sí tendremos, al menos, una lectura espacial de donde se ubican los catalanes que apoyan cada una de estas dos posturas.

Los gráficos de dispersión que utilizamos, y que ubican a los ciudadanos en las diferentes posiciones políticas definidas por ambos *cleavages*, nos advierten de una mayor concentración en ese espacio bidimensional de aquellos que están a favor del proceso de independencia, así como, de un mayor grado de dispersión entre los que se declaran contrarios a dicho proceso. Lo cual, en términos políticos, si atendemos a las preferencias de los votantes de los diferentes partidos en relación con el tema de la independencia, nos lleva a pensar en la capacidad homogeneizadora de la estrategia nacionalista, ya avanzada en el capítulo 4, y en la pluralidad y dispersión de las estrategias no nacionalistas.

Si asumimos como hipótesis que el denominado *procés* funciona como "*master frame*" de la campaña y condiciona los escenarios políticos y electorales de los últimos tiempos en Cataluña, es imprescindible preguntarnos hasta qué punto el proceso explica el voto a los diferentes partidos, y de ser así, cuáles son los otros factores que lo explican en cada caso, y si son los mismos para todos los partidos o si son diferentes en función cada uno de los partidos, en definitiva, cuáles son los componentes de la decisión de ese voto.

Las principales teorías que se ocuparon de estudiar el comportamiento electoral lo hicieron desde planteamientos diversos que ponían en el centro del análisis elementos de diferente naturaleza, algunos de carácter sociológico o estructural —Escuela de Columbia— relacionados con la clase, la religión, la ocupación, los ingresos, etc. pusieron en las relaciones de grupo el origen de la decisión de voto; otros pusieron de relieve la incidencia que las variables de índole política y de naturaleza psicológica —Escuela de Michigan— como la identificación partidista o la orientación y la percepción de los temas (*issues*) tenían en el comportamiento de voto. Una tercera vía de explicación, la Teoría de la Elección Racional, iniciada por los trabajos de Downs, identificaba elementos de carácter económico en las decisiones del voto, ligadas al cálculo de coste-beneficios para el votante, que lo situaba en una dimensión de máxima racionalidad ante su comportamiento político.

A partir de esos tres enfoques, el estudio sobre el comportamiento electoral de los votantes se ha ido desarrollando en estas tres direcciones, en muchos casos complementándose con la introducción de variables nuevas que venían a reforzar cada una de estas visiones. La influencia del liderazgo o de las campañas se incorporaron en los análisis sobre el voto, además de otros elementos, más propios de la teoría de la elección racional, como el nivel de conocimiento y de información política que posee el votante, con la finalidad de conocer la importancia que pueden llegar a tener en la comprensión de su decisión del voto.

No pretendemos en este capítulo entrar a profundizar en los diferentes planteamientos teóricos y analíticos, ni hacer un repaso exhaustivo de los diversos estudios que se han ido sucediendo a lo largo de los años, nuestro interés se centra exclusivamente en plantear diversos modelos de explicación del voto que pongan en primer plano el peso de las variables fundamentales y que nos permitan comprender lo que está sucediendo en Cataluña. Hace tiempo que mantenemos que la cada vez mayor incidencia de los medios de comunicación en la política está cambiando los pesos explicativos de los componentes de voto y que por ello, algunos de los elementos que estaban tradicionalmente detrás de las explicaciones de voto son ahora sólo un recurso fácil cuando no sabemos explicar el contundente dinamismo de la política de nuestro tiempo.

Como veremos en las páginas siguientes, los modelos utilizados para el análisis de los componentes del voto para cada uno de los partidos políticos en Cataluña, ponen de relieve el importante peso explicativo de las variables políticas, fundamentalmente, de la simpatía, entendida como la variable de la identificación partidista, y del proceso independentista, que como veremos en el capítulo sobre la identidad tiene una componente claramente identitaria. Otros componentes como el liderazgo se hacen relevantes sobre todo a través de la gestión que los líderes hacen del proceso o de la posición que mantienen respecto a él. Al mismo tiempo, estos modelos presentados para la explicación del voto, van a mostrar la escasa relevancia de los factores socio-demográficos o de carácter más contextual.

En un contexto tan singular como el de estas elecciones catalanas, y dónde la polarización de las posiciones de los partidos y de los votantes gira fundamentalmente en torno al proceso de independencia, resulta especialmente significativa la influencia predominante de las variables políticas, lo que nos invita a avanzar en la lectura endógenamente política de la construcción de la decisión de voto, e incluso a pensar que los posicionamientos de los electores respecto a los *cleavages* son también posiciones políticamente construidas, tal y como hemos visto en otros capítulos de este libro.

2. ELEMENTOS QUE HAN ESTRUCTURADO EL VOTO EN ESTAS ELECCIONES

Las elecciones autonómicas de 2015, como ya se ha expuesto, se plantearon claramente como unas elecciones de carácter plebiscitario, unas elecciones de cambio articuladas en torno a una cuestión, la continuidad del proceso independentista iniciado en 2007, como bien se ha expuesto en diferentes capítulos de esta obra colectiva. Dada la importancia de este tema, no sería posible hablar de la composición del voto a los diferentes partidos en estos comicios sin aludir a cómo este tema influye en dicha composición, condicionando los discursos y estrategias de los distintos partidos, así como también la ubicación de los votantes en torno a dos posiciones claramente enfrentadas, a favor o en contra del proceso independentista.

Gráfico I. Dispersión en el eje ideológico - eje identitario de quienes están a favor y en contra del proceso independentista

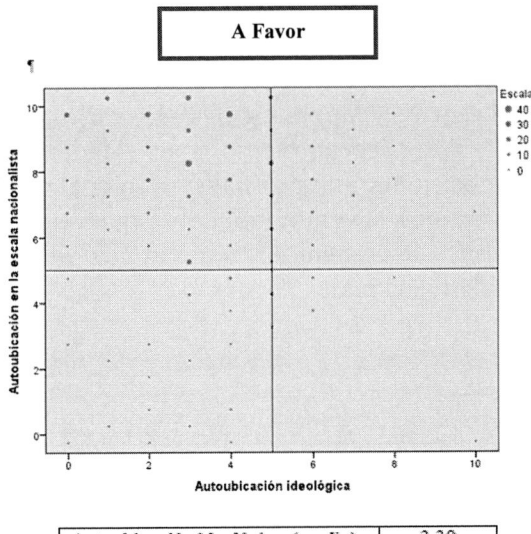

| Autoubicación ideológica (media) | 3,39 |
| Autoubicación nacionalista (media) | 7,85 |

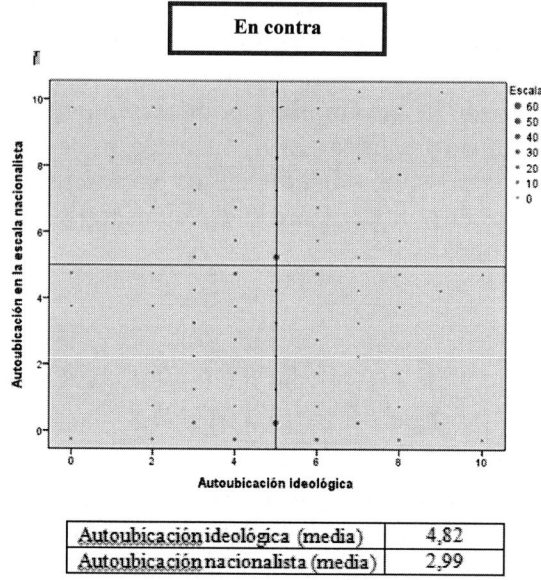

En contra	
Autoubicación ideológica (media)	4,82
Autoubicación nacionalista (media)	2,99

Fuente: Elaboración propia a partir de datos del *Estudio Postelectoral Elecciones Autonómicas en Cataluña 2015*

El Gráfico I muestra la ubicación de los votantes en el espacio bidimensional formado por los dos *cleavages* clásicos —ideológico e identitario— en función de si se manifiestan a favor o en contra del proceso independentista[1]. Como se puede observar si bien en el caso de los votantes que se manifiestan a favor la ubicación está mucho más definida en términos identitarios e ideológicos (nacionalismo de izquierda, fundamentalmente); en el caso de la ubicación de aquellos que se manifiestan en contra, la dispersión es mucho más notable, si bien podríamos decir que la tendencia es hacia el centro de ambas escalas[2]. En varios capítulos de este libro se ha hecho referencia a la tendencia a la homogeneidad del nacionalismo y a la heterogeneidad de las posiciones no nacionalistas, lo cual se muestra claramente en el Gráfico que presentamos, sin embargo, habrá que ver si esta homogeneidad es sólo espacial o también de contenidos, tema al cual se dedica una parte del capítulo sobre la identidad nacional.

---

[1]   El porcentaje de encuestados que se manifiestan a favor del proceso independentista representan el 49,5% del total de la muestra, mientras que los que se manifiestan en contra representan el 44% y un 6,5% Ns/Nc al respecto.

[2]   Si completamos esta información con la contenida respecto a la ubicación de los diferentes tipos de votantes que se recoge en el capítulo 6 de este libro, tendremos una idea más nítida respecto al comportamiento de los diferentes electores en el espacio de competición.

Si tenemos en cuenta el voto expresado por ambos grupos de votantes (Tabla I), podemos comprobar algunas cuestiones que se podrían derivar en gran medida de los anteriores Gráficos. Si en el caso de aquellos que afirman posicionarse a favor del proceso independentista son fundamentalmente votantes de Junts pel Sí y la CUP, lo que claramente nos remite a la concentración en el espacio bidimensional del que hablamos anteriormente y que ha sido ampliamente analizado en los capítulos 5 y 6; en el caso de quienes se posicionan en contra del proceso, la dispersión se muestra con claridad a través de la opción de voto que eligen ese grupo de catalanes, tratándose en su mayoría de votantes de C's, PSC, CatSíQueEsPot y PP. De este modo, mientras en el caso de los que se posicionan a favor del proceso independentista dos partidos agrupan al 87% de los votantes, en el caso de los que están en contra, los dos partidos más votados suman sólo el 59,2% de los votos. Casi 30 puntos que dan muestra de la concentración de voto en las filas nacionalistas y que sin duda es producto de la concentración de partidos en la coalición JxSí, pero también del realineamiento de los electores que han alterado sus posiciones tradicionales para seguir a la nueva coalición. Si a esto le sumamos la aparición de nuevos partidos de ámbito estatal en la competición entenderemos fácilmente la concentración de un espacio y la fragmentación del otro.

Tabla I. Voto directo en 2015 según posicionamiento en torno al proceso independentista

	A Favor	En Contra
JxSí	71,2	2,4
C's	0,8	38,2
PSC	1,2	21,0
PP	0,3	11,1
CUP	15,8	1,2
CatSíQueEsPot	4,5	11,3
UDC	0,1	2,9
Otros	0,3	0,5
Ns/Nc	5,8	9,5
Total	100,0	100,0

Fuente: Elaboración propia a partir de datos del *Estudio Postelectoral Elecciones Autonómicas en Cataluña 2015*

3. ANÁLISIS DE LOS COMPONENTES DEL VOTO EN LAS ELECCIONES CATALANAS DE 2015

Como hemos mencionado en líneas precedentes, abordamos en este trabajo el análisis de los componentes de voto, es decir, de aquellos elementos que han influido en la conformación del comportamiento de voto a las formaciones que han obtenido representación parlamentaria en las Elecciones Autonómicas en Cataluña de 2015. Es abundante la literatura que ha abordado, tanto desde un punto de vista teórico como empírico, los elementos que influyen en la decisión de voto de los electores, que han ido abordando cómo esos diferentes elementos o componentes impactan sobre el comportamiento electoral de los votantes y como dicho impacto puede variar en diferentes momentos espacio-temporales. En este sentido, vamos a mostrar en las siguientes líneas qué elementos hemos utilizado para nuestro análisis a fin de analizar cuáles son los que han incidido en la decisión de voto de los electores catalanes y cuál es el peso que cada uno de ellos ha tenido en función de los diferentes partidos, con la intención de encontrar patrones que nos permitan aportar evidencia empírica de interés en este terreno. Es necesario tener en cuenta, como ya se ha avanzado en líneas precedentes y en otros capítulos de este libro, que éstas son unas elecciones peculiares, unas elecciones de cambio, que han introducido una importante tensión, casi una fractura, que se ha reflejado tanto en la campaña como en los resultados obtenidos y que adelantándonos a lo que expondremos a continuación, por descontado, esta fractura que ha definido que los que no estaban a favor del proceso no podían tener posiciones identitarias ha estado presente en el comportamiento electoral de los ciudadanos catalanes.

Para llevar a cabo el análisis hemos considerado oportuno optar por el planteamiento de modelos lineales generalizados con función de enlace *logit* para cada uno de los partidos o formaciones políticas. En los seis modelos que se presentarán a continuación, las variables dependientes, el voto a cada una de las seis formaciones que han obtenido representación parlamentaria —Junts pel Sí, C's, PSC, CatSíQueEsPot, CUP y PP—, han sido construidas a partir de la variable de expresión directa de voto existente en la base de datos, creándose para ello seis variables dicotómicas o *dummy*[3]. Como variables independientes que han sido consideradas inicialmente en los seis modelos, se encuentran tanto componentes tradicionales del voto, así como variables relacionadas con los elementos o aspectos de la campaña electoral, variables socio-demográficas y variables de carácter contextual. Posteriormente y en base a los presupuestos estadísticos se han ido especificando los modelos iniciales hasta obtener los modelos definitivos que presentaremos y analizaremos a continuación.

Como expresión de los componentes tradicionales del voto se han utilizado las variables (ver Tabla II):

a) *Simpatía por el partido o formación política*, variable que se entiende en el sentido de identificación partidista, tal y como la concibió la Escuela de Michigan

---

[3] La construcción de esta variable permite aislar a los votantes de este partido, donde se asume la existencia del evento o acontecimiento, en este caso, voto al partido X en las recientes elecciones europeas, con el valor 1; y viceversa, la no existencia del acontecimiento, en este caso, votar a cualquier otra candidatura distinta del partido X, con el valor 0.

(Campbell, et al., 1960) (Converse, 1972). Se ha decidido tener en cuenta esta variable en el análisis porque "el énfasis en la identificación partidista ha sido durante mucho tiempo primordial en los estudios electorales —siendo vista como una fuerza estabilizadora a largo plazo, como la variable más importante para la explicación del voto por sí sola, así como fuerza central alrededor de la cual los individuos construyen sus preferencias políticas" (Kirkpatrick, Lyons y Fitzgerald, 1975: 252).

b) *Liderazgo*, representado por las valoraciones de los líderes catalanes y nacionales de cada formación, una importancia la de esta variable que fue destacada tanto por la denominada Teoría de los Rasgos como posteriormente por la Escuela Behavioralista.

Tabla II. Variables independientes incluidas inicialmente en los modelos de regresión logística planteados

	Variables	Operacionalización
Variables contextuales	Valoración de la situación política actual de Cataluña	Variable ordinal tipo Likert (muy buena, buena, mala o muy mala)
	Valoración de la situación económica actual de Cataluña	Variable ordinal tipo Likert (muy buena, buena, mala o muy mala)
	Evolución de la situación política de Cataluña	Variable ordinal tipo Likert (mejorará, continuará igual o empeorará)
	Evolución de la situación económica de Cataluña	Variable ordinal tipo Likert (mejorará, continuará igual o empeorará)
Liderazgo	Valoración líderes políticos catalanes (A. Mas, O. Junqueras, I. Arrimadas, M. Iceta, Ll. Rabell, X. Albiol y A. Baños)	Variables de escala 0-10 (0 mínima valoración, 10 máxima valoración)
	Valoración líderes políticos nacionales (M. Rajoy, P. Sánchez, A. Rivera y P. Iglesias)	Variables de escala 0-10 (0 mínima valoración, 10 máxima valoración)
Identificación partidista	Simpatía por cada una de las formaciones con representación parlamentaria (Junts pel Sí, CiU/CDC, ERC, C's, PSC, CatSíQueEsPot, PP y CUP)	Variables *dummy* (1 simpatizante, 0 no simpatizante) recodificada a partir de la variable original
Ideología política	Autoubicación en la escala ideológica (izq.-dcha.)	Variable de escala 0-10 (0 izquierda, 10 derecha)
	Ubicación en la escala nacionalismo - no nacionalismo	Variable de escala 0-10 (0 no nacionalismo, 10 nacionalismo)
	Ubicación en la escala Moreno	Variable ordinal
Variables socio - demográficas	Sexo	Variable *dummy* (1 ser hombre, 0 ser mujer)
	Edad	Variable de intervalo
	Nivel de estudios	Variable ordinal
	Nivel de ingresos	Variable ordinal

Variables		Operacionalización
Campaña electoral	Valoración de la campaña de cada partido o formación (Junts pel Sí, C's, PSC, CatSí-QueEsPot, PP y CUP)	Variables de escala 0-10 (0 mínima valoración, 10 máxima valoración)
	Valoración de la campaña de los líderes catalanes (A. Mas, O. Junqueras, I. Arrimadas, M. Iceta, Ll. Rabell, X. Albiol y A. Baños)	Variables de escala 0-10 (0 mínima valoración, 10 máxima valoración)
	Valoración de la campaña de los líderes nacionales (M. Rajoy, P. Sánchez, A. Rivera y P. Iglesias)	Variables de escala 0-10 (0 mínima valoración, 10 máxima valoración)
Proceso Independentista	Posición del entrevistado hacia el proceso independentista (A favor o En contra)	Variables *dummy* (1 a favor/en contra, 0 a favor/en contra)
	Valoración de la gestión del proceso por A. Mas y por O. Junqueras	Variables de escala 0-10 (0 muy mal, 10 muy bien)
	Valoración de la posición ante el proceso independentista (C's, PSC, PP, Gobierno Central, M. Rajoy, P. Sánchez, A. Rivera y P. Iglesias)	Variables de escala 0-10 (0 muy mal, 10 muy bien)
Gestión Gobierno Autonómico	Valoración de la gestión de A. Mas al frente del Gobierno de la Generalitat	Variables de escala 0-10 (0 muy mal, 10 muy bien)
	Valoración de la labor de oposición en el Gobierno de la Generalitat (C's, PSC y PP)	Variables de escala 0-10 (0 muy mal, 10 muy bien)
Corrupción clase política	Grado de corrupción de los partido políticos catalanes	Variables de escala 0-10 (0 mínimo nivel de corrupción, 10 máximo nivel de corrupción)
	Grado de corrupción de los partido políticos españoles	Variables de escala 0-10 (0 mínimo nivel de corrupción, 10 máximo nivel de corrupción)

Fuente: Elaboración propia a partir de datos del *Estudio Postelectoral Elecciones Autonómicas en Cataluña 2015*

c) *Ubicación ideológica en la escala izquierda-derecha* y *ubicación en el eje nacionalista - no nacionalista*. La importancia de la ideología como única dimensión, o en consideración con otras dimensiones como el eje nacional, ha sido puesta en valor como un elemento para la creación de una visión o imagen sobre la sociedad (Sánchez-Cuenca, 2003) o para la comprensión de la política (Poole y Rosenthal, 1991), e incluso, como guía para la conformación de opiniones ante el exceso y coste de obtener información (Downs, 1954). En este sentido se ha tenido también en cuenta la utilización de la denominada "escala Moreno" (Moreno, 1988), cuya utilización en estudios de comportamiento de voto es habitual, como lo es su inclusión en los estudios electorales en nuestro país.

d) *Variables socio-demográficas*, recordemos en este sentido, que los primeros estudios sobre comportamiento electoral llevados a cabo por los autores pertenecientes a la Escuela de Columbia (Lazarsfeld, P. et al., 1944) (Berelson, B. et al., 1954), así como estudios posteriores (Verba, Scholzman y Brady, 1995), pusieron en valor estas variables como determinantes del voto a los diferentes partidos.

e) *Variables contextuales*. Se han tenido en cuenta las valoraciones de las situaciones actuales, económica y política, de Cataluña; así como en su visión prospectiva, la evolución de ambas de cara al futuro. La importancia de las cuestiones de carácter económico en el voto han sido puestas de relieve en diferentes estudios sobre voto económico (Key, 1966) (Fiorina, 1981).

f) *Variables campaña electoral*. Como variables relativas a la campaña electoral únicamente se han tenido en cuenta las valoraciones de las campañas realizadas por los diferentes partidos, por los líderes políticos catalanes y por los líderes políticos nacionales; con el objetivo de valorar su impacto sobre la decisión de voto, el cual ha sido abordado desde diferentes ángulos dando lugar a multitud de trabajos, desde mediados de los años 40 del pasado siglo (Lazarsfeld, Berelson y Gaudet, 1944) (Campbell, Gurin y Miller, 1954) (Klapper, 1960) (Converse, 1966) (Finkel, 1993) (Campbell, 2000).

g) *Variables coyunturales sobre la situación del país, variables sobre el procés*. Dada la importancia ya mencionada que el proceso de independencia comenzado años atrás ha tenido sobre estos comicios, hasta el punto de que han sido interpretados en clave plebiscitaria, se han incluido algunas variables al respecto. Una de ellas es la posición que sobre este proceso manifiesta el entrevistado, así como las valoraciones de la gestión o posición ante el mismo que han tenido los principales actores políticos.

h) *Variables gestión Gobierno Autonómico*. La importancia de la gestión gubernamental es un elemento que ha sido habitualmente considerado para el análisis del comportamiento electoral, por lo que también han sido tenidas en cuenta en este análisis algunas variables relativas a esta cuestión.

i) *Variables sobre corrupción de la clase política*. El Estudio Postelectoral que sirve de base para esta obra es sin lugar a dudas muy exhaustivo y entre algunas de las cuestiones que aborda, se encuentra un bloque dedicado al estudio de la corrupción en la clase política. Atendiendo al hecho de que en los últimos tiempos han aparecido numerosos casos de corrupción en las filas de las diferentes formaciones políticas tanto catalanas como nacionales, se ha considerado oportuno incluir en este análisis la valoración del grado de corrupción[4].

---

[4]   Mencionar que si bien esta cuestión ha sido incluida inicialmente en todos los modelos, el peso y/o la importancia de otras variables, especialmente las relacionadas con el proceso independentista han hecho que finalmente estas variables relacionadas con la corrupción desaparezcan de los modelos ajustados; lo cual no resta valor a las mismas y muy probablemente este bloque de preguntas deba ser analizado de forma específica en otra ocasión.

En la Tabla III[5] se muestran los coeficientes de regresión del modelo de voto planteado para la formación Junts pel Sí[6], el cual permite explicar un 85,3% de la variabilidad del comportamiento de la variable dependiente, el voto a esta formación. La variable que genera un mayor aporte explicativo al modelo es la posición a favor del proceso independentista (3,506), el hecho de que esta variable sustituya a la importancia primordial que habitualmente suele tener en la composición del voto la identificación partidista, es comprensible teniendo en cuenta la vertebración de estos comicios en torno al proceso independentista y el liderazgo que Artur Mas ha ejercido colocándose al frente del mismo. Es importante señalar al respecto que en el fondo esta variable está recogiendo además el peso del componente identitario[7]. Respecto al liderazgo del líder de CiU/CDC éste se refleja además en el peso que la valoración de su gestión al frente del proceso tiene sobre el voto a esta formación (0,240).

En cualquier caso el peso de esta variable no impide la aparición de la identificación partidista como variable de importancia para la conformación del comportamiento de voto a esta formación. Así pues, las simpatías por los dos partidos políticos que componen esta coalición dotan de un importante aporte explicativo al modelo, siendo ligeramente superior el de la simpatía por CiU/CDC (3,412) que el de la simpatía por ERC (1,975), y siendo además su efecto, positivo en ambos casos, lo que implica un aumento de la probabilidad de votar por la coalición Junts pel Sí. La importancia de la identificación partidista en la composición del voto ha sido puesta de manifiesto tanto en los estudios clásicos (Campbell, et al., 1960) (Converse, 1972) (Kirkpatrick, Lyons and Fitzgerald, 1975), como en recientes trabajos sobre la composición del voto en elecciones autonómicas y/o generales en España (Soares y Rivera, 2012) (Lagares y Pereira, 2013) (Pereira, 2014) (Jaráiz y Barreiro, 2015) (Lagares y Pereira, 2015), por lo que no resulta extraño este resultado.

---

[5]   Para los seis modelos planteados sólo se recogen en las Tablas resumen aquellas variables, que tras el ajuste, han resultado significativas para la ecuación final de regresión. Para consultar las variables que han sido tenidas en cuenta, ver Tabla I.

[6]   La significatividad del estadístico Chi-Cuadrado para el modelo en las pruebas ómnibus realizadas, permite afirmar que el modelo planteado ayuda a explicar el voto a esta formación.

[7]   En este sentido conviene señalar que la autoubicación nacionalista es una variable que si bien no aparece en el modelo final, resulta prácticamente significativa en algunos de los ajustes; el hecho de que desaparezca vendría dado por el peso que ejerce la variable sobre el posicionamiento ante el proceso. El tratamiento de la composición del voto con otro tipo de técnicas, como los modelos de ecuaciones estructurales, podría aportar una mayor claridad respecto a esta cuestión.

Tabla III. Coeficientes de regresión logística del modelo de voto a Junts pel Sí[8]

VOTO A JUNTS PEL SÍ	
Valoración de la gestión de A. Mas al frente del proceso independentista	0,240** (0,076)
Valoración campaña O. Junqueras	0,527*** (0,105)
Valoración campaña Junts pel Sí	0,246** (0,090)
Valoración A. Baños	-0,658*** (0,093)
Posición a favor del proceso independentista	3,506*** (0,552)
Simpatía por CiU/CDC	3,412*** (0,632)
Simpatía ERC	1,975*** (0,339)
Constante	-6,207*** (0,660)
R^2 de Nagelkerke	0,853
-2log de la verosimilitud	329,500

*Los datos reflejan los coeficientes de regresión logística. Entre paréntesis figuran los errores estándar. Solo se reflejan las variables significativas en alguno de los modelos. *p<0,05, ** p<0,01, ***p<0,001.*
Fuente: Elaboración propia a partir de datos del *Estudio Postelectoral Elecciones Autonómicas en Cataluña 2015*

Completan la explicación del voto a esta formación el efecto positivo que generan la valoración de las campañas desarrolladas tanto por el líder de ERC, Oriol Junqueras como la llevada a cabo por la formación Junts pel Sí. Las variables que permite explicar el modelo pero en este caso reduciendo la probabilidad de voto a este partido son la valoración del líder de la CUP, A. Baños y la categoría de posicionamiento "únicamente catalán". Respecto a la primera de estas variables, no sorprende el sentido de su influencia, teniendo en cuenta que a pesar de que se hayan convertido en un débil apoyo de cara a la formación del actual gobierno, A. Baños no deja de representar como líder a una formación, que por su definición en términos ideológicos, dista bastante de algunos de los planteamientos defendidos por una formación como Junts pel Sí y muy especialmente por CiU/CDC.

Siguiendo con el análisis del voto a las demás formaciones, en la Tabla IV se muestra el modelo planteado y ajustado para el voto a Ciutadans. La capacidad explicativa global del comportamiento de la variable dependiente es de nuevo

---

[8] En este sentido mencionar que en el caso de Junts pel Sí y puesto que se trata de una coalición electoral, se ha tenido en cuenta la utilización de las simpatías tanto a la coalición como a los dos partidos que la conforman por separado.

elevada al igual que sucedía en el caso del modelo anterior, concretamente de un 72,5%, lo que permite hablar de buenos modelos en ambos casos[9]. De forma similar a lo observado en el caso del voto a Junts pel Sí, las dos variables que ejercen un mayor peso explicativo sobre el modelo son la simpatía por la formación y la posición —en este caso en contra del proceso independentista—. Sin duda la importancia del proceso y la actitud de los diferentes actores implicados en el mismo siguen teniendo una gran relevancia en la explicación del voto.

Tabla IV. Coeficientes de regresión logística del modelo de voto a C's

VOTO A C's	
Valoración situación económica actual de Cataluña	0,459** (0,161)
Valoración de la gestión de A. Mas al frente del Gobierno de Cataluña	-0,395*** (0,074)
Valoración de la labor de oposición en el Gobierno de Cataluña de C's	0,198** (0,073)
Valoración campaña de C's	0,216** (0,074)
Posición en contra del proceso independentista	2,541*** (0,596)
Edad del entrevistado	-0,024** (0,008)
Simpatía por C's	2,957*** (0,351)
Constante	-5,174*** (0,911)
R^2 de Nagelkerke	0,731
-2log de la verosimilitud	390,297

*Los datos reflejan los coeficientes de regresión logística. Entre paréntesis figuran los errores estándar. Solo se reflejan las variables significativas en alguno de los modelos. *p<0,05, ** p<0,01, ***p<0,001.*
Fuente: Elaboración propia a partir de datos del *Estudio Postelectoral Elecciones Autonómicas en Cataluña 2015*

Resulta significativo el peso que en este modelo ejerce la variable relacionada con la gestión de A. Mas al frente del Gobierno de la Generalitat en estos últimos años, generando un efecto negativo sobre el voto a la formación naranja; un efecto al que también se une, si bien en este caso en sentido positivo, la valoración de la labor de oposición que Ciutadans ha desarrollado en la pasada legislatura ante dicho ejecutivo.

---

[9]   Al igual que sucedía con el modelo planteado para Junts pel Sí, la significatividad asociada al Chi-Cuadrado del modelo en la prueba ómnibus, permite afirmar que las variables independientes ayudan a explicar el evento, en este caso, el voto a C's. Esta situación se repetirá para los modelos planteados para explicar el voto a las restantes formaciones, por lo que no volveremos sobre esta consideración.

Tenemos que señalar el efecto positivo que la valoración de la campaña desarrollada por la formación estaría ejerciendo sobre la probabilidad de voto a la misma. Otras variables de importancia para la explicación del voto a C's son la valoración de la situación económica actual de Cataluña con un efecto positivo y la edad del entrevistado. Respecto a esta última la relación es inversa, por lo que serían los más jóvenes los que mayor probabilidad muestran de ser votantes de este partido; resulta además poco habitual como ya se ha puesto de manifiesto la importancia de las variables sociodemográficas en la explicación del voto, por lo que en este caso es su aparición, si cabe, más relevante.

Tabla V. Coeficientes de regresión logística del modelo de voto al PSC

VOTO A PSC	
Valoración de la posición del PSC en relación al proceso independentista	-0,531*** (0,148)
Valoración de la posición del Gobierno central en relación al proceso independentista	0,348** (0,129)
Valoración de la posición de M. Rajoy en relación al proceso independentista	-0,803*** (0,144)
Valoración de la posición de P. Sánchez en relación al proceso independentista	0,799*** (0,187)
Valoración de la campaña del PSC	0,494*** (0,117)
Posición en contra del proceso independentista	4,038*** (0,904)
Simpatía por PSC	4,333*** (0,508)
Nivel de ingresos	-0,376** (0,127)
Tan español como catalán	0,926* (0,438)
Constante	-8,303*** (1,269)
R^2 de Nagelkerke	0,754
-2log de la verosimilitud	168,397

* Los datos reflejan los coeficientes de regresión logística. Entre paréntesis figuran los errores estándar. Solo se reflejan las variables significativas en alguno de los modelos. *p<0,05, ** p<0,01, ***p<0,001.
Fuente: Elaboración propia a partir de datos del *Estudio Postelectoral Elecciones Autonómicas en Cataluña 2015*

En la Tabla V se presenta el modelo especificado para el voto al PSC, las variables incluidas finalmente consiguen explicar un elevado porcentaje de variabilidad, concretamente un 75,4%. De forma similar a lo que podíamos observar en el caso del modelo planteado para Ciutadans o Junts pel Sí, de nuevo la simpatía, reflejo de la identificación partidista, se convierte en la variable explicativa fundamental del voto a esta formación, algo que es sin duda muy lógico teniendo en cuenta el importante descenso que ha experimentado esta formación en términos de votos desde el año 2006, lo que provoca que sean los votantes más identificados con la misma, los que estén en este momento dándole su apoyo.

A pesar de la importancia de la simpatía, la importancia de la posición ante el proceso, en este caso en contra, sigue siendo una variable de gran relevancia para la explicación; unida al posicionamiento de los diferentes actores ante el mismo. Así en este sentido es importante señalar el efecto negativo que ejercería la valoración de la posición de M. Rajoy en relación al proceso. Pero si una cuestión es relevante en lo tocante al proceso independentista y a los actores implicados es la contraposición que dos variables ejercen en el voto al PSC: el efecto positivo de la valoración de la posición del líder nacional del PSOE, Pedro Sánchez en relación al proceso, frente al efecto negativo que ejercería la valoración de la posición del PSC como partido ante el proceso. Este hecho pone de manifiesto la debilidad e incluso cierta indefinición que la formación, en su versión autonómica, ha tenido ante el proceso independentista; lo que sin lugar a dudas parece no convencer a sus votantes. Los actuales votantes del PSC tienen una lectura negativa de la postura del PSC respecto del proceso y sin embargo tienen una magnífica valoración de la posición de Pedro Sánchez en la campaña, lo cual nos muestra, una vez más, que también a nivel de los votantes el PSC ha perdido su alma más identitaria, y tendrá que repensar para el futuro si esta es la posición a la que aspira o si quiere recuperar la que tuvo históricamente.

Se completa la explicación de este modelo con el efecto de dos variables de carácter más contextual, por un lado la valoración de la campaña del PSC con un efecto positivo sobre el voto a este partido y el nivel de ingresos. De nuevo una variable socio-demográfica resulta en este análisis significativa, en este caso un mayor nivel de ingresos reduciría las probabilidades de apoyo a la formación socialista.

Mención aparte, merece la influencia que ejerce una de las categorías identitarias, concretamente, el sentimiento "tan español como catalán", que aunque con menor peso que el resto de variables se desvela como significativa para el modelo, mostrando un efecto positivo sobre la probabilidad de voto a la formación socialista catalana.

En la Tabla VI se muestra el modelo planteado para analizar el voto a una formación como CatSíQueEsPot que irrumpe en el contexto autonómico a partir de estas elecciones, un modelo que como podemos comprobar y dada la escasa trayectoria de este partido es menos parco que los presentados anteriormente. El porcentaje global de explicación del modelo es notable si bien no tan elevado como el que se obtuvo para los partidos o formaciones ya analizados ($R^2 = 0,620$). En este caso, la simpatía continúa siendo el primer componente en importancia para la explicación del modelo, al igual que en el caso de Junts pel Sí y C's. De nuevo la posición ante el proceso independentista se presenta como la segunda variable en importancia, ejerciendo un efecto positivo sobre el voto a esta formación, pero desde la posición de "estar en contra del proceso", al igual que en el caso de C's o PSC. Esto último permite afirmar que los electores que apoyaron a esta formación están en contra del proceso independentista, lo cual apunta a una discrepancia con la ambigüedad de los líderes, que tanto desde la ejecutiva nacional como autonómica han generado un discurso a favor de este proceso y más concretamente, a favor del derecho a la autodeterminación. Pero esta aparente contradicción también apunta en otra dirección: que los electores de CatSíQueEsPot han votado a pesar de tener una postura contraria al proceso, pero han permitido la ambigüedad de sus líderes por entender que esto generaba posiciones de encuentro en el complejo panorama catalán (una posición por otra parte en la que se ha encontrado el PSC muchas veces).

Al igual que sucedía en modelos anteriores el peso del proceso no sólo se refleja en el posicionamiento del elector ante el mismo, sino también en otras variables como el efecto negativo que ejercen tanto la valoración de la gestión de A. Mas al frente del mismo y la posición del gobierno central. En este sentido, los votantes que finalmente dieron su voto a CatSíQueEsPot estarían censurando el posicionamiento de los principales actores del proceso y especialmente, el nivel o grado de polarización que articularon en torno al mismo.

Tabla VI. Coeficientes de regresión logística del modelo de voto a CatSíQueEsPot

	VOTO A CatSíQueEsPot
Valoración de la gestión de A. Mas al frente del proceso independentista	-0,368*** (0,090)
Valoración de la posición del Gobierno central en relación al proceso independentista	-0,242* (0,110)
Valoración de la campaña de CatSíQueEsPot	0,275* (0,132)
Valoración de Ll. Rabell	0,465*** (0,146)
Autoubicación ideológica	-0,591*** (0,145)
Autoubicación nacionalista	-0,199* (0,092)
Edad	0,047*** (0,014)
Posición en contra del proceso independentista	1,400* (0,575)
Simpatía por Podemos	2,072*** (0,443)
Constante	-5,098*** (1,251)
R^2 de Nagelkerke	0,620
-2log de la verosimilitud	178,419

*Los datos reflejan los coeficientes de regresión logística. Entre paréntesis figuran los errores estándar. Solo se reflejan las variables significativas en alguno de los modelos. *p<0,05, ** p<0,01, ***p<0,001.*
Fuente: Elaboración propia a partir de datos del *Estudio Postelectoral Elecciones Autonómicas en Cataluña 2015*

El componente de liderazgo se vislumbra también en este modelo, de la mano de la valoración del líder de la formación en Cataluña, Lluís Rabell, ejerciendo un efecto positivo sobre la explicación de voto. El efecto positivo de la valoración de la campaña llevada a cabo por este partido y la edad, se perfilan también como variables de interés.

Es importante también hacer una puntualización sobre la presencia de la ideología como variable explicativa en este modelo, puesto que es únicamente en este caso y en el modelo ajustado para el PP, donde permanece como variable significativa. Entendemos, como ya se ha expuesto en líneas precedentes que el hecho de que estemos ante una formación de reciente aparición, especialmente en el ámbito autonómico, provoca que elementos tradicionales del voto como la identificación y la ideología se complementen para dar forma a este modelo; dado que son muchos los votantes a este partido que provienen de otras formaciones y que por lo tanto, no se sienten o no expresan todavía su simpatía por la nueva formación. En este caso, sería la ideología lo que explicaría el voto de estos ciudadanos y más concretamente la ideología de izquierdas. A esta explicación se uniría el efecto que el posicionamiento identitario tiene en este modelo, con el efecto negativo que la variable autoubicación nacionalista estaría ejerciendo.

Finalmente, un apunte para hacer referencia al valor explicativo de la edad que, aunque muy limitado, nos muestra que el componente de los votantes en Cataluña no son los jóvenes que votan a Podemos en el resto de España, y ello porque en Cataluña los jóvenes de izquierdas del perfil político y sociológico de Podemos se encuentran en los partidos nacionalistas.

En cuanto al modelo ajustado para la formación que encabeza Xavier García Albiol lo primero es hacer referencia a la parquedad del mismo, una sencillez que guarda relación con el alto nivel de identificación de los votantes que apoyan al PP. El nivel de explicación global del modelo es de un 79,4% respecto del comportamiento de voto a este partido, en función de las variables independientes que han sido incluidas en el modelo.

Tabla VII. Coeficientes de regresión logística del modelo de voto a PP

VOTO A PP	
Valoración situación económica actual de Cataluña	-1,623*** (0,400)
Valoración campaña de Albiol	0,699*** (0,162)
Valoración A. Rivera	-0,433** (0,168)
Autoubicación ideológica	0,436** (0,170)
Simpatía por PP	5,644*** (0,749)
Constante	-4,643*** (1,286)
R^2 de Nagelkerke	0,794
-2log de la verosimilitud	95,263

** Los datos reflejan los coeficientes de regresión logística. Entre paréntesis figuran los errores estándar.
Solo se reflejan las variables significativas en alguno de los modelos. *p<0,05, ** p<0,01, ***p<0,001.*
Fuente: Elaboración propia a partir de datos del *Estudio Postelectoral Elecciones Autonómicas
en Cataluña 2015*

Este modelo es el único en el cual las variables relacionadas con el proceso independentista no resultan, tras las especificaciones, significativas. Nos encontramos ante un tipo de votante que habría definido su voto en torno a cuatro componentes clásicos: simpatía, liderazgo, ideología y contexto. Así pues, la simpatía se perfila como la variable que genera, con mucho, un mayor peso explicativo sobre el modelo (β = 4,644).

La valoración de la situación económica actual de Cataluña tiene un importante aporte sobre la explicación del modelo, si bien en este caso con un efecto claramente negativo, a medida que empeora la visión que se tiene sobre la misma, aumentan las probabilidades de apoyar a este partido.

Por último, el liderazgo cierra la explicación de voto encarnado en dos variables: por un lado, la valoración que los votantes realizan de la campaña desarrollada por el candidato popular en Cataluña, Xavier García Albiol; y por otro, el efecto negativo que la valoración como líder de A. Rivera estaría ejerciendo sobre la decisión de los votantes populares. En cualquier caso, ambos pesos son notablemente menores que los de las anteriores variables, al igual que el ejercido por la ideología (β = 0,436).

Tabla VIII. Coeficientes de regresión logística del modelo de voto a CUP

	VOTO A CUP
Valoración campaña A. Baños	0,574*** (0,191)
Valoración Mas	-0,642*** (0,085)
Posición a favor del proceso independentista	2,793*** (0,582)
Simpatía por CUP	2,781*** (0,463)
Nivel de estudios	0,336** (0,120)
Únicamente catalán	1,662*** (0,522)
Más catalán que español	1,468** (0,503)
Constante	-8,275*** (0,996)
R^2 de Nagelkerke	0,609
-2log de la verosimilitud	303,530

* Los datos reflejan los coeficientes de regresión logística. Entre paréntesis figuran los errores estándar. Solo se reflejan las variables significativas en alguno de los modelos. *p<0,05, ** p<0,01, ***p<0,001.
Fuente: Elaboración propia a partir de datos del *Estudio Postelectoral Elecciones Autonómicas en Cataluña 2015*

Para cerrar el análisis de la explicación de voto a cada uno de estos partidos, se presenta en la Tabla VIII el modelo planteado para la formación nacionalista de la CUP. Si bien no con la sencillez del modelo comentado anteriormente, nos encontramos ante un modelo sencillo que define de nuevo a un conjunto de votantes con unas características muy concretas. El nivel global de explicación del modelo (R^2 = 0,609), siendo el más bajo de los obtenidos hasta el momento, sigue manteniéndose en unos niveles que nos permiten hablar de un modelo aceptable e incluso bueno.

De forma contraria a lo observado en la explicación de voto al resto de partidos, aunque de forma muy ajustada, en la explicación de voto a esta formación el posicionamiento a favor del proceso independentista se perfila como la variable que ejerce un mayor peso explicativo sobre el conjunto del modelo (β = 2,793), seguida muy de cerca por la simpatía por el partido (β = 2,781).

El peso de la campaña electoral se refleja en la importancia que adquiere la valoración de la campaña del líder de la formación, Antonio Baños, incidiendo positivamente en la probabilidad de voto a la formación.

Respecto al liderazgo, este vendría reflejado en parte por la valoración de la campaña de Baños; pero también, aunque en sentido negativo, por la valoración de Artur Mas. A pesar de que finalmente se hayan convertido en socios de trayecto, teniendo en cuenta lo mencionado para la explicación de voto a Junts pel Sí y lo comentado para este partido hasta el momento; parece que los votantes de ambas formaciones tienen ciertos reparos respecto a su cercanía y en especial, respecto a sus líderes.

Completan la explicación de voto a esta formación, la presencia de una variable sociodemográfica, el nivel de estudios, de tal forma que a medida que aumenta el nivel de estudios del entrevistado aumentaría la probabilidad de voto por este partido. Y finalmente, resaltar la importancia de la presencia de dos de las categorías de la escala Moreno en la explicación de voto a este partido: el sentimiento como únicamente catalán o más catalán que español. Además, el efecto de ambas es muy importante sobre el modelo, estamos ante votantes claramente identificados en términos identitarios.

4. CONCLUSIONES

Del análisis realizado para cada uno de los partidos o formaciones políticas se pueden extraer algunas conclusiones generales respecto a la forma en la que los diferentes componentes del voto considerados se presentan y respecto de cuál es el peso e importancia que adquieren en las explicaciones. Antes de pasar a enunciarlas nos gustaría desatacar que la capacidad explicativa de los seis modelos ajustados, independientemente de la formación a la que hagamos referencia, es notablemente elevada con valores en todos los supuestos por encima del 60% de explicación de la variabilidad de la variable dependiente en cada caso, lo que nos permite afirmar que nos encontramos ante buenos modelos de explicación de voto.

- Los modelos explicativos planteados para el voto al PP y a la CUP son más parcos que los planteados para el resto de formaciones. Por el contrario el modelo más amplio en lo que al número de variables independientes significativas se refiere, es el modelo planteado para la formación emergente CatSíQueEsPot. En el primer caso estaríamos ante dos grupos de votantes notablemente más homogéneos, votantes claramente identificados que buscarían generar un efecto de refuerzo de sus posiciones políticas; frente a la mayor variabilidad que presentarían los votantes de la formación emergente, más dispersos y procedentes de diversos caladeros políticos. Esta idea es muy coherente con las ubicaciones espaciales de PP y de CUP, que ocupan espacios muy concentrados, muy restrictivos que referencian votantes muy homogeneizados. La amplitud del modelo de CatSíQueEsPot referencia lo que venimos manteniendo a lo largo del libro esa heterogeneidad de posiciones indefinidas que abarca aspectos diversos pero no aprieta en ninguno.

- Los seis modelos permiten constatar claramente la importancia que el proceso independentista ha tenido en la vertebración de estas elecciones, así como en la construcción de las estrategias de los diferentes partidos y formaciones y en la ubicación de los votantes en los diferentes espacios electorales. Hasta el punto que tal y como se muestra en los modelos presentados, el proceso tiene un nivel de incidencia sobre el voto semejante a la identificación partidista y muy superior a cualquier otro elemento. Una importancia la de esta cuestión, que queda patente en mayor o en menor medida según el modelo, no sólo en el posicionamiento de los votantes ante este proceso, sino también en las valoraciones que los mismos consideran de la gestión o posición que sobre el mismo han llevado a cabo los diferentes actores políticos implicados.

- Como consecuencia de esta incidencia, los resultados también permiten observar claramente el nivel de polarización que el proceso ha generado, lo que se refleja en el rechazo a los posicionamientos de los líderes entre formaciones políticamente enfrentadas, especialmente en el caso de los dos principales polos de la tensión, el presidente A. Mas y el presidente M. Rajoy o por defecto el Gobierno Central.

- El proceso se convierte en el principal factor de explicación de voto para los partidos nacionalistas, JxSí y CUP, aunque lo hace por valores mínimos sobre la identificación partidista, luego está claro que estos partidos han conseguido convertir estas elecciones en un plebiscito para sus votantes.

- Para los partidos nacionalistas, JxSí y CUP, el valor explicativo del voto en cuanto al proceso se muestra por el hecho de "estar a favor del proceso", para los no nacionalistas, C's, PSC y CatSíQueEsPot, por estar "en contra del proceso", lo cual muestra claramente la posición espacial del PSC pero también la de CatSíQueEsPot, en una indefinición que sus votantes tienen bien clara.

- Sólo en el caso del PP el proceso no aparece en los componentes de voto, porque para los votantes del PP la incidencia de la identificación partidista y su posición en el eje ideológico eclipsan su posición respecto al proceso. Lo cual quiere decir también que esos son los elementos que más los unen.

- A pesar de la importancia del proceso en la explicación de voto, la identificación partidista, se mantiene en líneas generales como el principal componente del voto a las distintas formaciones, aunque obviamente en el caso de CatSíQueEsPot la proximidad que incide es la proximidad a Podemos y el caso de JxSí, es la de CiU y ERC.

- El liderazgo se perfila también como un elemento de interés en los modelos analizados, si bien no directamente como suele suceder en otros trabajos a través de la valoración de los líderes como políticos; sino en este caso, a través de su posición como líderes en torno a la cuestión clave, el proceso independentista o de forma subsidiaria a través del papel desarrollado por el líder/es en la campaña.

- Finalmente, mencionar que si bien en otras investigaciones se ha puesto de manifiesto la escasa o nula relevancia de las variables socio-demográficas, en este caso podemos hablar de una tímida presencia de las mismas en algunos casos y con ciertas pautas: (1) la edad se hace significativa para los nuevos partidos, C's y CatSíQueEsPot (2) el nivel de ingresos para el PSC y (3) el nivel de estudios para la CUP; y finalmente, (4) aunque no se trate de una variable sociodemográfica, la valoración de la economía se hace explicativa para los partidos de derecha, C's y PP.

Tabla IX. Tabla resumen modelos de regresión voto a partidos

	JxSí	CSQEP	C's	PSC	PP	CUP
Valoración gestión de A. Mas al frente del proceso independentista	0,240** (0,076)	-0,368*** (0,090)	-0,395*** (0,074)			
Valoración posición del Gobierno central en proceso independentista		-0,242* (0,110)		0,348** (0,129)		
Valoración posición PSC en proceso independentista				-0,531*** (0,148)		
Valoración posición M. Rajoy en proceso independentista				-0,803*** (0,144)		
Valoración posición de P. Sánchez en proceso independentista				0,799*** (0,187)		
Valoración labor de oposición en el Gobierno de Cataluña de C's			0,198** (0,073)			
Valoración situación económica actual de Cataluña			0,459** (0,161)		-1,623*** (0,400)	
Valoración campaña O. Junqueras	0,527*** (0,105)					
Valoración campaña A. Baños	-0,658*** (0,093)					0,574*** (0,191)
Valoración campaña X.G. Albiol					0,699*** (0,162)	
Valoración campaña Junts pel Sí	0,246** (0,090)					
Valoración campaña C's			0,216** (0,074)			
Valoración campaña PSC				0,494*** (0,117)		
Valoración campaña CSQEP		0,275* (0,132)				
Valoración A. Mas						0,642*** (0,085)
Valoración de A. Rivera					-0,433** (0,168)	
Valoración de Ll. Rabell		0,465*** (0,146)				

	JxSí	CSQEP	C's	PSC	PP	CUP
Autoubicación ideológica		-0,591*** (0,145)			0,436** (0,170)	
Autoubicación nacionalista		-0,199* (0,092)				
Únicamente catalán						1,662*** (0,522)
Más catalán que español						1,468** (0,503)
Tan español como catalán				0,926* (0,438)		
Posición a favor proceso independentista	3,506*** (0,552)					2,793*** (0,582)
Posición en contra proceso independentista		1,400* (0,575)	2,541*** (0,596)	4,038*** (0,904)		
Simpatía CiU/CDC	3,412*** (0,632)					
Simpatía ERC	1,975*** (0,339)					
Simpatía C's			2,957*** (0,351)			
Simpatía PSC				4,333*** (0,508)		
Simpatía Podemos		2,072*** (0,443)				
Simpatía PP					5,644*** (0,749)	
Simpatía CUP						2,781*** (0,463)
Edad		0,047*** (0,014)	-0,024** (0,008)			
Nivel de ingresos				-0,376** (0,127)		
Nivel de estudios						0,336** (0,120)
Constante	6,207*** (0,660)	-5,098*** (1,251)	5,174*** (0,911)	-8,303*** (1,269)	-4,643*** (1,286)	-8,275*** (0,996)
R^2 de Nagelkerke	0,853	0,620	0,731	0,754	0,794	0,609
-2log de la verosimilitud	329,500	178,419	390,297	168,397	95,263	303,530

Fuente: Elaboración propia a partir de datos del *Estudio Postelectoral Elecciones Autonómicas en Cataluña 2015*

5. REFERENCIAS BIBLIOGRÁFICAS

Berelson, B., Lazarsfeld, P. y W.N. McPhee, (1954). *Voting: a study of opinion formation in a presidential campaign.* Chicago: The University of Chicago Press.

Campbell, A., Gurin, G. y W. Miller. (1954). *The voter decides.* Evanston, IL: Row, Peterson.

Campbell, A., Converse, P., Miller, W. y D. Stokes. (1960). *The American Voter.* New York: John Wiley.

Campbell, J.E. (2000).*The American campaign: U.S. presidential campaigns and the national vote*. College Station, TX: Texas A&M University Press.

Converse, P.E. (1966). "The concept of normal vote" en A. Campbell, P.E. Converse, W.E. Miller y D.E. Stokes (Eds.), *Elections and the political order*. New York: John Wiley.

Converse, P.E. (1972). "Changes in the American electorate" en Campbell, A. y P.E. Converse. *The human meaning of social change*. New York: John Wiley, pp. 263-331.

Fiorina, M.P. (1981). *Retrospective voting in American national elections*. New Haven, CT: Yale University Press.

Jaráiz, E. y X.L. Barreiro. (2015). "El perfil de los votantes y los componentes del voto en las Elecciones al Parlamento Europeo 2014". San Sebastián: XII Congreso Español de Ciencia Política y de la Administración.

Key, V.O. 1966. *The responsible electorate: rationality in presidential voting 1936-1960*. Cambridge: Belknap Press of Harvard University Press.

Kirkpatrick, S.A., Lyons, W. y Fitzgerald, M.R. 1975. "Candidates, parties and issues in the American electorate: two decades of change". American Politics Quarterly, 3, 247-83.

Lagares, N. y M. Pereira. (2013). "Los componentes del voto en las elecciones gallegas". Sevilla: XI Congreso AECPA. Área IV.

Lagares, N. y M. Pereira. (2015). "De movimiento a partido: el caso de Podemos", San Sebastián, XII Congreso AECPA.

Lago, I., Montero, J.R. y Torcal, M. (2007). "Introducción: modelos de voto y comportamiento electoral". En J.R. Montero, I.Lago y M. Torcal. *Elecciones generales 2004*. Madrid: Centro de Investigaciones Sociológicas, 15-29.

Lazarsfeld, P., Berelson, B. y H. Gaudet. 1944 (1968).The People's Choice. How the voter makes up his mind in a presidential campaign (3nded.).New York: Columbia University Press.

Pereira López, M. 2014. "Las campañas electorales en Galicia en las elecciones generales de 2011 y en las elecciones autonómicas de 2012". Santiago de Compostela: III Congreso Internacional de Comunicación Política y Estrategias de Campaña.

Lobo, M.C. (2006). "Short-term voting determinants in a young democracy: leader effects in Portugal in the 2002 legislative elections". Electoral Studies, 25: 270-286.

Lobo, M.C. (2007). Partidos y líderes: organizaçao partidária y voto en el contexto europeu. En Fraile, M.C., Lobo, M.C. y P.C. Magalhaes (Org.). *Eleiçcoes y cultura política*. Lisboa: Imprensa de Ciências Sociais: 253-273.

Moreno, L. (1988), "Identificación dual y autonomía política: Los casos de Escocia y Cataluña", *Revista Española de Investigaciones Sociológicas*, 42 (88): 155-174.

Pereira, M. y P. Soares. (2012). "Los componentes del voto y la definición de estrategias en procesos electorales autonómicos: el caso gallego". Madrid: Congreso ALICE, julio.

Soares, P. y J.M. Rivera. (2012). "¿Qué valoran los electores persuadibles en la decisión de votar?". *Revista de Investigaciones Sociológicas*, 11 (1): 39-62.

Torcal, M., Montero, J.R. e I. Lago. (2007). Conclusiones: votantes y comportamiento electoral en España. En J.R. Montero, I. Lago, I. y M. Torcal. *Elecciones generales 2004*. Madrid: Centro de Investigaciones Sociológicas: 421-437.